Inglés

English - Spanish

Español - Inglés

HarperCollins Publishers
Westerhill Road
Bishopbriggs
Glasgow
G64 2QT
Great Britain

www.collinslanguage.com

Penguin Random House Grupo Editorial, S.A.U.
Travessera de Gràcia, 47-49
08021 Barcelona
www.diccionarioscollins.com

Sexta edición, marzo de 2015

Printed in Spain - Impreso en España

ISBN: 978-84-253-4364-3
Depósito legal: B-7381-2012

Fotocomposición:
Lingea s.r.o.

Impreso en Limpergraf S. L.,
Barberà del Vallès (Barcelona)

GC 43643

Penguin
Random House
Grupo Editorial

ÍNDICE		CONTENTS
Introducción	iv	Introduction
Abreviaturas	v	Abbreviations
La pronunciación inglesa	vi	English pronunciation
Los números	viii	Numbers
Los días de la semana	ix	Days of the week
Los meses	ix	Months
INGLÉS – ESPAÑOL	1-168	ENGLISH – SPANISH
ESPAÑOL – INGLÉS	169-308	SPANISH – ENGLISH

INTRODUCCIÓN

Estamos muy satisfechos de que haya decidido comprar este diccionario y esperamos que lo disfrute y que le sirva de gran ayuda ya sea en el trabajo, en sus vacaciones o en casa.

INTRODUCTION

We are delighted that you have decided to buy this Spanish dictionary and hope you will enjoy and benefit from using it at home, on holiday or at work.

ABREVIATURAS		ABBREVIATIONS
abreviatura	*abr*	abbreviation
adjetivo	*adj*	adjective
adverbio	*adv*	adverb
artículo	*art*	article
conjunción	*conj*	conjuction
exclamación	*excl*	exclamation
femenino	*f*	feminine
masculino	*m*	masculine
nombre, sustantivo	*n*	noun
numeral	*num*	numeral
plural	*pl*	plural
preposición	*prep*	preposition
pronombre	*pron*	pronoun
verbo	*v*	verb
verbo intransitivo	*vi*	intransitive verb
verbo transitivo	*vt*	transitive verb

LA PRONUNCIACIÓN INGLESA

VOCALES

[ɑː]	**fa**ther	entre *a* de *padre* y *o* de *noche*
[ʌ]	b**u**t, c**o**me	*a* muy breve
[æ]	m**a**n, c**a**t	con los labios en la posición de *e* en *pena* y luego se pronuncia el sonido *a* parecido a la *a* de *carro*
[ə]	fath**er**, **a**go	vocal neutra parecida a una *e* u *o* casi muda
[ɜː]	b**i**rd, h**ea**rd	entre *e* abierta y *o* cerrada, sonido alargado
[ɛ]	g**e**t, b**e**d	como en *perro*
[ɪ]	**i**t, b**i**g	más breve que en *si*
[iː]	**tea**, **see**	como en *fino*
[ɒ]	h**o**t, w**a**sh	como en *torre*
[ɔː]	**saw**, **al**l	como en *por*
[ʊ]	p**u**t, b**oo**k	sonido breve, más cerrado que *burro*
[uː]	**too**, **you**	sonido largo, como en *uno*

DIPTONGOS

[aɪ]	fl**y**, h**igh**	como en *fraile*
[aʊ]	h**ow**, h**ou**se	como en *pausa*
[ɛə]	th**ere**, b**ea**r	casi como en *vea*, pero el sonido *a* se mezcla con el indistinto [ə]
[eɪ]	d**ay**, ob**ey**	*e* cerrada seguida por una *i* débil
[ɪə]	h**ere**, h**ear**	como en *manía*, mezclándose el sonido *a* con el indistinto [ə]
[əʊ]	g**o**, n**o**te	[ə] seguido por una breve *u*
[ɔɪ]	b**oy**, **oi**l	como en *voy*
[ʊə]	p**oo**r, s**ure**	*u* bastante larga más el sonido indistinto [ə]

CONSONANTES

[b]	**b**ig, lo**bb**y	como en tumban
[d]	men**ded**	como en conde, andar
[g]	**g**o, **g**et, bi**g**	como en *grande*, *gol*
[dʒ]	**g**in, ju**dg**e	como en la *ll* andaluza y en Generalitat *(catalán)*
[ŋ]	si**ng**	como en vínculo
[h]	**h**ouse, **h**e	como la jota hispanoamericana
[j]	**y**oung, **y**es	como en *ya*
[k]	come, mo**ck**	como en caña, Escocia
[r]	**r**ed, t**r**ead	se pronuncia con la punta de la lengua hacia atrás y sin hacerla vibrar
[s]	**s**and, ye**s**	como en casa, sesión
[z]	ro**s**e, **z**ebra	como en desde, mismo
[ʃ]	**sh**e, ma**ch**ine	como en chambre *(francés)*, roxo *(portugués)*
[tʃ]	**ch**in, ri**ch**	como en chocolate
[v]	**v**alley	como *f*, pero se retiran los dientes superiores vibrándolos contra el labio inferior
[w]	**w**ater, **wh**ich	como la *u* de huevo, puede
[ʒ]	vi**s**ion	como en journal *(francés)*
[θ]	**th**ink, my**th**	como en receta, zapato
[ð]	**th**is, **th**e	como en hablado, verdad

f, *l*, *m*, *n*, *p*, t y *x* iguales que en español.

El signo ['] indica la sílaba acentuada.

LOS NÚMEROS		NUMBERS
cero	0	zero
uno	1	one
dos	2	two
tres	3	three
cuatro	4	four
cinco	5	five
seis	6	six
siete	7	seven
ocho	8	eight
nueve	9	nine
diez	10	ten
once	11	eleven
doce	12	twelve
trece	13	thirteen
catorce	14	fourteen
quince	15	fifteen
dieciséis	16	sixteen
diecisiete	17	seventeen
dieciocho	18	eighteen
diecinueve	19	nineteen
veinte	20	twenty
veintiuno	21	twenty-one
veintidós	22	twenty-two
veintitrés	23	twenty-three
treinta	30	thirty
treinta y uno	31	thirty-one
cuarenta	40	forty
cincuenta	50	fifty
sesenta	60	sixty
setenta	70	seventy
ochenta	80	eighty

noventa	90	ninety
cien	100	one hundred
ciento diez	110	one hundrend and ten
doscientos	200	two hundred
doscientos cincuenta	250	two hundred and fifty
mil	1.000	one thousand
un millón	1.000.000	one million

LOS DÍAS DE LA SEMANA — DAYS OF THE WEEK

LOS DÍAS DE LA SEMANA	DAYS OF THE WEEK
lunes	Monday
martes	Tuesday
miércoles	Wednesday
jueves	Thursday
viernes	Friday
sábado	Saturday
domingo	Sunday

LOS MESES — MONTHS

LOS MESES	MONTHS
enero	January
febrero	February
marzo	March
abril	April
mayo	May
junio	June
julio	July
agosto	August
septiembre	September
octubre	October
noviembre	November
diciembre	December

INGLÉS – ESPAÑOL
ENGLISH – SPANISH

a

a [eɪ] *art* un; **Is there a cash machine here?** ¿Hay un cajero automático por aquí?; **This is a gift for you** Le he traído un regalo
abandon [ə'bændən] *v* abandonar
abbey ['æbɪ] *n* abadía
abbreviation [əˌbriːvɪ'eɪʃən] *n* abreviatura
abdomen ['æbdəmən; æb'dəʊ-] *n* abdomen
abduct [æb'dʌkt] *v* raptar
ability [ə'bɪlɪtɪ] *n* aptitud
able ['eɪbᵊl] *adj* capaz
abnormal [æb'nɔːməl] *adj* anormal
abolish [ə'bɒlɪʃ] *v* abolir
abolition [ˌæbə'lɪʃən] *n* abolición
abortion [ə'bɔːʃən] *n* aborto
about [ə'baʊt] *adv* más o menos ▷ *prep* de, sobre *(acerca)*; **Do you have any leaflets about...?** ¿Tiene folletos sobre...?; **I want to complain about the service** Quiero presentar una queja sobre el servicio; **The tour starts at about...** El recorrido comienza alrededor de las...
above [ə'bʌv] *prep* encima de, sobre
abroad [ə'brɔːd] *adv* en el extranjero
abrupt [ə'brʌpt] *adj* brusco
abruptly [ə'brʌptlɪ] *adv* bruscamente
abscess ['æbsɛs; -sɪs] *n* absceso; **I have an abscess** Tengo un absceso
absence ['æbsəns] *n* ausencia
absent ['æbsənt] *adj* ausente
absent-minded [ˌæbsən't'maɪndɪd] *adj* distraído
absolutely [ˌæbsə'luːtlɪ] *adv* rotundamente
abstract ['æbstrækt] *adj* abstracto
absurd [əb'sɜːd] *adj* absurdo
Abu Dhabi ['æbuː 'dɑːbɪ] *n* Abu Dabi
abuse *n* [ə'bjuːs] abuso ▷ *v* [ə'bjuːz] abusar; **child abuse** maltrato a la infancia
abusive [ə'bjuːsɪv] *adj* insultante
academic [ˌækə'dɛmɪk] *adj* académico
academy [ə'kædəmɪ] *n* academia
accelerate [æk'sɛləˌreɪt] *v* acelerar
acceleration [ækˌsɛlə'reɪʃən] *n* aceleración
accelerator [æk'sɛləˌreɪtə] *n* acelerador
accept [ək'sɛpt] *v* aceptar; **Do you accept traveller's cheques?** ¿Acepta cheques de viaje?
acceptable [ək'sɛptəbᵊl] *adj* aceptable
access ['æksɛs] *n* acceso ▷ *v* conseguir acceso; **Do you provide access for the disabled?** ¿Ofrecen acceso para minusválidos?; **Does the room have wireless Internet access?** ¿La habitación tiene acceso inalámbrico a Internet?
accessible [ək'sɛsəbᵊl] *adj* accesible;

Is your hotel accessible to wheelchairs? ¿Es su hotel accesible para sillas de ruedas?
accessory [əkˈsɛsərɪ] *n* accesorio
accident [ˈæksɪdənt] *n* accidente; **accident & emergency department** servicio de urgencias; **accident insurance** seguro de accidentes; **by accident** accidentalmente, por casualidad; **I've had an accident** He tenido un accidente; **There's been an accident!** ¡Ha habido un accidente!
accidental [ˌæksɪˈdɛntᵊl] *adj* accidental
accidentally [ˌæksɪˈdɛntəlɪ] *adv* accidentalmente, por casualidad
accommodate [əˈkɒməˌdeɪt] *v* alojar
accommodation [əˌkɒməˈdeɪʃən] *n* alojamiento
accompany [əˈkʌmpənɪ; əˈkʌmpnɪ] *v* acompañar
accomplice [əˈkɒmplɪs; əˈkʌm-] *n* cómplice
according [əˈkɔːdɪŋ] *prep* **according to** según
accordingly [əˈkɔːdɪŋlɪ] *adv* en consecuencia
accordion [əˈkɔːdɪən] *n* acordeón
account [əˈkaʊnt] *n (in bank)* cuenta, *(report)* relato; **account number** número de cuenta
accountable [əˈkaʊntəbᵊl] *adj* responsable
accountancy [əˈkaʊntənsɪ] *n* contabilidad
accountant [əˈkaʊntənt] *n* contable
account for [əˈkaʊnt fɔː] *v* justificar
accuracy [ˈækjʊrəsɪ] *n* exactitud
accurate [ˈækjərɪt] *adj* exacto
accurately [ˈækjərɪtlɪ] *adv* con exactitud
accusation [ˌækjʊˈzeɪʃən] *n* acusación
accuse [əˈkjuːz] *v* acusar
accused [əˈkjuːzd] *n* acusado
ace [eɪs] *n* as
ache [eɪk] *n* dolor ▷ *v* doler
achieve [əˈtʃiːv] *v* lograr
achievement [əˈtʃiːvmənt] *n* logro
acid [ˈæsɪd] *n* ácido; **acid rain** lluvia ácida
acknowledgement [əkˈnɒlɪdʒmənt] *n* reconocimiento
acne [ˈæknɪ] *n* acné
acorn [ˈeɪkɔːn] *n* bellota
acoustic [əˈkuːstɪk] *adj* acústico
acre [ˈeɪkə] *n* acre
acrobat [ˈækrəˌbæt] *n* acróbata
acronym [ˈækrənɪm] *n* acrónimo
across [əˈkrɒs] *prep* a través de
act [ækt] *n* acto ▷ *v* actuar
acting [ˈæktɪŋ] *adj* interino ▷ *n* actuación
action [ˈækʃən] *n* acción
active [ˈæktɪv] *adj* activo
activity [ækˈtɪvɪtɪ] *n* actividad; **activity holiday** vacaciones con actividades programadas; **Do you have activities for children?** ¿Tiene actividades para niños?
actor [ˈæktə] *n* actor
actress [ˈæktrɪs] *n* actriz
actual [ˈæktʃʊəl] *adj* real
actually [ˈæktʃʊəlɪ] *adv* en realidad
acupuncture [ˈækjʊˌpʌŋktʃə] *n* acupuntura
ad [æd] *abr* anuncio *(publicidad)*; **small ads** anuncio clasificado
AD [eɪ diː] *abr* d.C.
adapt [əˈdæpt] *v* adaptar
adaptor [əˈdæptə] *n* adaptador
add [æd] *v* añadir
addict [ˈædɪkt] *n* adicto

addicted [ə'dɪktɪd] *adj* adicto
additional [ə'dɪʃənᵊl] *adj* adicional
additive ['ædɪtɪv] *n* aditivo
address [ə'drɛs] *n (location)* dirección *(señas), (speech)* alocución; **address book** agenda de direcciones; **My e-mail address is...** Mi dirección electrónica es...; **Please send my mail on to this address** Por favor, remítame el correo a esta dirección; **The website address is...** La dirección del sitio Web es...
add up [æd ʌp] *v* sumar
adjacent [ə'dʒeɪsᵊnt] *adj* adyacente
adjective ['ædʒɪktɪv] *n* adjetivo
adjust [ə'dʒʌst] *v* ajustar; **Can you adjust my bindings, please?** ¿Puede ajustarme las fijaciones, por favor?
adjustable [ə'dʒʌstəbᵊl] *adj* ajustable
adjustment [ə'dʒʌstmənt] *n* ajuste
administration [əd,mɪnɪ'streɪʃən] *n* administración
administrative [əd'mɪnɪ,strətɪv] *adj* administrativo
admiration [,ædmə'reɪʃən] *n* admiración
admire [əd'maɪə] *v* admirar
admission [əd'mɪʃən] *n* entrada *(admisión)*; **admission charge** precio de entrada
admit [əd'mɪt] *v (allow in)* permitir la entrada, *(confess)* admitir
admittance [əd'mɪtᵊns] *n* entrada
adolescence [,ædə'lɛsəns] *n* adolescencia
adolescent [,ædə'lɛsᵊnt] *n* adolescente
adopt [ə'dɒpt] *v* adoptar
adopted [ə'dɒptɪd] *adj* adoptado
adoption [ə'dɒpʃən] *n* adopción
adore [ə'dɔː] *v* adorar
Adriatic [,eɪdrɪ'ætɪk] *adj* adriático
Adriatic Sea [,eɪdrɪ'ætɪk siː] *n* mar Adriático
adult ['ædʌlt; ə'dʌlt] *n* adulto; **adult education** educación para adultos
advance [əd'vɑːns] *n* avance ▷ *v* avanzar; **advance booking** reserva anticipada
advanced [əd'vɑːnst] *adj* avanzado
advantage [əd'vɑːntɪdʒ] *n* ventaja
advent ['ædvɛnt; -vənt] *n* advenimiento
adventure [əd'vɛntʃə] *n* aventura
adventurous [əd'vɛntʃərəs] *adj* atrevido
adverb ['æd,vɜːb] *n* adverbio
adversary ['ædvəsərɪ] *n* adversario
advert ['ædvɜːt] *n* anuncio
advertise ['ædvə,taɪz] *v* anunciar *(publicidad)*
advertisement [əd'vɜːtɪsmənt; -tɪz-] *n* anuncio
advertising ['ædvə,taɪzɪŋ] *n* publicidad
advice [əd'vaɪs] *n* consejo
advisable [əd'vaɪzəbᵊl] *adj* aconsejable
advise [əd'vaɪz] *v* aconsejar
aerial ['ɛərɪəl] *n* antena
aerobics [ɛə'rəʊbɪks] *npl* aerobic
aerosol ['ɛərə,sɒl] *n* aerosol
affair [ə'fɛə] *n* asunto
affect [ə'fɛkt] *v* afectar
affectionate [ə'fɛkʃənɪt] *adj* cariñoso
afford [ə'fɔːd] *v* permitirse
affordable [ə'fɔːdəbᵊl] *adj* asequible
Afghan ['æfgæn; -gən] *adj* afgano ▷ *n* afgano
Afghanistan [æf'gænɪ,stɑːn; -,stæn] *n* Afganistán
afraid [ə'freɪd] *adj* temeroso
Africa ['æfrɪkə] *n* África

African ['æfrɪkən] *adj* africano ▷ *n* africano; **Central African Republic** República Centroafricana
Afrikaans [ˌæfrɪ'kɑːns; -'kɑːnz] *n* afrikaans
Afrikaner [afri'kaːnə; ˌæfrɪ'kɑːnə] *n* afrikáner
after ['ɑːftə] *conj* después de (que); **after eight o'clock** después de las ocho
afternoon [ˌɑːftə'nuːn] *n* tarde; **Good afternoon** Buenas tardes; **in the afternoon** por la tarde; **tomorrow afternoon** mañana por la tarde
afters ['ɑːftəz] *npl* postre
aftershave ['ɑːftəˌʃeɪv] *n* loción para después del afeitado
afterwards ['ɑːftəwədz] *adv* después
again [ə'gɛn; ə'geɪn] *adv* otra vez, de nuevo
against [ə'gɛnst; ə'geɪnst] *prep* contra
age [eɪdʒ] *n* edad; **age limit** límite de edad; **Middle Ages** Edad Media
aged ['eɪdʒɪd] *adj* envejecido
agency ['eɪdʒənsɪ] *n* agencia; **travel agency** agencia de viajes
agenda [ə'dʒɛndə] *n* agenda
agent ['eɪdʒənt] *n* agente *(representante)*; **travel agent** agente de viajes
aggressive [ə'grɛsɪv] *adj* agresivo
AGM [eɪ dʒiː ɛm] *abr* Junta General Anual
ago [ə'gəʊ] *adv* **a month ago** hace un mes; **a week ago** hace una semana
agony ['ægənɪ] *n* agonía
agree [ə'griː] *v* estar de acuerdo, consentir
agreed [ə'griːd] *adj* acordado
agreement [ə'griːmənt] *n* acuerdo
agricultural ['ægrɪˌkʌltʃərəl] *adj* agrícola
agriculture ['ægrɪˌkʌltʃə] *n* agricultura
ahead [ə'hɛd] *adv* por delante
aid [eɪd] *n* ayuda; **first-aid kit** botiquín
AIDS [eɪdz] *n* SIDA
aim [eɪm] *v* apuntar *(arma)*
air [ɛə] *n* aire; **air hostess** azafata; **air-traffic controller** controlador aéreo; **Air Force** ejército del aire
airbag [ɛəbæg] *n* airbag
air-conditioned [ɛəkən'dɪʃənd] *adj* con aire acondicionado
air conditioning [ɛə kən'dɪʃənɪŋ] *n* aire acondicionado; **Does the room have air conditioning?** ¿Hay aire acondicionado en la habitación?
aircraft ['ɛəˌkrɑːft] *n* aeroplano, avión
airline ['ɛəˌlaɪn] *n* compañía aérea
airmail ['ɛəˌmeɪl] *n* correo aéreo
airport ['ɛəˌpɔːt] *n* aeropuerto; **airport bus** autobús del aeropuerto; **How do I get to the airport?** ¿Cómo se va al aeropuerto?
airsick ['ɛəˌsɪk] *adj* mareado *(avión)*
airspace ['ɛəˌspeɪs] *n* espacio aéreo
airtight ['ɛəˌtaɪt] *adj* hermético
aisle [aɪl] *n* pasillo *(avión)*; **I'd like an aisle seat** Quisiera un asiento de pasillo
alarm [ə'lɑːm] *n* alarma; **alarm call** llamada de aviso; **alarm clock** despertador; **false alarm** falsa alarma; **smoke alarm** detector de humo
alarming [ə'lɑːmɪŋ] *adj* alarmante
Albania [æl'beɪnɪə] *n* Albania
Albanian [æl'beɪnɪən] *adj* albanés ▷ *n (language, person)* albanés
album ['ælbəm] *n* álbum

alcohol ['ælkəˌhɒl] *n* alcohol; **Does that contain alcohol?** ¿Lleva alcohol?; **I don't drink alcohol** No bebo alcohol
alcohol-free ['ælkəˌhɒlfriː] *adj* sin alcohol
alcoholic [ˌælkə'hɒlɪk] *adj* alcohólico ▹ *n* alcohólico
alert [ə'lɜːt] *adj* alerta ▹ *v* poner en alerta
Algeria [æl'dʒɪərɪə] *n* Argelia
Algerian [æl'dʒɪərɪən] *adj* argelino ▹ *n* argelino
alias ['eɪlɪəs] *adv* alias ▹ *prep* alias
alibi ['ælɪˌbaɪ] *n* coartada
alien ['eɪljən; 'eɪlɪən] *n* extranjero
alive [ə'laɪv] *adj* vivo
all [ɔːl] *adj* todo ▹ *pron* todo; **We'd like to see nobody but us all day!** ¡No queremos ver a nadie más en todo el día!
Allah ['ælə] *n* Alá
allegation [ˌælɪ'geɪʃən] *n* imputación
alleged [ə'lɛdʒd] *adj* presunto
allergic [ə'lɜːdʒɪk] *adj* alérgico
allergy ['ælədʒɪ] *n* alergia
alley ['ælɪ] *n* callejón
alliance [ə'laɪəns] *n* alianza
alligator ['ælɪˌgeɪtə] *n* aligátor
allow [ə'laʊ] *v* permitir
all right [ɔːl raɪt] *adv* bien; **Are you all right?** ¿Está bien?
ally ['ælaɪ; ə'laɪ] *n* aliado
almond ['ɑːmənd] *n* almendra
almost ['ɔːlməʊst] *adv* casi; **It's almost half past two** Son casi las dos y media
alone [ə'ləʊn] *adj* solo
along [ə'lɒŋ] *prep* a lo largo de
aloud [ə'laʊd] *adv* en alto
alphabet ['ælfəˌbɛt] *n* abecedario
Alps [ælps] *npl* Alpes
already [ɔːl'rɛdɪ] *adv* ya
alright [ɔːl'raɪt] *adv* bien; **Are you alright?** ¿Está bien?
also ['ɔːlsəʊ] *adv* también
altar ['ɔːltə] *n* altar
alter ['ɔːltə] *v* alterar
alternate [ɔːl'tɜːnɪt] *adj* alterno
alternative [ɔːl'tɜːnətɪv] *adj* alternativo ▹ *n* alternativa
alternatively [ɔːl'tɜːnətɪvlɪ] *adv* opcionalmente
although [ɔːl'ðəʊ] *conj* aunque
altitude ['æltɪˌtjuːd] *n* altitud
altogether [ˌɔːltə'gɛðə; 'ɔːltəˌgɛðə] *adv* totalmente
aluminium [ˌæljʊ'mɪnɪəm] *n* aluminio
always ['ɔːlweɪz; -wɪz] *adv* siempre
a.m. [eɪɛm] *abr* de la mañana; **I will be leaving tomorrow morning at ten a.m.** Me marcharé mañana a las diez de la mañana
amateur ['æmətə; -tʃə; -ˌtjʊə; ˌæmə'tɜː] *n* aficionado
amaze [ə'meɪz] *v* asombrar
amazed [ə'meɪzd] *adj* asombrado
amazing [ə'meɪzɪŋ] *adj* asombroso
ambassador [æm'bæsədə] *n* embajador
amber ['æmbə] *n* ámbar
ambition [æm'bɪʃən] *n* ambición
ambitious [æm'bɪʃəs] *adj* ambicioso
ambulance ['æmbjʊləns] *n* ambulancia; **Call an ambulance** Llame una ambulancia
ambush ['æmbʊʃ] *n* emboscada
amenities [ə'miːnɪtɪz] *npl* servicios
America [ə'mɛrɪkə] *n* América; **Central America** Centroamérica
American [ə'mɛrɪkən] *adj* americano ▹ *n* americano; **American football** fútbol americano

ammunition [ˌæmjʊˈnɪʃən] *n* munición
among [əˈmʌŋ] *prep* entre *(varios)*
amount [əˈmaʊnt] *n* cantidad *(suma)*; **I have the allowed amount of tobacco to declare** Tengo que declarar la cantidad permitida de tabaco
amp [æmp] *n* amperio
amplifier [ˈæmplɪˌfaɪə] *n* amplificador
amuse [əˈmjuːz] *v* divertir
amusement arcade [əˈmjuːzmənt ɑːˈkeɪd] *n* sala de juegos recreativos
an [ɑːn] *art* un
anaemic [əˈniːmɪk] *adj* anémico
anaesthetic [ˌænɪsˈθɛtɪk] *n* anestésico; **local anaesthetic** anestesia local
analyse [ˈænəˌlaɪz] *v* analizar
analysis [əˈnælɪsɪs] *n* análisis
ancestor [ˈænsɛstə] *n* antepasado
anchor [ˈæŋkə] *n* ancla
anchovy [ˈæntʃəvɪ] *n* anchoa
ancient [ˈeɪnʃənt] *adj* antiguo
and [ænd; ənd; ən] *conj* y; **in black and white** en blanco y negro
Andes [ˈændiːz] *npl* Andes
Andorra [ænˈdɔːrə] *n* Andorra
angel [ˈeɪndʒəl] *n* ángel
anger [ˈæŋgə] *n* ira
angina [ænˈdʒaɪnə] *n* angina
angle [ˈæŋgəl] *n* ángulo
angler [ˈæŋglə] *n* pescador *(caña)*
angling [ˈæŋglɪŋ] *n* pesca con caña
Angola [æŋˈgəʊlə] *n* Angola
Angolan [æŋˈgəʊlən] *adj* angoleño ▷ *n* angoleño
angry [ˈæŋgrɪ] *adj* enfadado
animal [ˈænɪməl] *n* animal
aniseed [ˈænɪˌsiːd] *n* anís
ankle [ˈæŋkəl] *n* tobillo
anniversary [ˌænɪˈvɜːsərɪ] *n* aniversario
announce [əˈnaʊns] *v* anunciar *(avisar)*
announcement [əˈnaʊnsmənt] *n* anuncio *(aviso)*
annoy [əˈnɔɪ] *v* enfadar
annoying [əˈnɔɪɪŋ] *adj* fastidioso
annual [ˈænjʊəl] *adj* anual
annually [ˈænjʊəlɪ] *adv* anualmente
anonymous [əˈnɒnɪməs] *adj* anónimo
anorak [ˈænəˌræk] *n* anorak
anorexia [ˌænɒˈrɛksɪə] *n* anorexia
anorexic [ˌænɒˈrɛksɪk] *adj* anoréxico
another [əˈnʌðə] *adj* otro; **I'd like another room** Quisiera otra habitación
answer [ˈɑːnsə] *n* respuesta ▷ *v* responder, contestar
answerphone [ˈɑːnsəfəʊn] *n* contestador
ant [ænt] *n* hormiga
antagonize [ænˈtægəˌnaɪz] *v* enemistar
Antarctic [æntˈɑːktɪk] *adj* antártico; **the Antarctic** Antártida
Antarctica [æntˈɑːktɪkə] *n* Antártida
antelope [ˈæntɪˌləʊp] *n* antílope
antenatal [ˌæntɪˈneɪtəl] *adj* prenatal
anthem [ˈænθəm] *n* himno
anthropology [ˌænθrəˈpɒlədʒɪ] *n* antropología
antibiotic [ˌæntɪbaɪˈɒtɪk] *n* antibiótico
antibody [ˈæntɪˌbɒdɪ] *n* anticuerpo
anticlockwise [ˌæntɪˈklɒkˌwaɪz] *adv* en sentido contrario a las agujas del reloj
antidepressant [ˌæntɪdɪˈprɛsənt] *n* antidepresivo
antidote [ˈæntɪˌdəʊt] *n* antídoto

antifreeze ['æntɪˌfriːz] *n* anticongelante
antihistamine [ˌæntɪ'hɪstəˌmiːn; -mɪn] *n* antihistamínico
antiperspirant [ˌæntɪ'pɜːspərənt] *n* antitranspirante
antique [æn'tiːk] *n* antigüedad; **antique shop** tienda de antigüedades
antiseptic [ˌæntɪ'sɛptɪk] *n* antiséptico
antivirus ['æntɪˌvaɪrəs] *n* antivirus
anxiety [æŋ'zaɪɪtɪ] *n* ansiedad
any ['ɛnɪ] *pron* alguno, cualquiera
anybody ['ɛnɪˌbɒdɪ; -bədɪ] *pron* cualquiera
anyhow ['ɛnɪˌhaʊ] *adv* de cualquier manera
anyone ['ɛnɪˌwʌn; -wən] *pron* cualquiera
anything ['ɛnɪˌθɪŋ] *pron* cualquier cosa
anyway ['ɛnɪˌweɪ] *adv* de todos modos
anywhere ['ɛnɪˌwɛə] *adv* en cualquier sitio
apart [ə'pɑːt] *adv* aparte
apart from [ə'pɑːt frɒm] *prep* aparte de
apartment [ə'pɑːtmənt] *n* apartamento; **We're looking for an apartment** Buscamos un apartamento
aperitif [ɑːˌpɛrɪ'tiːf] *n* aperitivo; **We'd like an aperitif** Queremos un aperitivo
aperture ['æpətʃə] *n* apertura
apologize [ə'pɒləˌdʒaɪz] *v* disculparse
apology [ə'pɒlədʒɪ] *n* disculpa
apostrophe [ə'pɒstrəfɪ] *n* apóstrofe
appalling [ə'pɔːlɪŋ] *adj* atroz *(espantoso)*
apparatus [ˌæpə'reɪtəs; -'rɑːtəs; 'æpəˌreɪtəs] *n* aparato
apparent [ə'pærənt; ə'pɛər-] *adj* aparente
apparently [ə'pærəntlɪ; ə'pɛər-] *adv* aparentemente
appeal [ə'piːl] *n* llamamiento ▷ *v* solicitar
appear [ə'pɪə] *v* aparecer
appearance [ə'pɪərəns] *n* apariencia
appendicitis [əˌpɛndɪ'saɪtɪs] *n* apendicitis
appetite ['æpɪˌtaɪt] *n* apetito
applaud [ə'plɔːd] *v* aplaudir
applause [ə'plɔːz] *n* aplauso
apple ['æpᵊl] *n* manzana; **apple pie** tarta de manzana
appliance [ə'plaɪəns] *n* aparato *(eléctrico)*
applicant ['æplɪkənt] *n* solicitante
application [ˌæplɪ'keɪʃən] *n* solicitud *(formulario)*; **application form** formulario de solicitud
apply [ə'plaɪ] *v* aplicar
appoint [ə'pɔɪnt] *v* designar
appointment [ə'pɔɪntmənt] *n* cita *(encuentro)*; **Can I have an appointment with the doctor?** ¿Puede darme una cita con el médico?; **Do you have an appointment?** ¿Tiene cita?; **I have an appointment with...** Tengo una cita con...
appreciate [ə'priːʃɪˌeɪt; -sɪ-] *v* agradecer
apprehensive [ˌæprɪ'hɛnsɪv] *adj* aprensivo
apprentice [ə'prɛntɪs] *n* aprendiz
approach [ə'prəʊtʃ] *v* aproximarse
appropriate [ə'prəʊprɪɪt] *adj* apropiado *(adecuado)*
approval [ə'pruːvᵊl] *n* aprobación

approve [ə'pru:v] *v* aprobar *(asentir)*
approximate [ə'prɒksɪmɪt] *adj* aproximado
approximately [ə'prɒksɪmɪtlɪ] *adv* aproximadamente
apricot ['eɪprɪ,kɒt] *n* albaricoque
April ['eɪprəl] *n* abril; **April Fools' Day** día de los Santos Inocentes
apron ['eɪprən] *n* delantal *(cocina)*
aquarium [ə'kwɛərɪəm] *n* acuario
Aquarius [ə'kwɛərɪəs] *n* Acuario
Arab ['ærəb] *adj* árabe ▹ *n* árabe; **United Arab Emirates** Emiratos Árabes Unidos
Arabic ['ærəbɪk] *adj* árabe ▹ *n* árabe
arbitration [,ɑ:bɪ'treɪʃən] *n* arbitraje
arch [ɑ:tʃ] *n* arco *(arquitectura)*
archaeologist [,ɑ:kɪ'ɒlədʒɪst] *n* arqueólogo
archaeology [,ɑ:kɪ'ɒlədʒɪ] *n* arqueología
archbishop ['ɑ:tʃ'bɪʃəp] *n* arzobispo
architect ['ɑ:kɪ,tɛkt] *n* arquitecto
architecture ['ɑ:kɪ,tɛktʃə] *n* arquitectura
archive ['ɑ:kaɪv] *n* archivo *(lugar)*
Arctic ['ɑ:ktɪk] *adj* ártico; **the Arctic** Ártico
area ['ɛərɪə] *n* área; **service area** área de servicio
Argentina [,ɑ:dʒən'ti:nə] *n* Argentina
Argentinian [,ɑ:dʒən'tɪnɪən] *adj* argentino ▹ *n (person)* argentino
argue ['ɑ:gju:] *v* discutir *(debatir)*
argument ['ɑ:gjʊmənt] *n* discusión *(debate)*
Aries ['ɛəri:z] *n* Aries
arm [ɑ:m] *n* brazo; **I can't move my arm** No puedo mover el brazo
armchair ['ɑ:m,tʃɛə] *n* sillón
armed [ɑ:md] *adj* armado
Armenia [ɑ:'mi:nɪə] *n* Armenia
Armenian [ɑ:'mi:nɪən] *adj* armenio ▹ *n (language, person)* armenio
armour ['ɑ:mə] *n* armadura
armpit ['ɑ:m,pɪt] *n* axila
army ['ɑ:mɪ] *n* ejército
aroma [ə'rəʊmə] *n* aroma
aromatherapy [ə,rəʊmə'θɛrəpɪ] *n* aromaterapia
around [ə'raʊnd] *adv* alrededor ▹ *prep* alrededor de
arrange [ə'reɪndʒ] *v* arreglar *(disponer)*
arrangement [ə'reɪndʒmənt] *n* arreglo *(orden)*
arrears [ə'rɪəz] *npl* atrasos
arrest [ə'rɛst] *n* arresto *(detención)* ▹ *v* arrestar
arrival [ə'raɪvᵊl] *n* llegada
arrive [ə'raɪv] *v* llegar; **I've just arrived** Acabo de llegar; **My suitcase has arrived damaged** Mi maleta ha llegado dañada
arrogant ['ærəgənt] *adj* arrogante
arrow ['ærəʊ] *n* flecha
arson ['ɑ:sᵊn] *n* incendio provocado
art [ɑ:t] *n* arte; **art gallery** galería de arte; **art school** escuela de Bellas Artes; **work of art** obra de arte
artery ['ɑ:tərɪ] *n* arteria
arthritis [ɑ:'θraɪtɪs] *n* artritis; **I suffer from arthritis** Padezco de artritis
artichoke ['ɑ:tɪ,tʃəʊk] *n* alcachofa
article ['ɑ:tɪkᵊl] *n* artículo
artificial [,ɑ:tɪ'fɪʃəl] *adj* artificial
artist ['ɑ:tɪst] *n* artista
artistic [ɑ:'tɪstɪk] *adj* artístico
as [əz] *adv* como ▹ *conj* cuando ▹ *prep* como
asap ['eɪsæp] *abr* cuanto antes
ashamed [ə'ʃeɪmd] *adj* avergonzado
ashore [ə'ʃɔ:] *adv* **Can we go ashore now?** ¿Podemos desembarcar

ahora?
ashtray ['æʃ,treɪ] *n* cenicero; **May I have an ashtray?** ¿Me da un cenicero?
Asia ['eɪʃə; 'eɪʒə] *n* Asia
Asian ['eɪʃən; 'eɪʒən] *adj* asiático ▷ *n* asiático
Asiatic [,eɪʃɪ'ætɪk; -zɪ-] *adj* asiático
ask [ɑːsk] *v* preguntar
ask for [ɑːsk fɔː] *v* pedir
asleep [ə'sliːp] *adj* dormido
asparagus [ə'spærəgəs] *n* espárrago
aspect ['æspɛkt] *n* aspecto
aspirin ['æsprɪn] *n* aspirina; **I can't take aspirin** No puedo tomar aspirinas
assembly [ə'sɛmblɪ] *n* asamblea
asset ['æsɛt] *n* cualidad *(ventaja)*; **assets** activo
assignment [ə'saɪnmənt] *n* misión
assistance [ə'sɪstəns] *n* asistencia *(ayuda)*
assistant [ə'sɪstənt] *n* ayudante, asistente; **personal assistant** secretario personal
associate *adj* [ə'səʊʃɪɪt] adjunto *(cargo)* ▷ *n* [ə'səʊʃɪɪt] colega *(socio)*
association [ə,səʊsɪ'eɪʃən; -ʃɪ-] *n* asociación
assortment [ə'sɔːtmənt] *n* surtido
assume [ə'sjuːm] *v* suponer
assure [ə'ʃʊə] *v* asegurar *(afirmar)*
asthma ['æsmə] *n* asma
astonish [ə'stɒnɪʃ] *v* asombrar
astonished [ə'stɒnɪʃt] *adj* estupefacto
astonishing [ə'stɒnɪʃɪŋ] *adj* asombroso
astrology [ə'strɒlədʒɪ] *n* astrología
astronaut ['æstrə,nɔːt] *n* astronauta
astronomy [ə'strɒnəmɪ] *n* astronomía
asylum [ə'saɪləm] *n* asilo; **asylum seeker** solicitante de asilo
at [æt] *prep* a; **at least** al menos; **at the beginning of June** a principios de junio; **at three o'clock** a las tres
atheist ['eɪθɪ,ɪst] *n* ateo
athlete ['æθliːt] *n* atleta
athletic [æθ'lɛtɪk] *adj* atlético
athletics [æθ'lɛtɪks] *npl* atletismo
Atlantic [ət'læntɪk] *n* Atlántico
atlas ['ætləs] *n* atlas
atmosphere ['ætməs,fɪə] *n* atmósfera
atom ['ætəm] *n* átomo; **atom bomb** bomba atómica
atomic [ə'tɒmɪk] *adj* atómico
attach [ə'tætʃ] *v* sujetar *(fijar)*
attached [ə'tætʃt] *adj* adjunto
attachment [ə'tætʃmənt] *n* accesorio
attack [ə'tæk] *n* ataque ▷ *v* atacar; **heart attack** ataque cardíaco; **terrorist attack** atentado terrorista; **I've been attacked** Me han atacado
attempt [ə'tɛmpt] *n* intento ▷ *v* intentar
attend [ə'tɛnd] *v* asistir
attendance [ə'tɛndəns] *n* asistencia *(presencia)*
attendant [ə'tɛndənt] *n* **flight attendant** auxiliar de vuelo
attention [ə'tɛnʃən] *n* atención
attic ['ætɪk] *n* buhardilla, desván
attitude ['ætɪ,tjuːd] *n* actitud
attorney [ə'tɜːnɪ] *n* abogado *(tribunal superior)*
attract [ə'trækt] *v* atraer
attraction [ə'trækʃən] *n* atracción
attractive [ə'træktɪv] *adj* atractivo
aubergine ['əʊbə,ʒiːn] *n* berenjena
auburn ['ɔːbᵊn] *adj* castaño

auction ['ɔːkʃən] *n* subasta
audience ['ɔːdɪəns] *n* audiencia
audit ['ɔːdɪt] *n* auditoría ▷ *v* auditar
audition [ɔː'dɪʃən] *n* audición
auditor ['ɔːdɪtə] *n* auditor
August ['ɔːgəst] *n* agosto
aunt [ɑːnt] *n* tía
auntie ['ɑːntɪ] *n* tita
au pair [əʊ 'pɛə; o pɛr] *n* au pair
austerity [ɒ'stɛrɪtɪ] *n* austeridad
Australasia [ˌɒstrə'leɪzɪə] *n* Australasia
Australia [ɒ'streɪlɪə] *n* Australia
Australian [ɒ'streɪlɪən] *adj* australiano ▷ *n* australiano
Austria ['ɒstrɪə] *n* Austria
Austrian ['ɒstrɪən] *adj* austriaco ▷ *n* austriaco
authentic [ɔː'θɛntɪk] *adj* auténtico
author, authoress ['ɔːθə, 'ɔːθəˌrɛs] *n* autor
authorize ['ɔːθəˌraɪz] *v* autorizar
autobiography [ˌɔːtəʊbaɪ'ɒgrəfɪ; ˌɔːtəbaɪ-] *n* autobiografía
autograph ['ɔːtəˌgrɑːf; -ˌgræf] *n* autógrafo
automatic [ˌɔːtə'mætɪk] *adj* automático; **An automatic, please** Un coche automático, por favor; **Is it an automatic car?** ¿Es un coche automático?
automatically [ˌɔːtə'mætɪklɪ] *adv* automáticamente
autonomous [ɔː'tɒnəməs] *adj* autónomo
autonomy [ɔː'tɒnəmɪ] *n* autonomía
autumn ['ɔːtəm] *n* otoño
availability [ə'veɪləbɪlɪtɪ] *n* disponibilidad
available [ə'veɪləbəl] *adj* disponible
avalanche ['ævəˌlɑːntʃ] *n* avalancha
avenue ['ævɪˌnjuː] *n* avenida
average ['ævərɪdʒ; 'ævrɪdʒ] *adj* medio ▷ *n* promedio
avocado [ˌævə'kɑːdəʊ] (*pl* **avocados**) *n* aguacate
avoid [ə'vɔɪd] *v* evitar
awake [ə'weɪk] *adj* despierto ▷ *v* despertar(se)
award [ə'wɔːd] *n* premio
aware [ə'wɛə] *adj* consciente *(sabedor)*
away [ə'weɪ] *adv* fuera; **away match** partido fuera de casa
awful ['ɔːfʊl] *adj* espantoso
awfully ['ɔːfəlɪ; 'ɔːflɪ] *adv* espantosamente
awkward ['ɔːkwəd] *adj* torpe
axe [æks] *n* hacha
axle ['æksəl] *n* eje
Azerbaijan [ˌæzəbaɪ'dʒɑːn] *n* Azerbaiyán
Azerbaijani [ˌæzəbaɪ'dʒɑːnɪ] *adj* azerbaiyano ▷ *n* azerbaiyano

b

B&B [bi: ænd bi:] *n* pensión *(casa)*
BA [bɑ:] *abr* diplomatura
baby ['beɪbɪ] *n* bebé; **baby milk** leche infantil; **baby wipe** toallita húmeda para bebés; **baby's bottle** biberón; **Are there facilities for parents with babies?** ¿Hay instalaciones para padres con bebés?
babysit ['beɪbɪsɪt] *v* cuidar niños
babysitter ['beɪbɪsɪtə] *n* canguro *(persona)*
babysitting ['beɪbɪsɪtɪŋ] *n* cuidado de niños
bachelor ['bætʃələ; 'bætʃlə] *n* soltero
back [bæk] *adj* trasero ▹ *adv* atrás ▹ *n* espalda ▹ *v* dar marcha atrás, retroceder; **back pain** dolor de espalda; **I've got a bad back** Tengo mal la espalda; **I've hurt my back** Me he hecho daño en la espalda
backache ['bæk,eɪk] *n* dolor de espalda
backbone ['bæk,bəʊn] *n* columna vertebral
backfire [,bæk'faɪə] *v* salir caro
background ['bæk,graʊnd] *n* trasfondo
backing ['bækɪŋ] *n* respaldo
back out [bæk aʊt] *v* desistir *(decisión)*
backpack ['bæk,pæk] *n* mochila
backpacker ['bæk,pækə] *n* mochilero
backpacking ['bæk,pækɪŋ] *n* excursionismo
backside [,bæk'saɪd] *n* parte trasera
backslash ['bæk,slæʃ] *n* barra inversa
backstroke ['bæk,strəʊk] *n* estilo espalda
back up [bæk ʌp] *v* respaldar
backup [bæk,ʌp] *n* respaldo
backwards ['bækwədz] *adv* hacia atrás
bacon ['beɪkən] *n* bacon
bacteria [bæk'tɪərɪə] *npl* bacteria
bad [bæd] *adj* malo
badge [bædʒ] *n* insignia
badger ['bædʒə] *n* tejón
badly ['bædlɪ] *adv* mal
badminton ['bædmɪntən] *n* bádminton
bad-tempered [bæd'tɛmpəd] *adj* malhumorado
baffled ['bæfᵊld] *adj* desconcertado
bag [bæg] *n* bolsa; **carrier bag** bolsa *(plástico, papel)*; **overnight bag** bolso de fin de semana; **sleeping bag** saco de dormir; **Can I have a bag, please?** ¿Me da una bolsa, por favor?; **I don't need a bag, thanks** No necesito una bolsa, gracias
baggage ['bægɪdʒ] *n* equipaje; **baggage allowance** franquicia de equipaje; **baggage reclaim** recogida de equipajes; **excess baggage** exceso de equipaje; **What**

is the baggage allowance? ¿Cuál es el límite de equipaje?
baggy ['bægɪ] *adj* ancho *(holgado)*
bagpipes ['bæg,paɪps] *npl* gaita
Bahamas [bə'hɑːməz] *npl* Bahamas
Bahrain [bɑː'reɪn] *n* Bahréin
bail [beɪl] *n* fianza
bake [beɪk] *v* cocer al horno
baked [beɪkt] *adj* al horno
baker ['beɪkə] *n* panadero
bakery ['beɪkərɪ] *n* panadería
baking ['beɪkɪŋ] *n* cocción al horno; **baking powder** levadura en polvo
balance ['bæləns] *n* equilibrio; **balance sheet** hoja de balance contable
balanced ['bælənst] *adj* equilibrado
balcony ['bælkənɪ] *n* balcón; **Do you have a room with a balcony?** ¿Tiene una habitación con balcón?
bald [bɔːld] *adj* calvo
Balkan ['bɔːlkən] *adj* balcánico
ball [bɔːl] *n (dance)* baile, *(toy)* pelota
ballerina [,bælə'riːnə] *n* bailarina
ballet ['bæleɪ; bæ'leɪ] *n* ballet; **ballet dancer** bailarín de ballet; **ballet shoes** zapatillas de ballet; **Where can I buy tickets for the ballet?** ¿Dónde se pueden comprar entradas para el ballet?
balloon [bə'luːn] *n* globo *(aerostático)*
bamboo [bæm'buː] *n* bambú
ban [bæn] *n* prohibición ▹ *v* prohibir
banana [bə'nɑːnə] *n* plátano
band [bænd] *n* banda *(musical, cinta)*
bandage ['bændɪdʒ] *n* vendaje, venda ▹ *v* vendar; **I'd like a fresh bandage** Póngame una venda nueva
Band-Aid [bændeɪd] *n* tirita
bang [bæŋ] *n* estallido ▹ *v* golpear
Bangladesh [,bɑːŋglə'dɛʃ; ,bæŋ-] *n* Bangladesh
Bangladeshi [,bɑːŋglə'dɛʃɪ; ,bæŋ-] *adj* bangladesí ▹ *n* bangladesí
banister ['bænɪstə] *n* barandilla
banjo ['bændʒəʊ] *n* banjo
bank [bæŋk] *n (finance)* banco *(finanzas)*, *(ridge)* terraplén; **bank account** cuenta bancaria; **bank balance** saldo bancario; **bank charges** comisión bancaria; **bank holiday** día festivo; **bank statement** extracto de cuenta; **merchant bank** banco mercantil; **How far is the bank?** ¿Está muy lejos el banco?; **Is the bank open today?** ¿Está abierto el banco hoy?
banker ['bæŋkə] *n* banquero
banknote ['bæŋk,nəʊt] *n* billete *(dinero)*
bankrupt ['bæŋkrʌpt; -rəpt] *adj* en quiebra
banned [bænd] *adj* prohibido
Baptist ['bæptɪst] *n* baptista
bar [bɑː] *n (alcohol)* bar, *(strip)* barra; **Where is the bar?** ¿Dónde está el bar?; **Where is there a nice bar?** ¿Dónde hay un bar agradable?
Barbados [bɑː'beɪdəʊs; -dəʊz; -dɒs] *n* Barbados
barbaric [bɑː'bærɪk] *adj* bárbaro
barbecue ['bɑːbɪ,kjuː] *n* barbacoa; **Where is the barbecue area?** ¿Dónde está la zona destinada a las barbacoas?
barber ['bɑːbə] *n* barbero
bare [bɛə] *adj* pelado ▹ *v* desnudar
barefoot ['bɛə,fʊt] *adj* descalzo ▹ *adv* descalzo
barely ['bɛəlɪ] *adv* apenas
bargain ['bɑːgɪn] *n* trato
barge [bɑːdʒ] *n* barcaza
bark [bɑːk] *v* ladrar
barley ['bɑːlɪ] *n* cebada
barmaid ['bɑː,meɪd] *n* camarera *(bar)*
barman ['bɑːmən] *(pl* **barmen***)* *n*

camarero *(barman)*
barn [bɑːn] *n* granero
barrel ['bærəl] *n* barril
barrier ['bærɪə] *n* barrera
bartender ['bɑːˌtɛndə] *n* barman
base [beɪs] *n* base *(parte)*
baseball ['beɪsˌbɔːl] *n* béisbol; **baseball cap** gorra de béisbol
based [beɪst] *adj* basado
basement ['beɪsmənt] *n* sótano *(habitable)*
bash [bæʃ] *n* porrazo ▷ *v* golpear
basic ['beɪsɪk] *adj* básico
basically ['beɪsɪklɪ] *adv* básicamente
basics ['beɪsɪks] *npl* lo esencial
basil ['bæzᵊl] *n* albahaca
basin ['beɪsᵊn] *n* lavabo
basis ['beɪsɪs] *n* base *(fundamento)*
basket ['bɑːskɪt] *n* cesto; **wastepaper basket** papelera
basketball ['bɑːskɪtˌbɔːl] *n* baloncesto
Basque [bæsk; bɑːsk] *adj* vasco ▷ *n* *(language, person)* vasco
bass [beɪs] *n* bajo *(voz)*; **bass drum** bombo; **double bass** contrabajo
bassoon [bəˈsuːn] *n* fagot
bat [bæt] *n* *(mammal)* murciélago, *(with ball)* bate
bath [bɑːθ] *n* baño; **bath towel** toalla de baño
bathe [beɪð] *v* bañarse
bathrobe ['bɑːθˌrəʊb] *n* albornoz
bathroom ['bɑːθˌruːm; -ˌrʊm] *n* cuarto de baño; **Does the room have a private bathroom?** ¿Hay cuarto de baño propio en la habitación?
baths [bɑːθz] *npl* baños
bathtub ['bɑːθˌtʌb] *n* bañera
batter ['bætə] *n* rebozado
battery ['bætərɪ] *n* batería, pila *(electricidad)*; **Do you have any batteries?** ¿Tiene pilas?; **Do you have batteries for this camera?** ¿Tiene pilas para esta cámara?
battle ['bætᵊl] *n* batalla
battleship ['bætᵊlˌʃɪp] *n* acorazado
bay [beɪ] *n* bahía; **bay leaf** hoja de laurel
BC [biː siː] *abr* a.C.
be [biː; bɪ] *v* ser, estar; **Are you ready?** ¿Está listo?; **How far are we from the town centre?** ¿Estamos muy lejos del centro?; **How much will it be?** ¿Cuánto será?
beach [biːtʃ] *n* playa; **Are there any good beaches near here?** ¿Hay buenas playas por aquí cerca?; **I'm going to the beach** Me voy a la playa
bead [biːd] *n* abalorio, cuenta *(collar)*
beak [biːk] *n* pico *(ave)*
beam [biːm] *n* viga
bean [biːn] *n* judía; **broad bean** haba
beansprout ['biːnspraʊt] *n* brote de soja
bear [bɛə] *n* oso ▷ *v* soportar; **polar bear** oso polar; **teddy bear** osito de peluche
beard [bɪəd] *n* barba
bearded [bɪədɪd] *adj* barbudo
bear up [bɛə ʌp] *v* sobrellevar
beat [biːt] *n* ritmo *(compás)* ▷ *v* *(outdo)* derrotar, *(strike)* golpear
beautiful ['bjuːtɪfʊl] *adj* precioso
beautifully ['bjuːtɪflɪ] *adv* maravillosamente
beauty ['bjuːtɪ] *n* belleza; **beauty salon** salón de belleza; **beauty spot** lunar
beaver ['biːvə] *n* castor
because [bɪˈkɒz; -ˈkəz] *conj* porque
become [bɪˈkʌm] *v* hacerse, llegar a ser
bed [bɛd] *n* cama; **bed and**

breakfast pensión *(casa)*; **camp bed** cama plegable; **double bed** cama de matrimonio; **king-size bed** cama de matrimonio extra grande; **Do I have to stay in bed?** ¿Tengo que quedarme en cama?; **I'd like a dorm bed** Quisiera una cama en un dormitorio compartido; **The bed is uncomfortable** La cama es incómoda
bedclothes ['bɛd,kləʊðz] *npl* ropa de cama
bedding ['bɛdɪŋ] *n* ropa de cama; **Is there any spare bedding?** ¿Hay ropa de cama de recambio?
bedroom ['bɛd,ruːm; -,rʊm] *n* dormitorio *(casa)*
bedsit ['bɛd,sɪt] *n* estudio amueblado
bedspread ['bɛd,sprɛd] *n* cubrecama
bedtime ['bɛd,taɪm] *n* hora de acostarse
bee [biː] *n* abeja
beech [biːtʃ] *n* **beech (tree)** haya
beef [biːf] *n* carne de vaca
beefburger ['biːf,bɜːgə] *n* hamburguesa
beer [bɪə] *n* cerveza; **another beer** otra cerveza
beetle ['biːtᵊl] *n* escarabajo
beetroot ['biːt,ruːt] *n* remolacha
before [bɪ'fɔː] *adv* antes ▷ *conj* antes de que ▷ *prep* antes de; **before five o'clock** antes de las cinco; **Do we have to clean the house before we leave?** ¿Tenemos que limpiar la casa antes de marcharnos?
beforehand [bɪ'fɔː,hænd] *adv* con antelación
beg [bɛg] *v* mendigar
beggar ['bɛgə] *n* mendigo
begin [bɪ'gɪn] *v* empezar, comenzar; **When does it begin?** ¿A qué hora empieza?
beginner [bɪ'gɪnə] *n* principiante
beginning [bɪ'gɪnɪŋ] *n* principio, inicio; **at the beginning of June** a principios de junio
behave [bɪ'heɪv] *v* comportarse
behaviour [bɪ'heɪvjə] *n* conducta
behind [bɪ'haɪnd] *adv* detrás ▷ *n* trasero ▷ *prep* detrás de; **lag behind** quedarse atrás
beige [beɪʒ] *adj* beis
Beijing ['beɪ'dʒɪŋ] *n* Pekín
Belarus ['bɛlə,rʌs; -,rʊs] *n* Bielorrusia
Belarussian [,bɛləʊ'rʌʃən; ,bjɛl-] *adj* bielorruso ▷ *n (language, person)* bielorruso
Belgian ['bɛldʒən] *adj* belga ▷ *n* belga
Belgium ['bɛldʒəm] *n* Bélgica
belief [bɪ'liːf] *n* creencia
believe [bɪ'liːv] *vi* creer
bell [bɛl] *n* campana
belly ['bɛlɪ] *n* vientre; **belly button** ombligo
belong [bɪ'lɒŋ] *v* pertenecer; **belong to** pertenecer a
belongings [bɪ'lɒŋɪŋz] *npl* pertenencias
below [bɪ'ləʊ] *adv* abajo ▷ *prep* debajo de, bajo
belt [bɛlt] *n* cinturón; **conveyor belt** cinta transportadora
bench [bɛntʃ] *n* banco *(asiento)*
bend [bɛnd] *n* curva ▷ *v* doblar, encorvar *(flexionar)*; **bend down** agacharse; **bend over** inclinarse
beneath [bɪ'niːθ] *prep* debajo de, bajo
benefit ['bɛnɪfɪt] *n* beneficio ▷ *v* beneficiarse
bent [bɛnt] *adj (dishonest)* tramposo, *(not straight)* doblado
beret ['bɛreɪ] *n* boina
berry ['bɛrɪ] *n* baya

berth [bɜːθ] *n* litera
beside [bɪˈsaɪd] *prep* al lado de
besides [bɪˈsaɪdz] *adv* además de
best [bɛst] *adj* el mejor *(superlativo)* ▷ *adv* lo mejor; **best man** padrino de boda; **What's the best way to get to the city centre?** ¿Cuál es el mejor camino para ir al centro?
bestseller [ˌbɛstˈsɛlə] *n* superventas
bet [bɛt] *n* apuesta *(cosa)* ▷ *v* apostar
betray [bɪˈtreɪ] *v* traicionar
better [ˈbɛtə] *adj* mejor *(comparativo)* ▷ *adv* mejor
betting [bɛtɪŋ] *n* apuesta *(acción)*; **betting shop** casa de apuestas
between [bɪˈtwiːn] *prep* entre *(dos)*
bewildered [bɪˈwɪldəd] *adj* desconcertado
beyond [bɪˈjɒnd] *prep* más allá de
biased [ˈbaɪəst] *adj* tendencioso
bib [bɪb] *n* babero
Bible [ˈbaɪbᵊl] *n* Biblia
bicarbonate [baɪˈkɑːbənɪt; -ˌneɪt] *n* **bicarbonate of soda** bicarbonato sódico
bicycle [ˈbaɪsɪkᵊl] *n* bicicleta; **bicycle pump** bomba de bicicleta
bid [bɪd] *n* puja ▷ *v (at auction)* pujar
bifocals [baɪˈfəʊkᵊlz] *npl* gafas bifocales
big [bɪg] *adj* grande; **It's too big** Es demasiado grande; **The house is quite big** La casa es bastante grande
bigger [bɪgə] *adj* mayor *(tamaño)*
bigheaded [ˈbɪgˌhɛdɪd] *adj* engreído
bike [baɪk] *n* bici
bikini [bɪˈkiːnɪ] *n* bikini
bilingual [baɪˈlɪŋgwəl] *adj* bilingüe
bill [bɪl] *n (account)* cuenta, *(legislation)* proyecto de ley; **phone bill** factura del teléfono; **Please bring the bill** Traiga la cuenta, por favor; **Put it on my bill** Cárguelo a mi cuenta; **Separate bills, please** En cuentas separadas, por favor
billiards [ˈbɪljədz] *npl* billar *(normal)*
billion [ˈbɪljən] *n* millardo, mil millones
bin [bɪn] *n* cubo *(recipiente)*
binding [ˈbaɪndɪŋ] *n* fijación; **Can you adjust my bindings, please?** ¿Puede ajustarme las fijaciones, por favor?
bingo [ˈbɪŋgəʊ] *n* bingo
binoculars [bɪˈnɒkjʊləz; baɪ-] *npl* prismáticos
biochemistry [ˌbaɪəʊˈkɛmɪstrɪ] *n* bioquímica
biodegradable [ˌbaɪəʊdɪˈgreɪdəbᵊl] *adj* biodegradable
biography [baɪˈɒgrəfɪ] *n* biografía
biological [ˌbaɪəˈlɒdʒɪkᵊl] *adj* biológico
biology [baɪˈɒlədʒɪ] *n* biología
biometric [ˌbaɪəʊˈmɛtrɪk] *adj* biométrico
birch [bɜːtʃ] *n* abedul
bird [bɜːd] *n* ave; **bird flu** gripe aviaria; **bird of prey** ave rapaz
birdwatching [bɜːdwɒtʃɪŋ] *n* observación de las aves
Biro® [ˈbaɪrəʊ] *n* boli
birth [bɜːθ] *n* nacimiento; **birth certificate** certificado de nacimiento; **birth control** control de natalidad; **place of birth** lugar de nacimiento
birthday [ˈbɜːθˌdeɪ] *n* cumpleaños; **Happy birthday!** ¡Feliz cumpleaños!
birthplace [ˈbɜːθˌpleɪs] *n* lugar de nacimiento
biscuit [ˈbɪskɪt] *n* galleta
bishop [ˈbɪʃəp] *n* obispo
bit [bɪt] *n* pedazo, trozo
bitch [bɪtʃ] *n* perra
bite [baɪt] *n* mordisco ▷ *v* morder

bitter ['bɪtə] *adj* amargo
black [blæk] *adj* negro; **in black and white** en blanco y negro
blackberry ['blækbərɪ] *n* mora
blackbird ['blæk,bɜ:d] *n* mirlo
blackboard ['blæk,bɔ:d] *n* pizarra *(encerado)*
blackcurrant [,blæk'kʌrənt] *n* grosella negra
blackmail ['blæk,meɪl] *n* chantaje ▷ *v* chantajear
blackout ['blækaʊt] *n* apagón *(fallo)*
bladder ['blædə] *n* vejiga; **gall bladder** vesícula biliar
blade [bleɪd] *n* hoja *(cuchillo)*
blame [bleɪm] *n* culpa *(responsabilidad)* ▷ *v* culpar
blank [blæŋk] *adj* en blanco ▷ *n* espacio en blanco; **blank cheque** cheque en blanco
blanket ['blæŋkɪt] *n* manta; **electric blanket** manta eléctrica; **Please bring me an extra blanket** Por favor, tráigame una manta más; **We need more blankets** Necesitamos más mantas
blast [blɑ:st] *n* explosión
blatant ['bleɪtᵊnt] *adj* evidente
blaze [bleɪz] *n* fuego
blazer ['bleɪzə] *n* americana
bleach [bli:tʃ] *n* lejía
bleached [bli:tʃt] *adj* blanqueado
bleak [bli:k] *adj* inhóspito
bleed [bli:d] *v* sangrar; **My gums are bleeding** Me sangran las encías
bleeper ['bli:pə] *n* buscapersonas
blender ['blɛndə] *n* licuadora
bless [blɛs] *v* bendecir
blind [blaɪnd] *adj* ciego ▷ *n* persiana; **Venetian blind** persiana
blindfold ['blaɪnd,fəʊld] *n* venda para los ojos ▷ *v* vendar los ojos
blink [blɪŋk] *v* parpadear
bliss [blɪs] *n* dicha
blister ['blɪstə] *n* ampolla
blizzard ['blɪzəd] *n* ventisca
block [blɒk] *n (buildings)* manzana de pisos, *(obstruction)* escollo, *(solid piece)* bloque ▷ *v* bloquear
blockage ['blɒkɪdʒ] *n* bloqueo
blocked [blɒkt] *adj* bloqueado
blog [blɒg] *n* blog ▷ *v* llevar un blog
bloke [bləʊk] *n* tío *(novio)*
blonde [blɒnd] *adj* rubio
blood [blʌd] *n* sangre; **blood group** grupo sanguíneo; **blood poisoning** septicemia; **blood pressure** tensión arterial; **blood sports** deportes sangrientos; **blood test** análisis de sangre; **blood transfusion** transfusión de sangre; **This stain is blood** Esta mancha es de sangre
bloody ['blʌdɪ] *adj* ensangrentado
blossom ['blɒsəm] *n* flor ▷ *v* florecer
blouse [blaʊz] *n* blusa
blow [bləʊ] *n* soplo ▷ *v* soplar
blow-dry [bləʊdraɪ] *n* marcado con secador
blow up [bləʊ ʌp] *v* estallar, explotar *(bomba)*
blue [blu:] *adj* azul
blueberry ['blu:bərɪ; -brɪ] *n* arándano *(azul)*
blues [blu:z] *npl* blues
bluff [blʌf] *n* farol ▷ *v* engañar
blunder ['blʌndə] *n* error garrafal
blunt [blʌnt] *adj* romo
blush [blʌʃ] *v* ruborizarse
blusher ['blʌʃə] *n* colorete
board [bɔ:d] *n (meeting)* junta *(consejo)*, *(wood)* tablón ▷ *v (go aboard)* subir, embarcarse; **board game** juego de mesa; **bulletin board** tablón de anuncios; **diving board** trampolín; **draining board** escurridero; **half board** media

pensión; **ironing board** tabla de planchar; **notice board** tablón de anuncios; **skirting board** rodapié
boarder ['bɔːdə] *n* interno
boarding ['bɔːdɪŋ] *n* **boarding card** tarjeta de embarque; **boarding pass** tarjeta de embarque; **boarding school** internado; **Here is my boarding card** Tenga mi tarjeta de embarque; **When does boarding begin?** ¿A qué hora empieza el embarque?
boast [bəʊst] *v* jactarse
boat [bəʊt] *n* barca, barco; **Are there any boat trips on the river?** ¿Hay recorridos en barco por el río?; **When is the first boat?** ¿A qué hora sale el primer barco?
body ['bɒdɪ] *n* cuerpo
bodybuilding ['bɒdɪˌbɪldɪŋ] *n* culturismo
bodyguard ['bɒdɪˌɡɑːd] *n* guardaespaldas
bog [bɒɡ] *n* ciénaga
boil [bɔɪl] *vi* hervir, bullir ▷ *vt* cocer
boiled [bɔɪld] *adj* hervido
boiler ['bɔɪlə] *n* caldera
boiling ['bɔɪlɪŋ] *adj* hirviendo
boil over [bɔɪl 'əʊvə] *v* rebosar
Bolivia [bə'lɪvɪə] *n* Bolivia
Bolivian [bə'lɪvɪən] *adj* boliviano ▷ *n* boliviano
bolt [bəʊlt] *n* cerrojo
bomb [bɒm] *n* bomba *(arma)* ▷ *v* bombardear; **atom bomb** bomba atómica
bombing [bɒmɪŋ] *n* bombardeo
bond [bɒnd] *n* vínculo
bone [bəʊn] *n* hueso; **bone dry** completamente seco
bonfire ['bɒnˌfaɪə] *n* hoguera
bonnet ['bɒnɪt] *n (car)* capó
bonus ['bəʊnəs] *n* bonificación
book [bʊk] *n* libro ▷ *v* reservar; **address book** agenda de direcciones; **Can you book me into a hotel?** ¿Puede reservarme una habitación en un hotel?; **Can you book the tickets for us?** ¿Podría reservarnos las entradas?; **I booked a room in the name of...** Tengo una habitación reservada a nombre de...
bookcase ['bʊkˌkeɪs] *n* estantería
booking ['bʊkɪŋ] *n* reserva; **advance booking** reserva anticipada; **booking office** despacho de billetes; **Can I change my booking?** ¿Puedo cambiar mi reserva?; **I want to cancel my booking** Quiero anular mi reserva; **Is there a booking fee?** ¿Cobran por hacer una reserva?
booklet ['bʊklɪt] *n* folleto
bookmark ['bʊkˌmɑːk] *n* marcador *(de libros)*
bookshelf ['bʊkˌʃɛlf] *n* estante *(libros)*
bookshop ['bʊkˌʃɒp] *n* librería
boost [buːst] *v* estimular
boot [buːt] *n* bota; **I want to hire boots** Quiero alquilar unas botas
booze [buːz] *n* bebida
border ['bɔːdə] *n* frontera
bore [bɔː] *v (be dull)* aburrir, *(drill)* taladrar
bored [bɔːd] *adj* aburrido
boredom ['bɔːdəm] *n* aburrimiento
boring ['bɔːrɪŋ] *adj* aburrido
born [bɔːn] *adj* nacido
borrow ['bɒrəʊ] *v* pedir prestado
Bosnia ['bɒznɪə] *n* Bosnia; **Bosnia and Herzegovina** Bosnia y Herzegovina
Bosnian ['bɒznɪən] *adj* bosnio ▷ *n (person)* bosnio
boss [bɒs] *n* jefe

boss around [bɒs əˈraʊnd] *v* sargentear
bossy [ˈbɒsɪ] *adj* mandón
both [bəʊθ] *adj* ambos ▷ *pron* ambos
bother [ˈbɒðə] *v* molestar *(importunar)*
Botswana [bʊˈtʃwɑːnə; bʊtˈswɑːnə; bɒt-] *n* Botsuana
bottle [ˈbɒtᵊl] *n* botella; **bottle bank** contenedor de recogida de vidrio; **hot-water bottle** bolsa de agua caliente; **a bottle of mineral water** una botella de agua mineral; **a bottle of red wine** una botella de vino tinto
bottle-opener [ˈbɒtᵊlˈəʊpənə] *n* abrebotellas
bottom [ˈbɒtəm] *adj* inferior *(debajo)* ▷ *n* fondo
bought [bɔːt] *adj* comprado
bounce [baʊns] *v* botar
bouncer [ˈbaʊnsə] *n* gorila *(persona)*
boundary [ˈbaʊndərɪ; -drɪ] *n* límite *(Geografía)*
bouquet [ˈbuːkeɪ] *n* ramo
bow *n* [bəʊ] *(weapon)* arco *(arma)* ▷ *v* [baʊ] hacer una reverencia; **bow tie** pajarita
bowels [ˈbaʊəlz] *npl* intestinos
bowl [bəʊl] *n* cuenco
bowling [ˈbəʊlɪŋ] *n* bolos *(juego)*; **bowling alley** bolera; **tenpin bowling** bolos *(deporte)*
box [bɒks] *n* caja; **box office** taquilla; **call box** cabina telefónica
boxer [ˈbɒksə] *n* boxeador; **boxer shorts** calzoncillos
boxing [ˈbɒksɪŋ] *n* boxeo
boy [bɔɪ] *n* chico
boyfriend [ˈbɔɪˌfrɛnd] *n* amigo *(novio)*
bra [brɑː] *n* sujetador
brace [breɪs] *n* *(fastening)* refuerzo
bracelet [ˈbreɪslɪt] *n* pulsera
braces [ˈbreɪsɪz] *npl* tirantes
brackets [ˈbrækɪts] *npl* paréntesis
brain [breɪn] *n* cerebro
brainy [ˈbreɪnɪ] *adj* sesudo
brake [breɪk] *n* freno ▷ *v* frenar; **brake light** luz de freno; **Does the bike have back-pedal brakes?** ¿La bicicleta tiene frenos a contrapedal?; **The brakes don't work** No funcionan los frenos
bran [bræn] *n* salvado
branch [brɑːntʃ] *n* rama
brand [brænd] *n* marca; **brand name** marca *(nombre)*
brand-new [brændˈnjuː] *adj* nuevo
brandy [ˈbrændɪ] *n* brandy; **I'll have a brandy** Tomaré un brandy
brass [brɑːs] *n* latón; **brass band** banda de metales
brat [bræt] *n* mocoso
brave [breɪv] *adj* valiente
bravery [ˈbreɪvərɪ] *n* valor *(valentía)*
Brazil [brəˈzɪl] *n* Brasil
Brazilian [brəˈzɪljən] *adj* brasileño ▷ *n* brasileño
bread [brɛd] *n* pan; **bread roll** panecillo; **brown bread** pan integral; **Please bring more bread** Traiga más pan, por favor
breadcrumbs [ˈbrɛdˌkrʌmz] *npl* pan rallado
break [breɪk] *n* ruptura ▷ *v* romper, quebrar; **lunch break** descanso para comer; **I've broken the window** He roto la ventana
break down [breɪk daʊn] *v* averiarse
breakdown [ˈbreɪkdaʊn] *n* avería; **breakdown truck** grúa *(vehículo de rescate)*; **breakdown van** vehículo de asistencia en carretera; **nervous breakdown** crisis nerviosa
breakfast [ˈbrɛkfəst] *n* desayuno;

continental breakfast desayuno continental; **Is breakfast included?** ¿Está incluido el desayuno?; **with breakfast** con desayuno; **without breakfast** sin desayuno
break in [breɪk ɪn] *v* entrar a robar; **break in (on)** interrumpir; **My car has been broken into** Me han entrado a robar en el coche
break-in [breɪkɪn] *n* robo con allanamiento (de morada)
break up [breɪk ʌp] *v* romper(se)
breast [brɛst] *n* pecho
breast-feed ['brɛst,fiːd] *v* amamantar, lactar; **Can I breast-feed here?** ¿Puedo amamantar al bebé aquí?
breaststroke ['brɛst,strəʊk] *n* braza
breath [brɛθ] *n* aliento
Breathalyser® ['brɛθə,laɪzə] *n* alcoholímetro
breathe [briːð] *v* respirar; **He can't breathe** Él no puede respirar
breathe in [briːð ɪn] *v* inspirar
breathe out [briːð aʊt] *v* espirar
breathing ['briːðɪŋ] *n* respiración
breed [briːd] *n* raza *(Zoología)* ▷ *v* criar, reproducirse
breeze [briːz] *n* brisa
brewery ['brʊərɪ] *n* fábrica de cerveza
bribe [braɪb] *v* sobornar
bribery ['braɪbərɪ] *n* soborno
brick [brɪk] *n* ladrillo
bricklayer ['brɪk,leɪə] *n* albañil
bride [braɪd] *n* novia
bridegroom ['braɪd,gruːm; -,grʊm] *n* novio
bridesmaid ['braɪdz,meɪd] *n* dama de honor
bridge [brɪdʒ] *n* puente
brief [briːf] *adj* breve
briefcase ['briːf,keɪs] *n* maletín
briefing ['briːfɪŋ] *n* sesión informativa
briefly ['briːflɪ] *adv* brevemente
briefs [briːfs] *npl* bragas *(nujer)*, calzoncillos *(hombre)*
bright [braɪt] *adj* luminoso
brilliant ['brɪljənt] *adj* brillante
bring [brɪŋ] *v* traer, llevar; **Please bring the bill** Traiga la cuenta, por favor
bring back [brɪŋ bæk] *v* devolver *(llevar)*
bring forward [brɪŋ 'fɔːwəd] *v* presentar
bring up [brɪŋ ʌp] *v* educar
Britain ['brɪtᵊn] *n* Bretaña
British ['brɪtɪʃ] *adj* británico ▷ *n* británico
broad [brɔːd] *adj* amplio
broadband ['brɔːd,bænd] *n* banda ancha
broadcast ['brɔːd,kɑːst] *n* emisión ▷ *v* transmitir
broad-minded [brɔːd'maɪndɪd] *adj* de mentalidad abierta
broccoli ['brɒkəlɪ] *n* brócoli
brochure ['brəʊʃjʊə; -ʃə] *n* folleto
broke [brəʊk] *adj* sin un duro
broken ['brəʊkən] *adj* roto; **broken down** averiado; **The lock is broken** La cerradura está rota
broker ['brəʊkə] *n* agente *(bolsa)*
bronchitis [brɒŋ'kaɪtɪs] *n* bronquitis
bronze [brɒnz] *n* bronce
brooch [brəʊtʃ] *n* broche
broom [bruːm; brʊm] *n* escoba
broth [brɒθ] *n* caldo
brother ['brʌðə] *n* hermano
brother-in-law ['brʌðə ɪn lɔː] *n* cuñado
brown [braʊn] *adj* marrón
browse [braʊz] *v* curiosear
browser ['braʊzə] *n* explorador

(Internet)
bruise [bru:z] *n* magulladura
brush [brʌʃ] *n* cepillo ▷ *v* cepillar
brutal ['bru:tᵊl] *adj* brutal *(violento)*
bubble ['bʌbᵊl] *n* burbuja; **bubble bath** espuma de baño; **bubble gum** chicle *(globos)*
bucket ['bʌkɪt] *n* balde
buckle ['bʌkᵊl] *n* hebilla
Buddha ['bʊdə] *n* Buda
Buddhism ['bʊdɪzəm] *n* budismo
Buddhist ['bʊdɪst] *adj* budista ▷ *n* budista
budgerigar ['bʌdʒərɪ,gɑ:] *n* periquito
budget ['bʌdʒɪt] *n* presupuesto
budgie ['bʌdʒɪ] *n* periquito
buffalo ['bʌfə,ləʊ] *n* búfalo
buffet ['bʊfeɪ] *n* bufé; **buffet car** vagón restaurante
bug [bʌg] *n* chinche; **There are bugs in my room** En mi habitación hay chinches
bugged ['bʌgd] *adj* con micrófonos ocultos
buggy ['bʌgɪ] *n* carrito
build [bɪld] *v* construir
builder ['bɪldə] *n* constructor
building ['bɪldɪŋ] *n* edificio; **building site** obra *(construcción)*
bulb [bʌlb] *n (electricity)* bombilla, *(plant)* bulbo
Bulgaria [bʌl'gɛərɪə; bʊl-] *n* Bulgaria
Bulgarian [bʌl'gɛərɪən; bʊl-] *adj* búlgaro ▷ *n (language, person)* búlgaro
bulimia [bju:'lɪmɪə] *n* bulimia
bull [bʊl] *n* toro
bulldozer ['bʊl,dəʊzə] *n* bulldozer
bullet ['bʊlɪt] *n* bala
bully ['bʊlɪ] *n* matón ▷ *v* acosar
bum [bʌm] *n* culo; **bum bag** riñonera
bumblebee ['bʌmbᵊl,bi:] *n* abejorro
bump [bʌmp] *n* topetazo
bumper ['bʌmpə] *n* parachoques
bump into [bʌmp 'ɪntʊ] *v* topar con
bumpy ['bʌmpɪ] *adj* desigual
bun [bʌn] *n* bollo
bunch [bʌntʃ] *n* manojo
bungalow ['bʌŋgə,ləʊ] *n* bungaló
bungee jumping ['bʌndʒɪ] *n* bungee jumping
bunion ['bʌnjən] *n* juanete
bunk [bʌŋk] *n* litera; **bunk beds** litera
buoy [bɔɪ; 'bu:ɪ] *n* boya
burden ['bɜ:dᵊn] *n* carga *(responsabilidad)*
bureaucracy [bjʊə'rɒkrəsɪ] *n* burocracia
bureau de change ['bjʊərəʊ də 'ʃɒnʒ] *n* oficina de cambio; **When is the bureau de change open?** ¿A qué hora abre la oficina de cambio?
burger ['bɜ:gə] *n* hamburguesa
burglar ['bɜ:glə] *n* ladrón *(casas)*; **burglar alarm** alarma antirrobo
burglary ['bɜ:glərɪ] *n* robo con allanamiento
burgle ['bɜ:gᵊl] *v* robar
Burma ['bɜ:mə] *n* Birmania
Burmese [bɜ:'mi:z] *adj* birmano ▷ *n (language, person)* birmano
burn [bɜ:n] *n* quemadura ▷ *v* arder, quemarse, quemar
burn down [bɜ:n daʊn] *v* quemar, quemarse
burp [bɜ:p] *n* eructo ▷ *v* eructar
burst [bɜ:st] *v* reventar
bury ['bɛrɪ] *v* enterrar
bus [bʌs] *n* autobús; **bus station** estación de autobuses; **bus stop** parada de autobús; **bus ticket** billete de autobús; **Does this bus go to...?** ¿Este autobús va a...?; **How often are the buses to...?** ¿Cada cuánto pasan los autobuses para...?
bush [bʊʃ] *n (shrub)* arbusto, *(thicket)*

maleza
business ['bɪznɪs] *n* negocio; **business class** clase preferente; **business trip** viaje de negocios; **show business** mundo del espectáculo; **I'm here on business** Vengo en viaje de negocios
businessman ['bɪznɪs,mæn; -mən] (*pl* **businessmen**) *n* empresario; **I'm a businessman** Soy empresario
businesswoman ['bɪznɪs,wʊmən] (*pl* **businesswomen**) *n* empresaria
busker ['bʌskə] *n* músico callejero
bust [bʌst] *n* busto
busy ['bɪzɪ] *adj* ocupado; **busy signal** señal de comunicando
but [bʌt] *conj* pero
butcher ['bʊtʃə] *n* carnicero
butcher's ['bʊtʃəz] *n* carnicería
butter ['bʌtə] *n* mantequilla
buttercup ['bʌtə,kʌp] *n* ranúnculo
butterfly ['bʌtə,flaɪ] *n* mariposa
buttocks ['bʌtəkz] *npl* nalgas
button ['bʌtᵊn] *n* botón; **Which button do I press?** ¿Qué botón hay que apretar?
buy [baɪ] *v* comprar; **Where can I buy a map of the area?** ¿Dónde se puede comprar un mapa de la zona?; **Where do I buy a ticket?** ¿Dónde se compra el billete?
buyer ['baɪə] *n* comprador
buyout ['baɪ,aʊt] *n* compra de la totalidad de las acciones
by [baɪ] *prep* por *(autor)*; **How long will it take by air?** ¿Cuánto tardará por correo aéreo?; **Please come home by 11p.m.** Por favor, no vuelva más tarde de las once de la noche
bye [baɪ] *excl* ¡adiós!, ¡hasta luego!
bye-bye [baɪbaɪ] *excl* ¡adiós!
bypass ['baɪ,pɑːs] *n* circunvalación

C

cab [kæb] *n* taxi
cabbage ['kæbɪdʒ] *n* col
cabin ['kæbɪn] *n* cabaña, camarote; **cabin crew** personal de vuelo; **Where is cabin number five?** ¿Dónde está el camarote número cinco?
cabinet ['kæbɪnɪt] *n* armario
cable ['keɪbᵊl] *n* cable; **cable car** teleférico; **cable television** televisión por cable
cactus ['kæktəs] *n* cactus
cadet [kə'dɛt] *n* cadete
café ['kæfeɪ; 'kæfɪ] *n* café *(establecimiento)*
cafeteria [,kæfɪ'tɪərɪə] *n* cafetería *(comedor)*
caffeine ['kæfiːn; 'kæfɪ,iːn] *n* cafeína
cage [keɪdʒ] *n* jaula
cagoule [kə'guːl] *n* canguro impermeable
cake [keɪk] *n* pastel
calcium ['kælsɪəm] *n* calcio
calculate ['kælkjʊ,leɪt] *v* calcular

(computar)
calculation [ˌkælkjʊˈleɪʃən] *n* cálculo
calculator [ˈkælkjʊˌleɪtə] *n* calculadora
calendar [ˈkælɪndə] *n* calendario *(año)*
calf [kɑːf] (*pl* **calves**) *n* ternero
call [kɔːl] *n* llamada ▹ *v* llamar; **alarm call** llamada de aviso; **call box** cabina telefónica; **call centre** centro de llamadas; **roll call** pase de lista; **Call a doctor!** ¡Llame a un médico!; **Call the police** Llamen a la policía
call back [kɔːl bæk] *v* devolver la llamada
call for [kɔːl fɔː] *v* requerir
call off [kɔːl ɒf] *v* suspender *(cancelar)*
calm [kɑːm] *adj* tranquilo
calm down [kɑːm daʊn] *v* tranquilizar(se), calmar(se)
calorie [ˈkælərɪ] *n* caloría
Cambodia [kæmˈbəʊdɪə] *n* Camboya
Cambodian [kæmˈbəʊdɪən] *adj* camboyano ▹ *n (person)* camboyano
camcorder [ˈkæmˌkɔːdə] *n* videocámara
camel [ˈkæməl] *n* camello
camera [ˈkæmərə; ˈkæmrə] *n* cámara *(aparato)*; **camera phone** teléfono con cámara; **digital camera** cámara digital
cameraman [ˈkæmərəˌmæn; ˈkæmrə-] (*pl* **cameramen**) *n* operador de cámara
Cameroon [ˌkæməˈruːn; ˈkæməˌruːn] *n* Camerún
camp [kæmp] *n* campamento ▹ *v* acampar; **camp bed** cama plegable; **Can we camp here overnight?** ¿Podemos acampar aquí toda la noche?
campaign [kæmˈpeɪn] *n* campaña
camper [ˈkæmpə] *n (person)* campista, *(van)* caravana; **How much is it for a camper with four people?** ¿Cuánto cuesta una caravana y cuatro personas?
camping [ˈkæmpɪŋ] *n* camping; **camping gas** camping gas
campsite [ˈkæmpˌsaɪt] *n* campamento *(camping)*
campus [ˈkæmpəs] *n* recinto universitario
can [kæn] *n* lata ▹ *v* poder; **watering can** regadera; **Can I sit here?** ¿Puedo sentarme aquí?; **Can we go to...?** ¿Podemos ir a...?; **Can you help me, please?** ¿Puede ayudarme, por favor?
Canada [ˈkænədə] *n* Canadá
Canadian [kəˈneɪdɪən] *adj* canadiense ▹ *n* canadiense
canal [kəˈnæl] *n* canal *(cauce)*
Canaries [kəˈnɛəriːz] *npl* Canarias
canary [kəˈnɛərɪ] *n* canario
cancel [ˈkænsᵊl] *v* cancelar, anular; **I want to cancel my booking** Quiero anular mi reserva; **I'd like to cancel my flight** Quisiera cancelar mi vuelo
cancellation [ˌkænsɪˈleɪʃən] *n* cancelación; **Are there any cancellations?** ¿Hay alguna cancelación?
cancer [ˈkænsə] *n (illness)* cáncer
Cancer [ˈkænsə] *n (horoscope)* Cáncer
candidate [ˈkændɪˌdeɪt; -dɪt] *n* candidato
candle [ˈkændᵊl] *n* vela *(alumbrar)*
candlestick [ˈkændᵊlˌstɪk] *n* candelero
candyfloss [ˈkændɪˌflɒs] *n* algodón de azúcar
canister [ˈkænɪstə] *n* bote *(lata)*
cannabis [ˈkænəbɪs] *n* cáñamo
canned [kænd] *adj* enlatado
canoe [kəˈnuː] *n* piragua

canoeing [kəˈnuːɪŋ] *n* piragüismo; **Where can we go canoeing?** ¿Dónde podemos hacer piragüismo?
can-opener [ˈkænˈəʊpənə] *n* abrelatas
canteen [kænˈtiːn] *n* cantina
canter [ˈkæntə] *v* ir a galope
canvas [ˈkænvəs] *n* lona
canvass [ˈkænvəs] *v* hacer campaña
cap [kæp] *n* gorra
capable [ˈkeɪpəbᵊl] *adj* capaz
capacity [kəˈpæsɪtɪ] *n* capacidad
capital [ˈkæpɪtᵊl] *n* capital
capitalism [ˈkæpɪtəˌlɪzəm] *n* capitalismo
Capricorn [ˈkæprɪˌkɔːn] *n* Capricornio
capsize [kæpˈsaɪz] *v* volcar(se)
capsule [ˈkæpsjuːl] *n* cápsula
captain [ˈkæptɪn] *n* capitán
caption [ˈkæpʃən] *n* pie de foto
capture [ˈkæptʃə] *v* capturar
car [kɑː] *n* coche, automóvil; **car hire** alquiler de coches; **car park** aparcamiento; **car rental** alquiler de coches; **car wash** lavado de coches; **dining car** vagón restaurante; **hired car** coche alquilado; **sleeping car** coche cama; **Can you take me by car?** ¿Puede llevarme en coche?; **Do I have to return the car here?** ¿Tengo que devolver el coche aquí?; **I want to hire a car** Quiero alquilar un coche
carafe [kəˈræf; -ˈrɑːf] *n* garrafa
caramel [ˈkærəməl; -ˌmɛl] *n* caramelo *(fundido)*
carat [ˈkærət] *n* quilate
caravan [ˈkærəˌvæn] *n* caravana; **caravan site** camping para caravanas; **We'd like a site for a caravan** Quisiéramos una parcela para una caravana
carbohydrate [ˌkɑːbəʊˈhaɪdreɪt] *n* hidrato de carbono
carbon [ˈkɑːbᵊn] *n* carbono; **carbon footprint** huella de carbono
carburettor [ˌkɑːbjʊˈrɛtə; ˈkɑːbjʊˌrɛtə; -bə-] *n* carburador
card [kɑːd] *n* tarjeta; **ID card** carné de identidad; **playing card** naipe; **report card** boletín de notas; **top-up card** tarjeta de recarga; **A memory card for this digital camera, please** Una tarjeta de memoria para esta cámara digital, por favor; **Can I have your card?** ¿Me da su tarjeta de visita?; **Can I use my card to get cash?** ¿Puedo usar mi tarjeta por sacar dinero en efectivo?
cardboard [ˈkɑːdˌbɔːd] *n* cartón
cardigan [ˈkɑːdɪgən] *n* rebeca
cardphone [ˈkɑːdfəʊn] *n* teléfono con tarjetas de prepago
care [kɛə] *n* cuidado ▷ *v* importar; **intensive care unit** unidad de cuidados intensivos
career [kəˈrɪə] *n* carrera *(profesional)*
careful [ˈkɛəfʊl] *adj* cuidadoso
carefully [ˈkɛəfʊlɪ] *adv* con cuidado
careless [ˈkɛəlɪs] *adj* descuidado
caretaker [ˈkɛəˌteɪkə] *n* conserje
car-ferry [ˈkɑːfɛrɪ] *n* ferry con bodega para coches
cargo [ˈkɑːgəʊ] *n* cargamento
Caribbean [ˌkærɪˈbiːən; kəˈrɪbɪən] *adj* caribeño ▷ *n* Caribe
caring [ˈkɛərɪŋ] *adj* bondadoso *(amable)*
carnation [kɑːˈneɪʃən] *n* clavel
carnival [ˈkɑːnɪvᵊl] *n* carnaval
carol [ˈkærəl] *n* villancico
carpenter [ˈkɑːpɪntə] *n* carpintero
carpentry [ˈkɑːpɪntrɪ] *n* carpintería *(actividad)*

carpet ['kɑːpɪt] *n* moqueta; **fitted carpet** moqueta
carriage ['kærɪdʒ] *n* coche (de pasajeros), vagón; **Where is carriage number thirty?** ¿Dónde está el vagón número treinta?
carriageway ['kærɪdʒ,weɪ] *n* **dual carriageway** autovía
carrot ['kærət] *n* zanahoria
carry ['kærɪ] *v* llevar
carrycot ['kærɪ,kɒt] *n* capazo
carry on ['kærɪ ɒn] *v* seguir, continuar
carry out ['kærɪ aʊt] *v* ejecutar, efectuar
cart [kɑːt] *n* carro *(carreta)*
carton ['kɑːtᵊn] *n* cartón
cartoon [kɑː'tuːn] *n* caricatura
cartridge ['kɑːtrɪdʒ] *n* cartucho
carve [kɑːv] *v* tallar
case [keɪs] *n* caso
cash [kæʃ] *n* efectivo, dinero en efectivo; **cash dispenser** cajero automático; **cash register** caja registradora; **I don't have any cash** No tengo dinero en efectivo; **I want to cash a cheque, please** Quisiera hacer efectivo un cheque, por favor
cashew ['kæʃuː; kæ'ʃuː] *n* anacardo
cashier [kæ'ʃɪə] *n* cajero
cashmere ['kæʃmɪə] *n* cachemira
casino [kə'siːnəʊ] *n* casino
casserole ['kæsə,rəʊl] *n* cacerola
cassette [kæ'sɛt] *n* casete
cast [kɑːst] *n (throw)* lanzamiento
castle ['kɑːsᵊl] *n* castillo
casual ['kæʒjʊəl] *adj* casual
casually ['kæʒjʊəlɪ] *adv* casualmente
casualty ['kæʒjʊəltɪ] *n* víctima *(mortal)*
cat [kæt] *n* gato *(animal)*
catalogue ['kætə,lɒg] *n* catálogo; **I'd like a catalogue** ¿Me da un catálogo?
cataract ['kætə,rækt] *n (eye, waterfall)* catarata
catarrh [kə'tɑː] *n* catarro
catastrophe [kə'tæstrəfɪ] *n* catástrofe
catch [kætʃ] *v* coger, agarrar; **Where do I catch the bus to...?** ¿Dónde se coge el autobús para...?
catching ['kætʃɪŋ] *adj* pegadizo
catch up [kætʃ ʌp] *v* alcanzar *(persona)*
category ['kætɪgərɪ] *n* categoría
catering ['keɪtərɪŋ] *n* servicio de comidas y bebidas
caterpillar ['kætə,pɪlə] *n* oruga
cathedral [kə'θiːdrəl] *n* catedral; **When is the cathedral open?** ¿Cuándo está abierta la catedral?
Catholic ['kæθəlɪk; 'kæθlɪk] *adj* católico ▷ *n* católico; **Roman Catholic** católico romano
cattle ['kætᵊl] *npl* ganado
Caucasus ['kɔːkəsəs] *n* Cáucaso
cauliflower ['kɒlɪ,flaʊə] *n* coliflor
cause [kɔːz] *n (ideals, reason)* causa ▷ *v* causar
caution ['kɔːʃən] *n* cautela
cautious ['kɔːʃəs] *adj* cauteloso
cautiously ['kɔːʃəslɪ] *adv* con cautela
cave [keɪv] *n* cueva
CCTV [siː siː tiː viː] *abr* sistema de videovigilancia
CD [siː diː] *n* CD; **CD burner** grabadora de CD; **CD player** reproductor de CD
CD-ROM [-'rɒm] *n* CD-ROM
ceasefire ['siːs'faɪə] *n* alto el fuego
ceiling ['siːlɪŋ] *n* techo
celebrate ['sɛlɪ,breɪt] *v* celebrar
celebration ['sɛlɪ,breɪʃən] *n*

celebración
celebrity [sɪˈlɛbrɪtɪ] *n* personaje famoso
celery [ˈsɛlərɪ] *n* apio
cell [sɛl] *n* celda
cellar [ˈsɛlə] *n* sótano
cello [ˈtʃɛləʊ] *n* violoncelo
cement [sɪˈmɛnt] *n* cemento
cemetery [ˈsɛmɪtrɪ] *n* cementerio
census [ˈsɛnsəs] *n* censo
cent [sɛnt] *n* céntimo
centenary [sɛnˈtiːnərɪ] *n* centenario
centimetre [ˈsɛntɪˌmiːtə] *n* centímetro
central [ˈsɛntrəl] *adj* central
centre [ˈsɛntə] *n* centro; **call centre** centro de llamadas; **How do I get to the centre of...?** ¿Cómo se va al centro de...?
century [ˈsɛntʃərɪ] *n* siglo
CEO [siː iː əʊ] *abr* consejero delegado
ceramic [sɪˈræmɪk] *adj* cerámico
cereal [ˈsɪərɪəl] *n* cereal
ceremony [ˈsɛrɪmənɪ] *n* ceremonia
certain [ˈsɜːtᵊn] *adj* cierto
certainly [ˈsɜːtᵊnlɪ] *adv* ciertamente
certainty [ˈsɜːtᵊntɪ] *n* certeza
certificate [səˈtɪfɪkɪt] *n* certificado; **I need a 'fit to fly' certificate** Necesito un certificado que diga que estoy en condiciones de viajar en avión
Chad [tʃæd] *n* Chad
chain [tʃeɪn] *n* cadena; **Do I need snow chains?** ¿Necesito cadenas?
chair [tʃɛə] *n (furniture)* silla; **easy chair** poltrona; **rocking chair** mecedora
chairlift [ˈtʃɛəˌlɪft] *n* telesilla
chairman [ˈtʃɛəmən] (*pl* **chairmen**) *n* presidente *(comité)*
chalk [tʃɔːk] *n* tiza
challenge [ˈtʃælɪndʒ] *n* desafío ▷ *v* desafiar
challenging [ˈtʃælɪndʒɪŋ] *adj* desafiante
chambermaid [ˈtʃeɪmbəˌmeɪd] *n* camarera *(hotel)*
champagne [ʃæmˈpeɪn] *n* champán
champion [ˈtʃæmpɪən] *n* campeón
championship [ˈtʃæmpɪənˌʃɪp] *n* campeonato
chance [tʃɑːns] *n* azar; **by chance** accidentalmente, por casualidad
change [tʃeɪndʒ] *n* cambio ▷ *vi* cambiarse ▷ *vt* cambiar; **changing room** vestidor; **Can you give me some change, please?** ¿Podría darme cambio, por favor?; **I think you've given me the wrong change** Creo que se ha equivocado en el cambio; **I want to change my ticket** Quiero cambiar mi billete
changeable [ˈtʃeɪndʒəbᵊl] *adj* cambiante
channel [ˈtʃænᵊl] *n* canal *(TV)*
chaos [ˈkeɪɒs] *n* caos
chaotic [ˈkeɪˈɒtɪk] *adj* caótico
chap [tʃæp] *n* tipo *(hombre)*
chapel [ˈtʃæpᵊl] *n* capilla
chapter [ˈtʃæptə] *n* capítulo
character [ˈkærɪktə] *n* carácter
characteristic [ˌkærɪktəˈrɪstɪk] *n* característica
charcoal [ˈtʃɑːˌkəʊl] *n* carbón de leña *(vegetal)*
charge [tʃɑːdʒ] *n (accusation)* cargo, *(electricity)* carga, *(price)* cobro ▷ *v (accuse)* acusar, *(electricity)* cargar, *(price)* cobrar; **admission charge** precio de entrada; **cover charge** precio del cubierto; **service charge** pago por el servicio; **How much do you charge?** ¿Cuánto cobran?; **I'd like to make a reverse charge call** Quisiera llamar a cobro revertido; **Is**

there a charge for the service? ¿Cobran por el servicio?
charger ['tʃɑːdʒə] *n* cargador
charity ['tʃærɪtɪ] *n* caridad; **charity shop** tienda de beneficencia
charm [tʃɑːm] *n* encanto
charming ['tʃɑːmɪŋ] *adj* encantador
chart [tʃɑːt] *n* mapa
chase [tʃeɪs] *n* persecución ▷ *v* perseguir
chat [tʃæt] *n* charla ▷ *v* charlar; **chat show** programa de entrevistas
chatroom ['tʃæt,ruːm; -,rʊm] *n* sala de charlas, chat
chauffeur ['ʃəʊfə; ʃəʊ'fɜː] *n* chófer
chauvinist ['ʃəʊvɪ,nɪst] *n* chovinista
cheap [tʃiːp] *adj* barato; **Do you have anything cheaper?** ¿Tiene algo más barato?; **I'd like the cheapest option** Quiero lo que me salga más barato
cheat [tʃiːt] *n* tramposo ▷ *v* engañar
Chechnya ['tʃɛtʃnjə] *n* Chechenia
check [tʃɛk] *n* control *(inspección)* ▷ *v* controlar *(comprobar)*
checked [tʃɛkt] *adj* de cuadros
check in [tʃɛk ɪn] *v* registrarse
check-in [tʃɛkɪn] *n* registro de entrada
check out [tʃɛk aʊt] *v* registrar la salida
checkout ['tʃɛkaʊt] *n* registro de salida
check-up [tʃɛkʌp] *n* revisión
cheek [tʃiːk] *n* mejilla
cheekbone ['tʃiːk,bəʊn] *n* pómulo
cheeky ['tʃiːkɪ] *adj* descarado
cheer [tʃɪə] *n* ovación ▷ *v* animar
cheerful ['tʃɪəfʊl] *adj* jovial
cheerio [,tʃɪərɪ'əʊ] *excl* ¡chao!
cheers [tʃɪəz] *excl* ¡salud!
cheese [tʃiːz] *n* queso; **What sort of cheese?** ¿Qué tipo de queso?
chef [ʃɛf] *n* jefe de cocina
chemical ['kɛmɪkᵊl] *n* sustancia química
chemist ['kɛmɪst] *n* farmacéutico; **chemist('s)** farmacia
chemistry ['kɛmɪstrɪ] *n* química
cheque [tʃɛk] *n* cheque; **Can I cash a cheque?** ¿Puedo hacer efectivo este cheque?; **Can I change my traveller's cheques here?** ¿Puedo cambiar cheques de viaje aquí?; **Can I pay by cheque?** ¿Puedo pagar con cheque?
chequebook ['tʃɛk,bʊk] *n* talonario de cheques
cherry ['tʃɛrɪ] *n* cereza
chess [tʃɛs] *n* ajedrez
chest [tʃɛst] *n (body part)* pecho, *(storage)* arcón; **chest of drawers** cómoda; **I have a pain in my chest** Me duele el pecho
chestnut ['tʃɛs,nʌt] *n* castaña
chew [tʃuː] *v* masticar; **chewing gum** chicle *(mascar)*
chick [tʃɪk] *n* polluelo
chicken ['tʃɪkɪn] *n* pollo
chickenpox ['tʃɪkɪn,pɒks] *n* varicela
chickpea ['tʃɪk,piː] *n* garbanzo
chief [tʃiːf] *adj* en jefe ▷ *n* jefe
child [tʃaɪld] (*pl* **children**) *n* niño; **child abuse** maltrato a la infancia; **I'd like a child seat for a two-year-old child** Quisiera una silla de seguridad para un niño de dos años; **Is it safe for children?** *(medicine)* ¿Se le puede administrar a los niños?
childcare ['tʃaɪld,kɛə] *n* puericultura
childhood ['tʃaɪldhʊd] *n* infancia
childish ['tʃaɪldɪʃ] *adj* pueril
childminder ['tʃaɪld,maɪndə] *n* niñero
Chile ['tʃɪlɪ] *n* Chile

Chilean ['tʃɪlɪən] *adj* chileno ▷ *n* chileno
chill [tʃɪl] *v* enfriar
chilli ['tʃɪlɪ] *n* chile
chilly ['tʃɪlɪ] *adj* frío
chimney ['tʃɪmnɪ] *n* chimenea *(casa)*
chimpanzee [ˌtʃɪmpæn'ziː] *n* chimpancé
chin [tʃɪn] *n* barbilla
china ['tʃaɪnə] *n* porcelana
China ['tʃaɪnə] *n* China
Chinese [tʃaɪ'niːz] *adj* chino ▷ *n* *(language, person)* chino
chip [tʃɪp] *n* *(electronic)* chip, *(small piece)* esquirla; **silicon chip** chip de silicio
chips [tʃɪps] *npl* patatas fritas
chiropodist [kɪ'rɒpədɪst] *n* podólogo
chisel ['tʃɪzᵊl] *n* cincel
chives [tʃaɪvz] *npl* cebollino
chlorine ['klɔːriːn] *n* cloro
chocolate ['tʃɒkəlɪt; 'tʃɒklɪt; -lət] *n* chocolate; **milk chocolate** chocolate con leche
choice [tʃɔɪs] *n* elección
choir [kwaɪə] *n* coro
choke [tʃəʊk] *v* ahogar *(estrangular)*
cholesterol [kə'lɛstəˌrɒl] *n* colesterol
choose [tʃuːz] *v* elegir
chop [tʃɒp] *n* hachazo ▷ *v* cortar *(con hacha)*; **pork chop** chuleta de cerdo
chopsticks ['tʃɒpstɪks] *npl* palillos
chosen ['tʃəʊzᵊn] *adj* elegido
Christ [kraɪst] *n* Cristo
christening ['krɪsᵊnɪŋ] *n* bautizo
Christian ['krɪstʃən] *adj* cristiano ▷ *n* cristiano; **Christian name** nombre de pila
Christianity [ˌkrɪstɪ'ænɪtɪ] *n* cristianismo
Christmas ['krɪsməs] *n* Navidad; **Christmas card** tarjeta de Navidad; **Christmas Eve** Nochebuena; **Christmas tree** árbol de Navidad; **Merry Christmas!** ¡Feliz Navidad!
chrome [krəʊm] *n* cromo
chronic ['krɒnɪk] *adj* crónico
chrysanthemum [krɪ'sænθəməm] *n* crisantemo
chubby ['tʃʌbɪ] *adj* regordete
chunk [tʃʌŋk] *n* pedazo *(grande)*
church [tʃɜːtʃ] *n* iglesia; **Can we visit the church?** ¿Podemos visitar la iglesia?
cider ['saɪdə] *n* sidra
cigar [sɪ'gɑː] *n* cigarro
cigarette [ˌsɪgə'rɛt] *n* cigarrillo; **cigarette lighter** mechero, encendedor
cinema ['sɪnɪmə] *n* cine; **What's on at the cinema?** ¿Qué ponen en el cine?
cinnamon ['sɪnəmən] *n* canela
circle ['sɜːkᵊl] *n* círculo; **Arctic Circle** círculo polar ártico
circuit ['sɜːkɪt] *n* circuito
circular ['sɜːkjʊlə] *adj* circular
circulation [ˌsɜːkjʊ'leɪʃən] *n* circulación
circumstances ['sɜːkəmstənsɪz] *npl* circunstancias
circus ['sɜːkəs] *n* circo
citizen ['sɪtɪzᵊn] *n* ciudadano; **senior citizen** persona de la tercera edad
citizenship ['sɪtɪzənˌʃɪp] *n* ciudadanía
city ['sɪtɪ] *n* ciudad; **city centre** centro urbano; **Please take me to the city centre** Por favor, lléveme al centro de la ciudad; **Where can I buy a map of the city?** ¿Dónde se puede comprar un plano de la ciudad?
civilian [sɪ'vɪljən] *adj* civil ▷ *n* civil
civilization [ˌsɪvɪlaɪ'zeɪʃən] *n*

civilización
claim [kleɪm] *n* demanda ▷ *v* reclamar; **claim form** impreso de reclamación
clap [klæp] *v* aplaudir
clarify ['klærɪˌfaɪ] *v* aclarar *(explicar)*
clarinet [ˌklærɪ'nɛt] *n* clarinete
clash [klæʃ] *v* estar en conflicto
clasp [klɑːsp] *n* cierre *(dispositivo)*
class [klɑːs] *n* clase; **a first class cabin** un camarote de primera clase; **a first class return to...** un billete de ida y vuelta en primera clase para...; **a standard class cabin** un camarote de clase turista
classic ['klæsɪk] *adj* clásico ▷ *n* clásico
classical ['klæsɪkᵊl] *adj* clásico
classmate ['klɑːsˌmeɪt] *n* compañero de clase
classroom ['klɑːsˌruːm; -ˌrʊm] *n* aula; **classroom assistant** maestro auxiliar
clause [klɔːz] *n* cláusula
claustrophobic [ˌklɔːstrə'fəʊbɪk; ˌklɒs-] *adj* claustrofóbico
claw [klɔː] *n* garra
clay [kleɪ] *n* arcilla
clean [kliːn] *adj* limpio ▷ *v* limpiar; **Can you clean the room, please?** ¿Puede limpiar la habitación, por favor?; **I need this dry-cleaned** Esto se tiene que limpiar en seco; **I'd like to get these things cleaned** Quisiera que me limpiaran todo esto
cleaner ['kliːnə] *n* limpiador
cleaning ['kliːnɪŋ] *n* limpieza; **cleaning lady** señora de la limpieza
cleanser ['klɛnzə] *n* detergente
clear [klɪə] *adj* claro
clearly ['klɪəlɪ] *adv* claramente
clear off [klɪə ɒf] *v* largarse
clear up [klɪə ʌp] *v* limpiar
clementine ['klɛmənˌtiːn; -ˌtaɪn] *n* clementina
clever ['klɛvə] *adj* inteligente
click [klɪk] *n* clic ▷ *v* chasquear
client ['klaɪənt] *n* cliente
cliff [klɪf] *n* precipicio
climate ['klaɪmɪt] *n* clima; **climate change** cambio climático
climb [klaɪm] *v* escalar; **I'd like to go climbing** Quisiera ir de escalada
climber ['klaɪmə] *n* escalador
climbing ['klaɪmɪŋ] *n* escalada
clinic ['klɪnɪk] *n* clínica
clip [klɪp] *n* tijeretada
clippers ['klɪpəz] *npl* cortaúñas
cloakroom ['kləʊkˌruːm; -ˌrʊm] *n* guardarropa
clock [klɒk] *n* reloj *(de pared)*
clockwise ['klɒkˌwaɪz] *adv* en el sentido de las agujas del reloj
clog [klɒg] *n* zueco
clone [kləʊn] *n* clon ▷ *v* clonar
close *adj* [kləʊs] cercano *(tiempo)* ▷ *adv* [kləʊs] cerca ▷ *v* [kləʊz] cerrar; **close by** por aquí cerca; **closing time** hora de cierre; **May I close the window?** ¿Me permite que cierre la ventana?; **The door won't close** La puerta no se cierra; **What time do you close?** ¿A qué hora cierran?
closed [kləʊzd] *adj* cerrado
closely [kləʊslɪ] *adv* estrechamente
closure ['kləʊʒə] *n* cierre *(acción)*
cloth [klɒθ] *n* tela
clothes [kləʊðz] *npl* ropa; **clothes line** cuerda para la ropa; **clothes peg** pinza de la ropa; **Is there somewhere to dry clothes?** ¿Hay algún sitio donde se pueda secar la ropa?; **My clothes are damp** Mi ropa se ha impregnado de humedad
clothing ['kləʊðɪŋ] *n* indumentaria
cloud [klaʊd] *n* nube
cloudy ['klaʊdɪ] *adj* nublado; **It's**

cloudy Está nublado
clove [kləʊv] *n* clavo *(especia)*
clown [klaʊn] *n* payaso
club [klʌb] *n (group)* club, *(weapon)* garrote
club together [klʌb təˈɡɛðə] *v* hacer una colecta
clue [kluː] *n* pista *(indicio)*
clumsy [ˈklʌmzɪ] *adj* torpe
clutch [klʌtʃ] *n* embrague
clutter [ˈklʌtə] *n* revoltijo de chismes
coach [kəʊtʃ] *n (trainer)* entrenador, *(vehicle)* autocar; **When does the coach leave in the morning?** ¿A qué hora sale el autocar por la mañana?
coal [kəʊl] *n* carbón *(mineral)*
coarse [kɔːs] *adj* basto
coast [kəʊst] *n* costa
coastguard [ˈkəʊstˌɡɑːd] *n* guardacostas
coat [kəʊt] *n* abrigo
coathanger [ˈkəʊtˌhæŋə] *n* percha
cobweb [ˈkɒbˌwɛb] *n* telaraña
cocaine [kəˈkeɪn] *n* cocaína
cock [kɒk] *n* gallo
cockerel [ˈkɒkərəl; ˈkɒkrəl] *n* gallito
cockpit [ˈkɒkˌpɪt] *n* cabina del piloto
cockroach [ˈkɒkˌrəʊtʃ] *n* cucaracha
cocktail [ˈkɒkˌteɪl] *n* cóctel; **Do you sell cocktails?** ¿Sirven cócteles?
cocoa [ˈkəʊkəʊ] *n* cacao
coconut [ˈkəʊkəˌnʌt] *n* coco
cod [kɒd] *n* bacalao
code [kəʊd] *n* código; **dialling code** prefijo; **Highway Code** código de circulación
coeliac [ˈsiːlɪˌæk] *adj* celíaco
coffee [ˈkɒfɪ] *n* café *(bebida)*; **black coffee** café solo; **coffee bean** grano de café; **decaffeinated coffee** café descafeinado; **A white coffee, please** Un café con leche, por favor; **Could we have another cup of coffee, please?** ¿Puede traernos otra taza de café, por favor?; **Have you got fresh coffee?** ¿Tiene café recién hecho?
coffeepot [ˈkɒfɪˌpɒt] *n* cafetera
coffin [ˈkɒfɪn] *n* ataúd
coin [kɔɪn] *n* moneda *(pieza)*; **I'd like some coins for the phone, please** ¿Me da monedas para llamar por teléfono, por favor?
coincide [ˌkəʊɪnˈsaɪd] *v* coincidir
coincidence [kəʊˈɪnsɪdəns] *n* casualidad
Coke® [kəʊk] *n* Coca-Cola
colander [ˈkɒləndə; ˈkʌl-] *n* escurridor
cold [kəʊld] *adj* frío ▹ *n* frío; **cold sore** herpes labial; **I'm cold** Tengo frío; **It's freezing cold** Hace un frío que pela; **The food is too cold** La comida está demasiado fría
coleslaw [ˈkəʊlˌslɔː] *n* ensalada de col
collaborate [kəˈlæbəˌreɪt] *v* colaborar
collapse [kəˈlæps] *v* derrumbarse
collar [ˈkɒlə] *n* cuello
collarbone [ˈkɒləˌbəʊn] *n* clavícula
colleague [ˈkɒliːɡ] *n* colega *(trabajo)*
collect [kəˈlɛkt] *v* recoger *(recolectar)*
collection [kəˈlɛkʃən] *n* recogida
collective [kəˈlɛktɪv] *adj* colectivo ▹ *n* cooperativa
collector [kəˈlɛktə] *n* coleccionista
college [ˈkɒlɪdʒ] *n* colegio *(universitario)*
collide [kəˈlaɪd] *v* colisionar, chocar
collie [ˈkɒlɪ] *n* pastor escocés
colliery [ˈkɒljərɪ] *n* mina de carbón
collision [kəˈlɪʒən] *n* colisión
Colombia [kəˈlɒmbɪə] *n* Colombia
Colombian [kəˈlɒmbɪən] *adj* colombiano ▹ *n* colombiano

colon ['kəʊlən] *n* dos puntos
colonel ['kɜːnᵊl] *n* coronel
colour ['kʌlə] *n* color; **A colour film, please** Un carrete en color, por favor; **Do you have this in another colour?** ¿Lo tiene en otro color?; **in colour** en color
colour-blind ['kʌlə'blaɪnd] *adj* daltónico
colourful ['kʌləfʊl] *adj* lleno de colorido
colouring ['kʌlərɪŋ] *n* colorido
column ['kɒləm] *n* columna
coma ['kəʊmə] *n* coma *(estado)*
comb [kəʊm] *n* peine ▹ *v* peinar
combination [ˌkɒmbɪ'neɪʃən] *n* combinación
combine [kəm'baɪn] *v* combinar
come [kʌm] *v* venir
come back [kʌm bæk] *v* volver *(venir)*; **Shall I come back later?** ¿Vuelvo más tarde?
comedian [kə'miːdɪən] *n* humorista
come down [kʌm daʊn] *v* bajar
comedy ['kɒmɪdɪ] *n* comedia
come from [kʌm frəm] *v* provenir
come in [kʌm ɪn] *v* entrar
come off [kʌm ɒf] *v* **The handle has come off** Se ha salido la manija
come out [kʌm aʊt] *v* salir
come round [kʌm] *v* recobrar la conciencia
comet ['kɒmɪt] *n* cometa *(astro)*
come up [kʌm ʌp] *v* llegar *(oportunidad etc.)*
comfortable ['kʌmftəbᵊl; 'kʌmfətəbᵊl] *adj* cómodo
comic ['kɒmɪk] *n* actor cómico; **comic book** tebeo; **comic strip** tira cómica
coming ['kʌmɪŋ] *adj* que viene
comma ['kɒmə] *n* coma *(gramatical)*; **inverted commas** comillas
command [kə'mɑːnd] *n* orden *(instrucción)*
comment ['kɒmɛnt] *n* comentario *(observación)* ▹ *v* comentar
commentary ['kɒməntərɪ; -trɪ] *n* comentario *(análisis)*
commentator ['kɒmənˌteɪtə] *n* comentarista
commercial [kə'mɜːʃəl] *n* anuncio publicitario; **commercial break** intermedio para la publicidad
commission [kə'mɪʃən] *n* comisión; **Do you charge commission?** ¿Cobran comisión?
commit [kə'mɪt] *v* cometer
committee [kə'mɪtɪ] *n* comité
common ['kɒmən] *adj* común; **common sense** sentido común
communicate [kə'mjuːnɪˌkeɪt] *v* comunicar
communication [kəˌmjuːnɪ'keɪʃən] *n* comunicación
communion [kə'mjuːnjən] *n* comunión
communism ['kɒmjʊˌnɪzəm] *n* comunismo
communist ['kɒmjʊnɪst] *adj* comunista ▹ *n* comunista
community [kə'mjuːnɪtɪ] *n* comunidad
commute [kə'mjuːt] *v* viajar diariamente al trabajo
commuter [kə'mjuːtə] *n* viajero diario *(a trabajo etc.)*
compact ['kəm'pækt] *adj* compacto; **compact disc** disco compacto
companion [kəm'pænjən] *n* compañero
company ['kʌmpənɪ] *n* compañía; **company car** coche de empresa
comparable ['kɒmpərəbᵊl] *adj* comparable
comparatively [kəm'pærətɪvlɪ]

adv comparativamente
compare [kəm'pɛə] *v* comparar
comparison [kəm'pærɪsᵊn] *n* comparación
compartment [kəm'pɑːtmənt] *n* compartimento
compass ['kʌmpəs] *n* brújula
compatible [kəm'pætəbᵊl] *adj* compatible
compensate ['kɒmpɛnˌseɪt] *v* compensar
compensation [ˌkɒmpɛn'seɪʃən] *n* compensación
compere ['kɒmpɛə] *n* animador *(presentador)*
compete [kəm'piːt] *v* competir
competent ['kɒmpɪtənt] *adj* competente
competition [ˌkɒmpɪ'tɪʃən] *n* competición
competitive [kəm'pɛtɪtɪv] *adj* competitivo
competitor [kəm'pɛtɪtə] *n* contrincante
complain [kəm'pleɪn] *v* quejarse *(reclamar)*
complaint [kəm'pleɪnt] *n* queja
complementary [ˌkɒmplɪ'mɛntərɪ; -trɪ] *adj* complementario
complete [kəm'pliːt] *adj* completo
completely [kəm'pliːtlɪ] *adv* completamente; **I want a completely new style** Quiero un peinado completamente diferente
complex ['kɒmplɛks] *adj* complejo ▷ *n* complejo
complexion [kəm'plɛkʃən] *n* tez
complicated ['kɒmplɪˌkeɪtɪd] *adj* complicado
complication [ˌkɒmplɪ'keɪʃən] *n* complicación
compliment *n* ['kɒmplɪmənt] halago ▷ *v* ['kɒmplɪˌmɛnt] felicitar
complimentary [ˌkɒmplɪ'mɛntərɪ; -trɪ] *adj* elogioso
component [kəm'pəʊnənt] *adj* integrante ▷ *n* componente
composer [kəm'pəʊzə] *n* compositor
composition [ˌkɒmpə'zɪʃən] *n* composición
comprehension [ˌkɒmprɪ'hɛnʃən] *n* comprensión
comprehensive [ˌkɒmprɪ'hɛnsɪv] *adj* exhaustivo
compromise ['kɒmprəˌmaɪz] *n* solución intermedia ▷ *v* llegar a un acuerdo *(por concesiones etc.)*
compulsory [kəm'pʌlsərɪ] *adj* obligatorio
computer [kəm'pjuːtə] *n* ordenador; **computer game** juego de ordenador; **computer science** ciencia informática; **My computer has frozen** Se me ha colgado el ordenador; **Where is the computer room?** ¿Dónde está la sala de los ordenadores?
computing [kəm'pjuːtɪŋ] *n* informática
concentrate ['kɒnsənˌtreɪt] *v* concentrar(se)
concentration [ˌkɒnsən'treɪʃən] *n* concentración *(mental)*
concern [kən'sɜːn] *n* asunto
concerned [kən'sɜːnd] *adj* interesado
concerning [kən'sɜːnɪŋ] *prep* con respecto a
concert ['kɒnsɜːt; -sət] *n* concierto *(función)*; **Where can I buy tickets for the concert?** ¿Dónde se pueden comprar las entradas para el concierto?
concerto [kən'tʃɛətəʊ] *(pl*

concerti) *n* concierto *(obra)*
concession [kən'sɛʃən] *n* concesión
concise [kən'saɪs] *adj* conciso
conclude [kən'klu:d] *v* concluir
conclusion [kən'klu:ʒən] *n* conclusión
concrete ['kɒnkri:t] *n* hormigón
concussion [kən'kʌʃən] *n* conmoción cerebral
condemn [kən'dɛm] *v* condenar
condensation [ˌkɒndɛn'seɪʃən] *n* condensación
condition [kən'dɪʃən] *n* condición; **What are the snow conditions?** ¿En qué condiciones está la nieve?
conditional [kən'dɪʃənᵊl] *adj* condicional
conditioner [kən'dɪʃənə] *n* suavizante; **Do you sell conditioner?** ¿Vende suavizante?
condom ['kɒndɒm; 'kɒndəm] *n* preservativo
conduct [kən'dʌkt] *v* conducir *(guiar)*
conductor [kən'dʌktə] *n* director *(orquesta)*; **bus conductor** cobrador de autobús
cone [kəʊn] *n* cono
conference ['kɒnfərəns; -frəns] *n* conferencia *(reunión)*; **press conference** rueda de prensa
confess [kən'fɛs] *v* confesar
confession [kən'fɛʃən] *n* confesión
confetti [kən'fɛtɪ] *npl* confeti
confidence ['kɒnfɪdəns] *n (secret)* confidencia, *(self-assurance)* confianza en sí mismo, *(trust)* confianza
confident ['kɒnfɪdənt] *adj* seguro
confidential [ˌkɒnfɪ'dɛnʃəl] *adj* confidencial
confirm [kən'fɜ:m] *v* confirmar; **I confirmed my booking by letter** Confirmé la reserva por carta
confirmation [ˌkɒnfə'meɪʃən] *n* confirmación
confiscate ['kɒnfɪˌskeɪt] *v* confiscar
conflict ['kɒnflɪkt] *n* conflicto
confuse [kən'fju:z] *v* confundir
confused [kən'fju:zd] *adj* confuso
confusing [kən'fju:zɪŋ] *adj* confuso
confusion [kən'fju:ʒən] *n* confusión
congestion [kən'dʒɛstʃən] *n* congestión
Congo ['kɒŋgəʊ] *n* Congo
congratulate [kən'grætjʊˌleɪt] *v* felicitar, congratular
congratulations [kənˌgrætjʊ'leɪʃənz] *npl* enhorabuena
conifer ['kəʊnɪfə; 'kɒn-] *n* conífera
conjugation [ˌkɒndʒʊ'geɪʃən] *n* conjugación
conjunction [kən'dʒʌŋkʃən] *n* conjunción
conjurer ['kʌndʒərə] *n* prestidigitador
connect [kə'nɛkt] *v* conectar
connection [kə'nɛkʃən] *n* conexión; **The connection seems very slow** Parece que la conexión es muy lenta
conquer ['kɒŋkə] *v* derrotar, vencer
conscience ['kɒnʃəns] *n* conciencia *(moral)*
conscientious [ˌkɒnʃɪ'ɛnʃəs] *adj* concienzudo
conscious ['kɒnʃəs] *adj* consciente *(despierto)*
consciousness ['kɒnʃəsnɪs] *n* conciencia *(conocimiento)*
consecutive [kən'sɛkjʊtɪv] *adj* consecutivo
consensus [kən'sɛnsəs] *n* consenso
consequence ['kɒnsɪkwəns] *n* consecuencia
consequently ['kɒnsɪkwəntlɪ] *adv* por consiguiente

conservation [ˌkɒnsəˈveɪʃən] *n* conservación
conservative [kənˈsɜːvətɪv] *adj* conservador
conservatory [kənˈsɜːvətrɪ] *n* salón acristalado
consider [kənˈsɪdə] *v* considerar
considerate [kənˈsɪdərɪt] *adj* atento
considering [kənˈsɪdərɪŋ] *prep* con respecto a
consist [kənˈsɪst] *v* **consist of** constar de
consistent [kənˈsɪstənt] *adj* consecuente
consonant [ˈkɒnsənənt] *n* consonante
conspiracy [kənˈspɪrəsɪ] *n* conspiración
constant [ˈkɒnstənt] *adj* constante
constantly [ˈkɒnstəntlɪ] *adv* constantemente
constipated [ˈkɒnstɪˌpeɪtɪd] *adj* estreñido
constituency [kənˈstɪtjʊənsɪ] *n* circunscripción electoral
constitution [ˌkɒnstɪˈtjuːʃən] *n* constitución
construct [kənˈstrʌkt] *v* construir
construction [kənˈstrʌkʃən] *n* construcción
constructive [kənˈstrʌktɪv] *adj* constructivo
consul [ˈkɒnsəl] *n* cónsul
consulate [ˈkɒnsjʊlɪt] *n* consulado
consult [kənˈsʌlt] *v* consultar
consultant [kənˈsʌltənt] *n (adviser)* especialista
consumer [kənˈsjuːmə] *n* consumidor
contact *n* [ˈkɒntækt] contacto ▷ *v* [kənˈtækt] ponerse en contacto; **contact lenses** lentes de contacto, lentillas; **Where can I contact you?** ¿Dónde puedo ponerme en contacto con usted?
contagious [kənˈteɪdʒəs] *adj* contagioso
contain [kənˈteɪn] *v* contener
container [kənˈteɪnə] *n* contenedor
contemporary [kənˈtɛmprərɪ] *adj* contemporáneo
contempt [kənˈtɛmpt] *n* desprecio
content [ˈkɒntɛnt] *n* contenido; **contents** *(list)* índice
contest [ˈkɒntɛst] *n* competición
contestant [kənˈtɛstənt] *n* competidor
context [ˈkɒntɛkst] *n* contexto
continent [ˈkɒntɪnənt] *n* continente
continual [kənˈtɪnjʊəl] *adj* continuo
continually [kənˈtɪnjʊəlɪ] *adv* continuamente
continue [kənˈtɪnjuː] *vi* continuar ▷ *vt* seguir
continuous [kənˈtɪnjʊəs] *adj* ininterrumpido
contraception [ˌkɒntrəˈsɛpʃən] *n* anticoncepción
contraceptive [ˌkɒntrəˈsɛptɪv] *n* anticonceptivo
contract [ˈkɒntrækt] *n* contrato
contractor [ˈkɒntræktə; kənˈtræk-] *n* contratista
contradict [ˌkɒntrəˈdɪkt] *v* contradecir
contradiction [ˌkɒntrəˈdɪkʃən] *n* contradicción
contrary [ˈkɒntrərɪ] *n* contrario
contrast [ˈkɒntrɑːst] *n* contraste
contribute [kənˈtrɪbjuːt] *v* contribuir
contribution [ˌkɒntrɪˈbjuːʃən] *n* contribución
control [kənˈtrəʊl] *n* control *(dominio)* ▷ *v* controlar; **birth control**

control de natalidad; **passport control** control de pasaportes; **remote control** mando a distancia
controller [kən'trəʊlə] *n* **air-traffic controller** controlador aéreo
controversial ['kɒntrə'vɜːʃəl] *adj* polémico
convenient [kən'viːnɪənt] *adj* conveniente *(cómodo)*
convent ['kɒnvənt] *n* convento
conventional [kən'vɛnʃənᵊl] *adj* convencional
conversation [ˌkɒnvə'seɪʃən] *n* conversación
convert [kən'vɜːt] *v* convertir; **catalytic converter** catalizador
convertible [kən'vɜːtəbᵊl] *adj* convertible ▷ *n* descapotable
convict [kən'vɪkt] *v* condenar
convince [kən'vɪns] *v* convencer
convincing [kən'vɪnsɪŋ] *adj* convincente
convoy ['kɒnvɔɪ] *n* convoy
cook [kʊk] *n* cocinero ▷ *v* cocinar; **Is this cooked in meat stock?** ¿Se ha cocinado con caldo de carne?
cookbook ['kʊkˌbʊk] *n* recetario
cooker ['kʊkə] *n* hornilla
cookery ['kʊkərɪ] *n* cocina *(arte)*; **cookery book** libro de recetas
cooking ['kʊkɪŋ] *n* cocina
cool [kuːl] *adj (cold)* fresco *(frío)*, *(stylish)* chulo
cooperation [kəʊˌɒpə'reɪʃən] *n* cooperación
cop [kɒp] *n* poli
cope [kəʊp] *v* **cope with** hacer frente a
copper ['kɒpə] *n* cobre
copy ['kɒpɪ] *n (reproduction)* copia, *(written text)* ejemplar ▷ *v* copiar; **Can you copy this for me?** ¿Podría hacerme una copia de esto?; **I want to copy this document** Quisiera copiar este documento
copyright ['kɒpɪˌraɪt] *n* derechos de propiedad intelectual
coral ['kɒrəl] *n* coral
cord [kɔːd] *n* **spinal cord** médula espinal
cordless ['kɔːdlɪs] *adj* inalámbrico
corduroy ['kɔːdəˌrɔɪ; ˌkɔːdə'rɔɪ] *n* pana
core [kɔː] *n* corazón *(fruta)*
coriander [ˌkɒrɪ'ændə] *n* cilantro
cork [kɔːk] *n* corcho
corkscrew ['kɔːkˌskruː] *n* sacacorchos
corn [kɔːn] *n* cereal
corner ['kɔːnə] *n* esquina, rincón; **It's on the corner** Está en la esquina; **It's round the corner** Está a la vuelta de la esquina
cornet ['kɔːnɪt] *n* corneta
cornflakes ['kɔːnˌfleɪks] *npl* copos de maíz
cornflour ['kɔːnˌflaʊə] *n* harina de maíz
corporal ['kɔːpərəl; -prəl] *n* cabo *(soldado)*
corpse [kɔːps] *n* cadáver
correct [kə'rɛkt] *adj* correcto ▷ *v* corregir
correction [kə'rɛkʃən] *n* corrección
correctly [kə'rɛktlɪ] *adv* correctamente
correspondence [ˌkɒrɪ'spɒndəns] *n* correspondencia
correspondent [ˌkɒrɪ'spɒndənt] *n* corresponsal
corridor ['kɒrɪˌdɔː] *n* pasillo, corredor
corrupt [kə'rʌpt] *adj* corrupto
corruption [kə'rʌpʃən] *n* corrupción
cosmetics [kɒz'mɛtɪks] *npl* cosméticos
cost [kɒst] *n* coste ▷ *v* costar; **cost of**

living coste de la vida; **How much does it cost?** ¿Cuánto cuesta?; **How much will the repairs cost?** ¿Cuánto costarán los arreglos?
Costa Rica ['kɒstə 'riːkə] *n* Costa Rica
costume ['kɒstjuːm] *n* traje *(típico)*
cosy ['kəʊzɪ] *adj* acogedor
cot [kɒt] *n* cuna; **Do you have a cot?** ¿Tiene una cuna?
cottage ['kɒtɪdʒ] *n* casita de campo; **cottage cheese** requesón
cotton ['kɒtᵊn] *n* algodón; **cotton bud** bastoncillo de algodón; **cotton wool** algodón hidrófilo
couch [kaʊtʃ] *n* sofá
couchette [kuː'ʃɛt] *n* litera
cough [kɒf] *n* tos ▷ *v* toser; **cough mixture** jarabe para la tos; **I have a cough** Tengo tos
council ['kaʊnsəl] *n* junta *(reunión)*; **council house** vivienda de protección oficial
councillor ['kaʊnsələ] *n* concejal
count [kaʊnt] *v* contar *(numerar)*
counter ['kaʊntə] *n* mostrador
count on [kaʊnt ɒn] *v* contar con
country ['kʌntrɪ] *n* país; **developing country** país en vías de desarrollo; **Where can I buy a map of the country?** ¿Dónde se puede comprar un mapa del país?
countryside ['kʌntrɪˌsaɪd] *n* campo
couple ['kʌpᵊl] *n* pareja *(par)*
courage ['kʌrɪdʒ] *n* coraje
courageous [kə'reɪdʒəs] *adj* valiente, atrevido, valeroso
courgette [kʊə'ʒɛt] *n* calabacín
courier ['kʊərɪə] *n* mensajero *(urgente)*; **I want to send this by courier** Quiero enviar esto por mensajero
course [kɔːs] *n* curso; **main course** plato fuerte *(comida)*; **refresher course** curso de reciclaje
court [kɔːt] *n* patio; **tennis court** pista de tenis
courtyard ['kɔːtˌjɑːd] *n* patio
cousin ['kʌzᵊn] *n* primo
cover ['kʌvə] *n* cubierta ▷ *v* cubrir; **cover charge** precio del cubierto; **Is there a cover charge?** ¿Cobran el cubierto aparte?
cow [kaʊ] *n* vaca
coward ['kaʊəd] *n* cobarde
cowardly ['kaʊədlɪ] *adj* cobarde
cowboy ['kaʊˌbɔɪ] *n* vaquero
crab [kræb] *n* cangrejo
crack [kræk] *n (cocaine)* crack, *(fracture)* grieta, raja ▷ *v* agrietar(se); **crack down on** tomar medidas duras contra
cracked [krækt] *adj* rajado
cracker ['krækə] *n* galleta salada, *(firework)* petardo
cradle ['kreɪdᵊl] *n* cuna
craft [krɑːft] *n* destreza
craftsman ['krɑːftsmən] *(pl* **craftsmen**) *n* artesano
cram [kræm] *v* embutir
crammed [kræmd] *adj* atiborrado
cranberry ['krænbərɪ; -brɪ] *n* arándano rojo
crane [kreɪn] *n (bird)* grulla, *(for lifting)* grúa *(construcción)*
crash [kræʃ] *n* choque ▷ *vi* caer con estrépito ▷ *vt* chocar contra; **There's been a crash** Ha habido un choque
crawl [krɔːl] *v* arrastrarse
crayfish ['kreɪˌfɪʃ] *n* cangrejo de río
crayon ['kreɪən; -ɒn] *n* lápiz de color
crazy ['kreɪzɪ] *adj* loco
cream [kriːm] *adj* color crema ▷ *n* crema, nata; **shaving cream** crema de afeitar
crease [kriːs] *n* arruga *(tela)*

creased [kri:st] *adj* arrugado *(tela)*
create [kri:'eɪt] *v* crear
creation [kri:'eɪʃən] *n* creación
creative [kri:'eɪtɪv] *adj* creativo
creature ['kri:tʃə] *n* criatura
crêche [krɛʃ] *n* guardería infantil
credentials [krɪ'dɛnʃəlz] *npl* credenciales
credible ['krɛdɪbᵊl] *adj* creíble
credit ['krɛdɪt] *n* crédito; **credit card** tarjeta de crédito; **Can I pay by credit card?** ¿Puedo pagar con tarjeta de crédito?; **Do you take credit cards?** ¿Acepta tarjetas de crédito?
crematorium, crematoria [ˌkrɛmə'tɔ:rɪəm, ˌkrɛmə'tɔ:rɪə] *n* crematorio
cress [krɛs] *n* berro
crew [kru:] *n* tripulación; **crew cut** pelo al rape
cricket ['krɪkɪt] *n (game)* críquet, *(insect)* grillo
crime [kraɪm] *n* crimen, delito
criminal ['krɪmɪnᵊl] *adj* criminal, delictivo ▹ *n* delincuente
crisis ['kraɪsɪs] *n* crisis
crisp [krɪsp] *adj* crujiente
crisps [krɪsps] *npl* patatas fritas
crispy ['krɪspɪ] *adj* crujiente
criterion [kraɪ'tɪərɪən] (*pl* **criteria**) *n* criterio
critic ['krɪtɪk] *n* crítico
critical ['krɪtɪkᵊl] *adj* crítico
criticism ['krɪtɪˌsɪzəm] *n* crítica
criticize ['krɪtɪˌsaɪz] *v* criticar
Croatia [krəʊ'eɪʃə] *n* Croacia
Croatian [krəʊ'eɪʃən] *adj* croata ▹ *n (language, person)* croata
crochet ['krəʊʃeɪ; -ʃɪ] *v* hacer ganchillo
crockery ['krɒkərɪ] *n* vajilla; **We need more crockery** Necesitamos más vajilla
crocodile ['krɒkəˌdaɪl] *n* cocodrilo
crocus ['krəʊkəs] *n* planta del azafrán
crook [krʊk] *n* recodo, *(swindler)* estafador
crop [krɒp] *n* cosecha
cross [krɒs] *adj* enfadado ▹ *n* cruz ▹ *v* cruzar; **Red Cross** Cruz Roja
cross-country ['krɒs'kʌntrɪ] *n* carrera a campo traviesa
crossing ['krɒsɪŋ] *n* cruce
cross out [krɒs aʊt] *v* tachar
crossroads ['krɒsˌrəʊdz] *n* encrucijada
crossword ['krɒsˌwɜ:d] *n* crucigrama
crouch down [kraʊtʃ daʊn] *v* agacharse *(cuclillas)*
crow [krəʊ] *n* cuervo
crowd [kraʊd] *n* muchedumbre
crowded [kraʊdɪd] *adj* atestado
crown [kraʊn] *n* corona
crucial ['kru:ʃəl] *adj* crucial
crucifix ['kru:sɪfɪks] *n* crucifijo
crude [kru:d] *adj* burdo
cruel ['kru:əl] *adj* cruel
cruelty ['kru:əltɪ] *n* crueldad
cruise [kru:z] *n* crucero
crumb [krʌm] *n* miga
crush [krʌʃ] *v* aplastar *(aplanar)*
crutch [krʌtʃ] *n* muleta
cry [kraɪ] *n* grito ▹ *v* llorar
crystal ['krɪstᵊl] *n* cristal
cub [kʌb] *n* cachorro *(león etc.)*
Cuba ['kju:bə] *n* Cuba
Cuban ['kju:bən] *adj* cubano ▹ *n* cubano
cube [kju:b] *n* cubo *(geometría)*; **stock cube** cubito de caldo
cubic ['kju:bɪk] *adj* cúbico
cuckoo ['kʊku:] *n* cuclillo
cucumber ['kju:ˌkʌmbə] *n* pepino
cuddle ['kʌdᵊl] *n* abrazo ▹ *v* abrazar
cue [kju:] *n (billiards)* taco

cufflinks ['kʌflɪŋks] *npl* gemelos
culprit ['kʌlprɪt] *n* culpable *(inculpado)*
cultural ['kʌltʃərəl] *adj* cultural
culture ['kʌltʃə] *n* cultura
cumin ['kʌmɪn] *n* comino
cunning ['kʌnɪŋ] *adj* astuto
cup [kʌp] *n* taza; **World Cup** Copa Mundial; **Could we have another cup of tea, please?** ¿Puede traernos otra taza de té, por favor?
cupboard ['kʌbəd] *n* armario
curb [kɜːb] *n* freno *(limitación)*
cure [kjʊə] *n* curación ▷ *v* curar
curfew ['kɜːfjuː] *n* toque de queda; **Is there a curfew?** ¿Hay toque de queda?
curious ['kjʊərɪəs] *adj* curioso
curl [kɜːl] *n* rizo
curler ['kɜːlə] *n* rulo
curly ['kɜːlɪ] *adj* rizado; **My hair is naturally curly** Mi rizado es natural
currant ['kʌrənt] *n* pasa de Corinto
currency ['kʌrənsɪ] *n* moneda *(divisa)*
current ['kʌrənt] *adj* actual ▷ *n (electricity, flow)* corriente; **current account** cuenta corriente; **current affairs** sucesos de actualidad; **Are there currents?** ¿Hay fuertes corrientes?
currently ['kʌrəntlɪ] *adv* actualmente
curriculum [kə'rɪkjʊləm] *n* currículo; **curriculum vitae** curriculum vitae
curry ['kʌrɪ] *n* curry; **curry powder** curry en polvo
curse [kɜːs] *n* maldición
cursor ['kɜːsə] *n* cursor
curtain ['kɜːtᵊn] *n* cortina
cushion ['kʊʃən] *n* cojín
custard ['kʌstəd] *n* natillas
custody ['kʌstədɪ] *n* custodia
custom ['kʌstəm] *n* costumbre
customer ['kʌstəmə] *n* cliente
customized ['kʌstəˌmaɪzd] *adj* personalizado
customs ['kʌstəmz] *npl* aduana; **customs officer** aduanero
cut [kʌt] *n* corte ▷ *v* cortar; **A cut and blow-dry, please** Cortar y marcar, por favor; **Don't cut too much off** No me corte mucho
cutback ['kʌtˌbæk] *n* recorte *(reducción)*
cut down [kʌt daʊn] *v* talar
cute [kjuːt] *adj* mono
cutlery ['kʌtlərɪ] *n* cubierto; **My cutlery is dirty** Mis cubiertos están sucios
cutlet ['kʌtlɪt] *n* chuleta
cut off [kʌt ɒf] *v* cortar; **I've been cut off** Se me ha cortado la llamada
cutting ['kʌtɪŋ] *n* recorte *(periódico)*
cut up [kʌt ʌp] *v* cortar en pedazos
CV [siː viː] *abr* curriculum vitae
cybercafé ['saɪbəˌkæfeɪ; -ˌkæfɪ] *n* cibercafé
cybercrime ['saɪbəˌkraɪm] *n* ciberdelincuencia
cycle ['saɪkᵊl] *n (bike)* bici, *(recurring period)* ciclo ▷ *v* ir en bicicleta; **cycle lane** carril para bicis; **cycle path** sendero para bicicletas
cycling ['saɪklɪŋ] *n* ciclismo
cyclist ['saɪklɪst] *n* ciclista
cyclone ['saɪkləʊn] *n* ciclón
cylinder ['sɪlɪndə] *n* cilindro
cymbals ['sɪmbᵊlz] *npl* platillos
Cypriot ['sɪprɪət] *adj* chipriota ▷ *n (person)* chipriota
Cyprus ['saɪprəs] *n* Chipre
cyst [sɪst] *n* quiste
cystitis [sɪ'staɪtɪs] *n* cistitis
Czech [tʃɛk] *adj* checo ▷ *n (language, person)* checo; **Czech Republic** República Checa

d

dad [dæd] *n* papá
daddy ['dædɪ] *n* papaíto
daffodil ['dæfədɪl] *n* narciso
daft [dɑːft] *adj* bobo
daily ['deɪlɪ] *adj* diario ▹ *adv* diariamente
dairy ['dɛərɪ] *n* lechería; **dairy produce** producción láctea; **dairy products** productos lácteos
daisy ['deɪzɪ] *n* margarita
dam [dæm] *n* embalse
damage ['dæmɪdʒ] *n* daño ▹ *v* dañar; **I'd like to arrange a collision damage waiver** Quisiera tomar un seguro contra daños a la integridad del vehículo; **My suitcase has arrived damaged** Mi maleta ha llegado dañada
damn [dæm] *adj* maldito
damp [dæmp] *adj* húmedo
dance [dɑːns] *n* baile *(arte)* ▹ *v* bailar; **I don't really dance** No bailo mucho; **Would you like to dance?** ¿Quieres bailar?
dancer ['dɑːnsə] *n* bailarín
dancing ['dɑːnsɪŋ] *n* baile *(actividad)*; **ballroom dancing** baile de salón
dandelion ['dændɪˌlaɪən] *n* diente de león
dandruff ['dændrəf] *n* caspa
Dane [deɪn] *n* danés
danger ['deɪndʒə] *n* peligro; **Is there a danger of avalanches?** ¿Hay peligro de avalanchas?
dangerous ['deɪndʒərəs] *adj* peligroso
Danish ['deɪnɪʃ] *adj* danés ▹ *n (language)* danés
dare [dɛə] *v* atreverse
daring ['dɛərɪŋ] *adj* osado, atrevido
dark [dɑːk] *adj* oscuro ▹ *n* oscuridad; **It's dark** Está oscuro
darkness ['dɑːknɪs] *n* tinieblas
darling ['dɑːlɪŋ] *n* cariño
dart [dɑːt] *n* dardo
dash [dæʃ] *v* hacer(se) añicos
dashboard ['dæʃˌbɔːd] *n* salpicadero
data ['deɪtə; 'dɑːtə] *npl* datos
database ['deɪtəˌbeɪs] *n* base de datos
date [deɪt] *n* fecha; **best-before date** fecha de caducidad; **expiry date** fecha de caducidad; **sell-by date** fecha límite de venta; **What is the date?** ¿Qué fecha es hoy?; **What is today's date?** ¿A qué fecha estamos?
daughter ['dɔːtə] *n* hija
daughter-in-law ['dɔːtə ɪn lɔː] *(pl* **daughters-in-law***) n* nuera
dawn [dɔːn] *n* amanecer
day [deɪ] *n* día; **day return** billete de ida y vuelta en el día; **Valentine's Day** Día de los Enamorados; **Do you run day trips to...?** ¿Organizan excursiones de un día a...?; **I want to hire a car for five days** Quiero

alquilar un coche para cinco días
daytime ['deɪˌtaɪm] *n* día
dead [dɛd] *adj* muerto ▷ *adv* completamente *(intensificador)*; **dead end** callejón sin salida
deadline ['dɛdˌlaɪn] *n* fecha límite
deaf [dɛf] *adj* sordo
deafening ['dɛfᵊnɪŋ] *adj* ensordecedor
deal [di:l] *n* trato
dealer ['di:lə] *n* tratante
deal with [di:l wɪð] *v* ocuparse de
dear [dɪə] *adj (expensive)* costoso, *(loved)* querido
death [dɛθ] *n* muerte
debate [dɪ'beɪt] *n* debate ▷ *v* debatir
debit ['dɛbɪt] *n* débito ▷ *v* adeudar; **debit card** tarjeta de débito; **direct debit** domiciliación de pagos; **Do you take debit cards?** ¿Acepta tarjetas de débito?
debt [dɛt] *n* deuda
decade ['dɛkeɪd; dɪ'keɪd] *n* década
decaffeinated [dɪ'kæfɪˌneɪtɪd] *adj* descafeinado
decay [dɪ'keɪ] *v* descomponerse
deceive [dɪ'si:v] *v* engañar
December [dɪ'sɛmbə] *n* diciembre
decent ['di:sᵊnt] *adj* decente
decide [dɪ'saɪd] *v* decidir(se)
decimal ['dɛsɪməl] *adj* decimal
decision [dɪ'sɪʒən] *n* decisión
decisive [dɪ'saɪsɪv] *adj* decisivo
deck [dɛk] *n* cubierta *(de nave)*
deckchair ['dɛkˌtʃɛə] *n* hamaca *(tumbona)*
declare [dɪ'klɛə] *v* declarar *(proclamar)*; **I have a bottle of spirits to declare** Tengo que declarar una botella de licor; **I have nothing to declare** No tengo nada que declarar
decorate ['dɛkəˌreɪt] *v* decorar
decorator ['dɛkəˌreɪtə] *n* pintor
decrease *n* ['di:kri:s] disminución ▷ *v* [dɪ'kri:s] disminuir
dedicated ['dɛdɪˌkeɪtɪd] *adj* dedicado
dedication [ˌdɛdɪ'keɪʃən] *n* dedicación
deduct [dɪ'dʌkt] *v* deducir
deep [di:p] *adj* profundo
deep-fry [di:pfraɪ] *v* freír en freidora
deeply ['di:plɪ] *adv* profundamente
deer [dɪə] *(pl* **deer***)* *n* ciervo
defeat [dɪ'fi:t] *n* derrota ▷ *v* derrotar, vencer
defect [dɪ'fɛkt] *n* defecto
defence [dɪ'fɛns] *n* defensa
defend [dɪ'fɛnd] *v* defender
defendant [dɪ'fɛndənt] *n* demandado
defender [dɪ'fɛndə] *n* defensor
deficit ['dɛfɪsɪt; dɪ'fɪsɪt] *n* déficit
define [dɪ'faɪn] *v* definir
definite ['dɛfɪnɪt] *adj* indudable
definitely ['dɛfɪnɪtlɪ] *adv* indudablemente
definition [ˌdɛfɪ'nɪʃən] *n* definición
degree [dɪ'gri:] *n* grado *(nivel)*; **degree centigrade** grado centígrado; **degree Celsius** grado Celsius; **degree Fahrenheit** grado Fahrenheit
dehydrated [di:'haɪdreɪtɪd] *adj* deshidratado
de-icer [di:'aɪsə] *n* descongelador
delay [dɪ'leɪ] *n* retraso ▷ *v* atrasar
delayed [dɪ'leɪd] *adj* atrasado
delegate *n* ['dɛlɪˌgeɪt] delegado ▷ *v* ['dɛlɪˌgeɪt] delegar
delete [dɪ'li:t] *v* borrar *(datos etc.)*
deliberate [dɪ'lɪbərɪt] *adj* intencionado
deliberately [dɪ'lɪbərətlɪ] *adv* a propósito

delicate ['dɛlɪkɪt] *adj* delicado
delicatessen [ˌdɛlɪkə'tɛsᵊn] *n* charcutería
delicious [dɪ'lɪʃəs] *adj* delicioso; **That was delicious** Estaba delicioso
delight [dɪ'laɪt] *n* deleite
delighted [dɪ'laɪtɪd] *adj* encantado
delightful [dɪ'laɪtfʊl] *adj* encantador
deliver [dɪ'lɪvə] *v* entregar *(llevar)*
delivery [dɪ'lɪvərɪ] *n* entrega
demand [dɪ'mɑːnd] *n* exigencia ▷ *v* exigir, demandar
demanding [dɪ'mɑːndɪŋ] *adj* exigente
demo ['dɛməʊ] (*pl* **demos**) *n* demo
democracy [dɪ'mɒkrəsɪ] *n* democracia
democratic [ˌdɛmə'krætɪk] *adj* democrático
demolish [dɪ'mɒlɪʃ] *v* demoler
demonstrate ['dɛmənˌstreɪt] *v* demostrar
demonstration [ˌdɛmən'streɪʃən] *n* demostración
demonstrator ['dɛmənˌstreɪtə] *n* demostrador
denim ['dɛnɪm] *n* tela vaquera
denims ['dɛnɪmz] *npl* vaqueros, tejanos
Denmark ['dɛnmɑːk] *n* Dinamarca
dense [dɛns] *adj* espeso *(vegetación)*
density ['dɛnsɪtɪ] *n* densidad
dent [dɛnt] *n* abolladura ▷ *v* abollar
dental ['dɛntᵊl] *adj* dental; **dental floss** hilo dental; **I don't know if I have dental insurance** No sé si tengo seguro de salud dental
dentist ['dɛntɪst] *n* dentista; **I need a dentist** Necesito un dentista
dentures ['dɛntʃəz] *npl* dentadura postiza; **Can you repair my dentures?** ¿Puede arreglarme la dentadura postiza?
deny [dɪ'naɪ] *v* negar
deodorant [diː'əʊdərənt] *n* desodorante
depart [dɪ'pɑːt] *v* partir
department [dɪ'pɑːtmənt] *n* departamento; **department store** grandes almacenes
departure [dɪ'pɑːtʃə] *n* partida; **departure lounge** sala de embarque
depend [dɪ'pɛnd] *v* depender
deport [dɪ'pɔːt] *v* deportar
deposit [dɪ'pɒzɪt] *n* depósito *(ingreso)*; **How much is the deposit?** ¿Cuánto hay que dejar de depósito?
depressed [dɪ'prɛst] *adj* deprimido
depressing [dɪ'prɛsɪŋ] *adj* deprimente
depression [dɪ'prɛʃən] *n* depresión
depth [dɛpθ] *n* profundidad
descend [dɪ'sɛnd] *v* descender
describe [dɪ'skraɪb] *v* describir
description [dɪ'skrɪpʃən] *n* descripción
desert ['dɛzət] *n* desierto; **desert island** isla desierta
deserve [dɪ'zɜːv] *v* merecer
design [dɪ'zaɪn] *n* diseño ▷ *v* diseñar
designer [dɪ'zaɪnə] *n* diseñador
desire [dɪ'zaɪə] *n* deseo ▷ *v* desear
desk [dɛsk] *n* escritorio; **May I use your desk?** ¿Me permite usar su escritorio?
despair [dɪ'spɛə] *n* desesperación
desperate ['dɛspərɪt; -prɪt] *adj* desesperado
desperately ['dɛspərɪtlɪ] *adv* desesperadamente
despise [dɪ'spaɪz] *v* despreciar
despite [dɪ'spaɪt] *prep* a pesar de
dessert [dɪ'zɜːt] *n* postre; **dessert spoon** cuchara de postre; **The**

dessert menu, please La carta de postres, por favor
destination [ˌdɛstɪˈneɪʃən] *n* destino *(meta)*
destiny [ˈdɛstɪnɪ] *n* destino *(hado)*
destroy [dɪˈstrɔɪ] *v* destruir
destruction [dɪˈstrʌkʃən] *n* destrucción
detail [ˈdiːteɪl] *n* detalle
detailed [ˈdiːteɪld] *adj* detallado
detective [dɪˈtɛktɪv] *n* detective
detention [dɪˈtɛnʃən] *n* detención
detergent [dɪˈtɜːdʒənt] *n* detergente
deteriorate [dɪˈtɪərɪəˌreɪt] *v* deteriorar(se)
determined [dɪˈtɜːmɪnd] *adj* decidido
detour [ˈdiːtʊə] *n* rodeo
devaluation [diːˌvæljuːˈeɪʃən] *n* devaluación
devastated [ˈdɛvəˌsteɪtɪd] *adj* devastado
devastating [ˈdɛvəˌsteɪtɪŋ] *adj* devastador
develop [dɪˈvɛləp] *vi* desarrollarse ▷ *vt* desarrollar; **developing country** país en vías de desarrollo
development [dɪˈvɛləpmənt] *n* desarrollo
device [dɪˈvaɪs] *n* dispositivo
devil [ˈdɛvᵊl] *n* diablo, demonio
devise [dɪˈvaɪz] *v* idear
devoted [dɪˈvəʊtɪd] *adj* devoto
diabetes [ˌdaɪəˈbiːtɪs; -tiːz] *n* diabetes
diabetic [ˌdaɪəˈbɛtɪk] *adj* diabético ▷ *n* diabético
diagnosis [ˌdaɪəgˈnəʊsɪs] *n* diagnóstico
diagonal [daɪˈægənᵊl] *adj* diagonal
diagram [ˈdaɪəˌgræm] *n* diagrama
dial [ˈdaɪəl; daɪl] *v* marcar *(teléfono)*; **dialling code** prefijo; **dialling tone** tono de marcar
dialect [ˈdaɪəˌlɛkt] *n* dialecto
dialogue [ˈdaɪəˌlɒg] *n* diálogo
diameter [daɪˈæmɪtə] *n* diámetro
diamond [ˈdaɪəmənd] *n* diamante
diarrhoea [ˌdaɪəˈrɪə] *n* diarrea; **I have diarrhoea** Tengo diarrea
diary [ˈdaɪərɪ] *n* diario
dice [daɪs] (*pl* **die**) *npl* dado
dictation [dɪkˈteɪʃən] *n* dictado
dictator [dɪkˈteɪtə] *n* dictador
dictionary [ˈdɪkʃənərɪ; -ʃənrɪ] *n* diccionario
die [daɪ] *v* morir
diesel [ˈdiːzᵊl] *n* diésel
diet [ˈdaɪət] *n* dieta, régimen ▷ *v* hacer un régimen; **I'm on a diet** Estoy a régimen
difference [ˈdɪfərəns; ˈdɪfrəns] *n* diferencia
different [ˈdɪfərənt; ˈdɪfrənt] *adj* diferente; **I would like something different** Quisiera algo diferente
difficult [ˈdɪfɪkᵊlt] *adj* difícil
difficulty [ˈdɪfɪkᵊltɪ] *n* dificultad
dig [dɪg] *v* cavar, excavar
digest [dɪˈdʒɛst; daɪ-] *v* digerir
digestion [dɪˈdʒɛstʃən; daɪ-] *n* digestión
digger [ˈdɪgə] *n* excavadora
digital [ˈdɪdʒɪtᵊl] *adj* digital; **digital watch** reloj digital
dignity [ˈdɪgnɪtɪ] *n* dignidad
dilemma [dɪˈlɛmə; daɪ-] *n* dilema
dilute [daɪˈluːt] *v* diluir
diluted [daɪˈluːtɪd] *adj* diluido
dim [dɪm] *adj* oscuro
dimension [dɪˈmɛnʃən] *n* dimensión
diminish [dɪˈmɪnɪʃ] *v* disminuir
din [dɪn] *n* barullo
diner [ˈdaɪnə] *n* comensal
dinghy [ˈdɪŋɪ] *n* bote *(barquito)*

dinner ['dɪnə] *n* cena; **dinner jacket** esmoquin; **dinner party** fiesta con cena; **dinner time** hora de la cena; **What time is dinner?** ¿A qué hora se sirve la cena?
dinosaur ['daɪnəˌsɔː] *n* dinosaurio
dip [dɪp] *n* salsa para mojar ▷ *v* mojar, bañar
diploma [dɪ'pləʊmə] *n* diploma
diplomat ['dɪpləˌmæt] *n* diplomático
diplomatic [ˌdɪplə'mætɪk] *adj* diplomático
dipstick ['dɪpˌstɪk] *n* varilla medidora del aceite
direct [dɪ'rɛkt; daɪ-] *adj* directo ▷ *v* dirigir; **direct debit** domiciliación de pagos; **I'd prefer to go direct** Preferiría que fuera directo; **Is it a direct train?** ¿Es un tren directo?
direction [dɪ'rɛkʃən; daɪ-] *n* dirección
directions [dɪ'rɛkʃənz; daɪ-] *npl* indicaciones
directly [dɪ'rɛktlɪ; daɪ-] *adv* directamente
director [dɪ'rɛktə; daɪ-] *n* director *(jefe)*; **managing director** director general
directory [dɪ'rɛktərɪ; -trɪ; daɪ-] *n* guía; **directory enquiries** servicio de información telefónica
dirt [dɜːt] *n* suciedad
dirty ['dɜːtɪ] *adj* sucio; **It's dirty** Está sucio
disability [ˌdɪsə'bɪlɪtɪ] *n* discapacidad
disabled [dɪ'seɪbᵊld] *adj* discapacitado ▷ *npl* discapacitados; **What facilities do you have for disabled people?** ¿Qué servicios tiene para las personas discapacitadas?
disadvantage [ˌdɪsəd'vɑːntɪdʒ] *n* desventaja
disagree [ˌdɪsə'griː] *v* no estar de acuerdo
disagreement [ˌdɪsə'griːmənt] *n* desacuerdo
disappear [ˌdɪsə'pɪə] *v* desaparecer
disappearance [ˌdɪsə'pɪərəns] *n* desaparición
disappoint [ˌdɪsə'pɔɪnt] *v* decepcionar
disappointed [ˌdɪsə'pɔɪntɪd] *adj* decepcionado
disappointing [ˌdɪsə'pɔɪntɪŋ] *adj* decepcionante
disappointment [ˌdɪsə'pɔɪntmənt] *n* decepción
disaster [dɪ'zɑːstə] *n* desastre
disastrous [dɪ'zɑːstrəs] *adj* desastroso
disc [dɪsk] *n* disco *(audio)*; **disc jockey** pinchadiscos; **slipped disc** hernia discal
discharge [dɪs'tʃɑːdʒ] *v* dar el alta; **When will I be discharged?** ¿Cuándo me darán el alta?
discipline ['dɪsɪplɪn] *n* disciplina
disclose [dɪs'kləʊz] *v* revelar
disco ['dɪskəʊ] *n* discoteca
disconnect [ˌdɪskə'nɛkt] *v* desconectar
discount ['dɪskaʊnt] *n* descuento; **Do you offer a discount for cash?** ¿Hay descuento si se paga en efectivo?
discourage [dɪs'kʌrɪdʒ] *v* desalentar
discover [dɪ'skʌvə] *v* descubrir
discretion [dɪ'skrɛʃən] *n* discreción
discrimination [dɪˌskrɪmɪ'neɪʃən] *n* discriminación
discuss [dɪ'skʌs] *v* discutir
discussion [dɪ'skʌʃən] *n* discusión
disease [dɪ'ziːz] *n* enfermedad;

Alzheimer's disease enfermedad de Alzheimer
disgraceful [dɪs'greɪsfʊl] *adj* vergonzoso
disguise [dɪs'gaɪz] *v* disfrazar
disgusted [dɪs'gʌstɪd] *adj* disgustado
disgusting [dɪs'gʌstɪŋ] *adj* repugnante
dish [dɪʃ] *n (food, plate)* plato; **dish towel** paño de cocina; **Can you recommend a local dish?** ¿Puede recomendarme un plato típico de la zona?; **Do you have halal dishes?** ¿Tiene platos halal?
dishcloth ['dɪʃ,klɒθ] *n* trapo de cocina
dishonest [dɪs'ɒnɪst] *adj* deshonesto
dishwasher ['dɪʃ,wɒʃə] *n* lavavajillas *(electrodoméstico)*
disinfectant [,dɪsɪn'fɛktənt] *n* desinfectante
disk [dɪsk] *n* disco *(informática)*; **disk drive** unidad de disco
diskette [dɪs'kɛt] *n* disquete
dislike [dɪs'laɪk] *v* no gustar
dismal ['dɪzməl] *adj* sombrío
dismiss [dɪs'mɪs] *v* despedir
disobedient [,dɪsə'bi:dɪənt] *adj* desobediente
disobey [,dɪsə'beɪ] *v* desobedecer
dispenser [dɪ'spɛnsə] *n* máquina expendedora
display [dɪ'spleɪ] *n* exposición ▷ *v* exponer
disposable [dɪ'spəʊzəbᵊl] *adj* desechable
disqualify [dɪs'kwɒlɪ,faɪ] *v* descalificar
disrupt [dɪs'rʌpt] *v* perturbar *(desbaratar)*
dissatisfied [dɪs'sætɪs,faɪd] *adj* descontento
dissolve [dɪ'zɒlv] *v* disolver(se)
distance ['dɪstəns] *n* distancia
distant ['dɪstənt] *adj* distante
distillery [dɪ'stɪlərɪ] *n* destilería
distinction [dɪ'stɪŋkʃən] *n* distinción
distinctive [dɪ'stɪŋktɪv] *adj* peculiar
distinguish [dɪ'stɪŋgwɪʃ] *v* distinguir
distract [dɪ'strækt] *v* distraer
distribute [dɪ'strɪbju:t] *v* distribuir
distributor [dɪ'strɪbjʊtə] *n* distribuidor
district ['dɪstrɪkt] *n* distrito
disturb [dɪ'stɜ:b] *v* molestar
ditch [dɪtʃ] *n* zanja *(desagüe)* ▷ *v* deshacerse de
dive [daɪv] *n* zambullida ▷ *v* bucear, zambullirse *(lanzarse)*, tirarse de cabeza; **Where is the best place to dive?** ¿Cuál es el mejor sitio para bucear?
diver ['daɪvə] *n* submarinista
diversion [daɪ'vɜ:ʃən] *n* desvío; **Is there a diversion?** ¿Hay un desvío?
divide [dɪ'vaɪd] *v* dividir(se)
diving ['daɪvɪŋ] *n* salto de trampolín; **diving board** trampolín; **scuba diving** buceo con equipo
division [dɪ'vɪʒən] *n* división
divorce [dɪ'vɔ:s] *n* divorcio ▷ *v* divorciarse
divorced [dɪ'vɔ:st] *adj* divorciado
DIY [di: aɪ waɪ] *abr* bricolaje
dizzy ['dɪzɪ] *adj* mareado
DJ [di: dʒeɪ] *abr* pinchadiscos
DNA [di: ɛn eɪ] *n* ADN
do [dʊ] *v* hacer; **Can you do it straightaway?** ¿Puede hacerlo ahora mismo?; **What are you doing this evening?** ¿Qué piensa hacer esta noche?; **What do I do?** ¿Qué

puedo hacer?
dock [dɒk] *n* muelle *(dársena)*
doctor ['dɒktə] *n* médico; **Call a doctor!** ¡Llame a un médico!; **I need a doctor** Necesito un médico
document ['dɒkjʊmənt] *n* documento; **I want to copy this document** Quisiera copiar este documento
documentary [ˌdɒkjʊ'mɛntərɪ; -trɪ] *n* documental
documentation [ˌdɒkjʊmɛn'teɪʃən] *n* documentación
dodge [dɒdʒ] *v* esquivar
dog [dɒg] *n* perro; **guide dog** perro guía; **hot dog** perrito caliente
dole [dəʊl] *n* paro
doll [dɒl] *n* muñeca
dollar ['dɒlə] *n* dólar; **Do you take dollars?** ¿Acepta dólares?
dolphin ['dɒlfɪn] *n* delfín
domestic [də'mɛstɪk] *adj* doméstico
Dominican Republic [də'mɪnɪkən rɪ'pʌblɪk] *n* República Dominicana
domino ['dɒmɪˌnəʊ] *n* ficha de dominó
dominoes ['dɒmɪˌnəʊz] *npl* dominó
donate [dəʊ'neɪt] *v* donar
done [dʌn] *adj* hecho
donkey ['dɒŋkɪ] *n* burro
donor ['dəʊnə] *n* donante
door [dɔː] *n* puerta; **door handle** picaporte; **Keep the door locked** Deje la puerta cerrada con llave; **The door handle has come off** Se ha salido el picaporte de la puerta
doorbell ['dɔːˌbɛl] *n* timbre de la puerta
doorman ['dɔːˌmæn; -mən] (*pl* **doormen**) *n* portero
doorstep ['dɔːˌstɛp] *n* umbral
dorm [dɔːm] *n* dormitorio *(común)*; **Do you have any single sex dorms?** ¿Tienen dormitorios que no sean mixtos?
dormitory ['dɔːmɪtərɪ; -trɪ] *n* dormitorio *(colegio)*
dose [dəʊs] *n* dosis
dot [dɒt] *n* punto *(trazo)*
double ['dʌbᵊl] *adj* doble ▹ *v* doblar; **double bass** contrabajo; **double bed** cama de matrimonio; **double glazing** doble acristalamiento; **double room** habitación doble; **I'd like to book a double room** Quisiera reservar una habitación doble
doubt [daʊt] *n* duda ▹ *v* dudar
doubtful ['daʊtfʊl] *adj* dubitativo
dough [dəʊ] *n* masa *(pan)*
doughnut ['dəʊnʌt] *n* donut
do up [dʊ ʌp] *v* abrochar
dove [dʌv] *n* palomo *(blanco)*
do without [dʊ wɪ'ðaʊt] *v* prescindir, pasar sin
down [daʊn] *adv* abajo
download ['daʊnˌləʊd] *n* descarga ▹ *v* descargar *(Internet)*; **Can I download photos to here?** ¿Puedo descargar fotos aquí?
downpour ['daʊnˌpɔː] *n* aguacero
downstairs ['daʊn'stɛəz] *adj* del piso de abajo ▹ *adv* en el piso de abajo
downtown ['daʊn'taʊn] *adv* en el centro de la ciudad
doze [dəʊz] *v* dormitar
dozen ['dʌzᵊn] *n* docena
doze off [dəʊz ɒf] *v* adormecerse
drab [dræb] *adj* soso
draft [drɑːft] *n* borrador
drag [dræg] *v* arrastrar
dragon ['drægən] *n* dragón
dragonfly ['drægənˌflaɪ] *n* libélula
drain [dreɪn] *n* sumidero, desagüe ▹ *v*

drenar, escurrir; **draining board** escurridero; **The drain is blocked** El desagüe está atascado
drainpipe ['dreɪn,paɪp] *n* caño del desagüe
drama ['drɑːmə] *n* drama
dramatic [drə'mætɪk] *adj* dramático
drastic ['dræstɪk] *adj* drástico; **I don't want anything drastic** No quiero un cambio drástico
draught [drɑːft] *n* corriente de aire
draughts [drɑːfts] *npl* damas
draw [drɔː] *n (lottery)* sorteo, *(tie)* empate ▷ *v (equal with)* empatar, *(sketch)* dibujar
drawback ['drɔː,bæk] *n* inconveniente
drawer ['drɔːə] *n* cajón; **The drawer is jammed** El cajón está atascado
drawing ['drɔːɪŋ] *n* dibujo; **drawing pin** chincheta
dreadful ['drɛdfʊl] *adj* espantoso
dream [driːm] *n* sueño ▷ *v* soñar
drench [drɛntʃ] *v* empapar
dress [drɛs] *n* vestido ▷ *v* vestirse; **evening dress** traje de noche; **wedding dress** vestido de novia; **Can I try on this dress?** ¿Puedo probarme este vestido?
dressed [drɛst] *adj* vestido
dresser ['drɛsə] *n* tocador
dressing ['drɛsɪŋ] *n* **salad dressing** aliño de ensalada; **dressing gown** bata; **dressing table** tocador
dress up [drɛs ʌp] *v* vestirse elegante
dried [draɪd] *adj* seco, secado
drift [drɪft] *n* montón ▷ *v* ir a la deriva
drill [drɪl] *n* taladro ▷ *v* taladrar; **pneumatic drill** martillo picador
drink [drɪŋk] *n* bebida ▷ *v* beber; **binge drinking** consumo excesivo de alcohol; **drinking water** agua potable; **soft drink** refresco; **Do you drink milk?** ¿Bebe leche?; **I don't drink alcohol** No bebo alcohol; **I never drink wine** Nunca bebo vino
drink-driving ['drɪŋk'draɪvɪŋ] *n* conducción bajo la influencia del alcohol
drip [drɪp] *n* goteo ▷ *v* gotear
drive [draɪv] *n* viaje en coche ▷ *v* conducir *(coche etc.)*; **driving instructor** profesor de autoescuela; **four-wheel drive** tracción en las cuatro ruedas; **left-hand drive** conducción a la izquierda; **right-hand drive** conducción a la derecha; **You were driving too fast** Estaba conduciendo a demasiada velocidad
driver ['draɪvə] *n* conductor
driveway ['draɪv,weɪ] *n* camino de entrada
driving lesson ['draɪvɪŋ 'lɛsᵊn] *n* clase de conducir
driving licence ['draɪvɪŋ 'laɪsəns] *n* carné de conducir; **I don't have my driving licence on me** No llevo el carné de conducir; **My driving licence number is...** Mi número de carné de conducir es...
driving test ['draɪvɪŋ 'tɛst] *n* **driving test** examen de conducir
drizzle ['drɪzᵊl] *n* llovizna
drop [drɒp] *n* gota ▷ *v* bajar; **eye drops** colirio
drought [draʊt] *n* sequía
drown [draʊn] *v* ahogar(se); **Someone is drowning!** ¡Alguien se está ahogando!
drowsy ['draʊzɪ] *adj* somnoliento
drug [drʌg] *n* droga; **drug addict** drogadicto; **drug dealer** traficante de drogas

drum [drʌm] *n* tambor
drummer ['drʌmə] *n* batería
drunk [drʌŋk] *adj* borracho ▷ *n* borracho
dry [draɪ] *adj* seco ▷ *v* secar(se); **bone dry** completamente seco; **A dry sherry, please** Un jerez seco, por favor; **I have dry hair** Tengo el pelo seco
dry-cleaner's ['draɪ'kli:nəz] *n* tintorería
dry-cleaning ['draɪ'kli:nɪŋ] *n* limpieza en seco
dryer ['draɪə] *n* secador; **spin dryer** centrifugadora; **tumble dryer** secadora
dual ['dju:əl] *adj* **dual carriageway** autovía
dubbed [dʌbt] *adj* doblado
dubious ['dju:bɪəs] *adj* dudoso
duck [dʌk] *n* pato
due [dju:] *adj* pagadero
due to [dju: tʊ] *prep* debido a, a causa de
dull [dʌl] *adj* aburrido *(soso)*
dumb [dʌm] *adj* mudo
dummy ['dʌmɪ] *n* maniquí
dump [dʌmp] *n* vertedero ▷ *v* echar *(basura etc.)*; **rubbish dump** vertedero de basuras
dumpling ['dʌmplɪŋ] *n* bola de masa hervida
dune [dju:n] *n* **sand dune** duna
dungarees [ˌdʌŋgə'ri:z] *npl* peto
dungeon ['dʌndʒən] *n* mazmorra
duration [djʊ'reɪʃən] *n* duración
during ['djʊərɪŋ] *prep* durante; **during the summer** durante el verano
dusk [dʌsk] *n* anochecer
dust [dʌst] *n* polvo *(suciedad)* ▷ *v* espolvorear
dustbin ['dʌstˌbɪn] *n* cubo de basura
dustman ['dʌstmən] (*pl* **dustmen**) *n* basurero
dustpan ['dʌstˌpæn] *n* recogedor
dusty ['dʌstɪ] *adj* polvoriento
Dutch [dʌtʃ] *adj* holandés ▷ *n* holandés
Dutchman ['dʌtʃmən] (*pl* **Dutchmen**) *n* holandés
Dutchwoman [ˌdʌtʃwʊmən] (*pl* **Dutchwomen**) *n* holandesa
duty ['dju:tɪ] *n* deber; **(customs) duty** aduana
duty-free ['dju:tɪ'fri:] *adj* libre de impuestos ▷ *n* mercancía libre de impuestos
duvet ['du:veɪ] *n* edredón
DVD [di: vi: di:] *n* DVD; **DVD burner** grabadora de DVD; **DVD player** reproductor de DVD
dwarf [dwɔ:f] (*pl* **dwarves**) *n* enano
dye [daɪ] *n* tinte ▷ *v* teñir; **Can you dye my hair, please?** ¿Puede teñirme el pelo, por favor?
dynamic [daɪ'næmɪk] *adj* dinámico
dyslexia [dɪs'lɛksɪə] *n* dislexia
dyslexic [dɪs'lɛksɪk] *adj* disléxico ▷ *n* disléxico

e

each [iːtʃ] *adj* cada ▷ *pron* cada uno
eagle ['iːgᵊl] *n* águila
ear [ɪə] *n* oído *(Anatomía)*
earache ['ɪərˌeɪk] *n* dolor de oídos
eardrum ['ɪəˌdrʌm] *n* tímpano
earlier ['ɜːlɪə] *adv* más temprano; **I would prefer an earlier flight** Prefiero un vuelo que salga más temprano
early ['ɜːlɪ] *adj* temprano ▷ *adv* pronto, temprano; **We arrived early** Llegamos pronto
earn [ɜːn] *v* ganar *(salario)*
earnings ['ɜːnɪŋz] *npl* ingresos *(salario)*
earphones ['ɪəˌfəʊnz] *npl* auriculares
earplugs ['ɪəˌplʌgz] *npl* tapones para los oídos
earring ['ɪəˌrɪŋ] *n* pendiente
earth [ɜːθ] *n* tierra *(mundo)*
earthquake ['ɜːθˌkweɪk] *n* terremoto
easily ['iːzɪlɪ] *adv* fácilmente
east [iːst] *adj* del este ▷ *adv* al este ▷ *n* este *(punto cardinal)*; **Far East** Extremo Oriente; **Middle East** Oriente Próximo
eastbound ['iːstˌbaʊnd] *adj* hacia el este
Easter ['iːstə] *n* Pascua; **Easter egg** huevo de Pascua
eastern ['iːstən] *adj* oriental, del este
easy ['iːzɪ] *adj* fácil
easy-going ['iːzɪ'gəʊɪŋ] *adj* acomodadizo
eat [iːt] *v* comer; **Can I eat on the terrace?** ¿Se puede comer en la terraza?; **Do you eat meat?** ¿Come carne?; **Have you eaten?** ¿Ha comido?
e-book ['iː'bʊk] *n* libro electrónico
eccentric [ɪk'sɛntrɪk] *adj* excéntrico
echo ['ɛkəʊ] *n* eco
ecofriendly ['iːkəʊˌfrɛndlɪ] *adj* respetuoso con el medio ambiente
ecological [ˌiːkə'lɒdʒɪkᵊl] *adj* ecológico
ecology [ɪ'kɒlədʒɪ] *n* ecología
e-commerce ['iːkɒmɜːs] *n* comercio electrónico
economic [ˌiːkə'nɒmɪk; ˌɛkə-] *adj* económico
economical [ˌiːkə'nɒmɪkᵊl; ˌɛkə-] *adj* económico *(ahorrador)*
economics [ˌiːkə'nɒmɪks; ˌɛkə-] *npl* ciencias económicas
economist [ɪ'kɒnəmɪst] *n* economista
economize [ɪ'kɒnəˌmaɪz] *v* economizar
economy [ɪ'kɒnəmɪ] *n* economía; **economy class** clase turista
ecstasy ['ɛkstəsɪ] *n* éxtasis
Ecuador ['ɛkwəˌdɔː] *n* Ecuador
eczema ['ɛksɪmə; ɪg'ziːmə] *n* eczema

edge [ɛdʒ] *n* borde
edgy ['ɛdʒɪ] *adj* nervioso
edible ['ɛdɪbᵊl] *adj* comestible
edition [ɪ'dɪʃən] *n* edición
editor ['ɛdɪtə] *n* editor
educated ['ɛdjʊˌkeɪtɪd] *adj* culto
education [ˌɛdjʊ'keɪʃən] *n* educación *(académica)*; **higher education** enseñanza superior
educational [ˌɛdjʊ'keɪʃənᵊl] *adj* educativo
eel [i:l] *n* anguila
effect [ɪ'fɛkt] *n* efecto
effective [ɪ'fɛktɪv] *adj* eficaz
effectively [ɪ'fɛktɪvlɪ] *adv* eficazmente
efficient [ɪ'fɪʃənt] *adj* eficiente
efficiently [ɪ'fɪʃəntlɪ] *adv* eficientemente
effort ['ɛfət] *n* esfuerzo
e.g. [i: dʒi:] *abr* p. ej.
egg [ɛg] *n* huevo; **boiled egg** huevo pasado por agua; **egg white** clara de huevo; **egg yolk** yema de huevo; **scrambled eggs** huevos revueltos; **I can't eat raw eggs** No puedo comer huevos crudos
eggcup ['ɛgˌkʌp] *n* huevera
Egypt ['i:dʒɪpt] *n* Egipto
Egyptian [ɪ'dʒɪpʃən] *adj* egipcio ▷ *n* egipcio
eight [eɪt] *num* ocho; **two for the eight o'clock showing** dos para la función de las ocho
eighteen ['eɪ'ti:n] *num* dieciocho
eighteenth ['eɪ'ti:nθ] *adj* decimoctavo
eighth [eɪtθ] *adj* octavo ▷ *n* octavo
eighty ['eɪtɪ] *num* ochenta
Eire ['ɛərə] *n* Irlanda
either ['aɪðə; 'i:ðə] *adv (with negative)* tampoco ▷ *conj (.. or)* o ▷ *pron* cualquiera de los dos; **either... or** o... o; **I don't like it either** Tampoco me gusta
elastic [ɪ'læstɪk] *n* elástico; **elastic band** elástico
Elastoplast® [ɪ'læstəˌplɑ:st] *n* Elastoplast
elbow ['ɛlbəʊ] *n* codo
elder ['ɛldə] *adj* mayor *(edad)*
elderly ['ɛldəlɪ] *adj* anciano
eldest ['ɛldɪst] *adj* el mayor
elect [ɪ'lɛkt] *v* elegir *(candidato)*
election [ɪ'lɛkʃən] *n* elecciones
electorate [ɪ'lɛktərɪt] *n* electorado
electric [ɪ'lɛktrɪk] *adj* eléctrico; **electric shock** choque eléctrico; **There is something wrong with the electrics** Hay algo que no funciona en el sistema eléctrico
electrical [ɪ'lɛktrɪkᵊl] *adj* eléctrico
electrician [ɪlɛk'trɪʃən; ˌi:lɛk-] *n* electricista
electricity [ɪlɛk'trɪsɪtɪ; ˌi:lɛk-] *n* electricidad; **There is no electricity** No hay electricidad
electronic [ɪlɛk'trɒnɪk; ˌi:lɛk-] *adj* electrónico
electronics [ɪlɛk'trɒnɪks; ˌi:lɛk-] *npl* electrónica
elegant ['ɛlɪgənt] *adj* elegante
element ['ɛlɪmənt] *n* elemento
elephant ['ɛlɪfənt] *n* elefante
eleven [ɪ'lɛvᵊn] *num* once
eleventh [ɪ'lɛvᵊnθ] *adj* undécimo
eliminate [ɪ'lɪmɪˌneɪt] *v* eliminar
elm [ɛlm] *n* olmo
else [ɛls] *adj* otro *(más)*; **Have you anything else?** ¿Tiene alguna otra cosa?
elsewhere [ˌɛls'wɛə] *adv* en otro sitio
email ['i:meɪl] *n* correo electrónico ▷ *vt (a person)* enviar un mensaje electrónico; **email address**

dirección electrónica; **Can I send an e-mail?** ¿Puedo enviar un mensaje electrónico?; **Do you have an e-mail?** ¿Tiene correo electrónico?
embankment [ɪm'bæŋkmənt] *n* terraplén
embarrassed [ˌɪm'bærəst] *adj* avergonzado
embarrassing [ɪm'bærəsɪŋ; em'barrassing] *adj* embarazoso
embassy ['ɛmbəsɪ] *n* embajada; **I need to call my embassy** Tengo que llamar a mi embajada
embroider [ɪm'brɔɪdə] *v* bordar
embroidery [ɪm'brɔɪdərɪ] *n* bordado
emergency [ɪ'mɜːdʒənsɪ] *n* emergencia; **accident & emergency department** servicio de urgencias; **emergency exit** salida de emergencia; **emergency landing** aterrizaje de emergencia; **It's an emergency!** ¡Es una emergencia!
emigrate ['ɛmɪˌgreɪt] *v* emigrar
emotion [ɪ'məʊʃən] *n* emoción
emotional [ɪ'məʊʃənᵊl] *adj* emocional
emperor ['ɛmpərə] *n* emperador
emphasize ['ɛmfəˌsaɪz] *v* enfatizar
empire ['ɛmpaɪə] *n* imperio
employ [ɪm'plɔɪ] *v* emplear
employee [ɛm'plɔɪiː; ˌɛmplɔɪ'iː] *n* empleado
employer [ɪm'plɔɪə] *n* empleador
employment [ɪm'plɔɪmənt] *n* empleo *(trabajo)*
empress ['ɛmprɪs] *n* emperatriz
empty ['ɛmptɪ] *adj* vacío ▷ *v* vaciar(se)
enamel [ɪ'næməl] *n* esmalte
encourage [ɪn'kʌrɪdʒ] *v* animar
encouragement [ɪn'kʌrɪdʒmənt] *n* aliento *(ánimo)*
encouraging [ɪn'kʌrɪdʒɪŋ] *adj* alentador
encyclopaedia [ɛnˌsaɪkləʊ'piːdɪə] *n* enciclopedia
end [ɛnd] *n* fin, cabo, término ▷ *v* finalizar, terminar; **dead end** callejón sin salida
endanger [ɪn'deɪndʒə] *v* poner en peligro
ending ['ɛndɪŋ] *n* final
endless ['ɛndlɪs] *adj* infinito
enemy ['ɛnəmɪ] *n* enemigo
energetic [ˌɛnə'dʒɛtɪk] *adj* enérgico
energy ['ɛnədʒɪ] *n* energía
engaged [ɪn'geɪdʒd] *adj* comprometido
engagement [ɪn'geɪdʒmənt] *n* compromiso; **engagement ring** anillo de compromiso
engine ['ɛndʒɪn] *n* motor; **search engine** motor de búsqueda; **The engine is overheating** El motor está muy caliente
engineer [ˌɛndʒɪ'nɪə] *n* ingeniero
engineering [ˌɛndʒɪ'nɪərɪŋ] *n* ingeniería
England ['ɪŋglənd] *n* Inglaterra
English ['ɪŋglɪʃ] *adj* inglés ▷ *n* inglés; **Do you speak English?** ¿Habla usted inglés?
Englishman ['ɪŋglɪʃmən] *(pl* **Englishmen**) *n* inglés
Englishwoman ['ɪŋglɪʃˌwʊmən] *(pl* **Englishwomen**) *n* inglesa
engrave [ɪn'greɪv] *v* grabar *(Arte)*
enjoy [ɪn'dʒɔɪ] *v* disfrutar
enjoyable [ɪn'dʒɔɪəbᵊl] *adj* ameno
enlargement [ɪn'lɑːdʒmənt] *n* ampliación
enormous [ɪ'nɔːməs] *adj* enorme
enough [ɪ'nʌf] *adj* suficiente ▷ *pron* bastante

enquire [ɪnˈkwaɪə] *v* inquirir
enquiry [ɪnˈkwaɪərɪ] *n* interrogación; **enquiry desk** mostrador de información
ensure [ɛnˈʃʊə; -ˈʃɔː] *v* asegurar *(garantizar)*
enter [ˈɛntə] *v* entrar
entertain [ˌɛntəˈteɪn] *v* entretener
entertainer [ˌɛntəˈteɪnə] *n* animador *(artista)*
entertaining [ˌɛntəˈteɪnɪŋ] *adj* entretenido
entertainment [ˌɛntəˈteɪnmənt] *n* ocio, entretenimiento; **What entertainment is there?** ¿Qué lugares de esparcimiento hay por aquí?
enthusiasm [ɪnˈθjuːzɪˌæzəm] *n* entusiasmo
enthusiastic [ɪnˌθjuːzɪˈæstɪk] *adj* entusiasta
entire [ɪnˈtaɪə] *adj* entero, todo
entirely [ɪnˈtaɪəlɪ] *adv* completamente
entrance [ˈɛntrəns] *n* entrada; **entrance fee** pago de entrada
entry [ˈɛntrɪ] *n* entrada; **entry phone** portero automático
envelope [ˈɛnvəˌləʊp; ˈɒn-] *n* sobre
envious [ˈɛnvɪəs] *adj* envidioso
environment [ɪnˈvaɪrənmənt] *n* ambiente
environmental [ɪnˌvaɪrənˈmɛntəˌl] *adj* medioambiental; **environmentally friendly** ecológico
envy [ˈɛnvɪ] *n* envidia ▷ *v* envidiar
epidemic [ˌɛpɪˈdɛmɪk] *n* epidemia
epileptic [ˌɛpɪˈlɛptɪk] *n* epiléptico; **epileptic fit** ataque epiléptico
episode [ˈɛpɪˌsəʊd] *n* episodio
equal [ˈiːkwəl] *adj* igual ▷ *v* ser igual a
equality [ɪˈkwɒlɪtɪ] *n* igualdad
equalize [ˈiːkwəˌlaɪz] *v* igualar
equation [ɪˈkweɪʒən; -ʃən] *n* ecuación
equator [ɪˈkweɪtə] *n* ecuador
Equatorial Guinea [ˌɛkwəˈtɔːrɪəl ˈgɪnɪ] *n* Guinea Ecuatorial
equipment [ɪˈkwɪpmənt] *n* equipo *(materiales)*; **Can we hire the equipment?** ¿Podemos alquilar el equipo?
equipped [ɪˈkwɪpt] *adj* equipado
equivalent [ɪˈkwɪvələnt] *n* equivalente
erase [ɪˈreɪz] *v* borrar
Eritrea [ˌɛrɪˈtreɪə] *n* Eritrea
erotic [ɪˈrɒtɪk] *adj* erótico
error [ˈɛrə] *n* error
escalator [ˈɛskəˌleɪtə] *n* escalera mecánica
escape [ɪˈskeɪp] *n* huida, escape ▷ *v* escaparse, fugarse; **fire escape** salida de incendios
escort [ɪsˈkɔːt] *v* escoltar
especially [ɪˈspɛʃəlɪ] *adv* especialmente
espionage [ˈɛspɪəˌnɑːʒ; ˌɛspɪəˈnɑːʒ; ˈɛspɪənɪdʒ] *n* espionaje
essay [ˈɛseɪ] *n* ensayo *(literario)*
essential [ɪˈsɛnʃəl] *adj* esencial
estate [ɪˈsteɪt] *n* finca; **estate agent** agente inmobiliario; **estate car** coche familiar
estimate *n* [ˈɛstɪmɪt] estimación ▷ *v* [ˈɛstɪˌmeɪt] estimar
Estonia [ɛˈstəʊnɪə] *n* Estonia
Estonian [ɛˈstəʊnɪən] *adj* estonio ▷ *n* *(language, person)* estonio
etc [ɪt ˈsɛtrə] *abr* etc.
eternal [ɪˈtɜːnᵊl] *adj* eterno
eternity [ɪˈtɜːnɪtɪ] *n* eternidad
ethical [ˈɛθɪkᵊl] *adj* ético
Ethiopia [ˌiːθɪˈəʊpɪə] *n* Etiopía
Ethiopian [ˌiːθɪˈəʊpɪən] *adj* etíope

▷ *n* etíope
ethnic ['ɛθnɪk] *adj* étnico
e-ticket ['iːˈtɪkɪt] *n* billete electrónico
EU [iː juː] *abr* UE
euro ['jʊərəʊ] *n* euro
Europe ['jʊərəp] *n* Europa
European [ˌjʊərəˈpɪən] *adj* europeo ▷ *n* europeo; **European Union** Unión Europea
evacuate [ɪ'vækjʊˌeɪt] *v* evacuar
eve [iːv] *n* víspera
even ['iːvᵊn] *adj* liso ▷ *adv* incluso
evening ['iːvnɪŋ] *n* noche; **evening class** clase nocturna; **evening dress** traje de noche; **Good evening** Buenas noches; **in the evening** por la noche; **The table is booked for nine o'clock this evening** La mesa está reservada para las nueve de esta noche
event [ɪ'vɛnt] *n* acontecimiento, suceso
eventful [ɪ'vɛntfʊl] *adj* lleno de acontecimientos
eventually [ɪ'vɛntʃʊəlɪ] *adv* finalmente
ever ['ɛvə] *adv* alguna vez
every ['ɛvrɪ] *adj* cada; **The bus runs every twenty minutes** El autobús pasa cada veinte minutos
everybody ['ɛvrɪˌbɒdɪ] *pron* todos
everyone ['ɛvrɪˌwʌn; -wən] *pron* todo el mundo
everything ['ɛvrɪθɪŋ] *pron* todo
everywhere ['ɛvrɪˌwɛə] *adv* en todas partes
evidence ['ɛvɪdəns] *n* prueba *(evidencia)*
evil ['iːvᵊl] *adj* malvado
evolution [ˌiːvə'luːʃən] *n* evolución
ewe [juː] *n* oveja *(hembra)*
exact [ɪg'zækt] *adj* exacto
exactly [ɪg'zæktlɪ] *adv* exactamente
exaggerate [ɪg'zædʒəˌreɪt] *v* exagerar
exaggeration [ɪg'zædʒəˌreɪʃən] *n* exageración
exam [ɪg'zæm] *n* examen
examination [ɪgˌzæmɪ'neɪʃən] *n* *(medical, school)* examen
examine [ɪg'zæmɪn] *v* examinar
examiner [ɪg'zæmɪnə] *n* examinador
example [ɪg'zɑːmpᵊl] *n* ejemplo
excellent ['ɛksələnt] *adj* excelente
except [ɪk'sɛpt] *prep* excepto
exception [ɪk'sɛpʃən] *n* excepción
exceptional [ɪk'sɛpʃənᵊl] *adj* excepcional
excessive [ɪk'sɛsɪv] *adj* excesivo
exchange [ɪks'tʃeɪndʒ] *v* cambiar por ▷ *n (currency)* cambio; **exchange rate** tipo de cambio; **rate of exchange** tipo de cambio; **stock exchange** bolsa de valores
excited [ɪk'saɪtɪd] *adj* excitado
exciting [ɪk'saɪtɪŋ] *adj* excitante
exclude [ɪk'skluːd] *v* excluir
excluding [ɪk'skluːdɪŋ] *prep* excepto
exclusively [ɪk'skluːsɪvlɪ] *adv* exclusivamente
excuse *n* [ɪk'skjuːs] excusa ▷ *v* [ɪk'skjuːz] disculpar; **Excuse me** Disculpe; **Excuse me, that's my seat** Disculpe, éste es mi asiento
execute ['ɛksɪˌkjuːt] *v* ejecutar
execution [ˌɛksɪ'kjuːʃən] *n* ejecución
executive [ɪg'zɛkjʊtɪv] *n* ejecutivo
exercise ['ɛksəˌsaɪz] *n* ejercicio
exhaust [ɪg'zɔːst] *n* tubo de escape; **The exhaust is broken** Se me ha roto el tubo de escape
exhausted [ɪg'zɔːstɪd] *adj* exhausto
exhibition [ˌɛksɪ'bɪʃən] *n* exhibición
ex-husband [ɛks'hʌzbənd] *n* ex

marido
exile ['ɛgzaɪl; 'ɛksaɪl] *n* exilio
exist [ɪg'zɪst] *v* existir
exit ['ɛgzɪt; 'ɛksɪt] *n* salida; **Where is the exit?** ¿Dónde está la salida?; **Which exit for...?** ¿Qué salida tengo que coger para ir a...?
exotic [ɪg'zɒtɪk] *adj* exótico
expect [ɪk'spɛkt] *v* esperar *(expectativa)*
expedition [ˌɛkspɪ'dɪʃən] *n* expedición
expel [ɪk'spɛl] *v* expulsar
expenditure [ɪk'spɛndɪtʃə] *n* gasto
expenses [ɪk'spɛnsɪz] *npl* gastos
expensive [ɪk'spɛnsɪv] *adj* caro; **It's quite expensive** Es bastante caro; **It's too expensive for me** Es demasiado caro para mí
experience [ɪk'spɪərɪəns] *n* experiencia; **work experience** experiencia laboral
experienced [ɪk'spɪərɪənst] *adj* experimentado
experiment [ɪk'spɛrɪmənt] *n* experimento
expert ['ɛkspɜːt] *n* experto
expire [ɪk'spaɪə] *v* caducar, expirar
explain [ɪk'spleɪn] *v* explicar; **Can you explain what the matter is?** ¿Puede explicarme cuál es el problema?
explanation [ˌɛksplə'neɪʃən] *n* explicación
explode [ɪk'spləʊd] *v* estallar, explotar *(bomba)*
exploit [ɪk'splɔɪt] *v* explotar
exploitation [ˌɛksplɔɪ'teɪʃən] *n* explotación
explore [ɪk'splɔː] *v* explorar
explorer [ɪk'splɔːrə] *n* explorador *(persona)*
explosion [ɪk'spləʊʒən] *n* explosión
explosive [ɪk'spləʊsɪv] *n* explosivo
export *n* ['ɛkspɔːt] exportación ▷ *v* [ɪk'spɔːt] exportar
express [ɪk'sprɛs] *v* expresar
expression [ɪk'sprɛʃən] *n* expresión
extension [ɪk'stɛnʃən] *n* extensión; **extension cable** alargador
extensive [ɪk'stɛnsɪv] *adj* extenso
extensively [ɪk'stɛnsɪvlɪ] *adv* extensamente
extent [ɪk'stɛnt] *n* extensión
exterior [ɪk'stɪərɪə] *adj* exterior
external [ɪk'stɜːnᵊl] *adj* externo
extinct [ɪk'stɪŋkt] *adj* extinto
extinguisher [ɪk'stɪŋgwɪʃə] *n* extintor
extortionate [ɪk'stɔːʃənɪt] *adj* exorbitante
extra ['ɛkstrə] *adj* de más ▷ *adv* extra; **I'd like it with extra..., please** Lo quisiera con extra..., por favor
extraordinary [ɪk'strɔːdᵊnrɪ; -dᵊnərɪ] *adj* extraordinario
extravagant [ɪk'strævɪgənt] *adj* extravagante
extreme [ɪk'striːm] *adj* extremo
extremely [ɪk'striːmlɪ] *adv* extremadamente *(muy)*
extremism [ɪk'striːmɪzəm] *n* extremismo
extremist [ɪk'striːmɪst] *n* extremista
ex-wife [ɛks'waɪf] *n* ex esposa
eye [aɪ] *n* ojo; **eye drops** colirio; **eye shadow** sombra de ojos; **I have something in my eye** Se me ha metido algo en el ojo; **My eyes are sore** Tengo los ojos irritados
eyebrow ['aɪˌbraʊ] *n* ceja
eyelash ['aɪˌlæʃ] *n* pestaña
eyelid ['aɪˌlɪd] *n* párpado
eyeliner ['aɪˌlaɪnə] *n* delineador
eyesight ['aɪˌsaɪt] *n* vista

f

fabric ['fæbrɪk] *n* tejido *(tela)*
fabulous ['fæbjʊləs] *adj* fabuloso
face [feɪs] *n* cara ▹ *v* dar a *(orientación)*; **face cloth** manopla *(aseo)*
facial ['feɪʃəl] *adj* facial ▹ *n* limpieza de cutis
facilities [fə'sɪlɪtɪz] *npl* instalaciones
fact [fækt] *n* hecho
factory ['fæktərɪ] *n* fábrica; **I work in a factory** Trabajo en una fábrica
fade [feɪd] *v* apagarse
fag [fæg] *n* pitillo
fail [feɪl] *v* fracasar
failure ['feɪljə] *n* fracaso
faint [feɪnt] *adj* flaco ▹ *v* desmayarse
fair [fɛə] *adj (light colour)* claro, *(reasonable)* justo ▹ *n* feria
fairground ['fɛə,graʊnd] *n* parque de atracciones
fairly ['fɛəlɪ] *adv* bastante
fairness ['fɛənɪs] *n* imparcialidad
fairy ['fɛərɪ] *n* hada
fairytale ['fɛərɪ,teɪl] *n* cuento de hadas
faith [feɪθ] *n* fe
faithful ['feɪθfʊl] *adj* fiel
faithfully ['feɪθfʊlɪ] *adv* fielmente
fake [feɪk] *adj* falso ▹ *n* falsificación *(imitación)*
fall [fɔːl] *n* caída ▹ *v* caer; **She fell** Se ha caído
fall down [fɔːl daʊn] *v* caerse
fall for [fɔːl fɔː] *v* enamorarse de
fall out [fɔːl aʊt] *v* caerse
false [fɔːls] *adj* falso
fame [feɪm] *n* fama
familiar [fə'mɪlɪə] *adj* familiar
family ['fæmɪlɪ; 'fæmlɪ] *n* familia; **I'm here with my family** Estoy aquí con mi familia
famine ['fæmɪn] *n* hambruna
famous ['feɪməs] *adj* famoso
fan [fæn] *n* ventilador; **fan belt** correa del ventilador; **Does the room have a fan?** ¿Hay un ventilador en la habitación?
fanatic [fə'nætɪk] *n* fanático
fancy ['fænsɪ] *v* imaginar; **fancy dress** disfraz
fantastic [fæn'tæstɪk] *adj* fantástico
FAQ [ɛf eɪ kjuː] *abr* preguntas frecuentes
far [fɑː] *adj* lejano ▹ *adv* lejos; **Far East** Extremo Oriente; **How far are we from the beach?** ¿Estamos muy lejos de la playa?; **How far is the bank?** ¿Está muy lejos el banco?
fare [fɛə] *n* tarifa; **Are there any cheap train fares?** ¿Hay alguna tarifa de tren más barata?
farewell [,fɛə'wɛl] *excl* ¡adiós!
farm [fɑːm] *n* granja
farmer ['fɑːmə] *n* agricultor
farmhouse ['fɑːm,haʊs] *n* casa de labranza
farming ['fɑːmɪŋ] *n* agricultura

Faroe Islands ['fɛərəʊ 'aɪləndz] *npl* Islas Feroe
fascinating ['fæsɪˌneɪtɪŋ] *adj* fascinante
fashion ['fæʃən] *n* moda
fashionable ['fæʃənəbᵊl] *adj* a la moda
fast [fɑːst] *adj* rápido ▹ *adv* deprisa
fat [fæt] *adj* gordo ▹ *n* grasa
fatal ['feɪtᵊl] *adj* mortal
fate [feɪt] *n* hado
father ['fɑːðə] *n* padre
father-in-law ['fɑːðə ɪn lɔː] (*pl* **fathers-in-law**) *n* suegro
fault [fɔːlt] *n (defect)* fallo, *(mistake)* culpa; **It wasn't my fault** No ha sido culpa mía
faulty ['fɔːltɪ] *adj* defectuoso
fauna ['fɔːnə] *npl* fauna
favour ['feɪvə] *n* favor
favourite ['feɪvərɪt; 'feɪvrɪt] *adj* favorito ▹ *n* favorito
fax [fæks] *n* fax ▹ *v* enviar por fax; **Do you have a fax?** ¿Tiene fax?; **I want to send a fax** Quiero enviar un fax
fear [fɪə] *n* miedo ▹ *v* temer
feasible ['fiːzəbᵊl] *adj* factible
feather ['fɛðə] *n* pluma
feature ['fiːtʃə] *n* rasgo
February ['fɛbrʊərɪ] *n* febrero
fed up [fɛd ʌp] *adj* harto
fee [fiː] *n* tasa, tarifa
feed [fiːd] *v* dar de comer
feedback ['fiːdˌbæk] *n* retroalimentación
feel [fiːl] *v* sentir; **How are you feeling now?** ¿Cómo se siente ahora?
feeling ['fiːlɪŋ] *n* sensación
feet [fiːt] *npl* pies
felt [fɛlt] *n* fieltro
female ['fiːmeɪl] *adj* femenino ▹ *n* mujer
feminine ['fɛmɪnɪn] *adj* femenino
feminist ['fɛmɪnɪst; 'feminist] *n* feminista
fence [fɛns] *n* valla
fennel ['fɛnᵊl] *n* hinojo
fern [fɜːn] *n* helecho
ferret ['fɛrɪt] *n* hurón
ferry ['fɛrɪ] *n* transbordador, ferry; **Where do we catch the ferry to...?** ¿Dónde se coge el ferry para...?
fertile ['fɜːtaɪl] *adj* fértil
fertilizer ['fɜːtɪˌlaɪzə] *n* abono
festival ['fɛstɪvᵊl] *n* festival
fetch [fɛtʃ] *v* ir a buscar, traer
fever ['fiːvə] *n* fiebre; **He has a fever** Él tiene fiebre
few [fjuː] *adj* pocos ▹ *pron* pocos
fewer [fjuːə] *adj* menos
fiancé [fɪ'ɒnseɪ] *n* prometido
fiancée [fɪ'ɒnseɪ] *n* prometida
fibre ['faɪbə] *n* fibra
fibreglass ['faɪbəˌglɑːs] *n* fibra de vidrio
fiction ['fɪkʃən] *n* ficción
field [fiːld] *n* campo; **playing field** campo de juego
fierce [fɪəs] *adj* fiero *(feroz)*
fifteen ['fɪf'tiːn] *num* quince
fifteenth ['fɪf'tiːnθ] *adj* decimoquinto
fifth [fɪfθ] *adj* quinto
fifty ['fɪftɪ] *num* cincuenta
fifty-fifty ['fɪftɪ'fɪftɪ] *adj* de cincuenta por ciento ▹ *adv* a medias
fig [fɪg] *n* higo
fight [faɪt] *n* lucha ▹ *v* luchar
fighting [faɪtɪŋ] *n* combate
figure ['fɪgə; 'fɪgjər] *n* cifra
figure out ['fɪgə aʊt] *v* entender
Fiji ['fiːdʒiː; fiː'dʒiː] *n* Fiji
file [faɪl] *n (folder)* carpeta, *(tool)* lima *(herramienta)* ▹ *v (folder)* archivar, *(smoothing)* limar

Filipino, Filipina [ˌfɪlɪˈpiːnəʊ, ˌfɪlɪˈpiːnə] *adj* filipino ▷ *n* filipino
fill [fɪl] *v* llenar
fillet [ˈfɪlɪt] *n* filete ▷ *v* filetear
fill in [fɪl ɪn] *v* rellenar *(formulario)*
filling [ˈfɪlɪŋ] *n* empaste; **A filling has fallen out** Se me ha caído el empaste; **Can you do a temporary filling?** ¿Puede ponerme un empaste temporal?
fill up [fɪl ʌp] *v* rellenar
film [fɪlm] *n* película; **film star** estrella del cine; **When does the film start?** ¿A qué hora empieza la película?
filter [ˈfɪltə] *n* filtro ▷ *v* filtrar
filthy [ˈfɪlθɪ] *adj* mugriento
final [ˈfaɪnᵊl] *adj* final ▷ *n* final
finalize [ˈfaɪnəˌlaɪz] *v* ultimar
finally [ˈfaɪnəlɪ] *adv* finalmente
finance [fɪˈnæns; ˈfaɪnæns] *n* finanzas ▷ *v* financiar
financial [fɪˈnænʃəl; faɪ-] *adj* financiero
find [faɪnd] *v* encontrar, hallar; **I can't find the at sign** No encuentro la tecla de la arroba; **I need to find a supermarket** Necesito encontrar un supermercado
find out [faɪnd aʊt] *v* averiguar
fine [faɪn] *adj* fino *(excelente)* ▷ *adv* bien ▷ *n* multa; **Fine, thanks** Bien, gracias; **How much is the fine?** ¿Cuánto es la multa?; **Where do I pay the fine?** ¿Dónde se paga la multa?
finger [ˈfɪŋɡə] *n* dedo
fingernail [ˈfɪŋɡəˌneɪl] *n* uña *(mano)*
fingerprint [ˈfɪŋɡəˌprɪnt] *n* huella dactilar
finish [ˈfɪnɪʃ] *n* terminación ▷ *v* acabar; **When does it finish?** ¿A qué hora acaba?; **When will you have finished?** ¿Para cuándo habrá acabado?
finished [ˈfɪnɪʃt] *adj* acabado
Finland [ˈfɪnlənd] *n* Finlandia
Finn [ˈfɪn] *n* finlandés
Finnish [ˈfɪnɪʃ] *adj* finlandés ▷ *n* finlandés
fir [fɜː] *n* **fir (tree)** abeto
fire [faɪə] *n* fuego; **fire alarm** alarma contra incendios; **fire brigade** bomberos; **fire escape** salida de incendios; **fire extinguisher** extintor; **Fire!** ¡Fuego!
fireman [ˈfaɪəmən] *(pl* **firemen***) n* bombero
fireplace [ˈfaɪəˌpleɪs] *n* chimenea *(hogar)*
firewall [ˈfaɪəˌwɔːl] *n* cortafuegos
fireworks [ˈfaɪəˌwɜːks] *npl* fuegos artificiales
firm [fɜːm] *adj* firme *(sólido)* ▷ *n* empresa
first [fɜːst] *adj* primero ▷ *adv* en primer lugar ▷ *n* primicia; **first aid** primeros auxilios; **first name** nombre de pila
first-class [ˈfɜːstˈklɑːs] *adj* de primera clase
firstly [ˈfɜːstlɪ] *adv* primeramente
fiscal [ˈfɪskᵊl] *adj* fiscal; **fiscal year** año fiscal
fish [fɪʃ] *n* pez, pescado ▷ *v* pescar; **freshwater fish** pez de agua dulce; **Am I allowed to fish here?** ¿Está permitido pescar aquí?; **Could you prepare a meal without fish?** ¿Podría preparar una comida que no lleve pescado?
fisherman [ˈfɪʃəmən] *(pl* **fishermen***) n* pescador
fishing [ˈfɪʃɪŋ] *n* pesca; **fishing boat** barco de pesca; **fishing rod** caña de pescar; **fishing tackle** aparejos de

pesca; **Do you need a fishing permit?** ¿Se precisa un permiso de pesca?
fishmonger ['fɪʃˌmʌŋgə] *n* pescadero
fist [fɪst] *n* puño
fit [fɪt] *adj* adecuado ▷ *n* ataque *(acceso)* ▷ *v* encajar; **epileptic fit** ataque epiléptico; **fitted kitchen** cocina integral; **fitted sheet** sábana ajustable; **fitting room** probador
fit in [fɪt ɪn] *v* encontrar un hueco
five [faɪv] *num* cinco
fix [fɪks] *v* fijar
fixed [fɪkst] *adj* fijo
fizzy ['fɪzɪ] *adj* espumoso, con gas
flabby ['flæbɪ] *adj* fofo, flácido
flag [flæg] *n* bandera
flame [fleɪm] *n* llama
flamingo [flə'mɪŋgəʊ] *n* flamenco
flammable ['flæməbəl] *adj* inflamable
flan [flæn] *n* tarta
flannel ['flænəl] *n* franela
flap [flæp] *v* agitar
flash [flæʃ] *n* destello ▷ *v* relampaguear, destellar
flashlight ['flæʃˌlaɪt] *n* linterna
flask [flɑːsk] *n* frasco
flat [flæt] *adj* plano ▷ *n* piso
flat-screen ['flætˌskriːn] *adj* de pantalla plana
flatter ['flætə] *v* halagar
flattered ['flætəd] *adj* halagado
flavour ['fleɪvə] *n* sabor; **What flavours do you have?** ¿De qué sabores lo tiene?
flavouring ['fleɪvərɪŋ] *n* condimento *(saborizante)*
flaw [flɔː] *n* defecto
flea [fliː] *n* pulga; **flea market** mercadillo
flee [fliː] *v* darse a la fuga
fleece [fliːs] *n* forro polar
fleet [fliːt] *n* flota
flex [flɛks] *n* cable eléctrico
flexible ['flɛksɪbəl] *adj* flexible
flexitime ['flɛksɪˌtaɪm] *n* horario flexible
flight [flaɪt] *n* vuelo; **charter flight** vuelo chárter; **flight attendant** auxiliar de vuelo; **scheduled flight** vuelo regular; **Are there any cheap flights?** ¿Hay vuelos baratos?; **I'd like to cancel my flight** Quisiera cancelar mi vuelo
fling [flɪŋ] *v* lanzar *(violentamente)*
flip-flops ['flɪp'flɒpz] *npl* chanclas
flippers ['flɪpəz] *npl* aletas
flirt [flɜːt] *n* ligón ▷ *v* coquetear, flirtear
float [fləʊt] *n* flotador ▷ *v* flotar
flock [flɒk] *n* rebaño
flood [flʌd] *n* inundación ▷ *vi* desbordarse ▷ *vt* inundar
flooding ['flʌdɪŋ] *n* inundación
floodlight ['flʌdˌlaɪt] *n* reflector
floor [flɔː] *n* suelo; **ground floor** planta baja
flop [flɒp] *n* fracaso
floppy ['flɒpɪ] *adj* **floppy disk** disquete
flora ['flɔːrə] *npl* flora
florist ['flɒrɪst] *n* florista
flour ['flaʊə] *n* harina
flow [fləʊ] *v* fluir
flower ['flaʊə] *n* flor ▷ *v* florecer
flu [fluː] *n* gripe; **I've got flu** Tengo la gripe
fluent ['fluːənt] *adj* fluido
fluorescent [ˌflʊə'rɛsənt] *adj* fluorescente
flush [flʌʃ] *n* rubor ▷ *v* ruborizarse
flute [fluːt] *n* flauta
fly [flaɪ] *n* mosca ▷ *v* volar
fly away [flaɪ ə'weɪ] *v* irse volando

foal [fəʊl] *n* potro
foam [fəʊm] *n* espuma; **shaving foam** espuma de afeitar
focus ['fəʊkəs] *n* foco *(óptica)* ▷ *v* enfocar
foetus ['fiːtəs] *n* feto
fog [fɒg] *n* niebla; **fog light** faro antiniebla
foggy ['fɒgɪ] *adj* de niebla
foil [fɔɪl] *n* papel de aluminio
fold [fəʊld] *n* pliegue ▷ *v* plegar
folder ['fəʊldə] *n* carpeta
folding [fəʊldɪŋ] *adj* plegable
folklore ['fəʊkˌlɔː] *n* folclore
follow ['fɒləʊ] *v* seguir *(persona)*
following ['fɒləʊɪŋ] *adj* siguiente
food [fuːd] *n* comida, alimento(s); **food poisoning** intoxicación alimentaria; **food processor** robot de cocina; **The food is too hot** La comida está demasiado caliente
fool [fuːl] *n* tonto ▷ *v* engañar
foot [fʊt] *(pl* **feet***)* *n* pie
football ['fʊtˌbɔːl] *n* fútbol; **football match** partido de fútbol; **football player** jugador de fútbol; **Let's play football** Juguemos al fútbol
footballer ['fʊtˌbɔːlə] *n* futbolista
footpath ['fʊtˌpɑːθ] *n* sendero
footprint ['fʊtˌprɪnt] *n* huella
footstep ['fʊtˌstɛp] *n* paso *(pie)*
for [fɔː; fə] *prep* para; **Can I have a tape for this video camera, please?** ¿Me da una cinta para esta cámara de vídeo, por favor?; **I want to hire a car for the weekend** Quiero alquilar un coche para el fin de semana; **I work for...** Trabajo para...
forbid [fə'bɪd] *v* prohibir
forbidden [fə'bɪdᵊn] *adj* prohibido
force [fɔːs] *n* fuerza ▷ *v* obligar, forzar; **Air Force** ejército del aire
forecast ['fɔːˌkɑːst] *n* pronóstico; **What's the weather forecast?** ¿Cuál es el pronóstico del tiempo?
foreground ['fɔːˌgraʊnd] *n* primer plano
forehead ['fɒrɪd; 'fɔːˌhɛd] *n* frente
foreign ['fɒrɪn] *adj* extranjero
foreigner ['fɒrɪnə] *n* extranjero
foresee [fɔː'siː] *v* prever
forest ['fɒrɪst] *n* bosque *(grande)*
forever [fɔː'rɛvə; fə-] *adv* para siempre
forge [fɔːdʒ] *v* fraguar, forjar
forgery ['fɔːdʒərɪ] *n* falsificación *(billetes)*
forget [fə'gɛt] *v* olvidar
forgive [fə'gɪv] *v* perdonar
forgotten [fə'gɒtᵊn] *adj* olvidado
fork [fɔːk] *n* tenedor; **Could I have a clean fork please?** ¿Me trae un tenedor limpio, por favor?
form [fɔːm] *n* forma *(modalidad)*; **order form** impreso de solicitud
formal ['fɔːməl] *adj* formal
formality [fɔː'mælɪtɪ] *n* formalidad
format ['fɔːmæt] *n* formato ▷ *v* dar formato
former ['fɔːmə] *adj* anterior
formerly ['fɔːməlɪ] *adv* anteriormente
formula ['fɔːmjʊlə] *n* fórmula
fort [fɔːt] *n* fuerte, fortaleza
fortnight ['fɔːtˌnaɪt] *n* quincena, dos semanas
fortunate ['fɔːtʃənɪt] *adj* afortunado
fortunately ['fɔːtʃənɪtlɪ] *adv* por suerte, afortunadamente
fortune ['fɔːtʃən] *n* fortuna
forty ['fɔːtɪ] *num* cuarenta
forward ['fɔːwəd] *adv* (hacia) adelante ▷ *v* reenviar; **forward slash** barra diagonal; **lean forward** inclinarse *(adelante)*

foster ['fɒstə] *v* acoger *(niño)*; **foster child** niño acogido
foul [faʊl] *adj* asqueroso ▷ *n* falta *(deporte)*
foundations [faʊn'deɪʃənz] *npl* cimientos
fountain ['faʊntɪn] *n* fuente; **fountain pen** pluma estilográfica
four [fɔː] *num* cuatro
fourteen ['fɔː'tiːn] *num* catorce
fourteenth ['fɔː'tiːnθ] *adj* decimocuarto
fourth [fɔːθ] *adj* cuarto
fox [fɒks] *n* zorro
fracture ['fræktʃə] *n* fractura
fragile ['frædʒaɪl] *adj* frágil
frail [freɪl] *adj* delicado
frame [freɪm] *n* armazón, marco; **Zimmer® frame** andador
France [frɑːns] *n* Francia
frankly ['fræŋklɪ] *adv* francamente, sinceramente
frantic ['fræntɪk] *adj* frenético
fraud [frɔːd] *n* fraude
freckles ['frɛkᵊlz] *npl* pecas
free [friː] *adj (no cost)* gratis, *(no restraint)* libre ▷ *v* librar, liberar; **free kick** tiro libre; **I'm free tomorrow morning** Estoy libre mañana por la mañana; **Is this seat free?** ¿Está libre este asiento?
freedom ['friːdəm] *n* libertad
freelance ['friːˌlɑːns] *adj, adv* por cuenta propia
freeze [friːz] *v* congelar(se)
freezer ['friːzə] *n* congelador
freezing ['friːzɪŋ] *adj* helado
freight [freɪt] *n* carga *(en transporte)*
French [frɛntʃ] *adj* francés ▷ *n* francés; **French beans** judía verde; **French horn** trompa de pistones
Frenchman ['frɛntʃmən] *(pl* **Frenchmen***)* *n* francés
Frenchwoman ['frɛntʃwʊmən] *(pl* **Frenchwomen***)* *n* francesa
frequency ['friːkwənsɪ] *n* frecuencia
frequent ['friːkwənt] *adj* frecuente
fresh [frɛʃ] *adj* fresco *(reciente)*
freshen up ['frɛʃən ʌp] *v* lavarse
fret [frɛt] *v* preocupar(se)
Friday ['fraɪdɪ] *n* viernes; **Good Friday** Viernes Santo; **on Friday thirty first December** el viernes treinta y uno de diciembre; **on Friday** el viernes
fridge [frɪdʒ] *n* nevera
fried [fraɪd] *adj* frito
friend [frɛnd] *n* amigo; **I'm here with my friends** Estoy aquí con unos amigos
friendly ['frɛndlɪ] *adj* amistoso
friendship ['frɛndʃɪp] *n* amistad
fright [fraɪt] *n* susto *(impresión)*
frighten ['fraɪtᵊn] *v* asustar
frightened ['fraɪtənd] *adj* asustado
frightening ['fraɪtᵊnɪŋ] *adj* aterrador
fringe [frɪndʒ] *n* flequillo
frog [frɒg] *n* rana
from [frɒm; frəm] *prep* desde
front [frʌnt] *adj* delantero ▷ *n* frente *(parte)*
frontier ['frʌntɪə; frʌn'tɪə] *n* frontera
frost [frɒst] *n* helada
frosting ['frɒstɪŋ] *n* glaseado
frosty ['frɒstɪ] *adj* helado
frown [fraʊn] *v* fruncir el ceño
frozen ['frəʊzᵊn] *adj* congelado, helado
fruit [fruːt] *n (botany)* fruto, *(piece)* fruta; **fruit juice** zumo de frutas; **fruit machine** tragaperras; **fruit salad** macedonia *(de frutas)*
frustrated [frʌ'streɪtɪd] *adj*

frustrado
fry [fraɪ] *v* freír; **frying pan** sartén
fuel [fjʊəl] *n* combustible
fulfil [fʊl'fɪl] *v* cumplir *(promesa)*
full [fʊl] *adj* lleno; **full stop** punto *(gramatical)*
full-time ['fʊl,taɪm] *adj* de jornada completa ▷ *adv* a jornada completa
fully ['fʊlɪ] *adv* plenamente
fumes [fju:mz] *npl* gases *(exhalación)*; **exhaust fumes** gases de escape
fun [fʌn] *adj* divertido ▷ *n* diversión, entretenimiento
funds [fʌndz] *npl* fondos
funeral ['fju:nərəl] *n* funeral; **funeral parlour** funeraria
funfair ['fʌn,fɛə] *n* parque de atracciones
funnel ['fʌnᵊl] *n* embudo
funny ['fʌnɪ] *adj* divertido
fur [fɜ:] *n* pelaje; **fur coat** abrigo de pieles
furious ['fjʊərɪəs] *adj* furioso
furnished ['fɜ:nɪʃt] *adj* amueblado
furniture ['fɜ:nɪtʃə] *n* muebles
further ['fɜ:ðə] *adj* más ▷ *adv* además; **further education** enseñanza para adultos
fuse [fju:z] *n* fusible, plomo; **fuse box** caja de los plomos; **A fuse has blown** Se ha fundido un fusible
fuss [fʌs] *n* alboroto
fussy ['fʌsɪ] *adj* quisquilloso
future ['fju:tʃə] *adj* futuro ▷ *n* futuro

g

Gabon [gə'bɒn] *n* Gabón
gain [geɪn] *n* ganancia ▷ *v* ganar, adquirir
gale [geɪl] *n* vendaval
gallery ['gælərɪ] *n* galería
gallop ['gæləp] *n* galope ▷ *v* galopar
gallstone ['gɔ:l,stəʊn] *n* cálculo biliar
Gambia ['gæmbɪə] *n* Gambia
gamble ['gæmbᵊl] *v* jugar *(dinero)*
gambler ['gæmblə] *n* jugador *(dinero)*
gambling ['gæmblɪŋ] *n* juego (de azar)
game [geɪm] *n* juego *(diversión)*; **board game** juego de mesa; **games console** consola de videojuegos
gang [gæŋ] *n* pandilla
gangster ['gæŋstə] *n* gánster
gap [gæp] *n* hueco
garage ['gærɑ:ʒ; -rɪdʒ] *n* garaje; **Which is the key for the garage?** ¿Cuál es la llave del garaje?
garbage ['gɑ:bɪdʒ] *n* basura

garden ['gɑːdᵊn] *n* jardín; **garden centre** vivero; **Can we visit the gardens?** ¿Podemos visitar los jardines?
gardener ['gɑːdnə] *n* jardinero
gardening ['gɑːdᵊnɪŋ] *n* jardinería
garlic ['gɑːlɪk] *n* ajo; **Is there any garlic in it?** ¿Lleva ajo?
garment ['gɑːmənt] *n* prenda
gas [gæs] *n* gas; **gas cooker** hornilla a gas; **natural gas** gas natural; **I can smell gas** Huelo gas; **Where is the gas meter?** ¿Dónde está el contador del gas?
gasket ['gæskɪt] *n* junta *(pieza)*
gate [geɪt] *n* puerta *(valla)*; **Please go to gate...** Diríjase a la puerta...; **Which gate for the flight to...?** ¿Cuál es la puerta de embarque del vuelo a...?
gateau ['gætəʊ] (*pl* **gateaux**) *n* pastel
gather ['gæðə] *v* reunir(se)
gauge [geɪdʒ] *n* indicador *(del nivel)* ▷ *v* medir
gaze [geɪz] *v* mirar fijamente
gear [gɪə] *n (mechanism)* marcha, engranaje; **gear lever** palanca de cambio; **gear stick** palanca de cambio
gearbox ['gɪəˌbɒks] *n* caja de cambios; **The gearbox is broken** Se me ha roto la caja de cambios
gearshift ['gɪəˌʃɪft] *n* palanca de cambio
gel [dʒɛl] *n* gel
gem [dʒɛm] *n* piedra preciosa
Gemini ['dʒɛmɪˌnaɪ; -ˌniː] *n* Géminis
gender ['dʒɛndə] *n* género *(masculino, femenino)*
gene [dʒiːn] *n* gen
general ['dʒɛnərəl; 'dʒɛnrəl] *adj* general ▷ *n* general; **general anaesthetic** anestesia general; **general election** elecciones generales; **general knowledge** cultura general
generalize ['dʒɛnrəˌlaɪz] *v* generalizar
generally ['dʒɛnrəlɪ] *adv* generalmente
generation [ˌdʒɛnə'reɪʃən] *n* generación
generator ['dʒɛnəˌreɪtə] *n* generador
generosity [ˌdʒɛnə'rɒsɪtɪ] *n* generosidad
generous ['dʒɛnərəs; 'dʒɛnrəs] *adj* generoso
genetic [dʒɪ'nɛtɪk] *adj* genético
genetically-modified [dʒɪ'nɛtɪklɪ'mɒdɪˌfaɪd] *adj* transgénico
genetics [dʒɪ'nɛtɪks] *n* genética
genius ['dʒiːnɪəs; -njəs] *n* genio
gentle ['dʒɛntᵊl] *adj* suave *(afable)*
gentleman ['dʒɛntᵊlmən] (*pl* **gentlemen**) *n* caballero
gently [dʒɛntlɪ] *adv* suavemente, con cuidado
gents' [dʒɛnts] *n* aseo de caballeros
genuine ['dʒɛnjʊɪn] *adj* genuino
geography [dʒɪ'ɒgrəfɪ] *n* geografía
geology [dʒɪ'ɒlədʒɪ] *n* geología
Georgia ['dʒɔːdʒjə] *n (country)* Georgia, *(US state)* Georgia
geranium [dʒɪ'reɪnɪəm] *n* geranio
gerbil ['dʒɜːbɪl] *n* jerbo
geriatric [ˌdʒɛrɪ'ætrɪk] *adj* geriátrico ▷ *n* anciano
germ [dʒɜːm] *n* germen
German ['dʒɜːmən] *adj* alemán ▷ *n (language, person)* alemán; **German measles** rubeola
Germany ['dʒɜːmənɪ] *n* Alemania
gesture ['dʒɛstʃə] *n* gesto

get [gɛt] *v* obtener, *(to a place)* llegar; **How long will it take to get there?** ¿Cuánto se tarda en llegar?; **How long will it take to get to...?** ¿Cuánto se tarda en llegar a...?
get away [gɛt ə'weɪ] *v* escaparse
get back [gɛt bæk] *v* recuperar
get in [gɛt ɪn] *v* subir
get into [gɛt 'ɪntə] *v* entrar
get off [gɛt ɒf] *v* bajarse, apearse
get on [gɛt ɒn] *v* subir; **Can you help me get on, please?** ¿Puede ayudarme a subir, por favor?
get out [gɛt aʊt] *v* salir
get over [gɛt 'əʊvə] *v* superar
get through [gɛt θruː] *v* **I can't get through** No me responden
get together [gɛt tə'gɛðə] *v* juntarse
get up [gɛt ʌp] *v* levantarse
Ghana ['gɑːnə] *n* Ghana
Ghanaian [gɑː'neɪən] *adj* ghanés ▷ *n* ghanés
ghost [gəʊst] *n* fantasma
giant ['dʒaɪənt] *adj* gigante ▷ *n* gigante
gift [gɪft] *n* regalo; **gift shop** tienda de artículos para regalo; **gift voucher** cheque regalo; **Please can you gift-wrap it?** ¿Puede envolverlo para regalo, por favor?; **This is a gift for you** Le he traído un regalo; **Where can I buy gifts?** ¿Dónde se pueden comprar artículos de regalo?
gifted ['gɪftɪd] *adj* dotado
gigantic [dʒaɪ'gæntɪk] *adj* gigantesco
giggle ['gɪgᵊl] *v* reírse tontamente
gin [dʒɪn] *n* ginebra
ginger ['dʒɪndʒə] *adj* rojizo ▷ *n* jengibre
giraffe [dʒɪ'rɑːf; -'ræf] *n* jirafa
girl [gɜːl] *n* chica
girlfriend ['gɜːlˌfrɛnd] *n* novia
give [gɪv] *v* dar; **Can you give me something for the pain?** ¿Puede darme algo para el dolor?; **Do you give lessons?** ¿Dan ustedes clases?
give back [gɪv bæk] *v* devolver; **Please give me my passport back** Devuélvame el pasaporte, por favor
give in [gɪv ɪn] *v* rendirse
give out [gɪv aʊt] *v* distribuir
give up [gɪv ʌp] *v* renunciar a
glacier ['glæsɪə; 'gleɪs-] *n* glaciar
glad [glæd] *adj* contento
glamorous ['glæmərəs] *adj* glamuroso
glance [glɑːns] *n* vistazo ▷ *v* echar un vistazo
gland [glænd] *n* glándula
glare [glɛə] *v* mirar con enojo
glaring ['glɛərɪŋ] *adj* evidente
glass [glɑːs] *n* vidrio, cristal, *(vessel)* vaso, copa; **magnifying glass** lupa; **stained glass** vidrio de colores; **a glass of water** un vaso de agua; **A glass of lemonade, please** Un vaso de limonada, por favor
glasses ['glɑːsɪz] *npl* gafas
glazing ['gleɪzɪŋ] *n* **double glazing** doble acristalamiento
glider ['glaɪdə] *n* planeador
gliding ['glaɪdɪŋ] *n* vuelo sin motor
global ['gləʊbᵊl] *adj* global; **global warming** calentamiento global
globalization [ˌgləʊbᵊlaɪ'zeɪʃən] *n* globalización
globe [gləʊb] *n* globo
gloomy ['gluːmɪ] *adj* lúgubre
glorious ['glɔːrɪəs] *adj* glorioso
glory ['glɔːrɪ] *n* gloria
glove [glʌv] *n* guante; **glove compartment** guantera
glucose ['gluːkəʊz; -kəʊs] *n* glucosa
glue [gluː] *n* cola *(pegar)*, pegamento

▷ *v* pegar *(cola)*
gluten ['glu:tᵊn] *n* gluten; **Do you have gluten-free dishes?** ¿Tiene platos que no lleven gluten?
GM [dʒi: ɛm] *abr* transgénico
go [gəʊ] *v* ir; **Can we go to...?** ¿Podemos ir a...?; **Does this bus go to...?** ¿Este autobús va a...?
go after [gəʊ 'ɑ:ftə] *v* ir tras
go ahead [gəʊ ə'hɛd] *v* seguir adelante
goal [gəʊl] *n* meta, objetivo
goalkeeper ['gəʊl,ki:pə] *n* guardameta
goat [gəʊt] *n* cabra
go away [gəʊ ə'weɪ] *v* irse, marcharse
go back [gəʊ bæk] *v* volver *(ir)*
go by [gəʊ baɪ] *v* pasar
god [gɒd] *n* dios
godchild ['gɒd,tʃaɪld] *(pl* **godchildren***)* *n* ahijado
goddaughter ['gɒd,dɔ:tə] *n* ahijada
godfather ['gɒd,fɑ:ðə] *n (baptism, criminal leader)* padrino
godmother ['gɒd,mʌðə] *n* madrina
go down [gəʊ daʊn] *v* bajar
godson ['gɒd,sʌn] *n* ahijado
goggles ['gɒgᵊlz] *npl* gafas protectoras
go in [gəʊ ɪn] *v* entrar
gold [gəʊld] *n* oro
golden ['gəʊldən] *adj* dorado
goldfish ['gəʊld,fɪʃ] *n* pez rojo
gold-plated ['gəʊld'pleɪtɪd] *adj* chapado en oro
golf [gɒlf] *n* golf; **golf club** *(game)* palo de golf, *(society)* club de golf; **golf course** campo de golf; **Do they hire out golf clubs?** ¿Alquilan palos de golf?; **Is there a public golf course near here?** ¿Hay un campo de golf público por aquí?; **Where can I play golf?** ¿Dónde puedo jugar al golf?
gone [gɒn] *adj* ido *(desaparecido, fuera)*
good [gʊd] *adj* bueno; **Good morning** Buenos días
goodbye [,gʊd'baɪ] *excl* ¡adiós!
good-looking ['gʊd'lʊkɪŋ] *adj* guapo
good-natured ['gʊd'neɪtʃəd] *adj* bondadoso *(bueno)*
goods [gʊdz] *npl* artículos, mercancía
go off [gəʊ ɒf] *v* apagarse
Google® ['gu:gᵊl] *v* buscar en Google
go on [gəʊ ɒn] *v* seguir, continuar
goose [gu:s] *(pl* **geese***)* *n* oca; **goose pimples** piel de gallina
gooseberry ['gʊzbərɪ; -brɪ] *n* grosella espinosa
go out [gəʊ aʊt] *v* salir; **Can we go out on deck?** ¿Podemos salir a la cubierta?
go past [gəʊ pɑ:st] *v* pasar
gorgeous ['gɔ:dʒəs] *adj* estupendo
gorilla [gə'rɪlə] *n* gorila *(animal)*
gospel ['gɒspᵊl] *n* evangelio
gossip ['gɒsɪp] *n* cotilleo, chismes ▷ *v* cotillear
go through [gəʊ θru:] *v* pasar por
go up [gəʊ ʌp] *v* subir *(ir)*
government ['gʌvənmənt; 'gʌvəmənt] *n* gobierno
gown [gaʊn] *n* **dressing gown** bata
GP [dʒi: pi:] *abr* médico de cabecera
GPS [dʒi: pi: ɛs] *abr* GPS
grab [græb] *v* agarrar
graceful ['greɪsfʊl] *adj* gracioso
grade [greɪd] *n* grado *(escalafón)*
gradual ['grædjʊəl] *adj* gradual
gradually ['grædjʊəlɪ] *adv* gradualmente
graduate ['grædjʊɪt] *n* titulado
graduation [,grædjʊ'eɪʃən] *n*

graduación
graffiti [græˈfiːtiː] *npl* graffiti
grain [greɪn] *n* grano *(cereal)*
grammar [ˈgræmə] *n* gramática
grammatical [grəˈmætɪkᵊl] *adj* gramatical
gramme [græm] *n* gramo
grand [grænd] *adj* grandioso
grandchild [ˈgrænˌtʃaɪld] *n* nieto; **grandchildren** nietos
granddad [ˈgrænˌdæd] *n* abuelito
granddaughter [ˈgrænˌdɔːtə] *n* nieta
grandfather [ˈgrænˌfɑːðə] *n* abuelo
grandma [ˈgrænˌmɑː] *n* abuelita
grandmother [ˈgrænˌmʌðə] *n* abuela
grandpa [ˈgrænˌpɑː] *n* abuelito
grandparents [ˈgrænˌpɛərəntz] *npl* abuelos
grandson [ˈgrænsʌn; ˈgrænd-] *n* nieto
granite [ˈgrænɪt] *n* granito
granny [ˈgrænɪ] *n* abuelita
grant [grɑːnt] *n* subvención
grape [greɪp] *n* uva
grapefruit [ˈgreɪpˌfruːt] *n* pomelo
graph [grɑːf; græf] *n* gráfico
graphics [ˈgræfɪks] *npl* diseño gráfico
grasp [grɑːsp] *v* agarrar, asir
grass [grɑːs] *n (informer)* soplón, *(marijuana)* hierba, *(plant)* yerba
grasshopper [ˈgrɑːsˌhɒpə] *n* saltamontes
grate [greɪt] *v* rallar
grateful [ˈgreɪtfʊl] *adj* agradecido
grave [greɪv] *n* sepultura
gravel [ˈgrævᵊl] *n* gravilla
gravestone [ˈgreɪvˌstəʊn] *n* lápida
graveyard [ˈgreɪvˌjɑːd] *n* cementerio
gravy [ˈgreɪvɪ] *n* jugo *(de la carne)*
grease [griːs] *n* grasa *(suciedad)*
greasy [ˈgriːzɪ; -sɪ] *adj* grasiento
great [greɪt] *adj* grande
Great Britain [ˈgreɪt ˈbrɪtᵊn] *n* Gran Bretaña
great-grandfather [ˈgreɪtˈgrænˌfɑːðə] *n* bisabuelo
great-grandmother [ˈgreɪtˈgrænˌmʌðə] *n* bisabuela
Greece [griːs] *n* Grecia
greedy [ˈgriːdɪ] *adj* codicioso
Greek [griːk] *adj* griego ▹ *n (language, person)* griego
green [griːn] *adj (colour)* verde, *(inexperienced)* inexperto ▹ *n* verde; **green salad** ensalada verde
greengrocer's [ˈgriːnˌgrəʊsəz] *n* frutería, verdulería
greenhouse [ˈgriːnˌhaʊs] *n* invernadero
Greenland [ˈgriːnlənd] *n* Groenlandia
greet [griːt] *v* saludar
greeting [ˈgriːtɪŋ] *n* saludo; **greetings card** tarjeta de felicitación
grey [greɪ] *adj* gris
grey-haired [ˌgreɪˈhɛəd] *adj* canoso
grid [grɪd] *n* rejilla
grief [griːf] *n* pena *(tristeza)*
grill [grɪl] *n* parrilla ▹ *v* hacer a la parrilla
grilled [grɪld] *adj* a la parrilla
grim [grɪm] *adj* deprimente
grin [grɪn] *n* sonrisa burlona ▹ *v* sonreír
grind [graɪnd] *v* moler
grip [grɪp] *v* agarrar, asir
gripping [grɪpɪŋ] *adj* absorbente, apasionante
grit [grɪt] *n* grava
groan [grəʊn] *v* gemir
grocer [ˈgrəʊsə] *n* tendero

groceries ['grəʊsərɪz] *npl* comestibles
grocer's ['grəʊsəz] *n* colmado
groom [gruːm; grʊm] *n* mozo de cuadra, *(bridegroom)* novio
grope [grəʊp] *v* andar a tientas
gross [grəʊs] *adj (fat)* grueso, *(income etc.)* bruto
grossly [grəʊslɪ] *adv* enormemente
ground [graʊnd] *n* terreno, suelo ▷ *v* impedir el despegue; **ground floor** planta baja
group [gruːp] *n* grupo; **Are there any reductions for groups?** ¿Hay descuentos para grupos?
grouse [graʊs] *n (complaint)* queja, *(game bird)* urogallo
grow [grəʊ] *vi* crecer ▷ *vt* cultivar
growl [graʊl] *v* gruñir
grown-up [grəʊnʌp] *n* adulto
growth [grəʊθ] *n* crecimiento
grow up [grəʊ ʌp] *v* madurar
grub [grʌb] *n* larva
grudge [grʌdʒ] *n* rencor
gruesome ['gruːsəm] *adj* horripilante
grumpy ['grʌmpɪ] *adj* malhumorado
guarantee [ˌgærən'tiː] *n* garantía ▷ *v* garantizar; **It's still under guarantee** Sigue en garantía
guard [gɑːd] *n* guardia ▷ *v* guardar, vigilar, custodiar; **security guard** guardia de seguridad
Guatemala [ˌgwɑːtə'mɑːlə] *n* Guatemala
guess [gɛs] *n* suposición, conjetura ▷ *v* adivinar
guest [gɛst] *n* huésped *(invitado)*
guesthouse ['gɛstˌhaʊs] *n* casa de huéspedes
guide [gaɪd] *n* guía ▷ *v* guiar; **guide dog** perro guía; **guided tour** visita guiada; **tour guide** guía de turismo; **Can you guide me, please?** ¿Puede guiarme, por favor?; **Do you have a guide book in...?** ¿Tiene una guía en...?
guidebook ['gaɪdˌbʊk] *n* guía *(libro)*
guilt [gɪlt] *n* culpa
guilty ['gɪltɪ] *adj* culpable
Guinea ['gɪnɪ] *n* Guinea; **guinea pig** *(for experiment)* conejillo de indias, *(rodent)* cobaya
guitar [gɪ'tɑː] *n* guitarra
gum [gʌm] *n* encía; **chewing gum** chicle *(mascar)*; **My gums are bleeding** Me sangran las encías
gun [gʌn] *n* arma de fuego
gust [gʌst] *n* ráfaga
gut [gʌt] *n* intestino, tripa
guy [gaɪ] *n* tío *(tipo)*
Guyana [gaɪ'ænə] *n* Guyana
gym [dʒɪm] *n* gimnasio; **Where is the gym?** ¿Dónde está el gimnasio?
gymnast ['dʒɪmnæst] *n* gimnasta
gymnastics [dʒɪm'næstɪks] *npl* gimnasia
gynaecologist [ˌgaɪnɪ'kɒlədʒɪst] *n* ginecólogo
gypsy ['dʒɪpsɪ] *n* gitano

habit ['hæbɪt] *n* hábito
hack [hæk] *v* cortar a hachazos
hacker ['hækə] *n* pirata informático
haddock ['hædək] *n* abadejo
haemorrhoids ['hɛmə,rɔɪdz] *npl* hemorroides
haggle ['hæg°l] *v* regatear
hail [heɪl] *n* granizo ▷ *v* granizar
hair [hɛə] *n* pelo, cabello; **hair gel** gel para el pelo; **hair spray** laca para el pelo; **Can you dye my hair, please?** ¿Puede teñirme el pelo, por favor?; **Can you straighten my hair?** ¿Puede alisarme el pelo?; **I have greasy hair** Tengo el pelo graso
hairband ['hɛə,bænd] *n* cinta *(pelo)*
hairbrush ['hɛə,brʌʃ] *n* cepillo *(pelo)*
haircut ['hɛə,kʌt] *n* corte de pelo
hairdo ['hɛə,du:] *n* peinado
hairdresser ['hɛə,drɛsə] *n* peluquero
hairdresser's ['hɛə,drɛsəz] *n* peluquería
hairdryer ['hɛə,draɪə] *n* secador *(pelo)*
hairgrip ['hɛə,grɪp] *n* horquilla
hairstyle ['hɛə,staɪl] *n* peinado
hairy ['hɛərɪ] *adj* peludo
Haiti ['heɪtɪ; hɑ:'i:tɪ] *n* Haití
half [hɑ:f] *adj* medio ▷ *adv* medio ▷ *n* mitad; **half board** media pensión; **How much is half board?** ¿Cuánto cuesta la media pensión?; **It's half past two** Son las dos y media
half-hour ['hɑ:f,aʊə] *n* media hora
half-price ['hɑ:f,praɪs] *adj, adv* a mitad de precio
half-term ['hɑ:f,tɜ:m] *n* mitad de trimestre
half-time ['hɑ:f,taɪm] *n* descanso *(deporte)*
halfway [,hɑ:f'weɪ] *adv* a mitad de camino
hall [hɔ:l] *n* vestíbulo
hallway ['hɔ:l,weɪ] *n* vestíbulo de entrada
halt [hɔ:lt] *n* detención
ham [hæm] *n* jamón
hamburger ['hæm,bɜ:gə] *n* hamburguesa
hammer ['hæmə] *n* martillo
hammock ['hæmək] *n* hamaca *(colgante)*
hamster ['hæmstə] *n* hámster
hand [hænd] *n* mano ▷ *v* entregar *(pasar)*; **hand luggage** equipaje de mano; **Where can I wash my hands?** ¿Dónde puedo lavarme las manos?; **Where do we hand in the key when we're leaving?** ¿Dónde entregamos la llave cuando nos vayamos?
handbag ['hænd,bæg] *n* bolso
handball ['hænd,bɔ:l] *n* balonmano
handbook ['hænd,bʊk] *n* manual
handbrake ['hænd,breɪk] *n* freno de mano
handcuffs ['hænd,kʌfs] *npl* esposas
handicap ['hændɪ,kæp] *n (golf)*

hándicap; **What's your handicap?** ¿Cuál es su hándicap?
handicapped ['hændɪˌkæpt] *adj* discapacitado
handkerchief ['hæŋkətʃɪf; -tʃi:f] *n* pañuelo
handle ['hænd°l] *n* asidero ▷ *v* manejar
handlebars ['hænd°lˌbɑ:z] *npl* manillar
handmade [ˌhænd'meɪd] *adj* hecho a mano; **Is this handmade?** ¿Esto está hecho a mano?
hands-free ['hændzˌfri:] *adj* manos libres
handsome ['hændsəm] *adj* bien parecido
handwriting ['hændˌraɪtɪŋ] *n* escritura *(caligrafía)*
handy ['hændɪ] *adj* a mano
hang [hæŋ] *vi* estar colgado ▷ *vt* colgar
hanger ['hæŋə] *n* percha
hang-gliding ['hæŋ'glaɪdɪŋ] *n* vuelo con ala delta
hang on [hæŋ ɒn] *v* aguantar *(seguir)*
hangover ['hæŋˌəʊvə] *n* resaca
hang up [hæŋ ʌp] *v* colgar *(teléfono)*
hankie ['hæŋkɪ] *n* pañuelo
happen ['hæp°n] *v* ocurrir, suceder
happily ['hæpɪlɪ] *adv* felizmente
happiness ['hæpɪnɪs] *n* felicidad
happy ['hæpɪ] *adj* feliz; **Happy New Year!** ¡Feliz Año Nuevo!
harassment ['hærəsmənt] *n* acoso
harbour ['hɑ:bə] *n* puerto
hard [hɑ:d] *adj (difficult)* difícil, *(firm, rigid)* duro ▷ *adv* duramente; **hard disk** disco duro; **hard shoulder** arcén
hardboard ['hɑ:dˌbɔ:d] *n* aglomerado
hardly ['hɑ:dlɪ] *adv* apenas
hard up [hɑ:d ʌp] *adj* tieso
hardware ['hɑ:dˌwɛə] *n* ferretería *(productos)*
hare [hɛə] *n* liebre
harm [hɑ:m] *v* hacer daño, dañar
harmful ['hɑ:mfʊl] *adj* nocivo, dañino
harmless ['hɑ:mlɪs] *adj* inofensivo
harp [hɑ:p] *n* arpa
harsh [hɑ:ʃ] *adj* crudo *(severo)*
harvest ['hɑ:vɪst] *n* cosecha ▷ *v* cosechar
hastily [heɪstɪlɪ] *adv* apresuradamente
hat [hæt] *n* sombrero
hate [heɪt] *v* odiar
hatred ['heɪtrɪd] *n* odio
haunted ['hɔ:ntɪd] *adj* de fantasmas
have [hæv] *v* tener; **Do you have a room?** ¿Tiene una habitación?; **I don't have any children** No tengo hijos; **I have a child** Tengo un hijo
have to [hæv tʊ] *v* tener que; **We will have to report it to the police** Tendremos que denunciarlo a la policía; **Will I have to pay?** ¿Tendré que pagar?
hawthorn ['hɔ:ˌθɔ:n] *n* espino
hay [heɪ] *n* heno; **hay fever** alergia al polen, fiebre del heno
haystack ['heɪˌstæk] *n* almiar
hazelnut ['heɪz°lˌnʌt] *n* avellana
he [hi:] *pron* él
head [hɛd] *n (body part)* cabeza, *(principal)* jefe ▷ *v* encabezar; **deputy head** subdirector; **head office** sede central
headache ['hɛdˌeɪk] *n* dolor de cabeza; **I'd like something for a headache** Deme algo para el dolor de cabeza
headlamp ['hɛdˌlæmp] *n* faro *(vehículo)*
headlight ['hɛdˌlaɪt] *n* faro *(vehículo)*;

The headlights are not working No me funcionan los faros
headline ['hɛd,laɪn] *n* titular
headphones ['hɛd,fəʊnz] *npl* auriculares
headquarters [,hɛd'kwɔːtəz] *npl* cuartel general
headroom ['hɛd,rʊm; -,ruːm] *n* altura libre *(vehículos)*
headscarf ['hɛd,skɑːf] (*pl* **headscarves**) *n* pañuelo de cabeza
headteacher ['hɛd,tiːtʃə] *n* director del colegio
heal [hiːl] *v* curar(se)
health [hɛlθ] *n* salud
healthy ['hɛlθɪ] *adj* sano
heap [hiːp] *n* montón
hear [hɪə] *v* oír
hearing ['hɪərɪŋ] *n* oído *(sentido)*; **hearing aid** audífono
heart [hɑːt] *n* corazón; **heart attack** ataque cardíaco
heartbroken ['hɑːt,brəʊkən] *adj* desconsolado
heartburn ['hɑːt,bɜːn] *n* ardor de estómago
heat [hiːt] *n* calor ▷ *v* calentar; **I can't sleep for the heat** No puedo dormir de calor
heater ['hiːtə] *n* estufa
heather ['hɛðə] *n* brezo
heating ['hiːtɪŋ] *n* calefacción; **central heating** calefacción central; **Does the room have heating?** ¿Hay calefacción en la habitación?; **I can't turn the heating off** No consigo apagar la calefacción
heat up [hiːt ʌp] *v* calentar
heaven ['hɛvᵊn] *n* cielo *(religioso)*
heavily ['hɛvɪlɪ] *adv* pesadamente
heavy ['hɛvɪ] *adj* pesado; **This is too heavy** Esto es demasiado pesado
hedge [hɛdʒ] *n* seto
hedgehog ['hɛdʒ,hɒg] *n* erizo
heel [hiːl] *n* talón *(Anatomía)*; **high heels** tacones altos
height [haɪt] *n* altura
heir [ɛə] *n* heredero
heiress ['ɛərɪs] *n* heredera
helicopter ['hɛlɪ,kɒptə] *n* helicóptero
hell [hɛl] *n* infierno
hello [hɛ'ləʊ] *excl* ¡hola!
helmet ['hɛlmɪt] *n* casco *(cabeza)*; **Can I have a helmet?** ¿Me da un casco?
help [hɛlp] *n* ayuda ▷ *v* ayudar; **Can you help me?** ¿Puede ayudarme?; **Fetch help quickly!** Vaya a buscar ayuda, ¡rápido!
helpful ['hɛlpfʊl] *adj* servicial
helpline ['hɛlp,laɪn] *n* teléfono de asistencia
hen [hɛn] *n* gallina; **hen night** despedida de soltera
hepatitis [,hɛpə'taɪtɪs] *n* hepatitis
her [hɜː; hə; ə] *pron* la *(ella)*, le *(ella)*, su *(ella)*; **She has hurt her leg** Se ha hecho daño en la pierna
herbs [hɜːbz] *npl* hierbas
herd [hɜːd] *n* rebaño
here [hɪə] *adv* aquí; **I'm here for work** Estoy aquí por trabajo
hereditary [hɪ'rɛdɪtərɪ; -trɪ] *adj* hereditario
heritage ['hɛrɪtɪdʒ] *n* patrimonio
hernia ['hɜːnɪə] *n* hernia
hero ['hɪərəʊ] *n* héroe
heroin ['hɛrəʊɪn] *n* heroína *(droga)*
heroine ['hɛrəʊɪn] *n* heroína *(mujer)*
heron ['hɛrən] *n* garza
herring ['hɛrɪŋ] *n* arenque
hers [hɜːz] *pron* suyo *(ella)*
herself [hə'sɛlf] *pron* se *(ella)*; **She has hurt herself** Se ha hecho daño

ella sola
hesitate ['hɛzɪˌteɪt] *v* vacilar
heterosexual [ˌhɛtərəʊ'sɛksjʊəl] *adj* heterosexual
HGV [eɪtʃ dʒiː viː] *abr* vehículo pesado
hi [haɪ] *excl* ¡hola!
hiccups ['hɪkʌps] *npl* hipo
hidden ['hɪdᵊn] *adj* oculto
hide [haɪd] *vi* esconderse ▷ *vt* esconder
hide-and-seek [ˌhaɪdænd'siːk] *n* escondite
hideous ['hɪdɪəs] *adj* espantoso
hifi ['haɪ'faɪ] *n* alta fidelidad
high [haɪ] *adj* alto *(cosa)* ▷ *adv* alto; **high heels** tacones altos; **high jump** salto de altura; **high season** temporada alta
highchair ['haɪˌtʃɛə] *n* trona
high-heeled ['haɪˌhiːld] *adj* de tacón alto
highlight ['haɪˌlaɪt] *n* plato fuerte *(sobresaliente)* ▷ *v* destacar
highlighter ['haɪˌlaɪtə] *n* iluminador *(cosmética)*
high-rise ['haɪˌraɪz] *n* torre *(vivienda)*
hijack ['haɪˌdʒæk] *v* secuestrar
hijacker ['haɪˌdʒækə] *n* secuestrador
hike [haɪk] *n* caminata *(excursión)*
hiking [haɪkɪŋ] *n* excursionismo
hilarious [hɪ'lɛərɪəs] *adj* hilarante
hill [hɪl] *n* colina
hill-walking ['hɪlˌwɔːkɪŋ] *n* senderismo
him [hɪm; ɪm] *pron* lo *(él)*, le *(él)*
himself [hɪm'sɛlf; ɪm'sɛlf] *pron* se *(él)*; **He has cut himself** Se ha cortado él solo
Hindu ['hɪnduː; hɪn'duː] *adj* hindú ▷ *n* hindú
Hinduism ['hɪnduˌɪzəm] *n* hinduismo
hinge [hɪndʒ] *n* bisagra
hint [hɪnt] *n* insinuación ▷ *v* insinuar
hip [hɪp] *n* cadera
hippie ['hɪpɪ] *n* hippy
hippo ['hɪpəʊ] *n* hipopótamo
hippopotamus [ˌhɪpə'pɒtəməs] *(pl* **hippopotami**) *n* hipopótamo
hire ['haɪə] *n* alquiler ▷ *v* alquilar; **car hire** alquiler de coches; **hire car** coche de alquiler; **Can we hire the equipment?** ¿Podemos alquilar el equipo?; **Do they hire out rackets?** ¿Alquilan raquetas?
his [hɪz; ɪz] *adj* su *(él)* ▷ *pron* suyo *(él)*
historian [hɪ'stɔːrɪən] *n* historiador
historical [hɪ'stɒrɪkᵊl] *adj* histórico
history ['hɪstərɪ; 'hɪstrɪ] *n* historia
hit [hɪt] *n* golpe *(impacto)* ▷ *v* dar un golpe
hitch [hɪtʃ] *n* complicación *(problema)*
hitchhike ['hɪtʃˌhaɪk] *v* hacer autoestop
hitchhiker ['hɪtʃˌhaɪkə] *n* autoestopista
hitchhiking ['hɪtʃˌhaɪkɪŋ] *n* autoestop
HIV-negative [eɪtʃ aɪ viː 'nɛgətɪv] *adj* VIH negativo
HIV-positive [eɪtʃ aɪ viː 'pɒzɪtɪv] *adj* VIH positivo
hobby ['hɒbɪ] *n* afición
hockey ['hɒkɪ] *n* hockey
hold [həʊld] *v* tener, asir
holdall ['həʊldˌɔːl] *n* bolsa de viaje
hold on [həʊld ɒn] *v* agarrarse a
hold up [həʊld ʌp] *v* levantar
hold-up [həʊldʌp] *n* atraco a mano armada
hole [həʊl] *n* agujero; **I have a hole in my shoe** Tengo un agujero en el zapato
holiday ['hɒlɪˌdeɪ; -dɪ] *n* vacaciones; **holiday home** casa de veraneo; **holiday job** empleo de verano

Holland ['hɒlənd] *n* Holanda
hollow ['hɒləʊ] *adj* hueco *(vacío)*
holly ['hɒlɪ] *n* acebo
holy ['həʊlɪ] *adj* santo
home [həʊm] *adv* a casa ▷ *n* hogar; **home address** dirección particular; **home match** partido en casa; **home page** página de inicio; **mobile home** caravana fija; **I'd like to go home** Quiero irme a casa; **When do you go home?** ¿Cuándo vuelve a casa?; **Would you like to phone home?** ¿Quiere llamar a su casa?
homeland ['həʊm,lænd] *n* patria
homeless ['həʊmlɪs] *adj* sin hogar
home-made ['həʊm'meɪd] *adj* hecho en casa
homeopathic [,həʊmɪə'pæθɪk] *adj* homeopático
homeopathy [,həʊmɪ'ɒpəθɪ] *n* homeopatía
homesick ['həʊm,sɪk] *adj* nostálgico
homework ['həʊm,wɜːk] *n* deberes
Honduras [hɒn'djʊərəs] *n* Honduras
honest ['ɒnɪst] *adj* honrado
honestly ['ɒnɪstlɪ] *adv* honestamente
honesty ['ɒnɪstɪ] *n* honradez
honey ['hʌnɪ] *n* miel
honeymoon ['hʌnɪ,muːn] *n* luna de miel
honeysuckle ['hʌnɪ,sʌkᵊl] *n* madreselva
honour ['ɒnə] *n* honor
hood [hʊd] *n* capucha
hook [hʊk] *n* gancho
hooray [huː'reɪ] *excl* ¡hurra!
Hoover® ['huːvə] *n* aspiradora; **hoover** pasar la aspiradora
hope [həʊp] *n* esperanza ▷ *v* esperar *(esperanza)*; **I hope the weather improves** Espero que el tiempo mejore
hopeful ['həʊpfʊl] *adj* esperanzado
hopefully ['həʊpfʊlɪ] *adv* con esperanza
hopeless ['həʊplɪs] *adj* desesperado
horizon [hə'raɪzᵊn] *n* horizonte
horizontal [,hɒrɪ'zɒntᵊl] *adj* horizontal
hormone ['hɔːməʊn] *n* hormona
horn [hɔːn] *n* cuerno
horoscope ['hɒrə,skəʊp] *n* horóscopo
horrendous [hɒ'rɛndəs] *adj* horrendo
horrible ['hɒrəbᵊl] *adj* horrible
horrifying ['hɒrɪ,faɪɪŋ] *adj* horripilante
horror ['hɒrə] *n* horror; **horror film** película de terror
horse [hɔːs] *n* caballo; **horse racing** carrera de caballos; **horse riding** equitación; **rocking horse** caballo balancín; **Can we go horse riding?** ¿Podemos ir a montar a caballo?; **I'd like to see a horse race** Quisiera ver una carrera de caballos
horseradish ['hɔːs,rædɪʃ] *n* rábano picante
horseshoe ['hɔːs,ʃuː] *n* herradura
hose [həʊz] *n* manguera
hosepipe ['həʊz,paɪp] *n* manguera
hospital ['hɒspɪtᵊl] *n* hospital; **maternity hospital** maternidad; **mental hospital** hospital psiquiátrico; **How do I get to the hospital?** ¿Cómo se va al hospital?; **We must get him to hospital** Tenemos que llevarlo a un hospital
hospitality [,hɒspɪ'tælɪtɪ] *n* hospitalidad
host [həʊst] *n (entertains)* anfitrión, *(multitude)* multitud
hostage ['hɒstɪdʒ] *n* rehén

hostel ['hɒstᵊl] *n* albergue juvenil; **Is there a youth hostel nearby?** ¿Hay un albergue juvenil por aquí cerca?
hostess ['həʊstɪs] *n* **air hostess** azafata
hostile ['hɒstaɪl] *adj* hostil
hot [hɒt] *adj* caliente
hotel [həʊ'tɛl] *n* hotel; **Can you book me into a hotel?** ¿Puede reservarme una habitación en un hotel?
hour [aʊə] *n* hora; **opening hours** horario de apertura; **rush hour** hora punta; **visiting hours** horario de visita; **How much is it per hour?** ¿Cuánto cuesta la hora?; **When are visiting hours?** ¿Cuáles son las horas de visita?
hourly ['aʊəlɪ] *adj* de cada hora ▷ *adv* cada hora
house [haʊs] *n* casa; **detached house** casa no adosada; **semi-detached house** casa pareada; **a bottle of the house wine** una botella de vino de la casa; **What is the house speciality?** ¿Cuál es la especialidad de la casa?
household ['haʊs,həʊld] *n* hogar familiar
housewife ['haʊs,waɪf] (*pl* **housewives**) *n* ama de casa
housework ['haʊs,wɜːk] *n* faenas de la casa
hovercraft ['hɒvə,krɑːft] *n* aerodeslizador
how [haʊ] *adv* cómo; **How are you?** ¿Cómo está usted?; **How do I get to...?** ¿Cómo se va a...?; **How does this work?** ¿Cómo funciona esto?
however [haʊ'ɛvə] *adv* sin embargo, no obstante
howl [haʊl] *v* aullar
HQ [eɪtʃ kjuː] *abr* cuartel general
hubcap ['hʌb,kæp] *n* tapacubos
hug [hʌg] *n* abrazo ▷ *v* abrazar
huge [hjuːdʒ] *adj* inmenso
hull [hʌl] *n* casco *(barco)*
hum [hʌm] *v* zumbar
human ['hjuːmən] *adj* humano; **human being** ser humano
humanitarian [hjuː,mænɪ'tɛərɪən] *adj* humanitario
humble ['hʌmbᵊl] *adj* humilde
humid ['hjuːmɪd] *adj* húmedo
humidity [hjuː'mɪdɪtɪ] *n* humedad
humorous ['hjuːmərəs] *adj* humorístico
humour ['hjuːmə] *n* humor *(gracia)*
hundred ['hʌndrəd] *num* ciento
Hungarian [hʌŋ'gɛərɪən] *adj* húngaro ▷ *n* húngaro
Hungary ['hʌŋgərɪ] *n* Hungría
hunger ['hʌŋgə] *n* hambre
hungry ['hʌŋgrɪ] *adj* hambriento
hunt [hʌnt] *n* caza ▷ *v* cazar
hunter ['hʌntə] *n* cazador
hunting ['hʌntɪŋ] *n* cacería
hurdle ['hɜːdᵊl] *n* obstáculo
hurricane ['hʌrɪkᵊn; -keɪn] *n* huracán
hurry ['hʌrɪ] *n* prisa ▷ *v* darse prisa; **I'm in a hurry** Tengo mucha prisa
hurry up ['hʌrɪ ʌp] *v* darse prisa
hurt [hɜːt] *adj* herido ▷ *v* herir, lesionar
husband ['hʌzbənd] *n* marido, esposo; **This is my husband** Este es mi esposo
hut [hʌt] *n* cabaña
hyacinth ['haɪəsɪnθ] *n* jacinto
hydrogen ['haɪdrɪdʒən] *n* hidrógeno
hygiene ['haɪdʒiːn] *n* higiene
hymn [hɪm] *n* himno *(alabanza)*
hypermarket ['haɪpə,mɑːkɪt] *n* hipermercado
hyphen ['haɪfᵊn] *n* guión

I [aɪ] *pron* yo; **I don't like...** No me gusta...; **I like...** Me gusta...; **I love...** Me encanta...
ice [aɪs] *n* hielo; **black ice** capa de hielo; **ice cream** helado; **ice cube** cubito de hielo; **ice hockey** hockey sobre hielo; **ice lolly** polo *(helado)*; **ice rink** pista de patinaje; **With ice, please** Con hielo, por favor
iceberg ['aɪsbɜːg] *n* iceberg
icebox ['aɪsˌbɒks] *n* refrigerador
Iceland ['aɪslənd] *n* Islandia
Icelandic [aɪs'lændɪk] *adj* islandés ▹ *n* islandés
ice-skating ['aɪsˌskeɪtɪŋ] *n* patinaje sobre hielo
icing ['aɪsɪŋ] *n* glaseado; **icing sugar** azúcar glas
icon ['aɪkɒn] *n* icono
icy ['aɪsɪ] *adj* gélido
idea [aɪ'dɪə] *n* idea
ideal [aɪ'dɪəl] *adj* ideal
ideally [aɪ'dɪəlɪ] *adv* idealmente
identical [aɪ'dɛntɪkəl] *adj* idéntico
identification [aɪˌdɛntɪfɪ'keɪʃən] *n* identificación
identify [aɪ'dɛntɪˌfaɪ] *v* identificar
identity [aɪ'dɛntɪtɪ] *n* identidad; **identity card** carné de identidad; **identity theft** usurpación de identidad
ideology [ˌaɪdɪ'ɒlədʒɪ] *n* ideología
idiot ['ɪdɪət] *n* idiota
idiotic [ˌɪdɪ'ɒtɪk] *adj* idiota
idle ['aɪdəl] *adj* ocioso
i.e. [aɪ iː] *abr* o sea
if [ɪf] *conj* si; **Please call us if you'll be late** Por favor, llámenos si va a llegar tarde; **What do I do if I break down?** ¿Qué hago si tengo una avería?
ignition [ɪg'nɪʃən] *n* ignición
ignorance ['ɪgnərəns] *n* ignorancia
ignorant ['ɪgnərənt] *adj* ignorante
ignore [ɪg'nɔː] *v* hacer caso omiso, ignorar
ill [ɪl] *adj* enfermo; **My child is ill** Mi hijo está enfermo
illegal [ɪ'liːgəl] *adj* ilegal
illegible [ɪ'lɛdʒɪbəl] *adj* ilegible
illiterate [ɪ'lɪtərɪt] *adj* analfabeto
illness ['ɪlnɪs] *n* enfermedad
ill-treat [ɪl'triːt] *v* maltratar
illusion [ɪ'luːʒən] *n* ilusión
illustration [ˌɪlə'streɪʃən] *n* ilustración
image ['ɪmɪdʒ] *n* imagen
imaginary [ɪ'mædʒɪnərɪ; -dʒɪnrɪ] *adj* imaginario
imagination [ɪˌmædʒɪ'neɪʃən] *n* imaginación
imagine [ɪ'mædʒɪn] *v* imaginar
imitate ['ɪmɪˌteɪt] *v* imitar
imitation [ˌɪmɪ'teɪʃən] *n* imitación
immature [ˌɪmə'tjʊə; -'tʃʊə] *adj* inmaduro
immediate [ɪ'miːdɪət] *adj*

inmediato
immediately [ɪ'mi:dɪətlɪ] *adv* inmediatamente
immigrant ['ɪmɪɡrənt] *n* inmigrante
immigration [ˌɪmɪ'ɡreɪʃən] *n* inmigración
immoral [ɪ'mɒrəl] *adj* inmoral
impact ['ɪmpækt] *n* impacto
impaired [ɪm'pɛəd] *adj* **I'm visually impaired** Tengo una discapacidad visual
impartial [ɪm'pɑ:ʃəl] *adj* imparcial
impatience [ɪm'peɪʃəns] *n* impaciencia
impatient [ɪm'peɪʃənt] *adj* impaciente
impersonal [ɪm'pɜ:sənᵊl] *adj* impersonal
import *n* ['ɪmpɔ:t] importación ▹ *v* [ɪm'pɔ:t] importar *(productos)*
importance [ɪm'pɔ:tᵊns] *n* importancia
important [ɪm'pɔ:tᵊnt] *adj* importante
impossible [ɪm'pɒsəbᵊl] *adj* imposible
impractical [ɪm'præktɪkᵊl] *adj* poco práctico
impress [ɪm'prɛs] *v* impresionar
impressed [ɪm'prɛst] *adj* impresionado
impression [ɪm'prɛʃən] *n* impresión *(sensación)*
impressive [ɪm'prɛsɪv] *adj* impresionante
improve [ɪm'pru:v] *v* mejorar; **I hope the weather improves** Espero que el tiempo mejore
improvement [ɪm'pru:vmənt] *n* mejora
in [ɪn] *prep* en; **in summer** en verano; **I live in...** Vivo en...
inaccurate [ɪn'ækjʊrɪt] *adj* inexacto
inadequate [ɪn'ædɪkwɪt] *adj* inadecuado
inbox ['ɪnbɒks] *n* bandeja de entrada
incentive [ɪn'sɛntɪv] *n* incentivo
inch [ɪntʃ] *n* pulgada
incident ['ɪnsɪdənt] *n* incidente
include [ɪn'klu:d] *v* incluir
included [ɪn'klu:dɪd] *adj* incluido; **Is service included?** ¿Está incluido el servicio?
including [ɪn'klu:dɪŋ] *prep* incluso
inclusive [ɪn'klu:sɪv] *adj* inclusivo
income ['ɪnkʌm; 'ɪnkəm] *n* ingresos; **income tax** impuesto sobre la renta
incompetent [ɪn'kɒmpɪtənt] *adj* incompetente
incomplete [ˌɪnkəm'pli:t] *adj* incompleto
inconsistent [ˌɪnkən'sɪstənt] *adj* inconsecuente
inconvenience [ˌɪnkən'vi:njəns; -'vi:nɪəns] *n* inconveniencia
inconvenient [ˌɪnkən'vi:njənt; -'vi:nɪənt] *adj* inconveniente
incorrect [ˌɪnkə'rɛkt] *adj* incorrecto
increase *n* ['ɪnkri:s] aumento ▹ *v* [ɪn'kri:s] aumentar
increasingly [ɪn'kri:sɪŋlɪ] *adv* cada vez más
incredible [ɪn'krɛdəbᵊl] *adj* increíble
indecisive [ˌɪndɪ'saɪsɪv] *adj* indeciso *(ser)*
indeed [ɪn'di:d] *adv* en efecto
independence [ˌɪndɪ'pɛndəns] *n* independencia
independent [ˌɪndɪ'pɛndənt] *adj* independiente
index ['ɪndɛks] *n (list, numerical scale)* índice; **index finger** dedo índice
India ['ɪndɪə] *n* India
Indian ['ɪndɪən] *adj* indio ▹ *n* indio;

Indian Ocean océano Índico
indicate ['ɪndɪˌkeɪt] *v* indicar
indicator ['ɪndɪˌkeɪtə] *n* indicador
indigestion [ˌɪndɪ'dʒɛstʃən] *n* indigestión
indirect [ˌɪndɪ'rɛkt] *adj* indirecto
indispensable [ˌɪndɪ'spɛnsəbᵊl] *adj* indispensable
individual [ˌɪndɪ'vɪdjʊəl] *adj* individual
Indonesia [ˌɪndəʊ'ni:zɪə] *n* Indonesia
Indonesian [ˌɪndəʊ'ni:zɪən] *adj* indonesio ▷ *n (person)* indonesio
indoor ['ɪnˌdɔ:] *adj* cubierto *(interior)*; **What indoor activities are there?** ¿Qué actividades en pista cubierta hay?
indoors [ˌɪn'dɔ:z] *adv* dentro *(edificio)*
industrial [ɪn'dʌstrɪəl] *adj* industrial; **industrial estate** polígono industrial
industry ['ɪndəstrɪ] *n* industria
inefficient [ˌɪnɪ'fɪʃənt] *adj* ineficiente
inevitable [ɪn'ɛvɪtəbᵊl] *adj* inevitable
inexpensive [ˌɪnɪk'spɛnsɪv] *adj* económico *(barato)*
inexperienced [ˌɪnɪk'spɪərɪənst] *adj* inexperto
infantry ['ɪnfəntrɪ] *n* infantería
infection [ɪn'fɛkʃən] *n* infección
infectious [ɪn'fɛkʃəs] *adj* infeccioso
inferior [ɪn'fɪərɪə] *adj* inferior *(peor)* ▷ *n* inferior *(subordinado)*
infertile [ɪn'fɜ:taɪl] *adj* estéril
infinitive [ɪn'fɪnɪtɪv] *n* infinitivo
infirmary [ɪn'fɜ:mərɪ] *n* enfermería
inflamed [ɪn'fleɪmd] *adj* inflamado
inflammation [ˌɪnflə'meɪʃən] *n* inflamación
inflatable [ɪn'fleɪtəbᵊl] *adj* hinchable
inflation [ɪn'fleɪʃən] *n* inflación
inflexible [ɪn'flɛksəbᵊl] *adj* inflexible
influence ['ɪnflʊəns] *n* influencia ▷ *v* influir
influenza [ˌɪnflʊ'ɛnzə] *n* gripe
inform [ɪn'fɔ:m] *v* informar
informal [ɪn'fɔ:məl] *adj* informal
information [ˌɪnfə'meɪʃən] *n* información; **information office** oficina de información; **I'd like some information about...** Quisiera información sobre...
informative [ɪn'fɔ:mətɪv] *adj* informativo
infrastructure ['ɪnfrəˌstrʌktʃə] *n* infraestructura
infuriating [ɪn'fjʊərɪeɪtɪŋ] *adj* exasperante
ingenious [ɪn'dʒi:njəs; -nɪəs] *adj* ingenioso
ingredient [ɪn'gri:dɪənt] *n* ingrediente
inhabitant [ɪn'hæbɪtənt] *n* habitante
inhaler [ɪn'heɪlə] *n* inhalador
inherit [ɪn'hɛrɪt] *v* heredar
inheritance [ɪn'hɛrɪtəns] *n* herencia
inhibition [ˌɪnɪ'bɪʃən; ˌɪnhɪ-] *n* inhibición
initial [ɪ'nɪʃəl] *adj* inicial ▷ *v* poner las iniciales
initially [ɪ'nɪʃəlɪ] *adv* inicialmente
initials [ɪ'nɪʃəlz] *npl* iniciales
initiative [ɪ'nɪʃɪətɪv; -'nɪʃətɪv] *n* iniciativa
inject [ɪn'dʒɛkt] *v* inyectar
injection [ɪn'dʒɛkʃən] *n* inyección; **I want an injection for the pain** Quiero que me pongan una inyección contra el dolor
injure ['ɪndʒə] *v* herir, lesionar

injured [ˈɪndʒəd] *adj* lesionado
injury [ˈɪndʒərɪ] *n* lesión; **injury time** tiempo añadido
injustice [ɪnˈdʒʌstɪs] *n* injusticia
ink [ɪŋk] *n* tinta
in-laws [ɪnlɔːz] *npl* familia política
inmate [ˈɪnˌmeɪt] *n* interno
inn [ɪn] *n* posada
inner [ˈɪnə] *adj* interno
innocent [ˈɪnəsənt] *adj* inocente
innovation [ˌɪnəˈveɪʃən] *n* innovación
innovative [ˈɪnəˌveɪtɪv] *adj* innovador
inquest [ˈɪnˌkwɛst] *n* indagación *(judicial)*
inquire [ɪnˈkwaɪə] *v* inquirir
inquiry [ɪnˈkwaɪərɪ] *n* interrogación; **inquiries office** oficina de información
inquisitive [ɪnˈkwɪzɪtɪv] *adj* curioso
insane [ɪnˈseɪn] *adj* insensato
inscription [ɪnˈskrɪpʃən] *n* inscripción *(leyenda)*
insect [ˈɪnsɛkt] *n* insecto; **insect repellent** repelente de insectos; **stick insect** insecto palo
insecure [ˌɪnsɪˈkjʊə] *adj* inseguro *(ser)*
insensitive [ɪnˈsɛnsɪtɪv] *adj* insensible
inside *adv* [ˌɪnˈsaɪd] dentro ▷ *n* [ˈɪnˈsaɪd] interior ▷ *prep* dentro de; **It's inside** Está dentro
insincere [ˌɪnsɪnˈsɪə] *adj* poco sincero
insist [ɪnˈsɪst] *v* insistir
insomnia [ɪnˈsɒmnɪə] *n* insomnio
inspect [ɪnˈspɛkt] *v* inspeccionar
inspector [ɪnˈspɛktə] *n* inspector
instability [ˌɪnstəˈbɪlɪtɪ] *n* inestabilidad
instalment [ɪnˈstɔːlmənt] *n* plazo
instance [ˈɪnstəns] *n* caso
instant [ˈɪnstənt] *adj* instantáneo
instantly [ˈɪnstəntlɪ] *adv* instantáneamente
instead [ɪnˈstɛd] *adv* en cambio; **instead of** en vez de
instinct [ˈɪnstɪŋkt] *n* instinto
institute [ˈɪnstɪˌtjuːt] *n* instituto
institution [ˌɪnstɪˈtjuːʃən] *n* institución
instruct [ɪnˈstrʌkt] *v* dar instrucciones
instructions [ɪnˈstrʌkʃənz] *npl* instrucciones
instructor [ɪnˈstrʌktə] *n* instructor; **driving instructor** profesor de autoescuela
instrument [ˈɪnstrəmənt] *n* instrumento
insufficient [ˌɪnsəˈfɪʃənt] *adj* insuficiente
insulation [ˌɪnsjʊˈleɪʃən] *n* aislamiento
insulin [ˈɪnsjʊlɪn] *n* insulina
insult *n* [ˈɪnsʌlt] insulto ▷ *v* [ɪnˈsʌlt] insultar
insurance [ɪnˈʃʊərəns; -ˈʃɔː-] *n* seguro *(aseguradora)*; **car insurance** seguro de vehículos; **insurance certificate** póliza de seguros; **insurance policy** póliza de seguros; **travel insurance** seguro de viaje; **I don't have dental insurance** No tengo seguro de salud dental
insure [ɪnˈʃʊə; -ˈʃɔː] *v* asegurar; **Can I insure my luggage?** ¿Puedo asegurar el equipaje?
insured [ɪnˈʃʊəd; -ˈʃɔːd] *adj* asegurado *(aseguradora)*
intact [ɪnˈtækt] *adj* intacto
intellectual [ˌɪntɪˈlɛktʃʊəl] *adj* intelectual ▷ *n* intelectual
intelligence [ɪnˈtɛlɪdʒəns] *n*

inteligencia
intelligent [ɪnˈtɛlɪdʒənt] *adj* inteligente
intend [ɪnˈtɛnd] *v* **intend to** tener la intención de
intense [ɪnˈtɛns] *adj* intenso
intensive [ɪnˈtɛnsɪv] *adj* intensivo; **intensive care unit** unidad de cuidados intensivos
intention [ɪnˈtɛnʃən] *n* intención
intentional [ɪnˈtɛnʃənᵊl] *adj* intencional
intercom [ˈɪntəˌkɒm] *n* interfono
interest [ˈɪntrɪst; -tərɪst] *n (curiosity, income)* interés *(lucro)* ▷ *v* interesar; **interest rate** tipo de interés
interested [ˈɪntrɪstɪd; -tərɪs-] *adj* interesado
interesting [ˈɪntrɪstɪŋ; -tərɪs-] *adj* interesante; **Can you suggest somewhere interesting to go?** ¿Podría sugerir algún sitio interesante para visitar?
interior [ɪnˈtɪərɪə] *n* interior; **interior designer** interiorista
intermediate [ˌɪntəˈmiːdɪɪt] *adj* intermedio
internal [ɪnˈtɜːnᵊl] *adj* interno
international [ˌɪntəˈnæʃənᵊl] *adj* internacional
Internet [ˈɪntəˌnɛt] *n* Internet; **Internet café** café Internet; **Internet user** usuario de Internet; **Does the room have wireless Internet access?** ¿La habitación tiene acceso inalámbrico a Internet?; **Is there an Internet connection in the room?** ¿Hay conexión de Internet en la habitación?
interpret [ɪnˈtɜːprɪt] *v* interpretar
interpreter [ɪnˈtɜːprɪtə] *n* intérprete; **Could you act as an interpreter for us, please?** ¿Podría hacernos de intérprete, por favor?
interrogate [ɪnˈtɛrəˌgeɪt] *v* interrogar
interrupt [ˌɪntəˈrʌpt] *v* interrumpir
interruption [ˌɪntəˈrʌpʃən] *n* interrupción
interval [ˈɪntəvəl] *n* intervalo
interview [ˈɪntəˌvjuː] *n* entrevista ▷ *v* entrevistar
interviewer [ˈɪntəˌvjuːə] *n* entrevistador
intimate [ˈɪntɪmɪt] *adj* íntimo
intimidate [ɪnˈtɪmɪˌdeɪt] *v* intimidar
into [ˈɪntuː; ˈɪntə] *prep* en; **bump into** topar con; **Can you book me into a hotel?** ¿Puede reservarme una habitación en un hotel?; **I'd like to change one hundred... into...** Quisiera cambiar cien... en...
intolerant [ɪnˈtɒlərənt] *adj* intolerante
intranet [ˈɪntrəˌnɛt] *n* intranet
introduce [ˌɪntrəˈdjuːs] *v* introducir
introduction [ˌɪntrəˈdʌkʃən] *n* introducción
intruder [ɪnˈtruːdə] *n* intruso
intuition [ˌɪntjʊˈɪʃən] *n* intuición
invade [ɪnˈveɪd] *v* invadir
invalid [ˈɪnvəˌliːd] *n* inválido
invent [ɪnˈvɛnt] *v* inventar
invention [ɪnˈvɛnʃən] *n* invención
inventor [ɪnˈvɛntə] *n* inventor
inventory [ˈɪnvəntərɪ; -trɪ] *n* inventario
invest [ɪnˈvɛst] *v* invertir *(dinero)*
investigation [ɪnˌvɛstɪˈgeɪʃən] *n* investigación
investment [ɪnˈvɛstmənt] *n* inversión
investor [ɪnˈvɛstə] *n* inversor
invigilator [ɪnˈvɪdʒɪˌleɪtə] *n* vigilante de un examen
invisible [ɪnˈvɪzəbᵊl] *adj* invisible

invitation [ˌɪnvɪˈteɪʃən] *n* invitación
invite [ɪnˈvaɪt] *v* invitar; **It's very kind of you to invite me** Muchas gracias por invitarme
invoice [ˈɪnvɔɪs] *n* factura ▷ *v* facturar
involve [ɪnˈvɒlv] *v* suponer *(consistir)*
iPod® [ˈaɪˌpɒd] *n* iPod
IQ [aɪ kjuː] *abr* coeficiente intelectual
Iran [ɪˈrɑːn] *n* Irán
Iranian [ɪˈreɪnɪən] *adj* iraní ▷ *n* *(person)* iraní
Iraq [ɪˈrɑːk] *n* Irak
Iraqi [ɪˈrɑːkɪ] *adj* iraquí ▷ *n* iraquí
Ireland [ˈaɪələnd] *n* Irlanda; **Northern Ireland** Irlanda del Norte
iris [ˈaɪrɪs] *n* iris
Irish [ˈaɪrɪʃ] *adj* irlandés ▷ *n* irlandés
Irishman [ˈaɪrɪʃmən] (*pl* **Irishmen**) *n* irlandés
Irishwoman [ˈaɪrɪʃwʊmən] (*pl* **Irishwomen**) *n* irlandesa
iron [ˈaɪən] *n* hierro ▷ *v* planchar; **I need an iron** Necesito una plancha; **Where can I get this ironed?** ¿Dónde tengo que ir para que me planchen esto?
ironic [aɪˈrɒnɪk] *adj* irónico
ironing [ˈaɪənɪŋ] *n* planchado; **ironing board** tabla de planchar
ironmonger's [ˈaɪənˌmʌŋɡəz] *n* ferretería *(tienda)*
irony [ˈaɪrənɪ] *n* ironía
irregular [ɪˈrɛɡjʊlə] *adj* irregular
irrelevant [ɪˈrɛləvənt] *adj* irrelevante
irresponsible [ˌɪrɪˈspɒnsəbᵊl] *adj* irresponsable
irritable [ˈɪrɪtəbᵊl] *adj* irritable
irritating [ˈɪrɪˌteɪtɪŋ] *adj* irritante
Islam [ˈɪzlɑːm] *n* Islam
Islamic [ˈɪzləmɪk] *adj* islámico
island [ˈaɪlənd] *n* isla
isolated [ˈaɪsəˌleɪtɪd] *adj* aislado
ISP [aɪ ɛs piː] *abr* proveedor de servicios de Internet
Israel [ˈɪzreɪəl; -rɪəl] *n* Israel
Israeli [ɪzˈreɪlɪ] *adj* israelí ▷ *n* israelí
issue [ˈɪʃjuː] *n* cuestión ▷ *v* emitir
it [ɪt] *pron* ello, lo; **Is it safe for children?** ¿Se le puede administrar a los niños?
IT [aɪ tiː] *abr* informática
Italian [ɪˈtæljən] *adj* italiano ▷ *n* *(language, person)* italiano
Italy [ˈɪtəlɪ] *n* Italia
itch [ɪtʃ] *v* picar *(comezón)*; **My leg itches** Me pica la pierna
itchy [ɪtʃɪ] *adj* que pica
item [ˈaɪtəm] *n* artículo *(elemento)*
itinerary [aɪˈtɪnərərɪ; ɪ-] *n* itinerario
its [ɪts] *adj* su *(ello)*
itself [ɪtˈsɛlf] *pron* se *(ello)*
ivory [ˈaɪvərɪ; -vrɪ] *n* marfil
ivy [ˈaɪvɪ] *n* hiedra

jab [dʒæb] *n* golpe
jack [dʒæk] *n* gato *(instrumento)*
jacket ['dʒækɪt] *n* chaqueta; **jacket potato** patata asada con piel
jackpot ['dʒæk,pɒt] *n* bote *(lotería)*
jail [dʒeɪl] *n* cárcel ▷ *v* encarcelar
jam [dʒæm] *n* mermelada; **jam jar** tarro de mermelada
Jamaican [dʒə'meɪkən] *adj* jamaicano ▷ *n* jamaicano
jammed [dʒæmd] *adj* atascado
janitor ['dʒænɪtə] *n* conserje
January ['dʒænjʊərɪ] *n* enero
Japan [dʒə'pæn] *n* Japón
Japanese [,dʒæpə'ni:z] *adj* japonés ▷ *n (language, person)* japonés
jar [dʒɑ:] *n* tarro
jaundice ['dʒɔ:ndɪs] *n* ictericia
javelin ['dʒævlɪn] *n* jabalina *(lanza)*
jaw [dʒɔ:] *n* mandíbula
jazz [dʒæz] *n* jazz
jealous ['dʒɛləs] *adj* celoso
jeans [dʒi:nz] *npl* vaqueros, tejanos
jelly ['dʒɛlɪ] *n* gelatina
jellyfish ['dʒɛlɪ,fɪʃ] *n* medusa; **Are there jellyfish here?** ¿Hay medusas aquí?
jersey ['dʒɜ:zɪ] *n* jersey
Jesus ['dʒi:zəs] *n* Jesús
jet [dʒɛt] *n* avión a reacción; **jet lag** desfase horario; **jumbo jet** jumbo
jetty ['dʒɛtɪ] *n* malecón
Jew [dʒu:] *n* judío
jewel ['dʒu:əl] *n* joya
jeweller ['dʒu:ələ] *n* joyero
jeweller's ['dʒu:ələz] *n* joyería
jewellery ['dʒu:əlrɪ] *n* joyas
Jewish ['dʒu:ɪʃ] *adj* judío
jigsaw ['dʒɪg,sɔ:] *n* rompecabezas
job [dʒɒb] *n* empleo *(puesto)*; **job centre** oficina de empleo
jobless ['dʒɒblɪs] *adj* desempleado
jockey ['dʒɒkɪ] *n* jinete *(carrera)*
jog [dʒɒg] *v* hacer footing; **Where can I go jogging?** ¿Dónde puedo ir a hacer footing?
jogging ['dʒɒgɪŋ] *n* footing
join [dʒɔɪn] *v* unir *(cosas)*, unirse a; **Can I join you?** ¿Te importa que me una a tu grupo?
joiner ['dʒɔɪnə] *n* carpintero de obra
joint [dʒɔɪnt] *adj* conjunto ▷ *n (junction)* junta *(acoplamiento)*, *(meat)* trozo de carne; **joint account** cuenta conjunta
joke [dʒəʊk] *n* broma ▷ *v* bromear
jolly ['dʒɒlɪ] *adj* alegre
Jordan ['dʒɔ:dᵊn] *n* Jordania
Jordanian [dʒɔ:'deɪnɪən] *adj* jordano ▷ *n* jordano
jot down [dʒɒt daʊn] *v* anotar *(rápidamente)*
jotter ['dʒɒtə] *n* bloc
journalism ['dʒɜ:nᵊ,lɪzəm] *n* periodismo
journalist ['dʒɜ:nᵊlɪst] *n* periodista
journey ['dʒɜ:nɪ] *n* viaje; **How long**

is the journey? ¿Cuánto dura el viaje?; **The journey takes two hours** El viaje dura dos horas
joy [dʒɔɪ] *n* alegría
joystick [ˈdʒɔɪˌstɪk] *n* joystick
judge [dʒʌdʒ] *n* juez ▹ *v* juzgar
judo [ˈdʒuːdəʊ] *n* judo
jug [dʒʌɡ] *n* jarra; **a jug of water** una jarra de agua
juggler [ˈdʒʌɡlə] *n* malabarista
juice [dʒuːs] *n* zumo
July [dʒuːˈlaɪ; dʒə-; dʒʊ-] *n* julio
jump [dʒʌmp] *n* salto ▹ *v* saltar; **high jump** salto de altura; **jump leads** cables de arranque; **long jump** salto de longitud
jumper [ˈdʒʌmpə] *n* suéter
jumping [dʒʌmpɪŋ] *n* **show jumping** concurso hípico
junction [ˈdʒʌŋkʃən] *n* cruce
June [dʒuːn] *n* junio; **at the end of June** a finales de junio
jungle [ˈdʒʌŋɡəl] *n* jungla
junior [ˈdʒuːnjə] *adj* más joven
junk [dʒʌŋk] *n* trastos viejos; **junk mail** correo basura
jury [ˈdʒʊərɪ] *n* jurado
just [dʒəst] *adv* ahora mismo
justice [ˈdʒʌstɪs] *n* justicia
justify [ˈdʒʌstɪˌfaɪ] *v* justificar

k

kangaroo [ˌkæŋɡəˈruː] *n* canguro
karaoke [ˌkɑːrəˈəʊkɪ] *n* karaoke
karate [kəˈrɑːtɪ] *n* kárate
Kazakhstan [ˌkɑːzɑːkˈstæn; -ˈstɑːn] *n* Kazajstán
kebab [kəˈbæb] *n* pincho
keen [kiːn] *adj* entusiasta
keep [kiːp] *v* guardar *(conservar)*, mantener
keep-fit [ˈkiːpˌfɪt] *n* gimnasia de mantenimiento
keep out [kiːp aʊt] *v* no dejar entrar
keep up [kiːp ʌp] *v* mantener; **keep up with** no quedarse atrás
kennel [ˈkɛnəl] *n* caseta del perro
Kenya [ˈkɛnjə; ˈkiːnjə] *n* Kenia
Kenyan [ˈkɛnjən; ˈkiːnjən] *adj* keniata ▹ *n* keniano
kerb [kɜːb] *n* bordillo
kerosene [ˈkɛrəˌsiːn] *n* queroseno
ketchup [ˈkɛtʃəp] *n* ketchup
kettle [ˈkɛtəl] *n* hervidor de agua
key [kiː] *n (for lock)* llave, *(music, computer)* tecla; **car keys** llaves del

coche; **I left the keys in the car** He dejado las llaves en el coche
keyboard ['kiːˌbɔːd] *n* teclado
keyring ['kiːˌrɪŋ] *n* llavero
kick [kɪk] *n* patada ▷ *v* dar una patada
kick off [kɪk ɒf] *v* hacer el saque inicial
kick-off [kɪkɒf] *n* saque inicial
kid [kɪd] *n* chaval ▷ *v* bromear *(burla)*
kidnap ['kɪdnæp] *v* raptar
kidney ['kɪdnɪ] *n* riñón
kill [kɪl] *v* matar
killer ['kɪlə] *n* asesino
kilo ['kiːləʊ] *n* kilo
kilometre [kɪ'lɒmɪtə; 'kɪləˌmiːtə] *n* kilómetro
kilt [kɪlt] *n* falda escocesa
kind [kaɪnd] *adj* amable ▷ *n* especie *(clase)*, género
kindly ['kaɪndlɪ] *adv* amablemente
kindness ['kaɪndnɪs] *n* amabilidad
king [kɪŋ] *n* rey
kingdom ['kɪŋdəm] *n* reino
kingfisher ['kɪŋˌfɪʃə] *n* martín pescador
kiosk ['kiːɒsk] *n* quiosco
kipper ['kɪpə] *n* arenque ahumado
kiss [kɪs] *n* beso ▷ *v* besar
kit [kɪt] *n* equipo *(utensilios)*; **hands-free kit** equipo manos libres; **repair kit** caja de herramientas
kitchen ['kɪtʃɪn] *n* cocina *(habitación)*; **fitted kitchen** cocina integral
kite [kaɪt] *n* cometa
kitten ['kɪtᵊn] *n* gatito
kiwi ['kiːwiː] *n* kiwi
knee [niː] *n* rodilla
kneecap ['niːˌkæp] *n* rótula
kneel [niːl] *v* estar de rodillas
kneel down [niːl daʊn] *v* arrodillarse
knickers ['nɪkəz] *npl* bragas
knife [naɪf] *n* cuchillo
knit [nɪt] *v* hacer punto
knitting ['nɪtɪŋ] *n* punto *(tejido)*; **knitting needle** aguja de hacer punto
knob [nɒb] *n* pomo
knock [nɒk] *n* golpe ▷ *v* dar un golpe, *(on the door etc.)* llamar *(golpetear)*
knock down [nɒk daʊn] *v* derribar
knock out [nɒk aʊt] *v* noquear
knot [nɒt] *n* nudo
know [nəʊ] *v* conocer, saber; **Do you know him?** ¿Lo conoce?; **Do you know how to do this?** ¿Sabe hacer esto?; **I don't know** No lo sé
know-all ['nəʊɔːl] *n* sabihondo
know-how ['nəʊˌhaʊ] *n* know-how
knowledge ['nɒlɪdʒ] *n* conocimiento
knowledgeable ['nɒlɪdʒəbᵊl] *adj* entendido
Koran [kɔː'rɑːn] *n* Corán
Korea [kə'riːə] *n* Corea
Korean [kə'riːən] *adj* coreano ▷ *n* *(language, person)* coreano
kosher ['kəʊʃə] *adj* kósher
Kosovo ['kɔsɔvɔ; 'kɒsəvəʊ] *n* Kosovo
Kuwait [kʊ'weɪt] *n* Kuwait
Kuwaiti [kʊ'weɪtɪ] *adj* kuwaití ▷ *n* kuwaití
Kyrgyzstan ['kɪəgɪzˌstɑːn; -ˌstæn] *n* Kirguistán

l

lab [læb] *n* laboratorio
label ['leɪbᵊl] *n* etiqueta *(cédula)*
laboratory [lə'bɒrətərɪ; -trɪ; 'læbrə,tɔːrɪ] *n* laboratorio
labour ['leɪbə] *n* labor
labourer ['leɪbərə] *n* obrero
lace [leɪs] *n* encaje
lack [læk] *n* carencia
lacquer ['lækə] *n* laca
lad [læd] *n* muchacho
ladies ['leɪdɪz] *n* **ladies'** aseo de señoras; **Where is the ladies?** ¿Dónde están los aseos de señoras?
ladle ['leɪdᵊl] *n* cucharón
lady ['leɪdɪ] *n* dama
ladybird ['leɪdɪ,bɜːd] *n* mariquita
lager ['lɑːgə] *n* lager
lagoon [lə'guːn] *n* laguna
laid-back ['leɪdbæk] *adj* tranquilo
lake [leɪk] *n* lago
lamb [læm] *n* cordero
lame [leɪm] *adj* cojo
lamp [læmp] *n* lámpara; **bedside lamp** lámpara de mesita
lamppost ['læmp,pəʊst] *n* farola
lampshade ['læmp,ʃeɪd] *n* pantalla *(lámpara)*
land [lænd] *n* tierra *(terreno)* ▷ *v* aterrizar
landing ['lændɪŋ] *n* aterrizaje
landlady ['lænd,leɪdɪ] *n* dueña
landlord ['lænd,lɔːd] *n* dueño
landmark ['lænd,mɑːk] *n* punto de referencia
landowner ['lænd,əʊnə] *n* terrateniente
landscape ['lænd,skeɪp] *n* paisaje
landslide ['lænd,slaɪd] *n* deslizamiento de tierras
lane [leɪn] *n* callejón, *(driving)* carril; **cycle lane** carril para bicis; **You are in the wrong lane** Está en el carril equivocado
language ['læŋgwɪdʒ] *n* lengua, idioma; **language laboratory** laboratorio de idiomas; **language school** escuela de idiomas; **sign language** lengua de señas; **What languages do you speak?** ¿Qué idiomas habla?
lanky ['læŋkɪ] *adj* larguirucho
Laos [laʊz; laʊs] *n* Laos
lap [læp] *n* regazo
laptop ['læp,tɒp] *n* ordenador portátil
larder ['lɑːdə] *n* despensa
large [lɑːdʒ] *adj* grande; **Do you have a large?** ¿Tiene una talla grande?; **Do you have an extra large?** ¿Tiene una talla extra grande?
largely ['lɑːdʒlɪ] *adv* en buena parte
laryngitis [,lærɪn'dʒaɪtɪs] *n* laringitis
laser ['leɪzə] *n* láser
lass [læs] *n* muchacha
last [lɑːst] *adj* último *(serie)* ▷ *adv* última vez ▷ *v* durar; **When is the last bus to...?** ¿A qué hora sale el

último autobús para...?
lastly ['lɑːstlɪ] *adv* por último
late [leɪt] *adj (dead)* difunto, *(delayed)* tardío ▷ *adv* tarde; **It's too late** Es demasiado tarde; **Please call us if you'll be late** Por favor, llámenos si va a llegar tarde; **Sorry we're late** Sentimos llegar tarde
lately ['leɪtlɪ] *adv* últimamente
later ['leɪtə] *adv* más tarde; **Can you try again later?** ¿Puede llamar más tarde?; **Shall I come back later?** ¿Vuelvo más tarde?
Latin ['lætɪn] *n* latín
Latin America ['lætɪn ə'mɛrɪkə] *n* América Latina
Latin American ['lætɪn ə'mɛrɪkən] *adj* latinoamericano
latitude ['lætɪˌtjuːd] *n* latitud
Latvia ['lætvɪə] *n* Letonia
Latvian ['lætvɪən] *adj* letón ▷ *n (language, person)* letón
laugh [lɑːf] *n* risa ▷ *v* reír
laughter ['lɑːftə] *n* risas
launch [lɔːntʃ] *v* botar *(barco)*, lanzar *(cohete etc.)*
Launderette® [ˌlɔːndə'rɛt; lɔːn'drɛt] *n* lavandería automática
laundry ['lɔːndrɪ] *n* colada
lava ['lɑːvə] *n* lava
lavatory ['lævətərɪ; -trɪ] *n* retrete
lavender ['lævəndə] *n* lavanda
law [lɔː] *n* ley; **law school** facultad de Derecho
lawn [lɔːn] *n* césped
lawnmower ['lɔːnˌməʊə] *n* cortacésped
lawyer ['lɔːjə; 'lɔɪə] *n* abogado
laxative ['læksətɪv] *n* laxante
lay [leɪ] *v* poner
layby ['leɪˌbaɪ] *n* área de descanso
layer ['leɪə] *n* capa
lay off [leɪ ɒf] *v* despedir
layout ['leɪˌaʊt] *n* disposición
lazy ['leɪzɪ] *adj* perezoso
lead¹ [liːd] *n (in play, film)* papel principal, *(position)* liderato ▷ *v* llevar *(conducir)*; **jump leads** cables de arranque; **lead singer** solista *(cantante)*; **Where does this path lead?** ¿Dónde lleva este camino?
lead² [lɛd] *n (metal)* plomo
leader ['liːdə] *n* líder
lead-free [ˌlɛd'friː] *adj* sin plomo
leaf [liːf] *n* hoja *(planta)*
leaflet ['liːflɪt] *n* folleto; **Do you have any leaflets about...?** ¿Tiene folletos sobre...?
league [liːg] *n* liga
leak [liːk] *n* escape ▷ *v* salir, escaparse *(gas)*
lean [liːn] *v* apoyar(se); **lean forward** inclinarse *(adelante)*
lean on [liːn ɒn] *v* confiar en
lean out [liːn aʊt] *v* asomarse
leap [liːp] *v* saltar; **leap year** año bisiesto
learn [lɜːn] *v* aprender
learner ['lɜːnə] *n* estudiante; **learner driver** alumno de autoescuela
lease [liːs] *n* contrato de arrendamiento ▷ *v* arrendar
least [liːst] *adj* más mínimo; **at least** al menos
leather ['lɛðə] *n* cuero
leave [liːv] *n* baja *(ausencia)*, permiso ▷ *v* dejar *(como es etc.)*, irse, marcharse; **maternity leave** baja por maternidad; **paternity leave** baja por paternidad; **sick leave** baja por enfermedad; **Can I leave a message?** ¿Puedo dejarle un mensaje?; **I'd like to leave it in...** Me gustaría dejarlo en...; **Leave me alone!** ¡Déjeme en paz!
leave out [liːv aʊt] *v* omitir

Lebanese [ˌlɛbəˈniːz] *adj* libanés ▷ *n* libanés
Lebanon [ˈlɛbənən] *n* Líbano
lecture [ˈlɛktʃə] *n* conferencia *(discurso)* ▷ *v* dar clases *(universidad)*
lecturer [ˈlɛktʃərə] *n* conferenciante, *(university)* profesor
leek [liːk] *n* puerro
left [lɛft] *adj* izquierdo ▷ *adv* hacia la izquierda ▷ *n* izquierda; **Go left at the next junction** Gire a la izquierda en el siguiente cruce; **Turn left** Gire a la izquierda
left-hand [ˌleftˈhænd] *adj* izquierdo; **left-hand drive** conducción a la izquierda
left-handed [ˌleftˈhændɪd] *adj* zurdo
left-luggage [ˌleftˈlʌɡɪdʒ] *n* consigna; **left-luggage locker** consigna automática; **left-luggage office** consigna de equipajes
leftovers [ˈlɛftˌəʊvəz] *npl* sobras
left-wing [ˌleftˌwɪŋ] *adj* de izquierdas
leg [lɛɡ] *n* pierna; **I can't move my leg** No puedo mover la pierna; **I've got cramp in my leg** Me ha dado un calambre en una pierna
legal [ˈliːɡᵊl] *adj* legal
legend [ˈlɛdʒənd] *n* leyenda
leggings [ˈlɛɡɪŋz] *npl* leggins
legible [ˈlɛdʒəbᵊl] *adj* legible
legislation [ˌlɛdʒɪsˈleɪʃən] *n* legislación
leisure [ˈlɛʒə; ˈliːʒər] *n* ocio; **leisure centre** polideportivo
lemon [ˈlɛmən] *n* limón; **with lemon** con limón
lemonade [ˌlɛməˈneɪd] *n* limonada
lend [lɛnd] *v* prestar; **Could you lend me some money?** ¿Podría prestarme dinero?
length [lɛŋkθ; lɛŋθ] *n* longitud
lens [lɛnz] *n* lente; **contact lenses** lentes de contacto, lentillas
Lent [lɛnt] *n* Cuaresma
lentils [ˈlɛntɪlz] *npl* lentejas
Leo [ˈliːəʊ] *n* Leo
leopard [ˈlɛpəd] *n* leopardo
leotard [ˈlɪəˌtɑːd] *n* leotardo
less [lɛs] *adv* menos *(cantidad)* ▷ *pron* menos
lesson [ˈlɛsᵊn] *n* lección, clase *(educación)*; **Can we take lessons?** ¿Podemos tomar clases?; **Do you give lessons?** ¿Dan ustedes clases?
let [lɛt] *v* dejar *(permitir)*; **Please let me off** Por favor, déjeme apearme; **Please let me through** Déjeme pasar, por favor
let down [lɛt daʊn] *v* decepcionar
let in [lɛt ɪn] *v* dejar entrar
letter [ˈlɛtə] *n (a, b, c)* letra, *(message)* carta; **I'd like to send this letter** Quisiera enviar esta carta
letterbox [ˈlɛtəˌbɒks] *n* buzón
lettuce [ˈlɛtɪs] *n* lechuga
leukaemia [luːˈkiːmɪə] *n* leucemia
level [ˈlɛvᵊl] *adj* plano ▷ *n* nivel; **level crossing** paso a nivel
lever [ˈliːvə] *n* palanca
liar [ˈlaɪə] *n* mentiroso
liberal [ˈlɪbərəl; ˈlɪbrəl] *adj* liberal
liberation [ˌlɪbəˈreɪʃən] *n* liberación
Liberia [laɪˈbɪərɪə] *n* Liberia
Liberian [laɪˈbɪərɪən] *adj* liberiano ▷ *n* liberiano
Libra [ˈliːbrə] *n* Libra
librarian [laɪˈbrɛərɪən] *n* bibliotecario
library [ˈlaɪbrərɪ] *n* biblioteca
Libya [ˈlɪbɪə] *n* Libia
Libyan [ˈlɪbɪən] *adj* libio ▷ *n* libio
lice [laɪs] *npl* piojos
licence [ˈlaɪsəns] *n* licencia

lick [lɪk] *v* lamer
lid [lɪd] *n* tapa
lie [laɪ] *n* mentira ▷ *v* estar tumbado, yacer, mentir
Liechtenstein ['lɪktən,staɪn; 'lɪçtənʃtain] *n* Liechtenstein
lie down [laɪ daʊn] *v* tenderse
lie in [laɪ ɪn] *v* quedarse en cama
lie-in [laɪɪn] *n* **have a lie-in** quedarse en cama
lieutenant [lɛf'tɛnənt; luː'tɛnənt] *n* teniente
life [laɪf] *n* vida; **life insurance** seguro de vida; **life jacket** chaleco salvavidas
lifebelt ['laɪf,bɛlt] *n* salvavidas
lifeboat ['laɪf,bəʊt] *n* bote salvavidas
lifeguard ['laɪf,gɑːd] *n* socorrista; **Get the lifeguard!** ¡Vaya a buscar al socorrista!
life-saving ['life-,saving] *adj* que salva vidas
lifestyle ['laɪf,staɪl] *n* estilo de vida
lift [lɪft] *n (free ride)* viaje en coche, *(up, down)* ascensor ▷ *v* levantar; **ski lift** telesquí; **Is there a lift in the building?** ¿Hay ascensor en el edificio?
light [laɪt] *adj (not dark)* claro, *(not heavy)* ligero ▷ *n* luz ▷ *v* encender; **brake light** luz de freno; **hazard warning lights** luces de emergencia; **light bulb** bombilla; **pilot light** llama piloto; **traffic lights** semáforo; **Can I switch the light off?** ¿Puedo apagar la luz?; **Can I switch the light on?** ¿Puedo encender la luz?
lighter ['laɪtə] *n* mechero, encendedor; **Do you have a refill for my gas lighter?** ¿Tiene recarga para un encendedor de gas?
lighthouse ['laɪt,haʊs] *n* faro *(torre)*
lighting ['laɪtɪŋ] *n* iluminación
lightning ['laɪtnɪŋ] *n* relámpago
like [laɪk] *prep* como ▷ *v* gustar; **I like you very much** Me gustas mucho; **What would you like to do today?** ¿Qué le gustaría hacer hoy?
likely ['laɪklɪ] *adj* probable
lilac ['laɪlək] *adj* lila ▷ *n* lila
Lilo® ['laɪləʊ] *n* colchoneta hinchable
lily ['lɪlɪ] *n* azucena; **lily of the valley** muguete
lime [laɪm] *n (compound)* cal, *(fruit)* lima
limestone ['laɪm,stəʊn] *n* caliza
limit ['lɪmɪt] *n* límite
limousine ['lɪmə,ziːn; ,lɪmə'ziːn] *n* limusina
limp [lɪmp] *v* cojear
line [laɪn] *n* línea; **I want to make an outside call, can I have a line?** Quiero llamar al exterior, ¿podría darme línea?; **It's a bad line** La línea no funciona bien; **Which line should I take for...?** ¿Qué línea tengo que coger para ir a...?
linen ['lɪnɪn] *n* lino; **bed linen** lencería de cama
liner ['laɪnə] *n* transatlántico
lingerie ['lænʒərɪ] *n* lencería; **Where is the lingerie department?** ¿Dónde está el departamento de lencería?
linguist ['lɪŋgwɪst] *n* lingüista
linguistic [lɪŋ'gwɪstɪk] *adj* lingüístico
lining ['laɪnɪŋ] *n* forro
link [lɪŋk] *n* eslabón ▷ *v* **link (up)** conectar, unir
lino ['laɪnəʊ] *n* linóleo
lion ['laɪən] *n* león
lioness ['laɪənɪs] *n* leona
lip [lɪp] *n* labio; **lip salve** bálsamo labial

lip-read ['lɪpˌriːd] *v* leer los labios
lipstick ['lɪpˌstɪk] *n* pintalabios
liqueur [lɪ'kjʊə; likœr] *n* licor; **What liqueurs do you have?** ¿Qué licores tiene?
liquid ['lɪkwɪd] *n* líquido
liquidizer ['lɪkwɪˌdaɪzə] *n* licuadora
list [lɪst] *n* lista ▷ *v* hacer una lista de; **mailing list** lista de direcciones; **price list** lista de precios; **waiting list** lista de espera; **wine list** carta de vinos
listen ['lɪsᵊn] *v* escuchar; **listen to** escuchar
listener ['lɪsnə] *n* oyente
literally ['lɪtərəlɪ] *adv* literalmente
literature ['lɪtərɪtʃə; 'lɪtrɪ-] *n* literatura
Lithuania [ˌlɪθjʊ'eɪnɪə] *n* Lituania
Lithuanian [ˌlɪθjʊ'eɪnɪən] *adj* lituano ▷ *n (language, person)* lituano
litre ['liːtə] *n* litro
litter ['lɪtə] *n (offspring)* camada, *(rubbish)* basura; **litter bin** cubo de basura
little ['lɪtᵊl] *adj* pequeño
live¹ [lɪv] *v* vivir; **I live in...** Vivo en...; **We live in...** Vivimos en...; **Where do you live?** ¿Dónde vive?
live² [laɪv] *adj* vivo
lively ['laɪvlɪ] *adj* animado
live on [lɪv ɒn] *v* seguir viviendo
liver ['lɪvə] *n* hígado
live together [lɪv] *v* convivir, vivir juntos
living ['lɪvɪŋ] *n* vida *(necesidades)*; **cost of living** coste de la vida; **living room** salón *(habitación)*
lizard ['lɪzəd] *n* lagarto
load [ləʊd] *n* carga *(peso)* ▷ *v* cargar *(peso)*
loaf [ləʊf] *(pl* **loaves***)* *n* hogaza *(de pan)*
loan [ləʊn] *n* préstamo ▷ *v* prestar
loathe [ləʊð] *v* aborrecer
lobby ['lɒbɪ] *n* vestíbulo; **I'll meet you in the lobby** Nos vemos en el vestíbulo
lobster ['lɒbstə] *n* langosta
local ['ləʊkᵊl] *adj* local
location [ləʊ'keɪʃən] *n* ubicación
lock [lɒk] *n (door)* cerradura, *(hair)* mechón ▷ *v* cerrar con llave; **The door won't lock** La puerta no se puede cerrar con llave; **The lock is broken** La cerradura está rota
locker ['lɒkə] *n* taquilla *(armario)*; **Where are the clothes lockers?** ¿Dónde están las taquillas para la ropa?
locket ['lɒkɪt] *n* medallón
lock out [lɒk aʊt] *v* encerrar fuera
locksmith ['lɒkˌsmɪθ] *n* cerrajero
lodger ['lɒdʒə] *n* inquilino
loft [lɒft] *n* buhardilla, desván
log [lɒg] *n* tronco *(leño)*
logical ['lɒdʒɪkᵊl] *adj* lógico
log in [lɒg ɪn] *v* iniciar sesión
logo ['ləʊgəʊ; 'lɒg-] *n* logotipo
log off [lɒg ɒf] *v* cerrar sesión
log on [lɒg ɒn] *v* iniciar sesión, conectarse; **I can't log on** No puedo iniciar sesión
log out [lɒg aʊt] *v* cerrar sesión
lollipop ['lɒlɪˌpɒp] *n* chupa-chup
lolly ['lɒlɪ] *n* chupa-chup
London ['lʌndən] *n* Londres
loneliness ['ləʊnlɪnɪs] *n* soledad
lonely ['ləʊnlɪ] *adj* solitario
lonesome ['ləʊnsəm] *adj* solitario
long [lɒŋ] *adj* largo ▷ *adv* mucho tiempo ▷ *v* anhelar; **long jump** salto de longitud
longer [lɒŋə] *adv* más tiempo
longitude ['lɒndʒɪˌtjuːd; 'lɒŋg-] *n* longitud *(Geografía)*

loo [luː] *n* váter
look [lʊk] *n* mirada ▷ *v* mirar; **look at** mirar; **I'm just looking** Sólo estoy mirando
look after [lʊk ɑːftə] *v* cuidar de *(asistir)*; **I need someone to look after the children tonight** Necesito a alguien que cuide de mis hijos esta noche
look for [lʊk fɔː] *v* buscar *(mirar)*; **I'm looking for a present for my wife** Busco un regalo para mi esposa
look round [lʊk raʊnd] *v* mirar alrededor
look up [lʊk ʌp] *v* encontrar
loose [luːs] *adj* holgado
lorry ['lɒrɪ] *n* camión; **lorry driver** camionero
lose [luːz] *vi* perder *(partido)* ▷ *vt* perder *(objeto)*
loser ['luːzə] *n* perdedor
loss [lɒs] *n* pérdida
lost [lɒst] *adj* perdido; **I'm lost** Me he perdido
lost-and-found ['lɒstænd'faʊnd] *n* objetos perdidos
lot [lɒt] *n* **a lot** mucho
lotion ['ləʊʃən] *n* loción; **after sun lotion** loción para después del sol; **cleansing lotion** loción limpiadora
lottery ['lɒtərɪ] *n* lotería
loud [laʊd] *adj* alto *(sonido)*; **Could you speak louder, please?** ¿Puede hablar más alto, por favor?
loudly [laʊdlɪ] *adv* en voz alta
loudspeaker [ˌlaʊd'spiːkə] *n* altavoz
lounge [laʊndʒ] *n* salón; **Is there a television lounge?** ¿Hay un salón para ver la televisión?
lousy ['laʊzɪ] *adj* pésimo
love [lʌv] *n* amor ▷ *v* amar; **I love you** Te amo, Te quiero
lovely ['lʌvlɪ] *adj* encantador
lover ['lʌvə] *n* amante
low [ləʊ] *adj* bajo ▷ *adv* bajo; **low season** temporada baja
low-alcohol ['ləʊˌælkəˌhɒl] *adj* de bajo contenido alcohólico
lower ['ləʊə] *adj* inferior *(debajo)* ▷ *v* bajar *(nivel)*; **Please could you lower the volume?** ¿Puede bajar el volumen?
low-fat ['ləʊˌfæt] *adj* bajo en grasa
loyalty ['lɔɪəltɪ] *n* lealtad
luck [lʌk] *n* suerte
luckily ['lʌkɪlɪ] *adv* por suerte, afortunadamente
lucky ['lʌkɪ] *adj* afortunado
lucrative ['luːkrətɪv] *adj* lucrativo
luggage ['lʌgɪdʒ] *n* equipaje; **hand luggage** equipaje de mano; **luggage rack** portaequipajes; **luggage trolley** carrito portaequipajes; **Can you help me with my luggage, please?** ¿Me ayuda con el equipaje, por favor?
lukewarm [ˌluːk'wɔːm] *adj* tibio
lullaby ['lʌləˌbaɪ] *n* nana
lump [lʌmp] *n* pedazo
lunatic ['luː'nætɪk] *n* lunático
lunch [lʌntʃ] *n* comida *(almuerzo)*; **lunch break** descanso para comer; **packed lunch** comida embalada; **When will lunch be ready?** ¿Cuándo estará lista la comida?
lunchtime ['lʌntʃˌtaɪm] *n* hora de comer
lung [lʌŋ] *n* pulmón
lush [lʌʃ] *adj* frondoso
lust [lʌst] *n* lujuria
Luxembourg ['lʌksəmˌbɜːg] *n* Luxemburgo
luxurious [lʌg'zjʊərɪəs] *adj* lujoso
luxury ['lʌkʃərɪ] *n* lujo
lyrics ['lɪrɪks] *npl* letra *(canción)*

mac [mæk] *abr* impermeable
macaroni [ˌmækəˈrəʊnɪ] *npl* macarrones
machine [məˈʃiːn] *n* máquina; **answering machine** contestador automático; **machine gun** ametralladora; **machine washable** lavable a máquina; **vending machine** máquina expendedora
machinery [məˈʃiːnərɪ] *n* maquinaria
mackerel [ˈmækrəl] *n* caballa
mad [mæd] *adj (angry)* furioso, *(insane)* loco
Madagascar [ˌmædəˈgæskə] *n* Madagascar
madam [ˈmædəm] *n* señora
madly [ˈmædlɪ] *adv* locamente
madman [ˈmædmən] (*pl* **madmen**) *n* loco
madness [ˈmædnɪs] *n* locura
magazine [ˌmægəˈziːn] *n (ammunition)* cargador, *(periodical)* revista; **Where can I buy a magazine?** ¿Dónde se puede comprar una revista?
maggot [ˈmægət] *n* larva
magic [ˈmædʒɪk] *adj* mágico *(poderes/número/palabras)* ▷ *n* magia
magical [ˈmædʒɪkəl] *adj* mágico *(belleza/ambiente/lugar)*
magician [məˈdʒɪʃən] *n* mago
magistrate [ˈmædʒɪˌstreɪt; -strɪt] *n* magistrado
magnet [ˈmægnɪt] *n* imán
magnetic [mægˈnɛtɪk] *adj* magnético
magnificent [mægˈnɪfɪsᵊnt] *adj* magnífico
magpie [ˈmægˌpaɪ] *n* urraca
mahogany [məˈhɒgənɪ] *n* caoba
maid [meɪd] *n* criada
maiden [ˈmeɪdᵊn] *n* **maiden name** apellido de soltera
mail [meɪl] *n* correo ▷ *v* enviar por correo; **junk mail** correo basura; **Please send my mail on to this address** Por favor, remítame el correo a esta dirección
mailbox [ˈmeɪlˌbɒks] *n* buzón
mailing list [ˈmeɪlɪŋ ˈlɪst] *n* lista de direcciones
main [meɪn] *adj* principal
mainland [ˈmeɪnlənd] *n* continente
mainly [ˈmeɪnlɪ] *adv* principalmente
maintain [meɪnˈteɪn] *v* mantener
maintenance [ˈmeɪntɪnəns] *n* mantenimiento
maize [meɪz] *n* maíz
majesty [ˈmædʒɪstɪ] *n* majestad
major [ˈmeɪdʒə] *adj* principal
majority [məˈdʒɒrɪtɪ] *n* mayoría
make [meɪk] *v* hacer; **Is it made with unpasteurised milk?** ¿Está hecho con leche sin pasteurizar?
makeover [ˈmeɪkˌəʊvə] *n* remodelación

maker ['meɪkə] *n* fabricante
make up [meɪk ʌp] *v* constituir
make-up [meɪkʌp] *n* maquillaje
malaria [mə'lɛərɪə] *n* paludismo
Malawi [mə'lɑːwɪ] *n* Malaui
Malaysia [mə'leɪzɪə] *n* Malasia
Malaysian [mə'leɪzɪən] *adj* malasio ▷ *n* malasio
male [meɪl] *adj* masculino ▷ *n* varón
malicious [mə'lɪʃəs] *adj* malicioso
malignant [mə'lɪgnənt] *adj* maligno
malnutrition [ˌmælnjuː'trɪʃən] *n* desnutrición
Malta ['mɔːltə] *n* Malta
Maltese [mɔːl'tiːz] *adj* maltés ▷ *n* *(language, person)* maltés
mammal ['mæməl] *n* mamífero
mammoth ['mæməθ] *adj* colosal ▷ *n* mamut
man [mæn] (*pl* **men**) *n* hombre; **best man** padrino de boda
manage ['mænɪdʒ] *v* gestionar
manageable ['mænɪdʒəbᵊl] *adj* manejable
management ['mænɪdʒmənt] *n* gestión
manager ['mænɪdʒə] *n* gerente
manageress [ˌmænɪdʒə'rɛs; 'mænɪdʒəˌrɛs] *n* gerente
mandarin ['mændərɪn] *n (fruit)* mandarina, *(official)* mandarín
mangetout ['mɑ̃ʒ'tuː] *n* guisante mollar
mango ['mæŋgəʊ] *n* mango
mania ['meɪnɪə] *n* manía
maniac ['meɪnɪˌæk] *n* maníaco
manicure ['mænɪˌkjʊə] *n* manicura ▷ *v* hacer la manicura
manipulate [mə'nɪpjʊˌleɪt] *v* manipular
mankind [ˌmæn'kaɪnd] *n* género humano
man-made ['mænˌmeɪd] *adj* artificial *(elaborado)*
manner ['mænə] *n* manera, modo
manners ['mænəz] *npl* modales
manpower ['mænˌpaʊə] *n* personal
mansion ['mænʃən] *n* mansión
mantelpiece ['mæntᵊlˌpiːs] *n* repisa de la chimenea
manual ['mænjʊəl] *n* manual
manufacture [ˌmænjʊ'fæktʃə] *v* fabricar
manufacturer [ˌmænjʊ'fæktʃərə] *n* fabricante
manure [mə'njʊə] *n* estiércol
manuscript ['mænjʊˌskrɪpt] *n* manuscrito
many ['mɛnɪ] *adj* muchos ▷ *pron* muchos
Maori ['maʊrɪ] *adj* maorí ▷ *n* *(language, person)* maorí
map [mæp] *n* mapa, plano; **Can you draw me a map with directions?** ¿Puede dibujarme un plano con las indicaciones?; **Can you show me where it is on the map?** ¿Puede indicármelo en el mapa?
maple ['meɪpᵊl] *n* arce
marathon ['mærəθən] *n* maratón
marble ['mɑːbᵊl] *n* mármol
march [mɑːtʃ] *n* marcha *(militar/ manifestación/caminata)* ▷ *v* marchar
March [mɑːtʃ] *n* marzo
mare [mɛə] *n* yegua
margarine [ˌmɑːdʒə'riːn; ˌmɑːgə-] *n* margarina
margin ['mɑːdʒɪn] *n* margen
marigold ['mærɪˌgəʊld] *n* caléndula
marijuana [ˌmærɪ'hwɑːnə] *n* marihuana
marina [mə'riːnə] *n* puerto deportivo
marinade *n* [ˌmærɪ'neɪd] adobo ▷ *v* ['mærɪˌneɪd] adobar
marital ['mærɪtᵊl] *adj* **marital**

status estado civil
maritime ['mærɪ,taɪm] *adj* marítimo
marjoram ['mɑːdʒərəm] *n* mejorana
mark [mɑːk] *n* marca ▷ *v (grade)* poner nota, *(make sign)* marcar; **exclamation mark** signo de exclamación; **question mark** signo de interrogación; **quotation marks** comillas
market ['mɑːkɪt] *n* mercado; **market research** estudio de mercado; **stock market** mercado de valores; **When is the market on?** ¿Cuándo hay mercado?
marketing ['mɑːkɪtɪŋ] *n* marketing, mercadotecnia
marketplace ['mɑːkɪt,pleɪs] *n* mercado
marmalade ['mɑːmə,leɪd] *n* mermelada de naranja
maroon [mə'ruːn] *adj* marrón
marriage ['mærɪdʒ] *n* matrimonio; **marriage certificate** certificado de matrimonio
married ['mærɪd] *adj* casado
marrow ['mærəʊ] *n* tuétano
marry ['mærɪ] *v* casarse
marsh [mɑːʃ] *n* marisma
martyr ['mɑːtə] *n* mártir
marvellous ['mɑːvᵊləs] *adj* maravilloso
Marxism ['mɑːksɪzəm] *n* marxismo
marzipan ['mɑːzɪ,pæn] *n* mazapán
mascara [mæ'skɑːrə] *n* rímel
masculine ['mæskjʊlɪn] *adj* masculino
mask [mɑːsk] *n* máscara
masked [mɑːskt] *adj* enmascarado
mass [mæs] *n (amount)* masa, *(church)* misa; **When is mass?** ¿A qué hora es la misa?
massacre ['mæsəkə] *n* masacre
massage ['mæsɑːʒ; -sɑːdʒ] *n* masaje
massive ['mæsɪv] *adj* masivo
mast [mɑːst] *n* mástil
master ['mɑːstə] *n* amo ▷ *v* dominar
masterpiece ['mɑːstə,piːs] *n* obra maestra
mat [mæt] *n* esterilla
match [mætʃ] *n (partnership)* pareja, *(sport)* partido ▷ *v* acoplar; **away match** partido fuera de casa; **home match** partido en casa; **I'd like to see a football match** Quisiera ver un partido de fútbol
matching [mætʃɪŋ] *adj* a juego
mate [meɪt] *n* colega *(compañero)*
material [mə'tɪərɪəl] *n* material
maternal [mə'tɜːnᵊl] *adj* maternal
mathematical [,mæθə'mætɪkᵊl; ,mæθ'mæt-] *adj* matemático
mathematics [,mæθə'mætɪks; ,mæθ'mæt-] *npl* matemáticas
maths [mæθs] *npl* matemáticas
matter ['mætə] *n* asunto ▷ *v* importar *(tener importancia)*; **It doesn't matter** No importa
mattress ['mætrɪs] *n* colchón
mature [mə'tjʊə; -'tʃʊə] *adj* maduro; **mature student** estudiante mayor
Mauritania [,mɒrɪ'teɪnɪə] *n* Mauritania
Mauritius [mə'rɪʃəs] *n* Mauricio
mauve [məʊv] *adj* malva
maximum ['mæksɪməm] *adj* máximo ▷ *n* máximo
may [meɪ] *v* **May I call you tomorrow?** ¿Puedo llamarle mañana?; **May I open the window?** ¿Me permite que abra la ventana?
May [meɪ] *n* mayo
maybe ['meɪ,biː] *adv* quizá
mayonnaise [,meɪə'neɪz] *n*

mayonesa
mayor, mayoress [mɛə, 'mɛərɪs] *n* alcalde
maze [meɪz] *n* laberinto
me [miː] *pron* me
meadow ['mɛdəʊ] *n* prado
meal [miːl] *n* comida *(ocasión)*; **Could you prepare a meal without eggs?** ¿Podría preparar una comida que no lleve huevos?; **The meal was delicious** La comida estaba deliciosa
mealtime ['miːlˌtaɪm] *n* hora de comer
mean [miːn] *adj* mezquino *(avaro)* ▷ *v* significar
meaning ['miːnɪŋ] *n* significado
means [miːnz] *npl* medios *(recurso)*
meantime ['miːnˌtaɪm] *adv* mientras tanto
meanwhile ['miːnˌwaɪl] *adv* entretanto
measles ['miːzəlz] *npl* sarampión; **I had measles recently** Hace poco que he pasado el sarampión
measure ['mɛʒə] *v* medir; **Can you measure me, please?** ¿Podría medirme, por favor?
measurements ['mɛʒəmənts] *npl* medidas
meat [miːt] *n* carne; **red meat** carne roja; **I don't eat meat** No como carne
meatball ['miːtˌbɔːl] *n* albóndiga
Mecca ['mɛkə] *n* Meca
mechanic [mɪ'kænɪk] *n* mecánico; **Can you send a mechanic?** ¿Puede enviarme un mecánico?
mechanical [mɪ'kænɪkᵊl] *adj* mecánico
mechanism ['mɛkəˌnɪzəm] *n* mecanismo
medal ['mɛdᵊl] *n* medalla
medallion [mɪ'dæljən] *n* medallón
media ['miːdɪə] *npl* medios de comunicación
mediaeval [ˌmɛdɪ'iːvᵊl] *adj* medieval
medical ['mɛdɪkᵊl] *adj* médico ▷ *n* revisión médica; **medical certificate** certificado médico
medication [ˌmɛdɪ'keɪʃən] *n* medicación; **I'm on this medication** Tomo esta medicación
medicine ['mɛdɪsɪn; 'mɛdsɪn] *n* medicina; **I'm already taking this medicine** Ya estoy tomando esta medicina
meditation [ˌmɛdɪ'teɪʃən] *n* meditación
Mediterranean [ˌmɛdɪtə'reɪnɪən] *adj* mediterráneo ▷ *n* Mediterráneo
medium ['miːdɪəm] *adj (between extremes)* mediano; **Do you have a medium?** ¿Tiene una talla mediana?
medium-sized ['miːdɪəmˌsaɪzd] *adj* de tamaño medio
meet [miːt] *vi* encontrarse ▷ *vt* encontrar
meeting ['miːtɪŋ] *n* reunión; **I'd like to arrange a meeting with...** Quisiera concertar una reunión con...
meet up [miːt ʌp] *v* encontrarse
mega ['mɛgə] *adj* súper
melody ['mɛlədɪ] *n* melodía
melon ['mɛlən] *n* melón
melt [mɛlt] *vi* fundirse ▷ *vt* derretir
member ['mɛmbə] *n* miembro, socio; **Do I have to be a member?** ¿Tengo que ser socio?
membership ['mɛmbəˌʃɪp] *n* afiliación; **membership card** carné de socio
memento [mɪ'mɛntəʊ] *n* recuerdo
memo ['mɛməʊ; 'miːməʊ] *n* memorando
memorial [mɪ'mɔːrɪəl] *n* monumento conmemorativo

memorize ['mɛməˌraɪz] *v* memorizar
memory ['mɛmərɪ] *n* memoria; **memory card** tarjeta de memoria
mend [mɛnd] *v* reparar, arreglar *(avería)*; **Can you mend a fuse?** ¿Puede arreglar un fusible?
meningitis [ˌmɛnɪn'dʒaɪtɪs] *n* meningitis
menopause ['mɛnəʊˌpɔːz] *n* menopausia
menstruation [ˌmɛnstrʊ'eɪʃən] *n* menstruación
mental ['mɛntᵊl] *adj* mental
mentality [mɛn'tælɪtɪ] *n* mentalidad
mention ['mɛnʃən] *v* mencionar
menu ['mɛnjuː] *n* menú, carta *(de platos)*; **Do you have a children's menu?** ¿Tienen menú infantil?; **Do you have a set-price menu?** ¿Tiene menú del día?
mercury ['mɜːkjʊrɪ] *n* mercurio
mercy ['mɜːsɪ] *n* misericordia
mere [mɪə] *adj* mero
merge [mɜːdʒ] *v* confluir
merger ['mɜːdʒə] *n* fusión
meringue [mə'ræŋ] *n* merengue
mermaid ['mɜːˌmeɪd] *n* sirena *(Mitología)*
merry ['mɛrɪ] *adj* alegre
merry-go-round ['mɛrɪgəʊ'raʊnd] *n* tiovivo
mess [mɛs] *n* desorden
mess about [mɛs ə'baʊt] *v* gandulear
message ['mɛsɪdʒ] *n* mensaje; **text message** mensaje de texto; **Can I leave a message?** ¿Puedo dejarle un mensaje?
messenger ['mɛsɪndʒə] *n* mensajero
mess up [mɛs ʌp] *v* ensuciar
messy ['mɛsɪ] *adj* desordenado
metabolism [mɪ'tæbəˌlɪzəm] *n* metabolismo
metal ['mɛtᵊl] *n* metal
meteorite ['miːtɪəˌraɪt] *n* meteorito
meter ['miːtə] *n* contador; **Where is the electricity meter?** ¿Dónde está el contador de la luz?
method ['mɛθəd] *n* método
Methodist ['mɛθədɪst] *adj* metodista
metre ['miːtə] *n* metro *(medida)*
metric ['mɛtrɪk] *adj* métrico
Mexican ['mɛksɪkən] *adj* mexicano ▷ *n* mexicano
Mexico ['mɛksɪˌkəʊ] *n* México
microchip ['maɪkrəʊˌtʃɪp] *n* microchip
microphone ['maɪkrəˌfəʊn] *n* micrófono; **Does it have a microphone?** ¿Tiene micrófono?
microscope ['maɪkrəˌskəʊp] *n* microscopio
mid [mɪd] *adj* central
midday ['mɪd'deɪ] *n* mediodía; **at midday** a mediodía; **It's twelve midday** Son las doce del mediodía
middle ['mɪdᵊl] *n* medio *(centro)*; **Middle Ages** Edad Media; **Middle East** Oriente Próximo
middle-aged ['mɪdᵊlˌeɪdʒɪd] *adj* de mediana edad
middle-class ['mɪdᵊlˌklɑːs] *adj* de clase media
midge [mɪdʒ] *n* mosquito
midnight ['mɪdˌnaɪt] *n* medianoche; **at midnight** a medianoche
midwife ['mɪdˌwaɪf] (*pl* **midwives**) *n* partera
migraine ['miːgreɪn; 'maɪ-] *n* migraña
migrant ['maɪgrənt] *adj* migratorio ▷ *n* emigrante
migration [maɪ'greɪʃən] *n* migración
mike [maɪk] *n* micro

mild [maɪld] *adj* suave *(leve)*
mile [maɪl] *n* milla
mileage ['maɪlɪdʒ] *n* millaje
mileometer [maɪ'lɒmɪtə] *n* cuentamillas
military ['mɪlɪtərɪ; -trɪ] *adj* militar
milk [mɪlk] *n* leche ▷ *v* ordeñar; **baby milk** leche infantil; **milk chocolate** chocolate con leche; **semi-skimmed milk** leche semidesnatada; **skimmed milk** leche desnatada; **UHT milk** leche UHT; **Do you drink milk?** ¿Bebe leche?
milkshake ['mɪlk,ʃeɪk] *n* batido
mill [mɪl] *n* molino
millennium [mɪ'lɛnɪəm] *n* milenio
millimetre ['mɪlɪ,mi:tə] *n* milímetro
million ['mɪljən] *n* millón
millionaire [,mɪljə'nɛə] *n* millonario
mimic ['mɪmɪk] *v* imitar *(cómico)*
mince [mɪns] *v* picar *(cortar)*
mind [maɪnd] *n* mente ▷ *v* molestar, importar; **Do you mind if I smoke?** ¿Le importa que fume?
mine [maɪn] *n* mina ▷ *pron* mío
miner ['maɪnə] *n* minero
mineral ['mɪnərəl; 'mɪnrəl] *adj* mineral ▷ *n* mineral; **mineral water** agua mineral; **a bottle of sparkling mineral water** una botella de agua mineral con gas
miniature ['mɪnɪtʃə] *adj* en miniatura ▷ *n* miniatura
minibar ['mɪnɪ,bɑ:] *n* minibar
minibus ['mɪnɪ,bʌs] *n* microbús
minicab ['mɪnɪ,kæb] *n* teletaxi
minimal ['mɪnɪməl] *adj* mínimo
minimize ['mɪnɪ,maɪz] *v* minimizar
minimum ['mɪnɪməm] *adj* mínimo ▷ *n* mínimo
mining ['maɪnɪŋ] *n* minería
miniskirt ['mɪnɪ,skɜ:t] *n* minifalda
minister ['mɪnɪstə] *n (clergy)* pastor, *(government)* ministro; **prime minister** primer ministro
ministry ['mɪnɪstrɪ] *n (government)* ministerio, *(religion)* clerecía
mink [mɪŋk] *n* visón
minor ['maɪnə] *adj* menor *(secundario)* ▷ *n* menor
minority [maɪ'nɒrɪtɪ; mɪ-] *n* minoría
mint [mɪnt] *n (coins)* casa de la moneda, *(herb, sweet)* menta
minus ['maɪnəs] *prep* menos
minute *adj* [maɪ'nju:t] mínimo ▷ *n* ['mɪnɪt] minuto; **We are ten minutes late** Llegamos diez minutos tarde
miracle ['mɪrək^ə^l] *n* milagro
mirror ['mɪrə] *n* espejo
misbehave [,mɪsbɪ'heɪv] *v* portarse mal
miscarriage [mɪs'kærɪdʒ] *n* aborto espontáneo
miscellaneous [,mɪsə'leɪnɪəs] *adj* variado *(diverso)*
mischief ['mɪstʃɪf] *n* travesura
mischievous ['mɪstʃɪvəs] *adj* travieso
miser ['maɪzə] *n* avaro
miserable ['mɪzərəb^ə^l; 'mɪzrə-] *adj* desgraciado
misery ['mɪzərɪ] *n* sufrimiento
misfortune [mɪs'fɔ:tʃən] *n* desgracia
mishap ['mɪshæp] *n* contratiempo
misjudge [,mɪs'dʒʌdʒ] *v* juzgar mal
mislay [mɪs'leɪ] *v* extraviar
misleading [mɪs'li:dɪŋ] *adj* engañoso
misprint ['mɪs,prɪnt] *n* errata
miss [mɪs] *v* errar
Miss [mɪs] *n* señorita
missile ['mɪsaɪl] *n* misil
missing ['mɪsɪŋ] *adj* desaparecido *(perdido)*; **My child is missing** Mi niño ha desaparecido

missionary ['mɪʃənərɪ] *n* misionero
mist [mɪst] *n* neblina
mistake [mɪ'steɪk] *n* error ▷ *v* confundir
mistaken [mɪ'steɪkən] *adj* equivocado
mistletoe ['mɪsᵊl,təʊ] *n* muérdago
mistress ['mɪstrɪs] *n* amante
misty ['mɪstɪ] *adj* neblinoso
misunderstand [,mɪsʌndə'stænd] *v* entender mal
misunderstanding [,mɪsʌndə'stændɪŋ] *n* malentendido; **There's been a misunderstanding** Ha habido un malentendido
mitten ['mɪtᵊn] *n* manopla
mix [mɪks] *n* mezcla ▷ *v* mezclar
mixed [mɪkst] *adj* mezclado
mixer ['mɪksə] *n* batidora
mixture ['mɪkstʃə] *n* mezcla
mix up [mɪks ʌp] *v* mezclar
mix-up [mɪksʌp] *n* lío
MMS [ɛm ɛm ɛs] *abr* mensajería multimedia
moan [məʊn] *v* gemir
moat [məʊt] *n* foso
mobile ['məʊbaɪl] *adj* móvil; **mobile phone** teléfono móvil; **Do you have a mobile?** ¿Tiene móvil?
mock [mɒk] *adj* simulado ▷ *v* mofarse
mod cons ['mɒd kɒnz] *npl* comodidades modernas
model ['mɒdᵊl] *adj* modelo ▷ *n* modelo ▷ *v* modelar
modem ['məʊdɛm] *n* módem
moderate ['mɒdərɪt] *adj* moderado
moderation [,mɒdə'reɪʃən] *n* moderación
modern ['mɒdən] *adj* moderno; **modern languages** idiomas modernos
modernize ['mɒdə,naɪz] *v* modernizar
modest ['mɒdɪst] *adj* modesto
modification [,mɒdɪfɪ'keɪʃən] *n* modificación
modify ['mɒdɪ,faɪ] *v* modificar
module ['mɒdju:l] *n* módulo
moist [mɔɪst] *adj* húmedo
moisture ['mɔɪstʃə] *n* humedad
moisturizer ['mɔɪstʃə,raɪzə] *n* crema hidratante
Moldova [mɒl'dəʊvə] *n* Moldavia
Moldovan [mɒl'dəʊvən] *adj* moldavo ▷ *n* moldavo
mole [məʊl] *n (infiltrator, mammal)* topo, *(skin)* lunar
molecule ['mɒlɪ,kju:l] *n* molécula
moment ['məʊmənt] *n* momento, instante; **Just a moment, please** Un momento, por favor
momentary ['məʊməntərɪ; -trɪ] *adj* momentáneo
momentous [məʊ'mɛntəs] *adj* trascendental
Monaco ['mɒnə,kəʊ; mə'nɑ:kəʊ; mɔnako] *n* Mónaco
monarch ['mɒnək] *n* monarca
monarchy ['mɒnəkɪ] *n* monarquía
monastery ['mɒnəstərɪ; -strɪ] *n* monasterio; **Is the monastery open to the public?** ¿Está abierto al público el monasterio?
Monday ['mʌndɪ] *n* lunes; **on Monday** el lunes
monetary ['mʌnɪtərɪ; -trɪ] *adj* monetario
money ['mʌnɪ] *n* dinero; **money belt** cinturón de dinero; **Can I have my money back?** ¿Pueden devolverme el dinero?; **Could you lend me some money?** ¿Podría prestarme dinero?
Mongolia [mɒŋ'gəʊlɪə] *n* Mongolia
Mongolian [mɒŋ'gəʊlɪən] *adj*

mongol ▹ *n (language, person)* mongol
mongrel ['mʌŋgrəl] *n* chucho
monitor ['mɒnɪtə] *n* monitor *(aparato)*
monk [mʌŋk] *n* monje
monkey ['mʌŋkɪ] *n* mono
monopoly [mə'nɒpəlɪ] *n* monopolio
monotonous [mə'nɒtənəs] *adj* monótono
monsoon [mɒn'su:n] *n* monzón
monster ['mɒnstə] *n* monstruo
month [mʌnθ] *n* mes; **a month ago** hace un mes; **in a month's time** dentro de un mes
monthly ['mʌnθlɪ] *adj* mensual
monument ['mɒnjʊmənt] *n* monumento
mood [mu:d] *n* humor *(talante)*
moody ['mu:dɪ] *adj* malhumorado
moon [mu:n] *n* luna; **full moon** luna llena
moor [mʊə; mɔ:] *n* páramo ▹ *v* amarrar *(embarcación)*
mop [mɒp] *n* fregona
moped ['məʊpɛd] *n* ciclomotor; **I want to hire a moped** Quiero alquilar un ciclomotor
mop up [mɒp ʌp] *v* pasar la fregona
moral ['mɒrəl] *adj* moral ▹ *n* moraleja
morale [mɒ'rɑ:l] *n* moral
morals ['mɒrəlz] *npl* moralidad
more [mɔ:] *adj* más ▹ *adv* más; **Could you speak more slowly, please?** ¿Puede hablar más despacio, por favor?; **Please bring more bread** Traiga más pan, por favor
morgue [mɔ:g] *n* depósito de cadáveres
morning ['mɔ:nɪŋ] *n* mañana *(parte del día)*; **morning sickness** náuseas del embarazo; **in the morning** por la mañana
Moroccan [mə'rɒkən] *adj* marroquí ▹ *n* marroquí
Morocco [mə'rɒkəʊ] *n* Marruecos
morphine ['mɔ:fi:n] *n* morfina
Morse [mɔ:s] *n* morse
mortar ['mɔ:tə] *n (military)* mortero, *(plaster)* argamasa
mortgage ['mɔ:gɪdʒ] *n* hipoteca ▹ *v* hipotecar
mosaic [mə'zeɪɪk] *n* mosaico
Moslem ['mɒzləm] *adj* musulmán ▹ *n* musulmán
mosque [mɒsk] *n* mezquita; **Where is there a mosque?** ¿Dónde hay una mezquita?
mosquito [mə'ski:təʊ] *n* mosquito
moss [mɒs] *n* musgo
most [məʊst] *adj* la mayor parte de ▹ *adv (superlative)* el más ▹ *n (majority)* mayoría
mostly ['məʊstlɪ] *adv* en la mayor parte, la mayoría de las veces
MOT [ɛm əʊ ti:] *abr* ITV
motel [məʊ'tɛl] *n* motel
moth [mɒθ] *n* polilla
mother ['mʌðə] *n* madre; **mother tongue** lengua materna; **surrogate mother** madre de alquiler
mother-in-law ['mʌðə ɪn lɔ:] *(pl* **mothers-in-law***) n* suegra
motionless ['məʊʃənlɪs] *adj* inmóvil
motivated ['məʊtɪˌveɪtɪd] *adj* motivado
motivation [ˌməʊtɪ'veɪʃən] *n* motivación
motive ['məʊtɪv] *n* motivo
motor ['məʊtə] *n* motor; **motor mechanic** mecánico de automóviles; **motor racing** carrera automovilística
motorbike ['məʊtəˌbaɪk] *n* moto; **I want to hire a motorbike** Quiero alquilar una moto
motorboat ['məʊtəˌbəʊt] *n* lancha

motora
motorcycle ['məʊtəˌsaɪkᵊl] *n* motocicleta
motorcyclist ['məʊtəˌsaɪklɪst] *n* motorista, motociclista
motorist ['məʊtərɪst] *n* automovilista
motorway ['məʊtəˌweɪ] *n* autopista; **How do I get to the motorway?** ¿Por dónde se va a la autopista?
mould [məʊld] *n (fungus)* moho, *(shape)* molde
mouldy ['məʊldɪ] *adj* mohoso
mount [maʊnt] *v* subir
mountain ['maʊntɪn] *n* montaña; **mountain bike** bicicleta de montaña
mountaineer [ˌmaʊntɪ'nɪə] *n* alpinista
mountaineering [ˌmaʊntɪ'nɪərɪŋ] *n* alpinismo
mountainous ['maʊntɪnəs] *adj* montañoso
mount up [maʊnt ʌp] *v* aumentar(se)
mourning ['mɔːnɪŋ] *n* luto
mouse [maʊs] (*pl* **mice**) *n* ratón; **mouse mat** alfombrilla del ratón
mousse [muːs] *n* mousse
moustache [mə'stɑːʃ] *n* bigote
mouth [maʊθ] *n* boca; **mouth organ** armónica
mouthwash ['maʊθˌwɒʃ] *n* enjuague bucal
move [muːv] *n* movimiento ▷ *vi* mudar(se) ▷ *vt* mover; **Could you move your car, please?** ¿Le importaría mover el coche, por favor?; **Don't move him** No lo muevan
move back [muːv bæk] *v* retroceder
move forward [muːv fɔːwəd] *v* avanzar, adelantar
move in [muːv ɪn] *v* instalar(se)
movement ['muːvmənt] *n* movimiento
movie ['muːvɪ] *n* película
moving ['muːvɪŋ] *adj* conmovedor
mow [məʊ] *v* cortar *(césped)*, segar
mower ['maʊə] *n* segador
Mozambique [ˌməʊzæm'biːk] *n* Mozambique
mph [ɛm piː eɪtʃ] *abr* millas por hora
Mr ['mɪstə] *n* Sr.
Mrs ['mɪsɪz] *n* Sra.
Ms [mɪz; məs] *n* Sra.
MS [mɪz; məs] *abr* esclerosis múltiple
much [mʌtʃ] *adj* mucho ▷ *adv* mucho, *(graded)* mucho más; **I like you very much** Me gustas mucho; **Thank you very much** Muchas gracias
mud [mʌd] *n* barro
muddle ['mʌdᵊl] *n* lío
muddy ['mʌdɪ] *adj* embarrado
mudguard ['mʌdˌgɑːd] *n* guardabarros
muesli ['mjuːzlɪ] *n* muesli
muffler ['mʌflə] *n* bufanda
mug [mʌg] *n* tazón ▷ *v* asaltar
mugger ['mʌgə] *n* atracador
mugging [mʌgɪŋ] *n* atraco
muggy ['mʌgɪ] *adj* **It's muggy** Hace bochorno
mule [mjuːl] *n* mula
multinational [ˌmʌltɪ'næʃənᵊl] *adj* multinacional ▷ *n* multinacional
multiple ['mʌltɪpᵊl] *adj* múltiple; **multiple sclerosis** esclerosis múltiple
multiplication [ˌmʌltɪplɪ'keɪʃən] *n* multiplicación
multiply ['mʌltɪˌplaɪ] *v* multiplicar
mum [mʌm] *n* mamá
mummy ['mʌmɪ] *n (body)* momia, *(mother)* mami

mumps [mʌmps] *n* paperas
murder ['mɜːdə] *n* asesinato ▷ *v* asesinar
murderer ['mɜːdərə] *n* asesino
muscle ['mʌsᵊl] *n* músculo
muscular ['mʌskjʊlə] *adj* musculoso
museum [mjuː'zɪəm] *n* museo; **Is the museum open every day?** ¿El museo está abierto cada día?
mushroom ['mʌʃruːm; -rʊm] *n* seta, champiñón
music ['mjuːzɪk] *n* música; **folk music** música folclórica; **music centre** equipo de música; **Where can we hear live music?** ¿Dónde podemos oír música en directo?
musical ['mjuːzɪkᵊl] *adj* musical ▷ *n* musical; **musical instrument** instrumento musical
musician [mjuː'zɪʃən] *n* músico
Muslim ['mʊzlɪm; 'mʌz-] *adj* musulmán ▷ *n* musulmán
mussel ['mʌsᵊl] *n* mejillón
must [mʌst] *v* tener que
mustard ['mʌstəd] *n* mostaza
mutter ['mʌtə] *v* murmurar
mutton ['mʌtᵊn] *n* carnero
mutual ['mjuːtʃʊəl] *adj* mutuo
my [maɪ] *pron* mi; **Here are my insurance details** Tome los datos de mi seguro
Myanmar ['maɪænmɑː; 'mjænmɑː] *n* Myanmar
myself [maɪ'sɛlf] *pron* me; **I have locked myself out of my room** Me he quedado fuera de la habitación sin llaves para volver a entrar
mysterious [mɪ'stɪərɪəs] *adj* misterioso
mystery ['mɪstərɪ] *n* misterio
myth [mɪθ] *n* mito
mythology [mɪ'θɒlədʒɪ] *n* mitología

naff [næf] *adj* hortera
nag [næg] *v* dar la lata
nail [neɪl] *n* clavo, *(finger)* uña; **nail polish** pintura de uñas; **nail scissors** tijeras para las uñas; **nail varnish** esmalte de uñas; **nail-polish remover** quitaesmalte
nailbrush ['neɪlˌbrʌʃ] *n* cepillo de uñas
nailfile ['neɪlˌfaɪl] *n* lima de uñas
naive [nɑː'iːv; naɪ'iːv] *adj* ingenuo
naked ['neɪkɪd] *adj* desnudo
name [neɪm] *n* nombre; **I booked a room in the name of...** Tengo una habitación reservada a nombre de...
nanny ['nænɪ] *n* niñera
nap [næp] *n* siesta
napkin ['næpkɪn] *n* servilleta
nappy ['næpɪ] *n* pañal
narrow ['nærəʊ] *adj* estrecho
narrow-minded ['nærəʊ'maɪndɪd] *adj* intolerante
nasty ['nɑːstɪ] *adj* desagradable
nation ['neɪʃən] *n* nación; **United**

Nations Organización de las Naciones Unidas
national ['næʃənᵊl] *adj* nacional; **national anthem** himno nacional; **national park** parque nacional
nationalism ['næʃənəˌlɪzəm; 'næʃnə-] *n* nacionalismo
nationalist ['næʃənəlɪst] *n* nacionalista
nationality [ˌnæʃə'nælɪtɪ] *n* nacionalidad
nationalize ['næʃənəˌlaɪz; 'næʃnə-] *v* nacionalizar
native ['neɪtɪv] *adj* natal
NATO ['neɪtəʊ] *abr* OTAN
natural ['nætʃrəl; -tʃərəl] *adj* natural
naturalist ['nætʃrəlɪst; -tʃərəl-] *n* naturalista
naturally ['nætʃrəlɪ; -tʃərə-] *adv* naturalmente
nature ['neɪtʃə] *n* naturaleza
naughty ['nɔːtɪ] *adj* travieso
nausea ['nɔːzɪə; -sɪə] *n* náusea
naval ['neɪvᵊl] *adj* naval
navel ['neɪvᵊl] *n* ombligo
navy ['neɪvɪ] *n* armada
navy-blue ['neɪvɪ'bluː] *adj* azul marino
NB [ɛn biː] *abr (notabene)* nota
near [nɪə] *adj* cercano ▷ *adv* cerca ▷ *prep* cerca de; **Are there any good beaches near here?** ¿Hay buenas playas por aquí cerca?; **How do I get to the nearest tube station?** ¿Cómo se va a la estación de metro más cercana?; **It's very near** Está muy cerca
nearby *adj* ['nɪəˌbaɪ] cercano ▷ *adv* [ˌnɪə'baɪ] cerca; **Is there a bank nearby?** ¿Hay un banco por aquí cerca?
nearly ['nɪəlɪ] *adv* casi
near-sighted [ˌnɪə'saɪtɪd] *adj* miope
neat [niːt] *adj* pulcro
neatly [niːtlɪ] *adv* pulcramente
necessary ['nɛsɪsərɪ] *adj* necesario
necessity [nɪ'sɛsɪtɪ] *n* necesidad
neck [nɛk] *n* cuello
necklace ['nɛklɪs] *n* collar
nectarine ['nɛktərɪn] *n* nectarina
need [niːd] *n* necesidad ▷ *v* necesitar; **Do you need anything?** ¿Necesita alguna cosa?; **I don't need a bag, thanks** No necesito una bolsa, gracias
needle ['niːdᵊl] *n* aguja *(púa)*; **Do you have a needle and thread?** ¿Tiene aguja e hilo?
negative ['nɛgətɪv] *adj* negativo ▷ *n* negación
neglect [nɪ'glɛkt] *n* negligencia ▷ *v* descuidar
neglected [nɪ'glɛktɪd] *adj* descuidado
negligee ['nɛglɪˌʒeɪ] *n* salto de cama
negotiate [nɪ'gəʊʃɪˌeɪt] *v* negociar
negotiations [nɪˌgəʊʃɪ'eɪʃənz] *npl* negociaciones
negotiator [nɪ'gəʊʃɪˌeɪtə] *n* negociador
neighbour ['neɪbə] *n* vecino
neighbourhood ['neɪbəˌhʊd] *n* vecindad *(barrio)*
neither ['naɪðə; 'niːðə] *adv* tampoco ▷ *conj* ni ▷ *pron* ninguno de los dos
neon ['niːɒn] *n* neón
Nepal [nɪ'pɔːl] *n* Nepal
nephew ['nɛvjuː; 'nɛf-] *n* sobrino
nerve [nɜːv] *n (boldness)* valentía, *(to/from brain)* nervio
nerve-racking ['nɜːv'rækɪŋ] *adj* estresante
nervous ['nɜːvəs] *adj* nervioso
nest [nɛst] *n* nido
net [nɛt] *n* red *(pescar)*
Net [nɛt] *n* red *(Internet)*

netball ['nɛtˌbɔːl] *n* netball
Netherlands ['nɛðələndz] *npl* Países Bajos
nettle ['nɛtᵊl] *n* ortiga
network ['nɛtˌwɜːk] *n* red *(comunicaciones)*
neurotic [njʊ'rɒtɪk] *adj* neurótico
neutral ['njuːtrəl] *adj* neutral ▷ *n* neutral
never ['nɛvə] *adv* nunca, jamás; **I never drink wine** Nunca bebo vino; **I've never been to...** Nunca he estado en...
nevertheless [ˌnɛvəðə'lɛs] *adv* sin embargo, no obstante
new [njuː] *adj* nuevo; **New Zealand** Nueva Zelanda; **New Zealander** neozelandés; **Happy New Year!** ¡Feliz Año Nuevo!
newborn ['njuːˌbɔːn] *adj* recién nacido
newcomer ['njuːˌkʌmə] *n* recién llegado
news [njuːz] *npl* noticias
newsagent ['njuːzˌeɪdʒənt] *n* quiosquero
newspaper ['njuːzˌpeɪpə] *n* periódico; **Where can I buy a newspaper?** ¿Dónde se pueden comprar los periódicos?
newsreader ['njuːzˌriːdə] *n* locutor
newt [njuːt] *n* tritón
next [nɛkst] *adj* siguiente, próximo ▷ *adv* luego; **next to** al lado de; **What is the next stop?** ¿Cuál es la parada siguiente?; **When do we stop next?** ¿Cuándo será la siguiente parada?
next-of-kin ['nɛkstɒv'kɪn] *n* pariente más cercano
Nicaragua [ˌnɪkə'rægjʊə; nika'raɣwa] *n* Nicaragua
Nicaraguan [ˌnɪkə'rægjʊən; -gwən] *adj* nicaragüense ▷ *n* nicaragüense
nice [naɪs] *adj* amable *(simpático)*
nickname ['nɪkˌneɪm] *n* apodo
nicotine ['nɪkəˌtiːn] *n* nicotina
niece [niːs] *n* sobrina
Niger [niː'ʒɛə] *n* Níger
Nigeria [naɪ'dʒɪərɪə] *n* Nigeria
Nigerian [naɪ'dʒɪərɪən] *adj* nigeriano ▷ *n* nigeriano
night [naɪt] *n* noche; **night school** escuela nocturna; **at night** de noche; **Good night** Buenas noches; **How much is it per night?** ¿Cuánto cuesta por noche?
nightclub ['naɪtˌklʌb] *n* club nocturno
nightdress ['naɪtˌdrɛs] *n* camisón
nightie ['naɪtɪ] *n* camisón
nightlife ['naɪtˌlaɪf] *n* vida nocturna
nightmare ['naɪtˌmɛə] *n* pesadilla
nightshift ['naɪtˌʃɪft] *n* turno de noche
nil [nɪl] *n* cero *(nada)*
nine [naɪn] *num* nueve
nineteen [ˌnaɪn'tiːn] *num* diecinueve
nineteenth [ˌnaɪn'tiːnθ] *adj* decimonoveno
ninety ['naɪntɪ] *num* noventa
ninth [naɪnθ] *adj* noveno ▷ *n* noveno
nitrogen ['naɪtrədʒən] *n* nitrógeno
no [nəʊ] *pron* ninguno; **no!** ¡no!; **no one** nadie
nobody ['nəʊbədɪ] *pron* nadie; **We'd like to see nobody but us all day!** ¡No queremos ver a nadie más en todo el día!
nod [nɒd] *v* asentir con la cabeza
noise [nɔɪz] *n* ruido; **I can't sleep for the noise** No puedo dormir por el ruido
noisy ['nɔɪzɪ] *adj* ruidoso; **The room is too noisy** La habitación es

demasiado ruidosa
nominate ['nɒmɪˌneɪt] *v* nominar
nomination [ˌnɒmɪ'neɪʃən] *n* nombramiento
none [nʌn] *pron* ninguno
nonsense ['nɒnsəns] *n* tontería
non-smoker [nɒn'sməʊkə] *n* no fumador
non-smoking [nɒn'sməʊkɪŋ] *adj* para no fumadores
non-stop ['nɒn'stɒp] *adv* sin parar
noodles ['nuːdᵊlz] *npl* fideos
noon [nuːn] *n* mediodía
nor [nɔː; nə] *conj* tampoco
normal ['nɔːmᵊl] *adj* normal
normally ['nɔːməlɪ] *adv* normalmente
north [nɔːθ] *adj* septentrional ▷ *adv* al norte ▷ *n* Norte; **North Africa** África del Norte; **North African** norteafricano; **North America** Norteamérica; **North American** norteamericano; **North Korea** Corea del Norte; **North Pole** Polo Norte; **North Sea** Mar del Norte
northbound ['nɔːθˌbaʊnd] *adj* en dirección norte
northeast [ˌnɔːθ'iːst; ˌnɔːr'iːst] *n* noreste
northern ['nɔːðən] *adj* del Norte
northwest [ˌnɔːθ'wɛst; ˌnɔː'wɛst] *n* noroeste
Norway ['nɔːˌweɪ] *n* Noruega
Norwegian [nɔː'wiːdʒən] *adj* noruego ▷ *n (language, person)* noruego
nose [nəʊz] *n* nariz
nosebleed ['nəʊzˌbliːd] *n* hemorragia nasal
nostril ['nɒstrɪl] *n* fosa nasal
nosy ['nəʊzɪ] *adj* entrometido
not [nɒt] *adv* no; **I'm not drinking** Yo no bebo; **This wine is not chilled** El vino no está frío
note [nəʊt] *n (banknote)* billete, *(message, music)* nota; **sick note** parte de enfermedad; **Do you have change for this note?** ¿Tiene cambio para este billete?
notebook ['nəʊtˌbʊk] *n* cuaderno
note down [nəʊt daʊn] *v* apuntar
notepad ['nəʊtˌpæd] *n* bloc de notas
notepaper ['nəʊtˌpeɪpə] *n* papel de carta
nothing ['nʌθɪŋ] *pron* nada
notice ['nəʊtɪs] *n (note)* aviso, *(termination)* preaviso ▷ *v* percatarse; **notice board** tablón de anuncios
noticeable ['nəʊtɪsəbᵊl] *adj* perceptible
notify ['nəʊtɪˌfaɪ] *v* notificar, avisar
nought [nɔːt] *n* cero
noun [naʊn] *n* sustantivo
novel ['nɒvᵊl] *n* novela
novelist ['nɒvəlɪst] *n* novelista
November [nəʊ'vɛmbə] *n* noviembre
now [naʊ] *adv* ahora; **Do I pay now or later?** ¿Tengo que pagar ahora o después?
nowadays ['naʊəˌdeɪz] *adv* hoy en día
nowhere ['nəʊˌwɛə] *adv* en ninguna parte
nuclear ['njuːklɪə] *adj* nuclear
nude [njuːd] *adj* desnudo ▷ *n* desnudo
nudist ['njuːdɪst] *n* nudista
nuisance ['njuːsəns] *n* molestia
numb [nʌm] *adj* entumecido
number ['nʌmbə] *n* número; **number plate** matrícula *(placa)*; **phone number** número de teléfono; **wrong number** número equivocado; **My mobile number is...** Mi número de móvil es...

numerous ['nju:mərəs] *adj* numeroso
nun [nʌn] *n* monja
nurse [nɜ:s] *n* enfermero; **I'd like to speak to a nurse** Deseo hablar con una enfermera
nursery ['nɜ:srɪ] *n* habitación del niño; **nursery rhyme** canción infantil; **nursery school** escuela infantil
nursing home ['nɜ:sɪŋ həʊm] *n* hogar de ancianos
nut [nʌt] *n (device)* tuerca, *(food)* fruto seco; **nut allergy** alergia a los frutos secos
nutmeg ['nʌtmɛg] *n* nuez moscada
nutrient ['nju:trɪənt] *n* nutriente
nutrition [nju:'trɪʃən] *n* nutrición
nutritious [nju:'trɪʃəs] *adj* nutritivo
nutter ['nʌtə] *n* chiflado
nylon ['naɪlɒn] *n* nylon

oak [əʊk] *n* roble
oar [ɔ:] *n* remo *(utensilio)*
oasis [əʊ'eɪsɪs] (*pl* **oases**) *n* oasis
oath [əʊθ] *n* juramento
oatmeal ['əʊtˌmi:l] *n* harina de avena
oats [əʊts] *npl* avena
obedient [ə'bi:dɪənt] *adj* obediente
obese [əʊ'bi:s] *adj* obeso
obey [ə'beɪ] *v* obedecer
obituary [ə'bɪtjʊərɪ] *n* obituario
object ['ɒbdʒɪkt] *n* objeto
objection [əb'dʒɛkʃən] *n* objeción
oblong ['ɒbˌlɒŋ] *adj* oblongo
obnoxious [əb'nɒkʃəs] *adj* detestable
oboe ['əʊbəʊ] *n* oboe
obscene [əb'si:n] *adj* obsceno
observant [əb'zɜ:vənt] *adj* observador
observatory [əb'zɜ:vətərɪ; -trɪ] *n* observatorio
observe [əb'zɜ:v] *v* observar
observer [əb'zɜ:və] *n* observador

obsessed [əb'sɛst] *adj* obsesionado
obsession [əb'sɛʃən] *n* obsesión
obsolete ['ɒbsəˌliːt; ˌɒbsə'liːt] *adj* obsoleto
obstacle ['ɒbstəkᵊl] *n* obstáculo
obstinate ['ɒbstɪnɪt] *adj* obstinado
obstruct [əb'strʌkt] *v* obstruir
obtain [əb'teɪn] *v* obtener
obvious ['ɒbvɪəs] *adj* obvio
occasion [ə'keɪʒən] *n* ocasión
occasional [ə'keɪʒənᵊl] *adj* ocasional
occasionally [ə'keɪʒənəlɪ] *adv* ocasionalmente
occupation [ˌɒkjʊ'peɪʃən] *n* *(invasion, work)* ocupación
occupy ['ɒkjʊˌpaɪ] *v* ocupar
occur [ə'kɜː] *v* ocurrir, suceder
occurrence [ə'kʌrəns] *n* incidencia
ocean ['əʊʃən] *n* océano; **Arctic Ocean** océano Ártico; **Indian Ocean** océano Índico
Oceania [ˌəʊʃɪ'ɑːnɪə] *n* Oceanía
o'clock [ə'klɒk] *adv* **after eight o'clock** después de las ocho; **at three o'clock** a las tres; **tonight at eight o'clock** esta noche a las ocho
October [ɒk'təʊbə] *n* octubre; **It's Sunday third October** Hoy es domingo tres de octubre
octopus ['ɒktəpəs] *n* pulpo
odd [ɒd] *adj* raro
odour ['əʊdə] *n* olor
of [ɒv; əv] *prep* de; **How do I get to the centre of...?** ¿Cómo se va al centro de...?; **What sort of cheese?** ¿Qué tipo de queso?
off [ɒf] *adv* fuera ▷ *prep* de; **time off** tiempo libre *(descanso)*
offence [ə'fɛns] *n* infracción
offend [ə'fɛnd] *v* ofender
offensive [ə'fɛnsɪv] *adj* ofensivo
offer ['ɒfə] *n* oferta ▷ *v* ofrecer; **special offer** oferta especial
office ['ɒfɪs] *n* oficina; **head office** sede central; **office hours** horario de oficina; **post office** oficina de correos; **registry office** registro civil; **How do I get to your office?** ¿Cómo se va a su oficina?
officer ['ɒfɪsə] *n* oficial
official [ə'fɪʃəl] *adj* oficial
off-licence ['ɒfˌlaɪsəns] *n* tienda de vinos y licores
off-peak ['ɒfˌpiːk] *adv* fuera de la hora punta
off-season ['ɒfˌsiːzᵊn] *adj* de fuera de temporada ▷ *adv* fuera de temporada
offside ['ɒf'saɪd] *adj* en fuera de juego
often ['ɒfᵊn; 'ɒftᵊn] *adv* a menudo
oil [ɔɪl] *n* aceite ▷ *v* aceitar; **oil refinery** refinería de petróleo; **oil rig** plataforma petrolífera; **oil well** pozo petrolero; **The oil warning light won't go off** La luz del aceite está permanentemente encendida; **This stain is oil** Esta mancha es de aceite
ointment ['ɔɪntmənt] *n* ungüento
OK [ˌəʊ'keɪ] *excl* ¡vale!
okay [ˌəʊ'keɪ] *adj* bueno; **okay!** ¡vale!
old [əʊld] *adj* viejo
old-fashioned ['əʊld'fæʃənd] *adj* anticuado
olive ['ɒlɪv] *n* aceituna, oliva; **olive oil** aceite de oliva; **olive tree** olivo
Oman [əʊ'mɑːn] *n* Omán
omelette ['ɒmlɪt] *n* tortilla
on [ɒn] *adv* puesto ▷ *prep* en, sobre; **on behalf of** en nombre de; **on time** a tiempo; **It's on the corner** Está en la esquina; **What's on tonight at the cinema?** ¿Qué ponen esta noche en el cine?
once [wʌns] *adv* una vez
one [wʌn] *num* uno ▷ *pron* uno; **no one** nadie

one-off [wʌnɒf] *n* caso único
onion ['ʌnjən] *n* cebolla
online ['ɒn,laɪn] *adj* en línea ▷ *adv* en línea
onlooker ['ɒn,lʊkə] *n* espectador *(testigo)*
only ['əʊnlɪ] *adj* único *(solo)* ▷ *adv* sólo
open ['əʊpᵊn] *adj* abierto ▷ *v* abrir; **opening hours** horario de apertura; **Are you open?** ¿Está abierto?; **Is it open today?** ¿Está abierto hoy?
opera ['ɒpərə] *n* ópera; **What's on tonight at the opera?** ¿Qué se representa esta noche en la ópera?
operate ['ɒpə,reɪt] *v (to function)* funcionar, *(to perform surgery)* operar
operating theatre ['ɒpə,reɪtɪŋ 'θɪətə] *n* quirófano
operation [,ɒpə'reɪʃən] *n (surgery, undertaking)* operación
operator ['ɒpə,reɪtə] *n* operador
opinion [ə'pɪnjən] *n* opinión; **opinion poll** sondeo de opinión
opponent [ə'pəʊnənt] *n* adversario
opportunity [,ɒpə'tju:nɪtɪ] *n* oportunidad
oppose [ə'pəʊz] *v* oponerse a
opposed [ə'pəʊzd] *adj* en contra
opposing [ə'pəʊzɪŋ] *adj* contrario
opposite ['ɒpəzɪt; -sɪt] *adj* de enfrente ▷ *adv* enfrente ▷ *prep* enfrente de
opposition [,ɒpə'zɪʃən] *n* oposición
optician [ɒp'tɪʃən] *n* oculista
optimism ['ɒptɪ,mɪzəm] *n* optimismo
optimist ['ɒptɪ,mɪst] *n* optimista
optimistic [ɒptɪ'mɪstɪk] *adj* optimista
option ['ɒpʃən] *n* opción
optional ['ɒpʃənᵊl] *adj* opcional
opt out [ɒpt aʊt] *v* retirarse
or [ɔ:] *conj* o; **either... or** o... o; **Do I pay now or later?** ¿Tengo que pagar ahora o después?
oral ['ɔ:rəl; 'ɒrəl] *adj* oral ▷ *n* oral
orange ['ɒrɪndʒ] *adj* naranja ▷ *n* naranja; **orange juice** zumo de naranja
orchard ['ɔ:tʃəd] *n* huerto
orchestra ['ɔ:kɪstrə] *n* orquesta
orchid ['ɔ:kɪd] *n* orquídea
ordeal [ɔ:'di:l] *n* calvario
order ['ɔ:də] *n* orden *(concierto, mandato)* ▷ *v (command)* ordenar, *(request)* pedir; **order form** impreso de solicitud; **postal order** giro postal; **standing order** orden de pago permanente; **Can I order now, please?** ¿Puedo pedir ya, por favor?; **Please order me a taxi for 8 o'clock** Pídame un taxi para las ocho en punto, por favor
ordinary ['ɔ:dᵊnrɪ] *adj* corriente
oregano [,ɒrɪ'gɑ:nəʊ] *n* orégano
organ ['ɔ:gən] *n (body part, music)* órgano
organic [ɔ:'gænɪk] *adj* orgánico
organism ['ɔ:gə,nɪzəm] *n* organismo
organization [,ɔ:gənaɪ'zeɪʃən] *n* organización
organize ['ɔ:gə,naɪz] *v* organizar
orgasm ['ɔ:gæzəm] *n* orgasmo
Orient ['ɔ:rɪənt] *n* Oriente
oriental [,ɔ:rɪ'ɛntᵊl] *adj* oriental
origin ['ɒrɪdʒɪn] *n* origen
original [ə'rɪdʒɪnᵊl] *adj* original
originally [ə'rɪdʒɪnəlɪ] *adv* originalmente
ornament ['ɔ:nəmənt] *n* ornamento, adorno
orphan ['ɔ:fən] *n* huérfano
ostrich ['ɒstrɪtʃ] *n* avestruz
other ['ʌðə] *adj* otro; **Do you have any others?** ¿Tiene alguna otra?
otherwise ['ʌðə,waɪz] *adv* de otra

manera ▹ *conj* de lo contrario
otter ['ɒtə] *n* nutria
ounce [aʊns] *n* onza
our [aʊə] *adj* nuestro
ours [aʊəz] *pron* nuestro
ourselves [aʊə'sɛlvz] *pron* nos *(reflexivo)*
out [aʊt] *adj* fuera de consideración ▹ *adv* fuera
outbreak ['aʊt,breɪk] *n* brote *(enfermedad)*
outcome ['aʊt,kʌm] *n* resultado
outdoor ['aʊt'dɔː] *adj* exterior
outdoors [,aʊt'dɔːz] *adv* al aire libre
outfit ['aʊt,fɪt] *n* conjunto
outgoing ['aʊt,gəʊɪŋ] *adj* saliente
outing ['aʊtɪŋ] *n* salida *(excursión)*
outline ['aʊt,laɪn] *n* esbozo
outlook ['aʊt,lʊk] *n* punto de vista
out-of-date ['aʊtɒv'deɪt] *adj* desfasado
out-of-doors ['aʊtɒv'dɔːz] *adv* al aire libre
outrageous [aʊt'reɪdʒəs] *adj* escandaloso
outset ['aʊt,sɛt] *n* comienzo
outside *adj* ['aʊt,saɪd] exterior ▹ *adv* [,aʊt'saɪd] fuera *(lugar)* ▹ *n* ['aʊt'saɪd] exterior ▹ *prep* fuera de; **I want to make an outside call, can I have a line?** Quiero llamar al exterior, ¿podría darme línea?
outsize ['aʊt,saɪz] *adj* enorme
outskirts ['aʊt,skɜːts] *npl* afueras
outspoken [,aʊt'spəʊkən] *adj* franco *(directo)*
outstanding [,aʊt'stændɪŋ] *adj* extraordinario
oval ['əʊvᵊl] *adj* ovalado
ovary ['əʊvərɪ] *n* ovario
oven ['ʌvᵊn] *n* horno; **microwave oven** horno microondas; **oven glove** manopla para el horno
ovenproof ['ʌvᵊn,pruːf] *adj* refractario
over ['əʊvə] *adj* acabado ▹ *prep* por encima de
overall [,əʊvər'ɔːl] *adv* en total
overalls [,əʊvə'ɔːlz] *npl* mono de trabajo
overcast ['əʊvə,kɑːst] *adj* encapotado
overcharge [,əʊvə'tʃɑːdʒ] *v* cobrar de más; **I've been overcharged** Me ha cobrado de más
overcoat ['əʊvə,kəʊt] *n* gabán
overcome [,əʊvə'kʌm] *v* superar
overdone [,əʊvə'dʌn] *adj* exagerado
overdose ['əʊvə,dəʊs] *n* sobredosis
overdraft ['əʊvə,drɑːft] *n* descubierto
overdrawn [,əʊvə'drɔːn] *adj* descubierto
overdue [,əʊvə'djuː] *adj* atrasado
overestimate [,əʊvər'ɛstɪ,meɪt] *v* sobrestimar
overheads ['əʊvə,hɛdz] *npl* gastos indirectos
overlook [,əʊvə'lʊk] *v* pasar por alto
overnight ['əʊvə,naɪt] *adv* **Can I park here overnight?** ¿Puedo aparcar aquí toda la noche?; **Do I have to stay overnight?** ¿Tengo que pasar la noche aquí?
overrule [,əʊvə'ruːl] *v* invalidar
overseas [,əʊvə'siːz] *adv* en ultramar
oversight ['əʊvə,saɪt] *n (mistake)* descuido, *(supervision)* supervisión
oversleep [,əʊvə'sliːp] *v* quedarse dormido
overtake [,əʊvə'teɪk] *v* adelantar
overtime ['əʊvə,taɪm] *n* horas extras
overweight [,əʊvə'weɪt] *adj* con sobrepeso
owe [əʊ] *v* deber *(dinero)*; **What do I owe you?** ¿Qué le debo?; **You owe**

me... Me debe...
owing to ['əʊɪŋ tuː] *prep* debido a, a causa de
owl [aʊl] *n* búho, lechuza
own [əʊn] *adj* propio ▹ *v* poseer
owner ['əʊnə] *n* dueño; **Could I speak to the owner, please?** ¿Puedo hablar con el dueño, por favor?
own up [əʊn ʌp] *v* confesar *(admitir)*
oxygen ['ɒksɪdʒən] *n* oxígeno
oyster ['ɔɪstə] *n* ostra
ozone ['əʊzəʊn; əʊ'zəʊn] *n* ozono; **ozone layer** capa de ozono

PA [piː eɪ] *abr* secretario personal
pace [peɪs] *n* paso *(ritmo)*
pacemaker ['peɪsˌmeɪkə] *n* marcapasos
Pacific [pə'sɪfɪk] *n* Pacífico
pack [pæk] *n* paquete ▹ *v* empaquetar
package ['pækɪdʒ] *n* paquete; **package holiday** vacaciones organizadas; **package tour** circuito organizado
packaging ['pækɪdʒɪŋ] *n* embalaje
packed [pækt] *adj* atestado
packet ['pækɪt] *n* paquete *(pequeño)*
pad [pæd] *n* almohadilla
paddle ['pædᵊl] *n* zagual ▹ *v* palear
padlock ['pædˌlɒk] *n* candado
paedophile ['piːdəʊˌfaɪl] *n* pedófilo
page [peɪdʒ] *n* página ▹ *v* llamar por megafonía; **home page** página de inicio
pager ['peɪdʒə] *n* buscapersonas
paid [peɪd] *adj* pagado
pail [peɪl] *n* cubo
pain [peɪn] *n* dolor; **back pain** dolor

de espalda; **Can you give me something for the pain?** ¿Puede darme algo para el dolor?
painful ['peɪnfʊl] *adj* doloroso
painkiller ['peɪn,kɪlə] *n* analgésico
paint [peɪnt] *n* pintura ▷ *v* pintar
paintbrush ['peɪnt,brʌʃ] *n* pincel
painter ['peɪntə] *n* pintor
painting ['peɪntɪŋ] *n* pintura
pair [pɛə] *n* par
Pakistan [,pɑːkɪ'stɑːn] *n* Pakistán
Pakistani [,pɑːkɪ'stɑːnɪ] *adj* paquistaní ▷ *n* paquistaní
pal [pæl] *n* compinche
palace ['pælɪs] *n* palacio; **Is the palace open to the public?** ¿Está abierto al público el palacio?
pale [peɪl] *adj* pálido
Palestine ['pælɪ,staɪn] *n* Palestina
Palestinian [,pælɪ'stɪnɪən] *adj* palestino ▷ *n* palestino
palm [pɑːm] *n (part of hand)* palma, *(tree)* palmera
pamphlet ['pæmflɪt] *n* folleto
pan [pæn] *n* sartén; **frying pan** sartén
Panama [,pænə'mɑː; 'pænə,mɑː] *n* Panamá
pancake ['pæn,keɪk] *n* crepe
panda ['pændə] *n* panda
panic ['pænɪk] *n* pánico ▷ *v* entrar en pánico
panther ['pænθə] *n* pantera
panties ['pæntɪz] *npl* bragas
pantomime ['pæntə,maɪm] *n* pantomima
pants [pænts] *npl (men)* calzoncillos, *(women)* bragas
paper ['peɪpə] *n* papel; **paper round** reparto de periódicos a domicilio; **scrap paper** papel basura; **wrapping paper** papel de envolver; **There is no toilet paper** No hay papel higiénico
paperback ['peɪpə,bæk] *n* libro en rústica
paperclip ['peɪpə,klɪp] *n* clip sujetapapeles
paperweight ['peɪpə,weɪt] *n* pisapapeles
paperwork ['peɪpə,wɜːk] *n* trámites burocráticos
paprika ['pæprɪkə; pæ'priː-] *n* pimentón dulce
paracetamol [,pærə'siːtə,mɒl; -'sɛtə-] *n* paracetamol
parachute ['pærə,ʃuːt] *n* paracaídas
parade [pə'reɪd] *n* desfile
paradise ['pærə,daɪs] *n* paraíso
paraffin ['pærəfɪn] *n* parafina
paragraph ['pærə,grɑːf; -,græf] *n* párrafo
Paraguay ['pærə,gwaɪ] *n* Paraguay
Paraguayan [,pærə'gwaɪən] *adj* paraguayo ▷ *n* paraguayo
parallel ['pærə,lɛl] *adj* paralelo
paralysed ['pærə,laɪzd] *adj* paralizado
paramedic [,pærə'medɪk] *n* paramédico
parcel ['pɑːsᵊl] *n* paquete; **I'd like to send this parcel** Quisiera enviar este paquete
pardon ['pɑːdᵊn] *n* perdón
parent ['pɛərənt] *n* uno de los padres; **parents** padres
parish ['pærɪʃ] *n* parroquia
park [pɑːk] *n* parque ▷ *v* aparcar; **car park** aparcamiento; **national park** parque nacional; **theme park** parque temático; **Can I park here?** ¿Se puede aparcar aquí?
parking [pɑːkɪŋ] *n* aparcamiento; **parking meter** parquímetro; **parking ticket** multa de aparcamiento; **Do I need to buy a**

car-parking ticket? ¿Tengo que adquirir un ticket de aparcamiento?
parliament ['pɑːləmənt] *n* parlamento
parole [pə'rəʊl] *n* libertad condicional
parrot ['pærət] *n* loro
parsley ['pɑːslɪ] *n* perejil
parsnip ['pɑːsnɪp] *n* chirivía
part [pɑːt] *n* parte; **spare part** repuesto; **What part of... are you from?** ¿De qué parte de... es usted?
partial ['pɑːʃəl] *adj* parcial
participate [pɑː'tɪsɪˌpeɪt] *v* participar, asistir
particular [pə'tɪkjʊlə] *adj* particular
particularly [pə'tɪkjʊləlɪ] *adv* particularmente
parting ['pɑːtɪŋ] *n* separación
partly ['pɑːtlɪ] *adv* en parte
partner ['pɑːtnə] *n* pareja *(compañero)*; **I have a partner** Tengo pareja; **This is my partner** Esta es mi pareja
partridge ['pɑːtrɪdʒ] *n* perdiz
part-time ['pɑːtˌtaɪm] *adj, adv* a tiempo parcial
part with [pɑːt wɪð] *v* despedirse
party ['pɑːtɪ] *n (group)* grupo, *(social gathering)* fiesta ▷ *v* ir de fiesta; **search party** partida de rescate
pass [pɑːs] *n (in mountains)* paso, *(meets standard)* aprobado, *(permit)* pase ▷ *v (an exam)* aprobar ▷ *vi* pasar ▷ *vt* pasar por; **Is there a reduction with this pass?** ¿Hacen descuento con este pase?; **Pass the salt, please** Páseme la sal, por favor
passage ['pæsɪdʒ] *n (musical)* pasaje, *(route)* paso
passenger ['pæsɪndʒə] *n* pasajero
passion ['pæʃən] *n* pasión; **passion fruit** maracuyá
passive ['pæsɪv] *adj* pasivo
pass out [pɑːs aʊt] *v* desmayarse
Passover ['pɑːsˌəʊvə] *n* Pascua
passport ['pɑːspɔːt] *n* pasaporte; **passport control** control de pasaportes; **I've lost my passport** He perdido el pasaporte
password ['pɑːsˌwɜːd] *n* contraseña
past [pɑːst] *adj* pasado ▷ *n* pasado ▷ *prep* después de
pasta ['pæstə] *n* pasta *(macarrones)*; **I'd like pasta as a starter** De primero, quiero pasta
paste [peɪst] *n* pasta *(masa)*
pasteurized ['pæstəˌraɪzd] *adj* pasteurizado
pastime ['pɑːsˌtaɪm] *n* pasatiempo
pastry ['peɪstrɪ] *n* masa *(tartas)*; **puff pastry** hojaldre; **shortcrust pastry** pasta quebrada
patch [pætʃ] *n* parche
patched [pætʃt] *adj* parchado
path [pɑːθ] *n* sendero; **cycle path** sendero para bicicletas; **Keep to the path** No se salga del sendero
pathetic [pə'θɛtɪk] *adj* patético
patience ['peɪʃəns] *n* paciencia
patient ['peɪʃənt] *adj* paciente ▷ *n* paciente
patio ['pætɪˌəʊ] *n* patio
patriotic ['pætrɪ'ɒtɪk] *adj* patriótico
patrol [pə'trəʊl] *n* patrulla; **patrol car** coche patrulla
pattern ['pætᵊn] *n* modelo
pause [pɔːz] *n* pausa
pavement ['peɪvmənt] *n* acera
pavilion [pə'vɪljən] *n* pabellón
paw [pɔː] *n* pata
pawnbroker ['pɔːnˌbrəʊkə] *n* prestamista
pay [peɪ] *n* paga ▷ *v* pagar; **sick pay** subsidio de enfermedad; **Can I pay by cheque?** ¿Puedo pagar con

cheque?
payable ['peɪəbᵊl] *adj* pagadero
pay back [peɪ bæk] *v* devolver *(insulta etc.)*
payment ['peɪmənt] *n* pago
payphone ['peɪˌfəʊn] *n* teléfono público
PC [piː siː] *n* PC
PDF [piː diː ɛf] *n* pdf
peace [piːs] *n* paz
peaceful ['piːsfʊl] *adj* pacífico
peach [piːtʃ] *n* melocotón
peacock ['piːˌkɒk] *n* pavo real
peak [piːk] *n* pico *(monte)*; **peak hours** horas punta
peanut ['piːˌnʌt] *n* cacahuete; **peanut allergy** alergia a los cacahuetes; **peanut butter** mantequilla de cacahuete
pear [pɛə] *n* pera
pearl [pɜːl] *n* perla
peas [piːs] *npl* guisantes
peat [piːt] *n* turba
pebble ['pɛbᵊl] *n* guijarro
peculiar [pɪ'kjuːlɪə] *adj* peculiar
pedal ['pɛdᵊl] *n* pedal
pedestrian [pɪ'dɛstrɪən] *n* peatón; **pedestrian crossing** paso de peatones; **pedestrian precinct** zona peatonal
pedestrianized [pɪ'dɛstrɪəˌnaɪzd] *adj* convertido en zona peatonal
pedigree ['pɛdɪˌgriː] *adj* con pedigrí
peel [piːl] *n* piel *(peladura)* ▷ *v* pelar
peg [pɛg] *n* clavija
Pekinese [ˌpiːkɪŋ'iːz] *n* pequinés
pelican ['pɛlɪkən] *n* pelícano; **pelican crossing** paso de peatones señalizado
pellet ['pɛlɪt] *n* bolita
pelvis ['pɛlvɪs] *n* pelvis
pen [pɛn] *n* pluma *(escribir)*; **ballpoint pen** bolígrafo; **felt-tip pen** rotulador
penalize ['piːnəˌlaɪz] *v* sancionar
penalty ['pɛnᵊltɪ] *n* castigo *(sanción)*, pena
pencil ['pɛnsᵊl] *n* lápiz; **pencil case** plumier; **pencil sharpener** sacapuntas
pendant ['pɛndənt] *n* colgante
penfriend ['pɛnˌfrɛnd] *n* amigo por correspondencia
penguin ['pɛŋgwɪn] *n* pingüino
penicillin [ˌpɛnɪ'sɪlɪn] *n* penicilina
peninsula [pɪ'nɪnsjʊlə] *n* península
penknife ['pɛnˌnaɪf] *n* cortaplumas
penny ['pɛnɪ] *n* penique
pension ['pɛnʃən] *n* pensión *(paga)*
pensioner ['pɛnʃənə] *n* pensionista; **old-age pensioner** pensionista de la tercera edad
pentathlon [pɛn'tæθlən] *n* pentatlón
penultimate [pɪ'nʌltɪmɪt] *adj* penúltimo
people ['piːpᵊl] *npl* gente
pepper ['pɛpə] *n* pimienta
peppermill ['pɛpəˌmɪl] *n* molinillo de pimienta
peppermint ['pɛpəˌmɪnt] *n* menta
per [pɜː; pə] *prep* por; **per cent** por ciento; **How much is it per night?** ¿Cuánto cuesta por noche?; **How much is it per person?** ¿Cuánto cuesta por persona?
percentage [pə'sɛntɪdʒ] *n* porcentaje
percussion [pə'kʌʃən] *n* percusión
perfect ['pɜːfɪkt] *adj* perfecto
perfection [pə'fɛkʃən] *n* perfección
perfectly ['pɜːfɪktlɪ] *adv* perfectamente
perform [pə'fɔːm] *v* realizar
performance [pə'fɔːməns] *n* función, actuación; **How long does the performance last?** ¿Cuánto

dura la función?
perfume ['pɜːfjuːm] *n* perfume
perhaps [pəˈhæps; præps] *adv* quizá
period ['pɪərɪəd] *n* periodo
perjury ['pɜːdʒərɪ] *n* perjurio
perm [pɜːm] *n* permanente
permanent ['pɜːmənənt] *adj* permanente
permission [pəˈmɪʃən] *n* permiso
permit *n* ['pɜːmɪt] permiso ▷ *v* [pəˈmɪt] permitir; **work permit** permiso de trabajo; **Do you need a fishing permit?** ¿Se precisa un permiso de pesca?
persecute ['pɜːsɪˌkjuːt] *v* perseguir
persevere [ˌpɜːsɪˈvɪə] *v* perseverar
Persian ['pɜːʃən] *adj* persa
persistent [pəˈsɪstənt] *adj* persistente
person ['pɜːsᵊn] *n* persona; **How much is it per person?** ¿Cuánto cuesta por persona?
personal ['pɜːsənᵊl] *adj* personal
personality [ˌpɜːsəˈnælɪtɪ] *n* personalidad
personnel [ˌpɜːsəˈnɛl] *n* personal
perspective [pəˈspɛktɪv] *n* perspectiva
perspiration [ˌpɜːspəˈreɪʃən] *n* transpiración
persuade [pəˈsweɪd] *v* persuadir
persuasive [pəˈsweɪsɪv] *adj* persuasivo
Peru [pəˈruː] *n* Perú
Peruvian [pəˈruːvɪən] *adj* peruano ▷ *n* peruano
pessimist ['pɛsɪˌmɪst] *n* pesimista
pessimistic ['pɛsɪˌmɪstɪk] *adj* pesimista
pest [pɛst] *n* pelmazo
pester ['pɛstə] *v* dar la lata
pesticide ['pɛstɪˌsaɪd] *n* pesticida
pet [pɛt] *n* mascota *(animal doméstico)*
petition [pɪˈtɪʃən] *n* petición
petrified ['pɛtrɪˌfaɪd] *adj* petrificado
petrol ['pɛtrəl] *n* gasolina; **petrol station** gasolinera; **petrol tank** depósito de gasolina; **I've run out of petrol** Me he quedado sin gasolina
pewter ['pjuːtə] *n* peltre
pharmacist ['fɑːməsɪst] *n* farmacéutico
pharmacy ['fɑːməsɪ] *n* farmacia; **Which pharmacy provides emergency service?** ¿Qué farmacia está de guardia?
PhD [piː eɪtʃ diː] *n* doctorado
pheasant ['fɛzᵊnt] *n* faisán
philosophy [fɪˈlɒsəfɪ] *n* filosofía
phobia ['fəʊbɪə] *n* fobia
phone [fəʊn] *n* teléfono ▷ *v* telefonear; **camera phone** teléfono con cámara; **entry phone** portero automático; **mobile phone** teléfono móvil; **phone back** volver a llamar; **phone bill** factura del teléfono; **phone number** número de teléfono; **Can I use your phone, please?** ¿Puedo usar su teléfono, por favor?; **I want to make a phone call** Quisiera llamar por teléfono
phonebook ['fəʊnˌbʊk] *n* guía telefónica
phonebox ['fəʊnˌbɒks] *n* cabina telefónica
phonecall ['fəʊnˌkɔːl] *n* llamada telefónica
phonecard ['fəʊnˌkɑːd] *n* tarjeta telefónica
photo ['fəʊtəʊ] *n* foto; **photo album** álbum de fotos; **How much do the photos cost?** ¿Cuánto cuestan las fotos?
photocopier ['fəʊtəʊˌkɒpɪə] *n* fotocopiadora
photocopy ['fəʊtəʊˌkɒpɪ] *n*

fotocopia ▷ *v* fotocopiar; **I'd like a photocopy of this, please** Quisiera una fotocopia de esto, por favor
photograph ['fəʊtə,grɑːf] *n* fotografía *(imagen)* ▷ *v* fotografiar
photographer [fə'tɒgrəfə] *n* fotógrafo
photography [fə'tɒgrəfɪ] *n* fotografía *(técnica)*
phrase [freɪz] *n* frase
phrasebook ['freɪz,bʊk] *n* manual de conversación
physical ['fɪzɪkᵊl] *adj* físico ▷ *n* reconocimiento médico
physicist ['fɪzɪsɪst] *n* físico
physics ['fɪzɪks] *npl* física
physiotherapist [,fɪzɪəʊ'θɛrəpɪst] *n* fisioterapeuta
physiotherapy [,fɪzɪəʊ'θɛrəpɪ] *n* fisioterapia
pianist ['pɪənɪst] *n* pianista
piano [pɪ'ænəʊ] *n* piano
pick [pɪk] *n* elección, pico *(herramienta)* ▷ *v* escoger
pick on [pɪk ɒn] *v* emprenderla con
pick out [pɪk aʊt] *v* elegir *(escoger)*
pickpocket ['pɪk,pɒkɪt] *n* carterista
pick up [pɪk ʌp] *v* recoger
picnic ['pɪknɪk] *n* picnic
picture ['pɪktʃə] *n* imagen; **picture frame** marco *(cuadro)*
picturesque [,pɪktʃə'rɛsk] *adj* pintoresco
pie [paɪ] *n* pastel; **pie chart** gráfico circular
piece [piːs] *n* pedazo
pier [pɪə] *n* embarcadero
pierce [pɪəs] *v* agujerear
pierced [pɪəst] *adj* perforado
piercing ['pɪəsɪŋ] *n* perforación
pig [pɪg] *n* cerdo
pigeon ['pɪdʒɪn] *n* palomo
piggybank ['pɪgɪ,bæŋk] *n* hucha
pigtail ['pɪg,teɪl] *n* coleta
pile [paɪl] *n* pila *(montón)*
piles [paɪlz] *npl* hemorroides
pile-up [paɪlʌp] *n* choque en cadena
pilgrim ['pɪlgrɪm] *n* peregrino
pilgrimage ['pɪlgrɪmɪdʒ] *n* peregrinaje
pill [pɪl] *n* pastilla; **sleeping pill** somnífero
pillar ['pɪlə] *n* pilar
pillow ['pɪləʊ] *n* almohada; **Please bring me an extra pillow** Por favor, tráigame una almohada más
pillowcase ['pɪləʊ,keɪs] *n* almohadón
pilot ['paɪlət] *n* piloto *(avión)*; **pilot light** llama piloto
pimple ['pɪmpᵊl] *n* grano *(espinilla)*
pin [pɪn] *n* alfiler; **rolling pin** rodillo pastelero
PIN [pɪn] *npl* número de identificación personal
pinafore ['pɪnə,fɔː] *n* delantal *(escolar)*
pinch [pɪntʃ] *v* pellizcar
pine [paɪn] *n* pino
pineapple ['paɪn,æpᵊl] *n* piña
pink [pɪŋk] *adj* rosa
pint [paɪnt] *n* pinta
pip [pɪp] *n* pepita
pipe [paɪp] *n* tubo, caño; **exhaust pipe** tubo de escape
pipeline ['paɪp,laɪn] *n* conducto
pirate ['paɪrɪt] *n* pirata
Pisces ['paɪsiːz; 'pɪ-] *n* Piscis
pissed [pɪst] *adj* mamado
pistol ['pɪstᵊl] *n* pistola
piston ['pɪstən] *n* pistón
pitch [pɪtʃ] *n (sound)* tono, *(sport)* brea, *(sport)* cancha ▷ *v* lanzar *(echar)*
pity ['pɪtɪ] *n* lástima *(pena)* ▷ *v* compadecerse de
pixel ['pɪksᵊl] *n* píxel
pizza ['piːtsə] *n* pizza

place [pleɪs] *n* lugar ▷ *v* colocar; **place of birth** lugar de nacimiento
placement ['pleɪsmənt] *n* colocación
plain [pleɪn] *adj* llano ▷ *n* llanura; **plain chocolate** chocolate sin leche
plait [plæt] *n* trenza
plan [plæn] *n* plan ▷ *v* planear; **street plan** plano de la ciudad
plane [pleɪn] *n (aeroplane)* aeroplano, avión, *(surface)* plano, *(tool)* cepillo de carpintero
planet ['plænɪt] *n* planeta
planning [plænɪŋ] *n* planificación
plant [plɑːnt] *n (site, equipment)* fábrica, *(vegetable organism)* planta ▷ *v* plantar; **plant pot** maceta; **pot plant** planta de interior
plaque [plæk; plɑːk] *n* placa
plaster ['plɑːstə] *n (for wall)* yeso, *(for wound)* tirita
plastic ['plæstɪk; 'plɑːs-] *adj* de plástico ▷ *n* plástico; **plastic bag** bolsa de plástico; **plastic surgery** cirugía plástica
plate [pleɪt] *n* plato *(utensilio)*
platform ['plætfɔːm] *n* plataforma
platinum ['plætɪnəm] *n* platino
play [pleɪ] *n* juego *(recreación)* ▷ *v (in sport)* jugar, *(music)* tocar; **play truant** hacer novillos; **playing card** naipe; **playing field** campo de juego; **Can I play video games?** ¿Puedo jugar a los videojuegos?; **We'd like to play tennis** Nos gustaría jugar al tenis
player ['pleɪə] *n (instrumentalist)* instrumentista, *(of sport)* jugador *(recreación)*; **MP3 player** reproductor de MP3; **MP4 player** reproductor de MP4
playful ['pleɪfʊl] *adj* juguetón
playground ['pleɪˌgraʊnd] *n* parque infantil
playgroup ['pleɪˌgruːp] *n* ludoteca
PlayStation® ['pleɪˌsteɪʃən] *n* PlayStation
playtime ['pleɪˌtaɪm] *n* recreo
playwright ['pleɪˌraɪt] *n* dramaturgo
pleasant ['plɛzᵊnt] *adj* agradable
please [pliːz] *excl* ¡por favor!; **I'd like to check in, please** Quiero facturar, por favor
pleased [pliːzd] *adj* contento
pleasure ['plɛʒə] *n* placer; **It's been a pleasure working with you** Ha sido un placer trabajar con usted
plenty ['plɛntɪ] *n* abundancia
pliers ['plaɪəz] *npl* alicates
plot [plɒt] *n (piece of land)* parcela, *(secret plan)* conspiración ▷ *v (conspire)* conspirar
plough [plaʊ] *n* arado ▷ *v* arar
plug [plʌg] *n* enchufe *(macho)*, tapón
plughole ['plʌgˌhəʊl] *n* desagüe
plug in [plʌg ɪn] *v* enchufar
plum [plʌm] *n* ciruela
plumber ['plʌmə] *n* fontanero
plumbing ['plʌmɪŋ] *n* fontanería
plump [plʌmp] *adj* relleno
plunge [plʌndʒ] *v* zambullirse
plural ['plʊərəl] *n* plural
plus [plʌs] *prep* más
plywood ['plaɪˌwʊd] *n* contrachapado
p.m. [piː ɛm] *abr* de la tarde; **Please come home by 11p.m.** Por favor, no vuelva más tarde de las once de la noche
pneumonia [njuː'məʊnɪə] *n* neumonía
poached [pəʊtʃt] *adj (caught illegally)* cazado furtivamente, *(simmered gently)* escalfado
pocket ['pɒkɪt] *n* bolsillo; **pocket**

calculator calculadora de bolsillo; **pocket money** dinero de bolsillo
podcast ['pɒd,kɑːst] *n* podcast
poem ['pəʊɪm] *n* poema
poet ['pəʊɪt] *n* poeta
poetry ['pəʊɪtrɪ] *n* poesía
point [pɔɪnt] *n* punto *(espacio)* ▷ *v* señalar *(apuntar)*
pointless ['pɔɪntlɪs] *adj* sin sentido
point out [pɔɪnt aʊt] *v* señalar *(indicar)*
poison ['pɔɪzᵊn] *n* veneno ▷ *v* envenenar
poisonous ['pɔɪzənəs] *adj* venenoso
poke [pəʊk] *v* dar un empujón
poker ['pəʊkə] *n* póker
Poland ['pəʊlənd] *n* Polonia
polar ['pəʊlə] *adj* polar; **polar bear** oso polar
pole [pəʊl] *n* palo, pértiga, polo *(extremo)*; **North Pole** Polo Norte; **pole vault** salto con pértiga; **South Pole** Polo Sur
Pole [pəʊl] *n* polaco
police [pə'liːs] *n* policía *(cuerpo)*; **police officer** agente de policía; **police station** comisaría de policía; **We will have to report it to the police** Tendremos que denunciarlo a la policía
policeman [pə'liːsmən] (*pl* **policemen**) *n* policía *(agente)*
policewoman [pə'liːswʊmən] (*pl* **policewomen**) *n* policía *(mujer)*
policy ['pɒlɪsɪ] *n* **insurance policy** póliza de seguros
polio ['pəʊlɪəʊ] *n* polio
polish ['pɒlɪʃ] *n* abrillantador ▷ *v* pulir; **nail polish** pintura de uñas; **shoe polish** betún
Polish ['pəʊlɪʃ] *adj* polaco ▷ *n* polaco
polite [pə'laɪt] *adj* cortés
politely [pə'laɪtlɪ] *adv* cortésmente
politeness [pə'laɪtnɪs] *n* cortesía
political [pə'lɪtɪkᵊl] *adj* político
politician [,pɒlɪ'tɪʃən] *n* político
politics ['pɒlɪtɪks] *npl* política
poll [pəʊl] *n* encuesta de opinión
pollen ['pɒlən] *n* polen
pollute [pə'luːt] *v* contaminar
polluted [pə'luːtɪd] *adj* contaminado
pollution [pə'luːʃən] *n* contaminación
Polynesia [,pɒlɪ'niːʒə; -ʒɪə] *n* Polinesia
Polynesian [,pɒlɪ'niːʒən; -ʒɪən] *adj* polinesio ▷ *n (language, person)* polinesio
pomegranate ['pɒmɪ,grænɪt; 'pɒm,grænɪt] *n* granada
pond [pɒnd] *n* estanque
pony ['pəʊnɪ] *n* poni; **pony trekking** viaje a caballo
ponytail ['pəʊnɪ,teɪl] *n* cola de caballo
poodle ['puːdᵊl] *n* caniche
pool [puːl] *n (resources)* fondo común, *(water)* charca; **paddling pool** piscina infantil
poor [pʊə; pɔː] *adj* pobre
poorly ['pʊəlɪ; 'pɔː-] *adj* enfermo
popcorn ['pɒp,kɔːn] *n* palomitas
pope [pəʊp] *n* papa
poplar ['pɒplə] *n* álamo
poppy ['pɒpɪ] *n* amapola
popular ['pɒpjʊlə] *adj* popular
popularity ['pɒpjʊlærɪtɪ] *n* popularidad
population [,pɒpjʊ'leɪʃən] *n* población *(habitantes)*
porch [pɔːtʃ] *n* porche
pork [pɔːk] *n* carne de cerdo; **pork chop** chuleta de cerdo
porn [pɔːn] *n* porno
pornographic [pɔː'nɒgræfɪk] *adj*

pornográfico
pornography [pɔːˈnɒɡrəfɪ] *n* pornografía
porridge [ˈpɒrɪdʒ] *n* gachas
port [pɔːt] *n (ships)* puerto, *(wine)* oporto
portable [ˈpɔːtəbᵊl] *adj* portátil
porter [ˈpɔːtə] *n* mozo
portfolio [pɔːtˈfəʊlɪəʊ] *n* cartera *(portafolio)*
portion [ˈpɔːʃən] *n* porción
portrait [ˈpɔːtrɪt; -treɪt] *n* retrato
Portugal [ˈpɔːtjʊɡᵊl] *n* Portugal
Portuguese [ˌpɔːtjʊˈɡiːz] *adj* portugués ▷ *n (language, person)* portugués
position [pəˈzɪʃən] *n* posición
positive [ˈpɒzɪtɪv] *adj* positivo
possess [pəˈzɛs] *v* poseer
possession [pəˈzɛʃən] *n* posesión
possibility [ˌpɒsɪˈbɪlɪtɪ] *n* posibilidad
possible [ˈpɒsɪbᵊl] *adj* posible; **as soon as possible** lo más pronto posible
post [pəʊst] *n (mail)* correo, *(position)* puesto, cargo, *(stake)* poste ▷ *v* mandar por correo; **post office** oficina de correos; **How long will it take by registered post?** ¿Cuánto tardará por correo certificado?; **When does the post office open?** ¿A qué hora abre la oficina de correos?
postage [ˈpəʊstɪdʒ] *n* franqueo
postbox [ˈpəʊstˌbɒks] *n* buzón
postcard [ˈpəʊstˌkɑːd] *n* postal; **Can I have stamps for four postcards to...** ¿Me da sellos para cuatro postales para...?
postcode [ˈpəʊstˌkəʊd] *n* código postal
poster [ˈpəʊstə] *n* cartel
postgraduate [pəʊstˈɡrædjʊɪt] *n* posgraduado
postman [ˈpəʊstmən] *(pl* **postmen***) n* cartero
postmark [ˈpəʊstˌmɑːk] *n* matasellos
postpone [pəʊstˈpəʊn; pəˈspəʊn] *v* aplazar
postwoman [ˈpəʊstwʊmən] *(pl* **postwomen***) n* cartera *(funcionaria)*
pot [pɒt] *n* olla; **plant pot** maceta; **pot plant** planta de interior
potato [pəˈteɪtəʊ] *(pl* **potatoes***) n* patata; **baked potato** patata al horno; **mashed potatoes** puré de patatas; **potato peeler** pelapatatas
potential [pəˈtɛnʃəl] *adj* potencial ▷ *n* potencial
pothole [ˈpɒtˌhəʊl] *n* bache
pottery [ˈpɒtərɪ] *n* cerámica
potty [ˈpɒtɪ] *n* orinal
pound [paʊnd] *n* libra; **pound sterling** libra esterlina
pour [pɔː] *v* verter
poverty [ˈpɒvətɪ] *n* pobreza
powder [ˈpaʊdə] *n* polvo *(partículas)*; **talcum powder** polvos de talco
power [ˈpaʊə] *n* poder; **power cut** apagón *(corte)*; **solar power** energía solar
powerful [ˈpaʊəfʊl] *adj* poderoso
practical [ˈpræktɪkᵊl] *adj* práctico
practice [ˈpræktɪs] *n* práctica
practise [ˈpræktɪs] *v* practicar
praise [preɪz] *v* elogiar
pram [præm] *n* cochecito
prank [præŋk] *n* travesura *(broma)*
prawn [prɔːn] *n* gamba
pray [preɪ] *v* rezar
prayer [prɛə] *n* oración *(rezo)*
precaution [prɪˈkɔːʃən] *n* precaución
preceding [prɪˈsiːdɪŋ] *adj*

precedente
precinct ['pri:sɪŋkt] *n* recinto
precious ['prɛʃəs] *adj* precioso *(valioso)*
precise [prɪ'saɪs] *adj* preciso
predecessor ['pri:dɪˌsɛsə] *n* predecesor
predict [prɪ'dɪkt] *v* predecir
predictable [prɪ'dɪktəbᵊl] *adj* previsible
prefect ['pri:fɛkt] *n* prefecto
prefer [prɪ'fɜ:] *v* preferir; **I prefer to...** Prefiero...; **I would prefer an earlier flight** Prefiero un vuelo que salga más temprano
preference ['prɛfərəns; 'prɛfrəns] *n* preferencia
pregnancy ['prɛgnənsɪ] *n* embarazo
pregnant ['prɛgnənt] *adj* embarazada; **I'm pregnant** Estoy embarazada
prehistoric [ˌpri:hɪ'stɒrɪk] *adj* prehistórico
prejudice ['prɛdʒʊdɪs] *n* prejuicio
prejudiced ['prɛdʒʊdɪst] *adj* predispuesto
premature [ˌprɛmə'tjʊə; 'prɛməˌtjʊə] *adj* prematuro
premiere ['prɛmɪˌɛə; 'prɛmɪə] *n* estreno
premises ['prɛmɪsɪz] *npl* local
premonition [ˌprɛmə'nɪʃən] *n* premonición
preoccupied [pri:'ɒkjʊˌpaɪd] *adj* absorto
prepaid [pri:'peɪd] *adj* pagado por adelantado
preparation [ˌprɛpə'reɪʃən] *n* preparación
prepare [prɪ'pɛə] *v* preparar; **Could you prepare this one without...?** ¿Podría preparar esto pero sin...?
prepared [prɪ'pɛəd] *adj* preparado
Presbyterian [ˌprɛzbɪ'tɪərɪən] *adj* presbiteriano ▷ *n* presbiteriano
prescribe [prɪ'skraɪb] *v* prescribir
prescription [prɪ'skrɪpʃən] *n* receta *(médica)*; **Where can I get this prescription made up?** ¿Dónde pueden prepararme esta receta?
presence ['prɛzəns] *n* presencia
present *adj* ['prɛzənt] presente ▷ *n* ['prɛzənt] *(gift)* regalo, *(time being)* presente, actualidad ▷ *v* [prɪ'zɛnt] presentar; **I'm looking for a present for my husband** Busco un regalo para mi marido
presentation [ˌprɛzən'teɪʃən] *n* presentación
presenter [prɪ'zɛntə] *n* presentador
presently ['prɛzəntlɪ] *adv* en este momento
preservative [prɪ'zɜ:vətɪv] *n* conservante
president ['prɛzɪdənt] *n* presidente
press [prɛs] *n* prensa ▷ *v* apretar *(presionar)*; **press conference** rueda de prensa
press-up [prɛsʌp] *n* flexión
pressure ['prɛʃə] *n* presión ▷ *v* presionar; **blood pressure** tensión arterial; **What should the tyre pressure be?** ¿Qué presión deben tener las ruedas?
prestige [prɛ'sti:ʒ] *n* prestigio
prestigious [prɛ'stɪdʒəs] *adj* prestigioso
presume [prɪ'zju:m] *v* suponer
pretend [prɪ'tɛnd] *v* fingir
pretext ['pri:tɛkst] *n* pretexto
pretty ['prɪtɪ] *adj* bonito ▷ *adv* bastante
prevent [prɪ'vɛnt] *v* prevenir
prevention [prɪ'vɛnʃən] *n* prevención

previous ['priːvɪəs] *adj* previo
prey [preɪ] *n* presa *(caza)*
price [praɪs] *n* precio; **price list** lista de precios; **retail price** precio de venta al público; **selling price** precio de venta; **What is included in the price?** ¿Qué incluye el precio?
prick [prɪk] *v* pinchar
pride [praɪd] *n* orgullo
priest [priːst] *n* sacerdote
primarily ['praɪmərəlɪ] *adv* ante todo
primary ['praɪmərɪ] *adj* primario
primitive ['prɪmɪtɪv] *adj* primitivo
primrose ['prɪmˌrəʊz] *n* prímula
prince [prɪns] *n* príncipe
princess [prɪn'sɛs] *n* princesa
principal ['prɪnsɪpᵊl] *adj* principal ▷ *n* director *(escuela)*
principle ['prɪnsɪpᵊl] *n* principio *(concepto)*
print [prɪnt] *n* impresión ▷ *v* imprimir
printer ['prɪntə] *n (machine)* impresora, *(person)* tipógrafo; **Is there a colour printer?** ¿Hay impresora en color?
printing ['prɪntɪŋ] *n* **How much is printing?** ¿Cuánto cuesta imprimir?
printout ['prɪntaʊt] *n* documento impreso
priority [praɪ'ɒrɪtɪ] *n* prioridad
prison ['prɪzᵊn] *n* prisión; **prison officer** carcelero
prisoner ['prɪzənə] *n* prisionero
privacy ['praɪvəsɪ; 'prɪvəsɪ] *n* intimidad
private ['praɪvɪt] *adj* privado; **Can I speak to you in private?** ¿Puedo hablarle en privado?; **I have private health insurance** Tengo un seguro sanitario privado
privatize ['praɪvɪˌtaɪz] *v* privatizar
privilege ['prɪvɪlɪdʒ] *n* privilegio
prize [praɪz] *n* premio
prize-giving ['praɪzˌɡɪvɪŋ] *n* entrega de premios
prizewinner ['praɪzˌwɪnə] *n* premiado
probability [ˌprɒbə'bɪlɪtɪ] *n* probabilidad
probable ['prɒbəbᵊl] *adj* probable
probably ['prɒbəblɪ] *adv* probablemente
problem ['prɒbləm] *n* problema; **No problem** No hay problema; **Who do we contact if there are problems?** ¿A quién llamamos si hay algún problema?
proceedings [prə'siːdɪŋz] *npl* proceso *(derecho)*
proceeds ['prəʊsiːdz] *npl* ganancias
process ['prəʊsɛs] *n* proceso
procession [prə'sɛʃən] *n* procesión
produce [prə'djuːs] *v* producir
producer [prə'djuːsə] *n* productor
product ['prɒdʌkt] *n* producto
production [prə'dʌkʃən] *n* producción
productivity [ˌprɒdʌk'tɪvɪtɪ] *n* productividad
profession [prə'fɛʃən] *n* profesión
professional [prə'fɛʃənᵊl] *adj* profesional ▷ *n* profesional
professor [prə'fɛsə] *n* profesor
profit ['prɒfɪt] *n* beneficios
profitable ['prɒfɪtəbᵊl] *adj* rentable
program ['prəʊɡræm] *n* programa *(ordenador)* ▷ *v* programar
programme ['prəʊɡræm] *n* programa; **Can I use messenger programmes?** ¿Puedo usar programas de mensajería instantánea?
programmer ['prəʊɡræmə] *n* programador
programming ['prəʊɡræmɪŋ] *n*

programación
progress ['prəʊgrɛs] *n* progreso
prohibit [prə'hɪbɪt] *v* prohibir
prohibited [prə'hɪbɪtɪd] *adj* prohibido
project ['prɒdʒɛkt] *n* proyecto
projector [prə'dʒɛktə] *n* proyector; **overhead projector** retroproyector
promenade [,prɒmə'nɑːd] *n* paseo *(sitio)*
promise ['prɒmɪs] *n* promesa ▷ *v* prometer
promising ['prɒmɪsɪŋ] *adj* prometedor
promote [prə'məʊt] *v* promocionar
promotion [prə'məʊʃən] *n* promoción
prompt [prɒmpt] *adj* pronto *(rápido)*
pronoun ['prəʊ,naʊn] *n* pronombre
pronounce [prə'naʊns] *v* pronunciar; **How do you pronounce it?** ¿Cómo se pronuncia?
pronunciation [prə,nʌnsɪ'eɪʃən] *n* pronunciación
proof [pruːf] *n (evidence, for checking)* prueba
propaganda [,prɒpə'gændə] *n* propaganda
proper ['prɒpə] *adj* apropiado *(correcto)*
property ['prɒpətɪ] *n* propiedad; **private property** propiedad privada
proportion [prə'pɔːʃən] *n* proporción
proportional [prə'pɔːʃənᵊl] *adj* proporcional
proposal [prə'pəʊzᵊl] *n* propuesta
propose [prə'pəʊz] *v* proponer
prosecute ['prɒsɪ,kjuːt] *v* procesar
prospect ['prɒspɛkt] *n* perspectiva
prospectus [prə'spɛktəs] *n* folleto informativo
prosperity [prɒ'spɛrɪtɪ] *n* prosperidad
prostitute ['prɒstɪ,tjuːt] *n* prostituta
protect [prə'tɛkt] *v* proteger
protection [prə'tɛkʃən] *n* protección
protein ['prəʊtiːn] *n* proteína
protest *n* ['prəʊtɛst] protesta ▷ *v* [prə'tɛst] protestar
Protestant ['prɒtɪstənt] *adj* protestante ▷ *n* protestante
proud [praʊd] *adj* orgulloso
prove [pruːv] *v* probar
proverb ['prɒvɜːb] *n* proverbio, refrán
provide [prə'vaɪd] *v* suministrar; **provide for** mantener *(sustentar)*
provided [prə'vaɪdɪd] *conj* con tal (de) que, a condición de que
providing [prə'vaɪdɪŋ] *conj* con tal (de) que, a condición de que
provisional [prə'vɪʒənᵊl] *adj* provisional
proximity [prɒk'sɪmɪtɪ] *n* proximidad
prune [pruːn] *n* ciruela pasa
pry [praɪ] *v* curiosear
pseudonym ['sjuːdə,nɪm] *n* seudónimo
psychiatric [,saɪkɪ'ætrɪk] *adj* psiquiátrico
psychiatrist [saɪ'kaɪətrɪst] *n* psiquiatra
psychological [,saɪkə'lɒdʒɪkᵊl] *adj* psicológico
psychologist [saɪ'kɒlədʒɪst] *n* psicólogo
psychology [saɪ'kɒlədʒɪ] *n* psicología
psychotherapy [,saɪkəʊ'θɛrəpɪ] *n* psicoterapia
PTO [piː tiː əʊ] *abr* seguir al dorso
pub [pʌb] *n* bar
public ['pʌblɪk] *adj* público ▷ *n*

público; **public holiday** día festivo oficial; **public opinion** opinión pública; **public relations** relaciones públicas; **public school** colegio privado; **public transport** transporte público; **Is the castle open to the public?** ¿Está abierto al público el castillo?
publican ['pʌblɪkən] *n* dueño de un bar
publication [ˌpʌblɪ'keɪʃən] *n* publicación
publish ['pʌblɪʃ] *v* publicar
publisher ['pʌblɪʃə] *n* editor
pudding ['pʊdɪŋ] *n* pudín
puddle ['pʌdᵊl] *n* charco
Puerto Rico ['pwɜːtəʊ 'riːkəʊ; 'pwɛə-] *n* Puerto Rico
pull [pʊl] *v* tirar
pull down [pʊl daʊn] *v* derribar
pull out [pʊl aʊt] *vi* salir ▷ *vt* arrancar *(extraer)*
pullover ['pʊlˌəʊvə] *n* pulóver
pull up [pʊl ʌp] *v* arrancar *(extraer)*
pulse [pʌls] *n* pulso
pulses [pʌlsɪz] *npl* legumbres
pump [pʌmp] *n* bomba *(máquina)* ▷ *v* bombear; **bicycle pump** bomba de bicicleta; **Do you have a pump?** ¿Tiene una bomba?
pumpkin ['pʌmpkɪn] *n* calabaza
pump up [pʌmp ʌp] *v* inflar
punch [pʌntʃ] *n (blow)* puñetazo, *(hot drink)* ponche ▷ *v* dar un puñetazo
punctual ['pʌŋktjʊəl] *adj* puntual
punctuation [ˌpʌŋktjʊ'eɪʃən] *n* puntuación
puncture ['pʌŋktʃə] *n* pinchazo
punish ['pʌnɪʃ] *v* castigar
punishment ['pʌnɪʃmənt] *n* castigo *(acto)*; **capital punishment** pena capital; **corporal punishment** castigo corporal
punk [pʌŋk] *n* punk
pupil ['pjuːpᵊl] *n (eye)* pupila, *(learner)* alumno
puppet ['pʌpɪt] *n* marioneta
puppy ['pʌpɪ] *n* cachorro *(perro)*
purchase ['pɜːtʃɪs] *v* adquirir *(comprar)*
pure [pjʊə] *adj* puro
purple ['pɜːpᵊl] *adj* purpúreo
purpose ['pɜːpəs] *n* propósito
purr [pɜː] *v* ronronear
purse [pɜːs] *n* monedero
pursue [pə'sjuː] *v* perseguir
pursuit [pə'sjuːt] *n* persecución
pus [pʌs] *n* pus
push [pʊʃ] *v* empujar; **Can you give me a push?** ¿Le importaría empujar?
pushchair ['pʊʃˌtʃɛə] *n* sillita de paseo
push-up [pʊʃʌp] *n* flexión de brazos
put [pʊt] *v* poner; **Can you put these photos on CD, please?** ¿Puede poner estas fotos en un ce-dé, por favor?; **I would like to put my jewellery in the safe** Quisiera poner las joyas en la caja fuerte
put aside [pʊt ə'saɪd] *v* poner a un lado
put away [pʊt ə'weɪ] *v* guardar *(poner en su sitio)*
put back [pʊt bæk] *v* devolver *(a su lugar)*
put forward [pʊt fɔːwəd] *v* proponer
put in [pʊt ɪn] *v* invertir
put off [pʊt ɒf] *v* posponer
put up [pʊt ʌp] *v* erigir
puzzle ['pʌzᵊl] *n* rompecabezas
puzzled ['pʌzᵊld] *adj* perplejo
puzzling ['pʌzlɪŋ] *adj* desconcertante
pyjamas [pə'dʒɑːməz] *npl* pijama
pylon ['paɪlən] *n* torre de alta tensión
pyramid ['pɪrəmɪd] *n* pirámide

q

Qatar [kæ'tɑː] *n* Qatar
quail [kweɪl] *n* codorniz
quaint [kweɪnt] *adj* pintoresco
Quaker ['kweɪkə] *n* cuáquero
qualification [ˌkwɒlɪfɪ'keɪʃən] *n* cualificación
qualified ['kwɒlɪˌfaɪd] *adj* cualificado
qualify ['kwɒlɪˌfaɪ] *v* cualificar(se)
quality ['kwɒlɪtɪ] *n* calidad
quantify ['kwɒntɪˌfaɪ] *v* cuantificar
quantity ['kwɒntɪtɪ] *n* cantidad
quarantine ['kwɒrənˌtiːn] *n* cuarentena
quarrel ['kwɒrəl] *n* riña ▹ *v* reñir
quarry ['kwɒrɪ] *n* cantera
quarter ['kwɔːtə] *n* cuarto; **quarter final** cuartos de final; **It's quarter past two** Son las dos y cuarto; **It's quarter to two** Son las dos menos cuarto
quartet [kwɔː'tɛt] *n* cuarteto
quay [kiː] *n* muelle *(costa)*
queen [kwiːn] *n* reina
query ['kwɪərɪ] *n* cuestión *(pregunta)* ▹ *v* hacer preguntas
question ['kwɛstʃən] *n* pregunta, cuestión ▹ *v* preguntar; **question mark** signo de interrogación
questionnaire [ˌkwɛstʃə'nɛə; ˌkɛs-] *n* cuestionario
queue [kjuː] *n* cola *(fila)* ▹ *v* hacer cola; **Is this the end of the queue?** ¿Es este el final de la cola?
quick [kwɪk] *adj* rápido
quickly [kwɪklɪ] *adv* rápidamente
quiet ['kwaɪət] *adj* silencioso
quilt [kwɪlt] *n* edredón
quit [kwɪt] *v* dejar de *(cesar)*
quite [kwaɪt] *adv* bastante; **It's quite far** Está bastante lejos; **It's quite good** Está bastante bueno
quiz [kwɪz] (*pl* **quizzes**) *n* concurso
quota ['kwəʊtə] *n* cuota
quotation [kwəʊ'teɪʃən] *n* cita *(texto)*; **quotation marks** comillas
quote [kwəʊt] *n* cita *(texto)* ▹ *v* citar

r

rabbi ['ræbaɪ] *n* rabino
rabbit ['ræbɪt] *n* conejo
rabies ['reɪbiːz] *n* rabia
race [reɪs] *n (contest)* carrera, *(origin)* raza ▷ *v* competir; **I'd like to see a horse race** Quisiera ver una carrera de caballos
racecourse ['reɪsˌkɔːs] *n* hipódromo
racehorse ['reɪsˌhɔːs] *n* caballo de carreras
racer ['reɪsə] *n* corredor
racetrack ['reɪsˌtræk] *n* pista de carreras
racial ['reɪʃəl] *adj* racial
racing ['reɪsɪŋ] *n* **racing car** coche de carreras; **racing driver** piloto de carreras
racism ['reɪsɪzəm] *n* racismo
racist ['reɪsɪst] *adj* racista ▷ *n* racista
rack [ræk] *n* estante
racket ['rækɪt] *n* raqueta; **Where can I hire a racket?** ¿Dónde puedo alquilar una raqueta?
racoon [rə'kuːn] *n* mapache
racquet ['rækɪt] *n* raqueta
radar ['reɪdɑː] *n* radar
radiation [ˌreɪdɪ'eɪʃən] *n* radiación
radiator ['reɪdɪˌeɪtə] *n* radiador; **There is a leak in the radiator** El radiador está goteando
radio ['reɪdɪəʊ] *n* radio; **digital radio** radio digital; **radio station** estación de radio; **Can I switch the radio off?** ¿Puedo apagar la radio?
radioactive [ˌreɪdɪəʊ'æktɪv] *adj* radiactivo
radio-controlled ['reɪdɪəʊ'kən'trəʊld] *adj* teledirigido
radish ['rædɪʃ] *n* rábano
raffle ['ræfᵊl] *n* rifa
raft [rɑːft] *n* balsa
rag [ræg] *n* trapo
rage [reɪdʒ] *n* furia
raid [reɪd] *n* asalto ▷ *v* asaltar
rail [reɪl] *n (stair)* baranda; **by rail** en tren
railcard ['reɪlˌkɑːd] *n* tarjeta de descuento para viajes en tren
railings ['reɪlɪŋz] *npl* verja
railway ['reɪlˌweɪ] *n* ferrocarril; **railway station** estación de tren
rain [reɪn] *n* lluvia ▷ *v* llover; **Do you think it's going to rain?** ¿Cree que va a llover?; **It's raining** Está lloviendo
rainbow ['reɪnˌbəʊ] *n* arco iris
raincoat ['reɪnˌkəʊt] *n* impermeable
rainforest ['reɪnˌfɒrɪst] *n* selva tropical
rainy ['reɪnɪ] *adj* lluvioso
raise [reɪz] *v* alzar, subir
raisin ['reɪzᵊn] *n* pasa
rake [reɪk] *n* rastrillo
rally ['rælɪ] *n* reunión *(política)*
ram [ræm] *n* carnero ▷ *v* hincar
Ramadan [ˌræmə'dɑːn] *n* Ramadán
rambler ['ræmblə] *n* excursionista
ramp [ræmp] *n* rampa

random ['rændəm] *adj* al azar
range [reɪndʒ] *n (limits)* rango, *(mountains)* cordillera ▷ *v* variar, oscilar
rank [ræŋk] *n (line)* fila, *(status)* rango ▷ *v* clasificar(se)
ransom ['rænsəm] *n* rescate *(secuestro)*
rape [reɪp] *n (plant)* colza, *(sexual attack)* violación ▷ *v* violar; **I've been raped** Me han violado
rapids ['ræpɪdz] *npl* rápidos
rapist ['reɪpɪst] *n* violador
rare [rɛə] *adj (uncommon)* raro, *(undercooked)* poco hecho
rarely ['rɛəlɪ] *adv* raramente
rash [ræʃ] *n* erupción
raspberry ['rɑːzbərɪ; -brɪ] *n* frambuesa
rat [ræt] *n* rata
rate [reɪt] *n* velocidad ▷ *v* clasificar(se); **rate of exchange** tipo de cambio
rather ['rɑːðə] *adv* algo *(bastante)*
ratio ['reɪʃɪ,əʊ] *n* proporción
rational ['ræʃənᵊl] *adj* racional
rattle ['rætᵊl] *n* traqueteo
rattlesnake ['rætᵊl,sneɪk] *n* serpiente de cascabel
rave [reɪv] *n* elogio ▷ *v* delirar
raven ['reɪvᵊn] *n* cuervo
ravenous ['rævənəs] *adj* hambriento
ravine [rə'viːn] *n* barranco
raw [rɔː] *adj* crudo
razor ['reɪzə] *n* navaja barbera; **razor blade** cuchilla de afeitar
reach [riːtʃ] *v* alcanzar
react [rɪ'ækt] *v* reaccionar
reaction [rɪ'ækʃən] *n* reacción
reactor [rɪ'æktə] *n* reactor
read [riːd] *v* leer; **I can't read it** No puedo leerlo
reader ['riːdə] *n* lector
readily ['rɛdɪlɪ; 'readily] *adv* prontamente
reading ['riːdɪŋ] *n* lectura
read out [riːd] *v* leer en voz alta
ready ['rɛdɪ] *adj* dispuesto, listo; **When will the car be ready?** ¿Cuándo estará listo el coche?
ready-cooked ['rɛdɪ'kʊkt] *adj* precocinado
real ['rɪəl] *adj* real
realistic [,rɪə'lɪstɪk] *adj* realista
reality [rɪ'ælɪtɪ] *n* realidad; **reality TV** tele-realidad; **virtual reality** realidad virtual
realize ['rɪə,laɪz] *v* darse cuenta de
really ['rɪəlɪ] *adv* realmente
rear [rɪə] *adj* trasero ▷ *n* parte trasera; **rear-view mirror** retrovisor
reason ['riːzᵊn] *n* razón
reasonable ['riːzənəbᵊl] *adj* razonable
reassure [,riːə'ʃʊə] *v* tranquilizar
reassuring [,riːə'ʃʊəɪŋ] *adj* tranquilizador
rebate ['riːbeɪt] *n* descuento
rebellious [rɪ'bɛljəs] *adj* rebelde
rebuild [riː'bɪld] *v* reconstruir
receipt [rɪ'siːt] *n* recibo, comprobante; **I need a receipt for the insurance** Necesito un comprobante para el seguro
receive [rɪ'siːv] *v* recibir
receiver [rɪ'siːvə] *n (electronic)* auricular, *(person)* receptor
recent ['riːsᵊnt] *adj* reciente
reception [rɪ'sɛpʃən] *n* recepción
receptionist [rɪ'sɛpʃənɪst] *n* recepcionista
recession [rɪ'sɛʃən] *n* recesión
recharge [riː'tʃɑːdʒ] *v* recargar
recipe ['rɛsɪpɪ] *n* receta *(culinaria)*
recipient [rɪ'sɪpɪənt] *n* recipiente

reckon ['rɛkən] *v* contar *(numerar)*
reclining [rɪ'klaɪnɪŋ] *adj* reclinable
recognizable ['rɛkəg,naɪzəbᵊl] *adj* reconocible
recognize ['rɛkəg,naɪz] *v* reconocer
recommend [,rɛkə'mɛnd] *v* recomendar; **Can you recommend a good restaurant?** ¿Puede recomendar un buen restaurante?
recommendation [,rɛkəmɛn'deɪʃən] *n* recomendación
reconsider [,ri:kən'sɪdə] *v* reconsiderar
record *n* ['rɛkɔ:d] registro *(anotación)* ▷ *v* [rɪ'kɔ:d] registrar *(marcar)*
recorded delivery [rɪ'kɔ:dɪd dɪ'lɪvərɪ] *n* entrega con acuse de recibo
recorder [rɪ'kɔ:də] *n (music)* grabadora, *(scribe)* escribano
recording [rɪ'kɔ:dɪŋ] *n* grabación
recover [rɪ'kʌvə] *v* recuperarse
recovery [rɪ'kʌvərɪ] *n* recuperación
recruitment [rɪ'kru:tmənt] *n* reclutamiento
rectangle ['rɛk,tæŋgᵊl] *n* rectángulo
rectangular [rɛk'tæŋgjʊlə] *adj* rectangular
rectify ['rɛktɪ,faɪ] *v* rectificar
recurring [rɪ'kʌrɪŋ] *adj* recurrente
recycle [ri:'saɪkᵊl] *v* reciclar
recycling [ri:'saɪklɪŋ] *n* reciclado
red [rɛd] *adj* rojo; **Red Cross** Cruz Roja
redcurrant ['rɛd'kʌrənt] *n* grosella roja
redecorate [ri:'dɛkə,reɪt] *v* pintar de nuevo
red-haired ['rɛd,hɛəd] *adj* pelirrojo
redhead ['rɛd,hɛd] *n* pelirrojo
redo [ri:'du:] *v* rehacer
reduce [rɪ'dju:s] *v* reducir
reduction [rɪ'dʌkʃən] *n* reducción
redundancy [rɪ'dʌndənsɪ] *n* redundancia
redundant [rɪ'dʌndənt] *adj* redundante
reed [ri:d] *n* carrizo
reel [ri:l; rɪəl] *n* carrete
refer [rɪ'fɜ:] *v* mencionar
referee [,rɛfə'ri:] *n* árbitro *(fútbol)*
reference ['rɛfərəns; 'rɛfrəns] *n* referencia; **reference number** número de referencia
refill [ri:'fɪl] *v* rellenar *(recargar)*
refinery [rɪ'faɪnərɪ] *n* refinería
reflect [rɪ'flɛkt] *v* reflejar
reflection [rɪ'flɛkʃən] *n* reflexión
reflex ['ri:flɛks] *n* reflejo
refreshing [rɪ'frɛʃɪŋ] *adj* refrescante
refreshments [rɪ'frɛʃmənts] *npl* refrigerio
refrigerator [rɪ'frɪdʒə,reɪtə] *n* refrigerador
refuel [ri:'fju:əl] *v* repostar *(combustible)*
refuge ['rɛfju:dʒ] *n* refugio
refugee [,rɛfjʊ'dʒi:] *n* refugiado
refund *n* ['ri:,fʌnd] reembolso ▷ *v* [rɪ'fʌnd] reembolsar
refusal [rɪ'fju:zᵊl] *n* negativa, rechazo
refuse[1] [rɪ'fju:z] *v* rechazar
refuse[2] ['rɛfju:s] *n* desperdicios
regain [rɪ'geɪn] *v* recobrar
regard [rɪ'gɑ:d] *n* consideración ▷ *v* considerar *(contemplar)*
regarding [rɪ'gɑ:dɪŋ] *prep* en lo que concierne a
regiment ['rɛdʒɪmənt] *n* regimiento
region ['ri:dʒən] *n* región; **Where can I buy a map of the region?** ¿Dónde se puede comprar un mapa de la región?
regional ['ri:dʒənᵊl] *adj* regional
register ['rɛdʒɪstə] *n* registro *(libro)* ▷ *v* registrar *(alistar)*, inscribir; **cash**

register caja registradora; **Where do I register?** ¿Dónde tengo que inscribirme?
registration [ˌrɛdʒɪˈstreɪʃən] *n* inscripción *(registro)*
regret [rɪˈɡrɛt] *n* pesar ▷ *v* lamentar
regular [ˈrɛɡjʊlə] *adj* regular
regulation [ˌrɛɡjʊˈleɪʃən] *n* reglamentación, regulación
rehearsal [rɪˈhɜːsᵊl] *n* ensayo *(teatro)*
rehearse [rɪˈhɜːs] *v* ensayar
reimburse [ˌriːɪmˈbɜːs] *v* reembolsar
reindeer [ˈreɪnˌdɪə] *n* reno
reins [reɪnz] *npl* riendas
reject [rɪˈdʒɛkt] *v* rechazar
relapse [ˈriːˌlæps] *n* recaída
related [rɪˈleɪtɪd] *adj* relacionado
relation [rɪˈleɪʃən] *n* relación
relationship [rɪˈleɪʃənʃɪp] *n* relación
relative [ˈrɛlətɪv] *n* pariente
relax [rɪˈlæks] *v* relajarse
relaxation [ˌriːlækˈseɪʃən] *n* relajación
relaxed [rɪˈlækst] *adj* relajado
relaxing [rɪˈlæksɪŋ] *adj* relajante
relay [ˈriːleɪ] *n* relevo
release [rɪˈliːs] *n* liberación ▷ *v* poner en libertad
relegate [ˈrɛlɪˌɡeɪt] *v* relegar
relevant [ˈrɛlɪvənt] *adj* pertinente
reliable [rɪˈlaɪəbᵊl] *adj* fidedigno
relief [rɪˈliːf] *n* alivio
relieve [rɪˈliːv] *v* aliviar
relieved [rɪˈliːvd] *adj* aliviado
religion [rɪˈlɪdʒən] *n* religión
religious [rɪˈlɪdʒəs] *adj* religioso
reluctant [rɪˈlʌktənt] *adj* reacio
rely [rɪˈlaɪ] *v* **rely on** confiar en
remain [rɪˈmeɪn] *v* quedar
remaining [rɪˈmeɪnɪŋ] *adj* restante
remains [rɪˈmeɪnz] *npl* restos
remake [ˈriːˌmeɪk] *n* versión nueva
remark [rɪˈmɑːk] *n* comentario *(observación)*
remarkable [rɪˈmɑːkəbᵊl] *adj* notable
remarry [riːˈmærɪ] *v* volver a casarse
remedy [ˈrɛmɪdɪ] *n* remedio
remember [rɪˈmɛmbə] *v* acordarse de
remind [rɪˈmaɪnd] *v* recordar
reminder [rɪˈmaɪndə] *n* recordatorio
remorse [rɪˈmɔːs] *n* remordimiento
remote [rɪˈməʊt] *adj* remoto; **remote control** mando a distancia
removable [rɪˈmuːvəbᵊl] *adj* de quita y pon
removal [rɪˈmuːvᵊl] *n* traslado; **removal van** camión de mudanzas
remove [rɪˈmuːv] *v* remover, quitar; **Can you remove this stain?** ¿Puede quitar esta mancha?
remover [rɪˈmuːvə] *n* **nail-polish remover** quitaesmalte
rendezvous [ˈrɒndɪˌvuː] *n* cita *(encuentro)*
renew [rɪˈnjuː] *v* renovar
renewable [rɪˈnjuːəbᵊl] *adj* renovable
renovate [ˈrɛnəˌveɪt] *v* restaurar
renowned [rɪˈnaʊnd] *adj* renombrado
rent [rɛnt] *n* alquiler ▷ *v* alquilar; **Do you rent DVDs?** ¿Alquilan DVDs?; **I'd like to rent a room** Quisiera alquilar una habitación
rental [ˈrɛntᵊl] *n* alquiler; **rental car** coche de alquiler; **This is a rental** El coche es de alquiler
reorganize [riːˈɔːɡəˌnaɪz] *v* reorganizar
rep [rɛp] *n* representante
repair [rɪˈpɛə] *n* reparación, arreglo ▷ *v* reparar, arreglar; **repair kit** caja de herramientas; **Can you repair my watch?** ¿Puede arreglarme el

reloj?
repay [rɪ'peɪ] *v* reembolsar
repayment [rɪ'peɪmənt] *n* pago
repeat [rɪ'pi:t] *n* repetición ▷ *v* repetir; **Could you repeat that, please?** ¿Puede repetirlo, por favor?
repellent [rɪ'pɛlənt] *adj* repelente
repercussions [ˌri:pə'kʌʃənz] *npl* repercusiones
repetitive [rɪ'pɛtɪtɪv] *adj* repetitivo
replace [rɪ'pleɪs] *v* reemplazar
replacement [rɪ'pleɪsmənt] *n* reemplazo
replay *n* ['ri:ˌpleɪ] repetición ▷ *v* [ri:'pleɪ] repetir *(obra)*
replica ['rɛplɪkə] *n* réplica
reply [rɪ'plaɪ] *n* contestación ▷ *v* responder, contestar
report [rɪ'pɔ:t] *n* informe ▷ *v* informar; **report card** boletín de notas
reporter [rɪ'pɔ:tə] *n* reportero
represent [ˌrɛprɪ'zɛnt] *v* representar
representative [ˌrɛprɪ'zɛntətɪv] *adj* representativo
reproduction [ˌri:prə'dʌkʃən] *n* reproducción
reptile ['rɛptaɪl] *n* reptil
republic [rɪ'pʌblɪk] *n* república
repulsive [rɪ'pʌlsɪv] *adj* repulsivo
reputable ['rɛpjʊtəbᵊl] *adj* de confianza
reputation [ˌrɛpjʊ'teɪʃən] *n* reputación
request [rɪ'kwɛst] *n* solicitud *(petición)* ▷ *v* solicitar
require [rɪ'kwaɪə] *v* requerir
requirement [rɪ'kwaɪəmənt] *n* requisito
rescue ['rɛskju:] *n* rescate *(salvamento)* ▷ *v* rescatar; **Where is the nearest mountain rescue service post?** ¿Dónde está el puesto más cercano del servicio de rescate e intervención en montaña?
research [rɪ'sɜ:tʃ; 'ri:sɜ:tʃ] *n* investigación
resemblance [rɪ'zɛmbləns] *n* parecido
resemble [rɪ'zɛmbᵊl] *v* parecerse a
resent [rɪ'zɛnt] *v* aborrecer
resentful [rɪ'zɛntfʊl] *adj* resentido
reservation [ˌrɛzə'veɪʃən] *n* reserva; **I have a reservation** Tengo una reserva; **I'd like to make a reservation for half past seven for two people** Quiero hacer una reserva para las siete y media para dos personas
reserve [rɪ'zɜ:v] *n (land)* reserva, *(retention)* reserva ▷ *v* reservar; **I want to reserve a single room** Quiero reservar una habitación individual
reserved [rɪ'zɜ:vd] *adj* reservado
reservoir ['rɛzəˌvwɑ:] *n* presa *(dique)*
resident ['rɛzɪdənt] *n* residente
residential [ˌrɛzɪ'dɛnʃəl] *adj* residencial
resign [rɪ'zaɪn] *v* dimitir
resin ['rɛzɪn] *n* resina
resist [rɪ'zɪst] *v* resistir(se)
resistance [rɪ'zɪstəns] *n* resistencia
resit [ri:'sɪt] *v* repetir *(examen)*
resolution [ˌrɛzə'lu:ʃən] *n* resolución
resort [rɪ'zɔ:t] *n* centro turístico; **resort to** recurrir a
resource [rɪ'zɔ:s; -'sɔ:s] *n* recurso; **natural resources** recursos naturales
respect [rɪ'spɛkt] *n* respeto ▷ *v* respetar
respectable [rɪ'spɛktəbᵊl] *adj* respetable
respond [rɪ'spɒnd] *v* responder,

contestar
response [rɪ'spɒns] *n* respuesta
responsibility [rɪˌspɒnsə'bɪlɪtɪ] *n* responsabilidad
responsible [rɪ'spɒnsəbᵊl] *adj* responsable
rest [rɛst] *n* descanso, reposo ▹ *v* descansar; **the rest** resto
restaurant ['rɛstəˌrɒŋ; 'rɛstrɒŋ; -rɒnt] *n* restaurante; **Are there any vegetarian restaurants here?** ¿Hay restaurantes vegetarianos por aquí?
restful ['rɛstfʊl] *adj* tranquilizante
restless ['rɛstlɪs] *adj* inquieto
restore [rɪ'stɔː] *v* restaurar
restrict [rɪ'strɪkt] *v* restringir
restructure [riː'strʌktʃə] *v* reestructurar
result [rɪ'zʌlt] *n* resultado; **result in** tener por resultado
resume [rɪ'zjuːm] *v* reanudar
retail ['riːteɪl] *n* venta al por menor ▹ *v* vender al por menor; **retail price** precio de venta al público
retailer ['riːteɪlə] *n* minorista
retire [rɪ'taɪə] *v* jubilarse
retired [rɪ'taɪəd] *adj* jubilado
retirement [rɪ'taɪəmənt] *n* jubilación
retrace [rɪ'treɪs] *v* desandar
return [rɪ'tɜːn] *n (coming back)* regreso, vuelta, *(yield)* rendimiento ▹ *vi* regresar, volver ▹ *vt* devolver; **return ticket** billete de ida y vuelta; **tax return** declaración de la renta; **a first class return to...** un billete de ida y vuelta en primera clase para...; **I'd like to return this** Quisiera devolver esto
reunion [riː'juːnjən] *n* reunión
reuse [riː'juːz] *v* reutilizar
reveal [rɪ'viːl] *v* revelar
revenge [rɪ'vɛndʒ] *n* venganza
revenue ['rɛvɪˌnjuː] *n* ingresos *(ganancias)*
reverse [rɪ'vɜːs] *n* contrario ▹ *v* invertir *(alterar)*
review [rɪ'vjuː] *n* reseña
revise [rɪ'vaɪz] *v* revisar
revision [rɪ'vɪʒən] *n* revisión
revive [rɪ'vaɪv] *v* reanimar
revolting [rɪ'vəʊltɪŋ] *adj* repugnante
revolution [ˌrɛvə'luːʃən] *n* revolución
revolutionary [ˌrɛvə'luːʃənərɪ] *adj* revolucionario
revolver [rɪ'vɒlvə] *n* revólver
reward [rɪ'wɔːd] *n* recompensa
rewarding [rɪ'wɔːdɪŋ] *adj* gratificante
rewind [riː'waɪnd] *v* rebobinar
rheumatism ['ruːməˌtɪzəm] *n* reumatismo
rhubarb ['ruːbɑːb] *n* ruibarbo
rhyme [raɪm] *n* **nursery rhyme** canción infantil
rhythm ['rɪðəm] *n* ritmo *(compás)*
rib [rɪb] *n* costilla
ribbon ['rɪbᵊn] *n* cinta *(lazo)*
rice [raɪs] *n* arroz; **brown rice** arroz integral
rich [rɪtʃ] *adj* rico
ride [raɪd] *n* vuelta *(paseo)* ▹ *v* montar
rider ['raɪdə] *n* jinete
ridiculous [rɪ'dɪkjʊləs] *adj* ridículo
riding ['raɪdɪŋ] *n* monta
rifle ['raɪfᵊl] *n* fusil
rig [rɪg] *n* torre de perforación
right [raɪt] *adj (correct)* correcto, *(not left)* derecho ▹ *adv* correctamente ▹ *n* derecho; **civil rights** derechos civiles; **human rights** derechos humanos; **right angle** ángulo recto; **right of way** preferencia de paso;

Go right at the next junction Gire a la derecha en el siguiente cruce; **Turn right** Gire a la derecha
right-hand ['raɪt,hænd] *adj* derecho; **right-hand drive** conducción a la derecha
right-handed ['raɪt,hændɪd] *adj* diestro *(derecho)*
rightly ['raɪtlɪ] *adv* correctamente
right-wing ['raɪt,wɪŋ] *adj* de derechas
rim [rɪm] *n* borde
ring [rɪŋ] *n* anillo ▷ *v* sonar *(campana)*; **engagement ring** anillo de compromiso; **ring binder** carpeta de anillas; **ring road** ronda de circunvalación; **wedding ring** alianza de matrimonio
ring back [rɪŋ bæk] *v* volver a telefonear
ringtone ['rɪŋ,təʊn] *n* timbre del teléfono
ring up [rɪŋ ʌp] *v* llamar (por teléfono)
rink [rɪŋk] *n* pista de patinaje
rinse [rɪns] *n* enjuague ▷ *v* enjuagar
riot ['raɪət] *n* disturbio ▷ *v* causar disturbios
rip [rɪp] *v* rasgar, desgarrar
ripe [raɪp] *adj* maduro *(fruta)*
rip off [rɪp ɒf] *v* timar
rip-off [rɪpɒf] *n* robo
rip up [rɪp ʌp] *v* hacer pedazos
rise [raɪz] *n* elevación ▷ *v* levantarse
risk [rɪsk] *n* riesgo ▷ *vt* arriesgar
risky ['rɪskɪ] *adj* arriesgado
ritual ['rɪtjʊəl] *adj* ritual ▷ *n* ritual
rival ['raɪvᵊl] *adj* rival ▷ *n* rival
rivalry ['raɪvəlrɪ] *n* rivalidad
river ['rɪvə] *n* río; **Can one swim in the river?** ¿Se puede nadar en el río?
road [rəʊd] *n* carretera, vía; **main road** carretera principal; **ring road** ronda de circunvalación; **road map** mapa de carreteras; **road rage** agresividad al volante; **road sign** señal de tráfico; **road tax** impuesto de circulación; **slip road** vía de acceso; **Are the roads icy?** ¿Hay hielo en las carreteras?
roadblock ['rəʊd,blɒk] *n* bloqueo de carretera
roadworks ['rəʊd,wɜːks] *npl* obras viales
roast [rəʊst] *adj* asado
rob [rɒb] *v* robar; **I've been robbed** Me han robado
robber [rɒbə] *n* atracador *(bancos)*
robbery ['rɒbərɪ] *n* atraco *(bancos)*
robin ['rɒbɪn] *n* petirrojo
robot ['rəʊbɒt] *n* robot
rock [rɒk] *n* roca ▷ *v* mecer; **rock climbing** escalada en roca
rocket ['rɒkɪt] *n* cohete
rod [rɒd] *n* barra
rodent ['rəʊdᵊnt] *n* roedor
role [rəʊl] *n* papel *(rol)*
roll [rəʊl] *n* rodadura ▷ *v* rodar; **bread roll** panecillo; **roll call** pase de lista
roller ['rəʊlə] *n* rodillo
rollercoaster ['rəʊlə,kəʊstə] *n* montaña rusa
rollerskates ['rəʊlə,skeɪts] *npl* patines de ruedas
rollerskating ['rəʊlə,skeɪtɪŋ] *n* patinaje sobre ruedas
Roman ['rəʊmən] *adj* romano
romance ['rəʊmæns] *n* romance
Romanesque [,rəʊmə'nɛsk] *adj* románico
Romania [rəʊ'meɪnɪə] *n* Rumanía
Romanian [rəʊ'meɪnɪən] *adj* rumano ▷ *n (language, person)* rumano
romantic [rəʊ'mæntɪk] *adj* romántico

roof [ruːf] *n* tejado
roof rack *n* baca
room [ruːm; rʊm] *n* habitación, cuarto *(local)*; **changing room** vestidor; **dining room** comedor; **double room** habitación doble; **fitting room** probador; **sitting room** sala de estar; **spare room** cuarto de invitados; **utility room** lavadero; **waiting room** sala de espera; **Can you clean the room, please?** ¿Puede limpiar la habitación, por favor?
roommate ['ruːm,meɪt; 'rʊm-] *n* compañero de cuarto
root [ruːt] *n* raíz; **Can you dye my roots, please?** ¿Puede retocarme las raíces, por favor?
rope [rəʊp] *n* cuerda
rope in [rəʊp ɪn] *v* engatusar
rose [rəʊz] *n* rosa
rosé ['rəʊzeɪ] *n* vino rosado; **Can you recommend a good rosé wine?** ¿Puede recomendar un buen vino rosado?
rosemary ['rəʊzmərɪ] *n* romero
rot [rɒt] *v* pudrirse
rotten ['rɒtᵊn] *adj* podrido
rough [rʌf] *adj* áspero
roughly ['rʌflɪ] *adv* aproximadamente
roulette [ruː'lɛt] *n* ruleta
round [raʊnd] *adj* redondo ▷ *n (circle)* círculo, *(series)* ronda ▷ *prep* alrededor de; **paper round** reparto de periódicos a domicilio; **round trip** viaje de ida y vuelta; **Whose round is it?** ¿Quién paga la ronda?
roundabout ['raʊndə,baʊt] *n* rotonda
round up [raʊnd ʌp] *v* reunir
route [ruːt] *n* ruta; **Is there a route that avoids the traffic?** ¿Hay otra ruta para no caer en el atasco?
routine [ruː'tiːn] *n* rutina
row¹ [rəʊ] *n (line)* hilera ▷ *v (in boat)* remar; **Where can we go rowing?** ¿Dónde podemos ir a remar?
row² [raʊ] *n (argument)* bronca ▷ *v (to argue)* reñir
rowing [rəʊɪŋ] *n* remo *(actividad)*; **rowing boat** barca de remos
royal ['rɔɪəl] *adj* real *(realeza)*
rub [rʌb] *v* frotar
rubber ['rʌbə] *n* goma; **rubber band** goma elástica; **rubber gloves** guantes de goma
rubbish ['rʌbɪʃ] *adj* pésimo ▷ *n* basura; **rubbish dump** vertedero de basuras; **Where do we leave the rubbish?** ¿Dónde se deja la basura?
rucksack ['rʌk,sæk] *n* mochila
rude [ruːd] *adj* rudo
rug [rʌg] *n* alfombra
rugby ['rʌgbɪ] *n* rugby
ruin ['ruːɪn] *n* ruina ▷ *v* arruinar
rule [ruːl] *n* regla *(norma)*
rule out [ruːl aʊt] *v* descartar
ruler ['ruːlə] *n (commander)* gobernante, *(measure)* regla *(utensilio)*
rum [rʌm] *n* ron
rumour ['ruːmə] *n* rumor
run [rʌn] *n* carrera ▷ *vi* correr ▷ *vt* llevar *(dirigir)*
run away [rʌn ə'weɪ] *v* huir, escapar
runner ['rʌnə] *n* corredor; **runner bean** habichuela
runner-up ['rʌnəʌp] *n* segundo *(competidor)*
run out [rʌn aʊt] *v* **The petrol has run out** Me he quedado sin gasolina
run out of [rʌn aʊt ɒv] *v* quedarse sin
run over [rʌn 'əʊvə] *v* atropellar
runway ['rʌn,weɪ] *n* pista *(aviación)*

rural ['rʊərəl] *adj* rural
rush [rʌʃ] *n* prisa ▷ *v* apresurarse; **rush hour** hora punta
rusk [rʌsk] *n* galleta crujiente
Russia ['rʌʃə] *n* Rusia
Russian ['rʌʃən] *adj* ruso ▷ *n* *(language, person)* ruso
rust [rʌst] *n* herrumbre
rusty ['rʌstɪ] *adj* oxidado
ruthless ['ruːθlɪs] *adj* despiadado
rye [raɪ] *n* centeno

S

Sabbath ['sæbəθ] *n* sabbat
sabotage ['sæbəˌtɑːʒ] *n* sabotaje ▷ *v* sabotear
sachet ['sæʃeɪ] *n* bolsita
sack [sæk] *n (container)* saco, *(dismissal)* despido ▷ *v* echar del trabajo
sacred ['seɪkrɪd] *adj* sagrado
sacrifice ['sækrɪˌfaɪs] *n* sacrificio
sad [sæd] *adj* triste
saddle ['sædᵊl] *n* silla de montar
saddlebag ['sædᵊlˌbæg] *n* alforja
sadly [sædlɪ] *adv* tristemente
safari [sə'fɑːrɪ] *n* safari
safe [seɪf] *n* caja fuerte; **I have some things in the safe** Tengo algunas pertenencias en la caja fuerte
safety ['seɪftɪ] *n* seguridad *(peligro)*; **safety belt** cinturón de seguridad; **safety pin** imperdible
saffron ['sæfrən] *n* azafrán
Sagittarius [ˌsædʒɪ'tɛərɪəs] *n* Sagitario
Sahara [sə'hɑːrə] *n* Sahara

sail [seɪl] *n* vela *(navegar)* ▷ *v* navegar
sailing ['seɪlɪŋ] *n* navegación; **sailing boat** velero
sailor ['seɪlə] *n* marinero
saint [seɪnt; sənt] *n* santo
salad ['sæləd] *n* ensalada; **mixed salad** ensalada mixta; **salad dressing** aliño de ensalada
salami [sə'lɑːmɪ] *n* salchichón
salary ['sælərɪ] *n* salario
sale [seɪl] *n* venta; **sales assistant** dependiente; **sales rep** representante de ventas
salesman ['seɪlzmən] *(pl* **salesmen***)* *n* vendedor *(hombre)*
salesperson ['seɪlzpɜːsᵊn] *n* vendedor *(persona)*
saleswoman ['seɪlzwʊmən] *(pl* **saleswomen***)* *n* vendedora
saliva [sə'laɪvə] *n* saliva
salmon ['sæmən] *n* salmón
salon ['sælɒn] *n* **beauty salon** salón de belleza
saloon [sə'luːn] *n* bar; **saloon car** coche turismo
salt [sɔːlt] *n* sal; **Pass the salt, please** Páseme la sal, por favor
saltwater ['sɔːltˌwɔːtə] *adj* de agua salada
salty ['sɔːltɪ] *adj* salado; **The food is too salty** La comida está excesivamente salada
salute [sə'luːt] *v* saludar
salve [sælv] *n* **lip salve** bálsamo labial
same [seɪm] *adj* mismo; **I'll have the same** Tomaré lo mismo
sample ['sɑːmpᵊl] *n* muestra
sand [sænd] *n* arena; **sand dune** duna
sandal ['sændᵊl] *n* sandalia
sandcastle [sændkɑːsᵊl] *n* castillo de arena
sandpaper ['sændˌpeɪpə] *n* papel de lija
sandpit ['sændˌpɪt] *n* cajón de arena
sandstone ['sændˌstəʊn] *n* arenisca
sandwich ['sænwɪdʒ; -wɪtʃ] *n* sándwich, bocadillo; **What kind of sandwiches do you have?** ¿Qué bocadillos tiene?
San Marino [ˌsæn mə'riːnəʊ] *n* San Marino
sapphire ['sæfaɪə] *n* zafiro
sarcastic [sɑː'kæstɪk] *adj* sarcástico
sardine [sɑː'diːn] *n* sardina
satchel ['sætʃəl] *n* cartera *(colegial)*
satellite ['sætᵊˌlaɪt] *n* satélite; **satellite dish** antena parabólica
satisfaction [ˌsætɪs'fækʃən] *n* satisfacción
satisfactory [ˌsætɪs'fæktərɪ; -trɪ] *adj* satisfactorio
satisfied ['sætɪsˌfaɪd] *adj* satisfecho
sat nav ['sæt næv] *n* navegación por satélite
Saturday ['sætədɪ] *n* sábado; **every Saturday** todos los sábados; **last Saturday** el sábado pasado; **next Saturday** el sábado que viene
sauce [sɔːs] *n* salsa; **soy sauce** salsa de soja
saucepan ['sɔːspən] *n* cazo
saucer ['sɔːsə] *n* platillo
Saudi ['sɔːdɪ; 'saʊ-] *adj* saudí ▷ *n* saudí
Saudi Arabia ['sɔːdɪ; 'saʊ-] *n* Arabia Saudí
Saudi Arabian ['sɔːdɪ ə'reɪbɪən] *adj* saudí ▷ *n* saudí
sauna ['sɔːnə] *n* sauna
sausage ['sɒsɪdʒ] *n* salchicha
save [seɪv] *v* salvar
save up [seɪv ʌp] *v* ahorrar
savings ['seɪvɪŋz] *npl* ahorros
savoury ['seɪvərɪ] *adj* sabroso

saw [sɔː] *n* sierra *(herramienta)*
sawdust ['sɔːˌdʌst] *n* serrín
saxophone ['sæksəˌfəʊn] *n* saxofón
say [seɪ] *v* decir
saying ['seɪɪŋ] *n* dicho
scaffolding ['skæfəldɪŋ] *n* andamiaje
scale [skeɪl] *n (measure)* escala, *(tiny piece)* escama
scales [skeɪlz] *npl* báscula
scallop ['skɒləp; 'skæl-] *n* vieira
scam [skæm] *n* chanchullo
scampi ['skæmpɪ] *npl* gambas rebozadas
scan [skæn] *n* revisión ▷ *v* revisar
scandal ['skændᵊl] *n* escándalo
Scandinavia [ˌskændɪ'neɪvɪə] *n* Escandinavia
Scandinavian [ˌskændɪ'neɪvɪən] *adj* escandinavo
scanner ['skænə] *n* escáner
scar [skɑː] *n* cicatriz
scarce [skɛəs] *adj* exiguo, escaso
scarcely ['skɛəslɪ] *adv* apenas
scare [skɛə] *n* susto *(miedo)* ▷ *v* asustar
scarecrow ['skɛəˌkrəʊ] *n* espantapájaros
scared [skɛəd] *adj* asustado *(miedo)*
scarf [skɑːf] *(pl* **scarves**) *n* bufanda
scarlet ['skɑːlɪt] *adj* escarlata
scary ['skɛərɪ] *adj* espeluznante
scene [siːn] *n* escenario *(suceso)*
scenery ['siːnərɪ] *n* paisaje
scent [sɛnt] *n* fragancia
sceptical ['skɛptɪkᵊl] *adj* escéptico
schedule ['ʃɛdjuːl; 'skɛdʒʊəl] *n* calendario *(agenda)*
scheme [skiːm] *n* plan
schizophrenic [ˌskɪtsəʊ'frɛnɪk] *adj* esquizofrénico
scholarship ['skɒləʃɪp] *n* beca
school [skuːl] *n* escuela; **boarding school** internado; **elementary school** escuela primaria; **infant school** escuela de primera etapa de primaria; **primary school** escuela primaria; **school uniform** uniforme escolar; **secondary school** escuela secundaria
schoolbag ['skuːlˌbæg] *n* cartera escolar
schoolbook ['skuːlˌbʊk] *n* libro de texto
schoolboy ['skuːlˌbɔɪ] *n* colegial
schoolchildren ['skuːlˌtʃɪldrən] *n* colegiales
schoolgirl ['skuːlˌgɜːl] *n* colegiala
schoolteacher ['skuːlˌtiːtʃə] *n* maestro
science ['saɪəns] *n* ciencia; **science fiction** ciencia ficción
scientific [ˌsaɪən'tɪfɪk] *adj* científico
scientist ['saɪəntɪst] *n* científico
scifi ['saɪˌfaɪ] *n* ciencia ficción *(coloquial)*
scissors ['sɪzəz] *npl* tijeras
sclerosis [sklɪə'rəʊsɪs] *n* **multiple sclerosis** esclerosis múltiple
scoff [skɒf] *v* burlarse de
scold [skəʊld] *v* regañar
scooter ['skuːtə] *n* escúter
score [skɔː] *n (game, match)* puntuación, *(of music)* partitura ▷ *v* marcar *(gol)*
Scorpio ['skɔːpɪˌəʊ] *n* Escorpio
scorpion ['skɔːpɪən] *n* escorpión, alacrán
Scot [skɒt] *n* escocés
Scotland ['skɒtlənd] *n* Escocia
Scots [skɒts] *adj* escocés
Scotsman ['skɒtsmən] *(pl* **Scotsmen**) *n* escocés
Scotswoman ['skɒtsˌwʊmən] *(pl* **Scotswomen**) *n* escocesa
Scottish ['skɒtɪʃ] *adj* escocés

scout [skaʊt] *n* explorador *(persona)*
scrap [skræp] *n (dispute)* bronca, *(small piece)* pedazo *(retazo)* ▷ *v* desechar; **scrap paper** papel basura
scrapbook ['skræp,bʊk] *n* álbum de recortes
scratch [skrætʃ] *n* rasguño ▷ *v* arañar
scream [skri:m] *n* grito ▷ *v* gritar
screen [skri:n] *n* pantalla; **plasma screen** pantalla de plasma; **screen (off)** cubrir
screen-saver ['skri:nseɪvər] *n* salvapantallas
screw [skru:] *n* tornillo; **The screw has come loose** Se le ha aflojado el tornillo
screwdriver ['skru:,draɪvə] *n* destornillador
scribble ['skrɪbᵊl] *v* garabatear
scrub [skrʌb] *v* fregar
sculptor ['skʌlptə] *n* escultor
sculpture ['skʌlptʃə] *n* escultura
sea [si:] *n* mar; **North Sea** Mar del Norte; **Red Sea** Mar Rojo; **sea level** nivel del mar; **sea water** agua de mar; **Is the sea rough today?** ¿Está picado el mar?
seafood ['si:,fu:d] *n* marisco; **Do you like seafood?** ¿Le gusta el marisco?
seagull ['si:,gʌl] *n* gaviota
seal [si:l] *n (animal)* foca, *(mark)* sello *(precinto)* ▷ *v* sellar
seam [si:m] *n* costura *(puntadas)*
seaman ['si:mən] (*pl* **seamen**) *n* marino
search [sɜ:tʃ] *n* búsqueda ▷ *v* registrar, rebuscar; **search engine** motor de búsqueda; **search party** partida de rescate
seashore ['si:,ʃɔ:] *n* orilla del mar
seasick ['si:,sɪk] *adj* mareado *(barco)*
seaside ['si:,saɪd] *n* costa
season ['si:zᵊn] *n* estación *(año)*; **high season** temporada alta; **low season** temporada baja; **season ticket** abono de temporada
seasonal ['si:zənᵊl] *adj* de temporada
seasoning ['si:zənɪŋ] *n* condimento
seat [si:t] *n (constituency)* escaño, *(furniture)* asiento; **aisle seat** asiento de pasillo; **I have a seat reservation** Tengo una reserva de asiento
seatbelt ['si:t,bɛlt] *n* cinturón de seguridad
seaweed ['si:,wi:d] *n* alga marina
second ['sɛkənd] *adj* segundo ▷ *n* segundo; **second class** segunda clase
second-class ['sɛkənd,klɑ:s] *adj* de segunda clase
secondhand ['sɛkənd,hænd] *adj* de segunda mano
secondly ['sɛkəndlɪ] *adv* en segundo lugar
second-rate ['sɛkənd,reɪt] *adj* mediocre
secret ['si:krɪt] *adj* secreto ▷ *n* secreto; **secret service** servicio secreto
secretary ['sɛkrətrɪ] *n* secretario
secretly ['si:krɪtlɪ] *adv* secretamente
sect [sɛkt] *n* secta
section ['sɛkʃən] *n* sección
sector ['sɛktə] *n* sector
security [sɪ'kjʊərɪtɪ] *n* seguridad; **security guard** guardia de seguridad; **social security** seguridad social
sedative ['sɛdətɪv] *n* sedante
see [si:] *v* ver; **Have you seen the guard?** ¿Ha visto al jefe de tren?; **Where can we go to see a film?** ¿Dónde podemos ir a ver una película?

seed [siːd] *n* semilla
seek [siːk] *v* buscar *(pretender)*
seem [siːm] *v* parecer; **The connection seems very slow** Parece que la conexión es muy lenta
seesaw ['siːˌsɔː] *n* balancín *(columpio)*
see-through ['siːˌθruː] *adj* transparente
seize [siːz] *v* agarrar
seizure ['siːʒə] *n* ataque *(enfermedad)*
seldom ['sɛldəm] *adv* rara vez
select [sɪ'lɛkt] *v* seleccionar
selection [sɪ'lɛkʃən] *n* selección
self-assured ['sɛlfə'ʃʊəd] *adj* seguro de sí mismo
self-catering ['sɛlfˌkeɪtərɪŋ] *n* sin servicio de comidas
self-centred ['sɛlfˌsɛntəd] *adj* egocéntrico
self-conscious ['sɛlfˌkɒnʃəs] *adj* tímido
self-contained ['sɛlfˌkən'teɪnd] *adj* independiente *(autosuficiente)*
self-control ['sɛlfˌkən'trəʊl] *n* autocontrol
self-defence ['sɛlfˌdɪ'fɛns] *n* autodefensa
self-discipline ['sɛlfˌdɪsɪplɪn] *n* autodisciplina
self-employed ['sɛlɪm'plɔɪd] *adj* autónomo *(trabajador)*
selfish ['sɛlfɪʃ] *adj* egoísta
self-service ['sɛlfˌsɜːvɪs] *adj* de autoservicio
sell [sɛl] *v* vender; **sell-by date** fecha límite de venta; **selling price** precio de venta; **Do you sell phone cards?** ¿Venden tarjetas telefónicas?
sell off [sɛl ɒf] *v* liquidar *(vender)*
Sellotape® ['sɛləˌteɪp] *n* celo *(cinta)*
sell out [sɛl aʊt] *v* agotar *(vender)*
semester [sɪ'mɛstə] *n* semestre
semi ['sɛmɪ] *n* casa pareada
semicircle ['sɛmɪˌsɜːkəl] *n* semicírculo
semicolon [ˌsɛmɪ'kəʊlən] *n* punto y coma
semifinal [ˌsɛmɪ'faɪnəl] *n* semifinal
send [sɛnd] *v* enviar, mandar; **Can I send an email?** ¿Puedo enviar un mensaje electrónico?; **How much is it to send this parcel?** ¿Cuánto cuesta enviar este paquete?
send back [sɛnd bæk] *v* devolver
sender ['sɛndə] *n* remitente
send off [sɛnd ɒf] *v* despachar
send out [sɛnd aʊt] *v* emitir
Senegal [ˌsɛnɪ'gɔːl] *n* Senegal
Senegalese [ˌsɛnɪgə'liːz] *adj* senegalés ▷ *n* senegalés
senior ['siːnjə] *adj* superior *(cargo)*
sensational [sɛn'seɪʃənəl] *adj* sensacional
sense [sɛns] *n* sentido; **sense of humour** sentido del humor
senseless ['sɛnslɪs] *adj* sin sentido
sensible ['sɛnsɪbəl] *adj* sensato
sensitive ['sɛnsɪtɪv] *adj* sensible
sensuous ['sɛnsjʊəs] *adj* sensual
sentence ['sɛntəns] *n (punishment)* sentencia, *(words)* oración *(Gramática)* ▷ *v* sentenciar
sentimental [ˌsɛntɪ'mɛntəl] *adj* sentimental
separate *adj* ['sɛpərɪt] separado ▷ *v* ['sɛpəˌreɪt] separar
separation [ˌsɛpə'reɪʃən] *n* separación
September [sɛp'tɛmbə] *n* septiembre
sequel ['siːkwəl] *n* continuación
sequence ['siːkwəns] *n* secuencia
Serbia ['sɜːbɪə] *n* Serbia
Serbian ['sɜːbɪən] *adj* serbio ▷ *n (language, person)* serbio
sergeant ['sɑːdʒənt] *n* sargento

serial ['sɪərɪəl] *n* serial
series ['sɪəriːz; -rɪz] *n* serie
serious ['sɪərɪəs] *adj* serio, grave; **Is it serious?** ¿Es grave?
sermon ['sɜːmən] *n* sermón
servant ['sɜːvᵊnt] *n* criado; **civil servant** funcionario
serve [sɜːv] *n* servicio *(saque)* ▷ *v* servir; **Do you serve food here?** ¿Sirven comidas?; **We are still waiting to be served** Todavía estamos esperando que nos sirvan; **Where is breakfast served?** ¿Dónde se sirve el desayuno?
server ['sɜːvə] *n (computer, person)* servidor
service ['sɜːvɪs] *n* servicio ▷ *v* prestar servicio *(técnico)*; **room service** servicio de habitaciones; **secret service** servicio secreto; **service area** área de servicio; **service charge** pago por el servicio; **service station** estación de servicio; **social services** servicios sociales; **Call the breakdown service, please** Llame al servicio de asistencia en carretera, por favor; **Is service included?** ¿Está incluido el servicio?
serviceman ['sɜːvɪsˌmæn; -mən] (*pl* **servicemen**) *n* soldado
servicewoman ['sɜːvɪsˌwʊmən] (*pl* **servicewomen**) *n* soldado
serviette [ˌsɜːvɪ'ɛt] *n* servilleta
session ['sɛʃən] *n* sesión
set [sɛt] *n* juego *(conjunto)* ▷ *v* poner
setback ['sɛtbæk] *n* contratiempo
set menu [sɛt 'mɛnjuː] *n* menú del día
set off [sɛt ɒf] *v* partir
set out [sɛt aʊt] *v* disponer
settee [sɛ'tiː] *n* sofá
settle ['sɛtᵊl] *v* arreglar, resolver
settle down ['sɛtᵊl daʊn] *v* calmar(se), tranquilizar(se) *(situación)*
seven ['sɛvᵊn] *num* siete
seventeen ['sɛvᵊn'tiːn] *num* diecisiete
seventeenth ['sɛvᵊn'tiːnθ] *adj* decimoséptimo
seventh ['sɛvᵊnθ] *adj* séptimo ▷ *n* séptimo
seventy ['sɛvᵊntɪ] *num* setenta
several ['sɛvrəl] *adj* varios ▷ *pron* varios *(algunos)*
sew [səʊ] *v* coser
sewer ['suːə] *n* alcantarilla
sewing ['səʊɪŋ] *n* costura *(acción)*; **sewing machine** máquina de coser
sew up [səʊ ʌp] *v* suturar
sex [sɛks] *n* sexo
sexism ['sɛksɪzəm] *n* sexismo
sexist ['sɛksɪst] *adj* sexista
sexual ['sɛksjʊəl] *adj* sexual; **sexual intercourse** acto sexual
sexuality [ˌsɛksjʊ'ælɪtɪ] *n* sexualidad
sexy ['sɛksɪ] *adj* sexy
shabby ['ʃæbɪ] *adj* gastado
shade [ʃeɪd] *n* sombra
shadow ['ʃædəʊ] *n* sombra
shake [ʃeɪk] *vi* temblar ▷ *vt* agitar
shaken ['ʃeɪkən] *adj* conmocionado
shaky ['ʃeɪkɪ] *adj* tembloroso
shallow ['ʃæləʊ] *adj* poco profundo
shambles ['ʃæmbᵊlz] *npl* desbarajuste
shame [ʃeɪm] *n* vergüenza
shampoo [ʃæm'puː] *n* champú; **Do you sell shampoo?** ¿Vende champú?
shape [ʃeɪp] *n* forma *(contorno)*
share [ʃɛə] *n* parte *(proporcional)* ▷ *v* compartir; **We could share a taxi** Podemos compartir un taxi
shareholder ['ʃɛəˌhəʊldə] *n* accionista

share out [ʃɛə aʊt] *v* repartir
shark [ʃɑːk] *n* tiburón
sharp [ʃɑːp] *adj* afilado
shave [ʃeɪv] *v* afeitar; **shaving cream** crema de afeitar; **shaving foam** espuma de afeitar
shaver [ˈʃeɪvə] *n* maquinilla de afeitar
shawl [ʃɔːl] *n* chal
she [ʃiː] *pron* ella
shed [ʃɛd] *n* cobertizo
sheep [ʃiːp] *n* oveja
sheepdog [ˈʃiːpˌdɒg] *n* perro pastor
sheepskin [ˈʃiːpˌskɪn] *n* piel de borrego
sheer [ʃɪə] *adj* puro *(mero)*
sheet [ʃiːt] *n* sábana; **fitted sheet** sábana ajustable
shelf [ʃɛlf] (*pl* **shelves**) *n* estante *(balda)*
shell [ʃɛl] *n* cáscara; **shell suit** chándal
shellfish [ˈʃɛlˌfɪʃ] *n* crustáceo
shelter [ˈʃɛltə] *n* cobijo, refugio
shepherd [ˈʃɛpəd] *n* pastor *(ovejas)*
sherry [ˈʃɛrɪ] *n* jerez
shield [ʃiːld] *n* escudo
shift [ʃɪft] *n* desplazamiento ▹ *v* desplazar
shifty [ˈʃɪftɪ] *adj* furtivo *(huidizo)*
Shiite [ˈʃiːaɪt] *adj* chií
shin [ʃɪn] *n* espinilla
shine [ʃaɪn] *v* brillar
shiny [ˈʃaɪnɪ] *adj* reluciente
ship [ʃɪp] *n* embarcación, buque
shipbuilding [ˈʃɪpˌbɪldɪŋ] *n* construcción naval
shipment [ˈʃɪpmənt] *n* remesa
shipwreck [ˈʃɪpˌrɛk] *n* naufragio
shipwrecked [ˈʃɪpˌrɛkt] *adj* náufrago
shipyard [ˈʃɪpˌjɑːd] *n* astillero
shirt [ʃɜːt] *n* camisa; **polo shirt** polo *(prenda)*
shiver [ˈʃɪvə] *v* temblar
shock [ʃɒk] *n* choque *(impacto)* ▹ *v* chocar *(sorprender)*; **electric shock** choque eléctrico
shocking [ˈʃɒkɪŋ] *adj* chocante
shoe [ʃuː] *n* zapato; **shoe polish** betún; **shoe shop** zapatería; **Can you re-heel these shoes?** ¿Puede ponerles tapas nuevas a estos zapatos?
shoelace [ˈʃuːˌleɪs] *n* cordón (del zapato)
shoot [ʃuːt] *v* matar a tiro, pegar un tiro
shooting [ˈʃuːtɪŋ] *n* tiroteo
shop [ʃɒp] *n* tienda; **shop assistant** dependiente; **shop window** escaparate; **What time do the shops close?** ¿A qué hora cierran las tiendas?
shopkeeper [ˈʃɒpˌkiːpə] *n* tendero
shoplifting [ˈʃɒpˌlɪftɪŋ] *n* hurto en tienda
shopping [ˈʃɒpɪŋ] *n* compra; **shopping bag** bolsa de la compra; **shopping centre** centro comercial; **shopping trolley** carro de la compra
shore [ʃɔː] *n* orilla
short [ʃɔːt] *adj* corto
shortage [ˈʃɔːtɪdʒ] *n* escasez
shortcoming [ˈʃɔːtˌkʌmɪŋ] *n* defecto
shortcut [ˈʃɔːtˌkʌt] *n* atajo
shortfall [ˈʃɔːtˌfɔːl] *n* déficit
shorthand [ˈʃɔːtˌhænd] *n* taquigrafía
shortlist [ˈʃɔːtˌlɪst] *n* preselección
shortly [ˈʃɔːtlɪ] *adv* pronto, dentro de poco
shorts [ʃɔːts] *npl* short
short-sighted [ˈʃɔːtˈsaɪtɪd] *adj* miope; **I'm short-sighted** Soy miope

short-sleeved ['ʃɔːtˌsliːvd] *adj* de manga corta
shot [ʃɒt] *n* tiro
shotgun ['ʃɒtˌɡʌn] *n* escopeta
shoulder ['ʃəʊldə] *n* hombro; **hard shoulder** arcén; **shoulder blade** omóplato; **I've hurt my shoulder** Me he hecho daño en el hombro
shout [ʃaʊt] *n* grito ▷ *v* gritar
shovel ['ʃʌvᵊl] *n* pala
show [ʃəʊ] *n* espectáculo ▷ *v* mostrar; **show business** mundo del espectáculo; **Where can we go to see a show?** ¿Dónde podemos ir para ver un espectáculo?
shower ['ʃaʊə] *n* ducha; **shower cap** gorro de ducha; **shower gel** gel de ducha; **The shower doesn't work** No funciona la ducha
showerproof ['ʃaʊəˌpruːf] *adj* impermeable
showing ['ʃəʊɪŋ] *n* presentación
show off [ʃəʊ ɒf] *v* exhibirse
show-off [ʃəʊɒf] *n* fanfarrón
show up [ʃəʊ ʌp] *v* ponerse de manifiesto
shriek [ʃriːk] *v* chillar
shrimp [ʃrɪmp] *n* camarón
shrine [ʃraɪn] *n* santuario
shrink [ʃrɪŋk] *v* encogerse
shrub [ʃrʌb] *n* arbusto
shrug [ʃrʌɡ] *v* encogerse de hombros
shrunk [ʃrʌŋk] *adj* encogido
shudder ['ʃʌdə] *v* estremecer(se)
shuffle ['ʃʌfᵊl] *v* arrastrar los pies
shut [ʃʌt] *v* cerrar
shut down [ʃʌt daʊn] *v* cerrar
shutters ['ʃʌtəz] *n* contraventana
shuttle ['ʃʌtᵊl] *n* lanzadera
shuttlecock ['ʃʌtᵊlˌkɒk] *n* volante *(bádminton)*
shut up [ʃʌt ʌp] *v* callarse
shy [ʃaɪ] *adj* tímido
Siberia [saɪ'bɪərɪə] *n* Siberia
siblings ['sɪblɪŋz] *npl* hermanos
sick [sɪk] *adj* enfermo; **sick leave** baja por enfermedad; **sick pay** subsidio de enfermedad; **She has been sick** Ha estado enferma
sickening ['sɪkənɪŋ] *adj* repugnante
sickness ['sɪknɪs] *n* enfermedad; **travel sickness** mareo
side [saɪd] *n* lado; **side effect** efecto secundario; **side street** calle lateral
sideboard ['saɪdˌbɔːd] *n* aparador
sidelight ['saɪdˌlaɪt] *n* luz lateral
sideways ['saɪdˌweɪz] *adv* a un lado
sieve [sɪv] *n* tamiz
sigh [saɪ] *n* suspiro ▷ *v* suspirar
sight [saɪt] *n* vista
sightseeing ['saɪtˌsiːɪŋ] *n* visita a lugares de interés
sign [saɪn] *n* señal ▷ *v* firmar; **road sign** señal de tráfico; **sign language** lengua de señas; **Where do I sign?** ¿Dónde tengo que firmar?
signal ['sɪɡnᵊl] *n* señal ▷ *v* señalar *(señalizar)*; **busy signal** señal de comunicando
signature ['sɪɡnɪtʃə] *n* firma
significance [sɪɡ'nɪfɪkəns] *n* relevancia
significant [sɪɡ'nɪfɪkənt] *adj* significativo
sign on [saɪn ɒn] *v* contratar
signpost ['saɪnˌpəʊst] *n* poste indicador
Sikh [siːk] *adj* sij ▷ *n* sij
silence ['saɪləns] *n* silencio
silencer ['saɪlənsə] *n* silenciador
silent ['saɪlənt] *adj* silencioso
silk [sɪlk] *n* seda
silly ['sɪlɪ] *adj* tonto
silver ['sɪlvə] *n* plata
similar ['sɪmɪlə] *adj* similar
similarity ['sɪmɪ'lærɪtɪ] *n* similitud

simmer ['sɪmə] *v* hervir a fuego lento
simple ['sɪmpᵊl] *adj* simple
simplify ['sɪmplɪˌfaɪ] *v* simplificar
simply ['sɪmplɪ] *adv* simplemente
simultaneous [ˌsɪməl'teɪnɪəs; ˌsaɪməl'teɪnɪəs] *adj* simultáneo
sin [sɪn] *n* pecado
since [sɪns] *adv* desde entonces ▷ *conj* desde que, ya que, puesto que ▷ *prep* desde; **I've been sick since Monday** Me encuentro mal desde el lunes
sincere [sɪn'sɪə] *adj* sincero
sing [sɪŋ] *v* cantar
singer ['sɪŋə] *n* cantante; **lead singer** solista *(cantante)*
singing ['sɪŋɪŋ] *n* canto
single ['sɪŋgᵊl] *adj* individual ▷ *n* disco sencillo; **single bed** cama individual; **single parent** padre solo; **single room** habitación individual; **single ticket** billete de ida; **I want to reserve a single room** Quiero reservar una habitación individual
singles ['sɪŋgᵊlz] *npl* individuales
singular ['sɪŋgjʊlə] *n* singular
sinister ['sɪnɪstə] *adj* siniestro
sink [sɪŋk] *n* fregadero ▷ *v* hundir
sinus ['saɪnəs] *n* seno *(nasal)*
sir [sɜː] *n* señor
siren ['saɪərən] *n* sirena *(alarma)*
sister ['sɪstə] *n* hermana
sister-in-law ['sɪstə ɪn lɔː] *n* cuñada
sit [sɪt] *v* estar sentado
sitcom ['sɪtˌkɒm] *n* comedia de situación
sit down [sɪt daʊn] *v* sentarse, tomar asiento
site [saɪt] *n* sitio
situated ['sɪtjʊˌeɪtɪd] *adj* situado
situation [ˌsɪtjʊ'eɪʃən] *n* situación
six [sɪks] *num* seis; **It's six o'clock** Son las seis en punto
sixteen ['sɪks'tiːn] *num* dieciséis
sixteenth ['sɪks'tiːnθ] *adj* decimosexto
sixth [sɪksθ] *adj* sexto
sixty ['sɪkstɪ] *num* sesenta
size [saɪz] *n* tamaño
skate [skeɪt] *v* patinar; **Where can we go ice skating?** ¿Dónde podemos ir a patinar sobre hielo?; **Where can we go roller skating?** ¿Dónde podemos ir a patinar sobre ruedas?
skateboard ['skeɪtˌbɔːd] *n* monopatín, skateboard; **I'd like to go skateboarding** Quisiera hacer skateboard
skateboarding ['skeɪtˌbɔːdɪŋ] *n* patinaje en monopatín
skates [skeɪts] *npl* patines
skating ['skeɪtɪŋ] *n* patinaje; **skating rink** pista de patinaje
skeleton ['skɛlɪtən] *n* esqueleto
sketch [skɛtʃ] *n* bosquejo ▷ *v* bosquejar
skewer ['skjʊə] *n* pincho
ski [skiː] *n* esquí ▷ *v* esquiar; **ski lift** telesquí; **ski pass** forfait de esquí; **Can we hire skis here?** ¿Podemos alquilar aquí los esquís?; **Do you have a map of the ski runs?** ¿Tiene un mapa de las pistas de esquí?; **I want to hire cross-country skis** Quiero alquilar unos esquís para hacer esquí de fondo
skid [skɪd] *v* derrapar; **The car skidded** El coche ha derrapado
skier ['skiːə] *n* esquiador
skiing ['skiːɪŋ] *n* esquí; **Do you organise skiing lessons?** ¿Organizan clases de esquí?; **Is it possible to go cross-country skiing?** ¿Es posible hacer esquí de fondo?; **Where can I hire skiing equipment?** ¿Dónde puedo alquilar

el equipo de esquí?
skilful ['skɪlfʊl] *adj* hábil
skill [skɪl] *n* habilidad
skilled [skɪld] *adj* diestro *(experto)*
skimpy ['skɪmpɪ] *adj* escaso de tela
skin [skɪn] *n* piel *(Anatomía)*
skinhead ['skɪn,hɛd] *n* cabeza rapada
skinny ['skɪnɪ] *adj* flaco
skin-tight ['skɪn'taɪt] *adj* ceñido
skip [skɪp] *v* brincar
skirt [skɜːt] *n* falda
skive [skaɪv] *v* gandulear
skull [skʌl] *n* cráneo
sky [skaɪ] *n* cielo *(firmamento)*
skyscraper ['skaɪ,skreɪpə] *n* rascacielos
slack [slæk] *adj* flojo
slag off [slæg ɒf] *v* poner como un trapo
slam [slæm] *v* cerrar de golpe
slang [slæŋ] *n* jerga
slap [slæp] *v* dar una palmada
slash [slæʃ] *n* **forward slash** barra diagonal
slate [sleɪt] *n* pizarra *(roca)*
slave [sleɪv] *n* esclavo ▷ *v* trabajar como un esclavo
sledge [slɛdʒ] *n* trineo; **Where can we go sledging?** ¿Podemos ir a montar en trineo?
sledging ['slɛdʒɪŋ] *n* transporte en trineo
sleep [sliːp] *n* sueño *(dormir)* ▷ *v* dormir; **sleeping bag** saco de dormir; **sleeping car** coche cama; **sleeping pill** somnífero; **Did you sleep well?** ¿Ha dormido bien?; **I can't sleep** No puedo dormir
sleep around [sliːp ə'raʊnd] *v* acostarse con cualquiera
sleeper ['sliːpə] *n* coche cama; **Can I reserve a sleeper?** ¿Puedo reservar un coche cama?
sleep in [sliːp ɪn] *v* quedarse en la cama
sleep together [sliːp tə'gɛðə] *v* acostarse juntos
sleepwalk ['sliːp,wɔːk] *v* ser sonámbulo
sleepy ['sliːpɪ] *adj* somnoliento
sleet [sliːt] *n* aguanieve ▷ *v* caer aguanieve
sleeve [sliːv] *n* manga
sleeveless ['sliːvlɪs] *adj* sin mangas
slender ['slɛndə] *adj* esbelto
slice [slaɪs] *n* rebanada ▷ *v* rebanar
slick [slɪk] *n* **oil slick** marea negra
slide [slaɪd] *n* deslizamiento ▷ *v* deslizarse
slight [slaɪt] *adj* leve
slim [slɪm] *adj* delgado
sling [slɪŋ] *n* cabestrillo
slip [slɪp] *n* *(mistake)* equivocación, *(paper)* recibo *(justificante)*, *(underwear)* combinación *(prenda)* ▷ *v* resbalar; **slip road** vía de acceso; **slipped disc** hernia discal
slipper ['slɪpə] *n* pantufla
slippery ['slɪpərɪ; -prɪ] *adj* resbaladizo
slip up [slɪp ʌp] *v* equivocarse
slip-up [slɪpʌp] *n* metedura de pata
slope [sləʊp] *n* pendiente; **nursery slope** pista para principiantes
sloppy ['slɒpɪ] *adj* descuidado *(chapucero)*
slot [slɒt] *n* ranura; **slot machine** tragaperras
Slovak ['sləʊvæk] *adj* eslovaco ▷ *n* *(language, person)* eslovaco
Slovakia [sləʊ'vækɪə] *n* Eslovaquia
Slovenia [sləʊ'viːnɪə] *n* Eslovenia
Slovenian [sləʊ'viːnɪən] *adj* esloveno ▷ *n* *(language, person)* esloveno

slow [sləʊ] *adj* lento
slow down [sləʊ daʊn] *v* reducir la velocidad
slowly [sləʊlɪ] *adv* lentamente, despacio; **Could you speak more slowly, please?** ¿Puede hablar más despacio, por favor?
slug [slʌg] *n* babosa
slum [slʌm] *n* chabola
slush [slʌʃ] *n* nieve fangosa
sly [slaɪ] *adj* taimado
smack [smæk] *v* dar un manotazo
small [smɔːl] *adj* pequeño; **small ads** anuncio clasificado; **I don't have anything smaller** No tengo nada más pequeño; **The room is too small** La habitación es demasiado pequeña
smart [smɑːt] *adj* listo; **smart phone** smartphone
smash [smæʃ] *v* estrellar
smashing ['smæʃɪŋ] *adj* genial *(súper)*
smell [smɛl] *n* olfato ▷ *vi* oler ▷ *vt* olfatear; **I can smell gas** Huelo gas; **My room smells of smoke** Mi habitación huele a humo
smelly ['smɛlɪ] *adj* maloliente
smile [smaɪl] *n* sonrisa ▷ *v* sonreír
smiley ['smaɪlɪ] *n* emoticono
smoke [sməʊk] *n* humo ▷ *v* fumar; **smoke alarm** detector de humo; **Do you mind if I smoke?** ¿Le importa que fume?; **Do you smoke?** ¿Fuma?; **My room smells of smoke** Mi habitación huele a humo
smoked ['sməʊkt] *adj* ahumado
smoker ['sməʊkə] *n* fumador
smoking ['sməʊkɪŋ] *n* fumar *(actividad)*
smoky ['sməʊkɪ] *adj* **It's too smoky here** Aquí hay demasiado humo
smooth [smuːð] *adj* liso
SMS [ɛs ɛm ɛs] *n* SMS
smudge [smʌdʒ] *n* mancha
smug [smʌg] *adj* petulante
smuggle ['smʌgᵊl] *v* contrabandear
smuggler ['smʌglə] *n* contrabandista
smuggling ['smʌglɪŋ] *n* contrabando
snack [snæk] *n* tentempié; **snack bar** cafetería *(bar)*
snail [sneɪl] *n* caracol
snake [sneɪk] *n* serpiente
snap [snæp] *v* romperse
snapshot ['snæp,ʃɒt] *n* foto instantánea
snarl [snɑːl] *v* gruñir
snatch [snætʃ] *v* arrebatar
sneakers ['sniːkəz] *npl* bambas
sneeze [sniːz] *v* estornudar
sniff [snɪf] *v* sorberse la nariz
snigger ['snɪgə] *v* reírse por lo bajo
snob [snɒb] *n* esnob
snooker ['snuːkə] *n* snooker
snooze [snuːz] *n* cabezada ▷ *v* echar una cabezada
snore [snɔː] *v* roncar
snorkel ['snɔːkᵊl] *n* tubo de buceo
snow [snəʊ] *n* nieve ▷ *v* nevar; **Do you think it will snow?** ¿Cree que nevará?; **It's snowing** Está nevando; **The snow is very heavy** Nieva copiosamente
snowball ['snəʊ,bɔːl] *n* bola de nieve
snowboard ['snəʊ,bɔːd] *n* tabla de snowboard; **I want to hire a snowboard** Quiero alquilar una tabla de snowboard
snowflake ['snəʊ,fleɪk] *n* copo de nieve
snowman ['snəʊ,mæn] *n* muñeco de nieve
snowplough ['snəʊ,plaʊ] *n* quitanieves

snowstorm ['snəʊˌstɔːm] *n* ventisca (*normal*)
so [səʊ] *adv* así, tanto; **so (that)** para que; **Why are you charging me so much?** ¿Por qué me cobra tanto?
soak [səʊk] *v* poner en remojo
soaked [səʊkt] *adj* remojado
soap [səʊp] *n* jabón; **soap dish** jabonera; **soap opera** culebrón; **soap powder** jabón en polvo; **There is no soap** No hay jabón
sob [sɒb] *v* sollozar
sober ['səʊbə] *adj* sobrio
sociable ['səʊʃəbᵊl] *adj* sociable
social ['səʊʃəl] *adj* social; **social services** servicios sociales
socialism ['səʊʃəˌlɪzəm] *n* socialismo
socialist ['səʊʃəlɪst] *adj* socialista ▷ *n* socialista
society [sə'saɪətɪ] *n* sociedad
sociology [ˌsəʊsɪ'ɒlədʒɪ] *n* sociología
sock [sɒk] *n* calcetín
socket ['sɒkɪt] *n* enchufe (*hembra*); **Where is the socket for my electric razor?** ¿Dónde está el enchufe para la maquinilla de afeitar?
sofa ['səʊfə] *n* sofá; **sofa bed** sofá cama
soft [sɒft] *adj* blando; **soft drink** refresco
softener ['sɒfᵊnə] *n* suavizante; **Do you have softener?** ¿Tiene suavizante para la lavadora?
software ['sɒftˌwɛə] *n* software
soggy ['sɒgɪ] *adj* empapado
soil [sɔɪl] *n* tierra (*material*)
solar ['səʊlə] *adj* solar
soldier ['səʊldʒə] *n* soldado
sold out [səʊld aʊt] *adj* agotado (*vendido*)
solicitor [sə'lɪsɪtə] *n* abogado defensor
solid ['sɒlɪd] *adj* sólido
solo ['səʊləʊ] *n* solo
soloist ['səʊləʊɪst] *n* solista
soluble ['sɒljʊbᵊl] *adj* soluble
solution [sə'luːʃən] *n* solución
solve [sɒlv] *v* resolver
solvent ['sɒlvənt] *n* disolvente
Somali [səʊ'mɑːlɪ] *adj* somalí ▷ *n* (*language, person*) somalí
Somalia [səʊ'mɑːlɪə] *n* Somalia
some [sʌm; səm] *adj* uno, alguno ▷ *pron* algunos, un poco de
somebody ['sʌmbədɪ] *pron* alguien
somehow ['sʌmˌhaʊ] *adv* de alguna manera, de algún modo
someone ['sʌmˌwʌn; -wən] *pron* alguien
someplace ['sʌmˌpleɪs] *adv* en algún lugar
something ['sʌmθɪŋ] *pron* algo; **Would you like something to eat?** ¿Quiere comer algo?
sometime ['sʌmˌtaɪm] *adv* algún día
sometimes ['sʌmˌtaɪmz] *adv* a veces
somewhere ['sʌmˌwɛə] *adv* en alguna parte, en algún sitio; **Is there somewhere to eat on the boat?** ¿Hay algún sitio donde sirvan comidas en el barco?
son [sʌn] *n* hijo; **My son is lost** Mi hijo se ha perdido
song [sɒŋ] *n* canción
son-in-law [sʌn ɪn lɔː] (*pl* **sons-in-law**) *n* yerno
soon [suːn] *adv* pronto, dentro de poco; **as soon as possible** lo más pronto posible; **See you soon** Hasta pronto
sooner ['suːnə] *adv* antes (*pronto*)
soot [sʊt] *n* hollín
sophisticated [sə'fɪstɪˌkeɪtɪd] *adj*

stereo ['stɛrɪəʊ; 'stɪər-] *n* estéreo; **personal stereo** walkman; **Is there a stereo in the car?** ¿Tiene el coche equipo estéreo?
stereotype ['stɛrɪəˌtaɪp; 'stɪər-] *n* estereotipo
sterile ['stɛraɪl] *adj* estéril
sterilize ['stɛrɪˌlaɪz] *v* esterilizar
sterling ['stɜːlɪŋ] *n* libra esterlina
steroid ['stɪərɔɪd; 'stɛr-] *n* esteroide
stew [stjuː] *n* estofado
steward ['stjʊəd] *n* auxiliar de vuelo
stick [stɪk] *n* palo ▷ *v* meter; **stick insect** insecto palo; **walking stick** bastón
sticker ['stɪkə] *n* pegatina
stick out [stɪk aʊt] *v* sacar, asomar
sticky ['stɪkɪ] *adj* pegajoso
stiff [stɪf] *adj* tieso
stifling ['staɪflɪŋ] *adj* sofocante
still [stɪl] *adj* quieto ▷ *adv* todavía *(positivo)*; **I'm still studying** Todavía estoy estudiando
sting [stɪŋ] *n* picadura ▷ *v* picar *(aguijón)*; **I've been stung** Tengo una picadura
stingy ['stɪndʒɪ] *adj* tacaño
stink [stɪŋk] *n* hedor ▷ *v* apestar, heder
stir [stɜː] *v* remover
stitch [stɪtʃ] *n* puntada ▷ *v* coser
stock [stɒk] *n* existencias ▷ *v* vender *(tienda)*, tener *(mercancía)*; **stock cube** cubito de caldo; **stock exchange** bolsa de valores; **stock market** mercado de valores
stockbroker ['stɒkˌbrəʊkə] *n* corredor de Bolsa
stockholder ['stɒkˌhəʊldə] *n* accionista
stocking ['stɒkɪŋ] *n* media
stock up [stɒk ʌp] *v* **stock up on** abastecerse de
stomach ['stʌmək] *n* estómago
stomachache ['stʌməkˌeɪk] *n* dolor de estómago
stone [stəʊn] *n* piedra
stool [stuːl] *n* taburete
stop [stɒp] *n* parada ▷ *vi* parar ▷ *vt* dejar de; **bus stop** parada de autobús; **full stop** punto *(gramatical)*; **Do we stop at...?** ¿Paramos en...?; **Does the train stop at...?** ¿Para este tren en...?; **How many stops is it to...?** ¿Cuántas paradas quedan para...?
stopover ['stɒpˌəʊvə] *n* escala *(parada)*
stopwatch ['stɒpˌwɒtʃ] *n* cronómetro
storage ['stɔːrɪdʒ] *n* almacenamiento
store [stɔː] *n* almacén *(tienda)* ▷ *v* almacenar; **department store** grandes almacenes
storm [stɔːm] *n* tormenta; **Do you think there will be a storm?** ¿Cree que habrá tormenta?
stormy ['stɔːmɪ] *adj* tempestuoso
story ['stɔːrɪ] *n* historia *(relato)*; **short story** cuento
stove [stəʊv] *n* cocina *(aparato)*
straight [streɪt] *adj* recto; **straight on** todo recto
straighteners ['streɪtᵊnəz] *npl* plancha de pelo
straightforward [ˌstreɪt'fɔːwəd] *adj* franco *(honesto)*
strain [streɪn] *n* tensión *(estrés)* ▷ *v* tensar
strained [streɪnd] *adj* tenso *(crispado)*
stranded ['strændɪd] *adj* encallado
strange [streɪndʒ] *adj* extraño
stranger ['streɪndʒə] *n* desconocido
strangle ['stræŋgᵊl] *v* estrangular

strap [stræp] *n* correa; **watch strap** correa del reloj
strategic [strə'tiːdʒɪk] *adj* estratégico
strategy ['strætɪdʒɪ] *n* estrategia
straw [strɔː] *n* paja
strawberry ['strɔːbərɪ; -brɪ] *n* fresa
stray [streɪ] *n* animal perdido
stream [striːm] *n* corriente *(agua)*
street [striːt] *n* calle; **street map** callejero; **street plan** plano de la ciudad
streetlamp ['striːtˌlæmp] *n* farola
strength [strɛŋθ] *n* fuerza
strengthen ['strɛŋθən] *v* fortalecer
stress [strɛs] *n* estrés ▷ *v* acentuar
stressed ['strɛst] *adj* estresado
stressful ['strɛsfʊl] *adj* estresante
stretch [strɛtʃ] *v* estirar
stretcher ['strɛtʃə] *n* camilla
stretchy ['strɛtʃɪ] *adj* elástico
strict [strɪkt] *adj* estricto
strike [straɪk] *n* huelga ▷ *vi* dar un golpe, *(suspend work)* hacer huelga ▷ *vt* golpear; **because of a strike** a causa de una huelga
striker ['straɪkə] *n* huelguista
striking ['straɪkɪŋ] *adj* asombroso
string [strɪŋ] *n* cordel
strip [strɪp] *n* tira ▷ *v* quitar *(funda)*
stripe [straɪp] *n* raya
striped [straɪpt] *adj* de rayas
stripper ['strɪpə] *n* estríper
stripy ['straɪpɪ] *adj* a rayas
stroke [strəʊk] *n (apoplexy)* apoplejía, *(hit)* golpe ▷ *v* acariciar
stroll [strəʊl] *n* paseo
strong [strɒŋ] *adj* fuerte *(poderoso)*; **I need something stronger** Necesito algo más fuerte
structure ['strʌktʃə] *n* estructura
struggle ['strʌɡəl] *v* esforzarse
stub [stʌb] *n* colilla
stubborn ['stʌbən] *adj* testarudo
stub out [stʌb aʊt] *v* apagar *(cigarrillo)*
stuck [stʌk] *adj* atascado *(parado)*
stuck-up [stʌkʌp] *adj* creído
stud [stʌd] *n* tachuela
student ['stjuːdənt] *n* estudiante; **student discount** descuento para estudiantes; **I'm a student** Soy estudiante
studio ['stjuːdɪˌəʊ] *n* estudio *(local)*; **studio flat** estudio *(vivienda)*
study ['stʌdɪ] *v* estudiar; **I'm still studying** Todavía estoy estudiando
stuff [stʌf] *n* cosas
stuffy ['stʌfɪ] *adj* viciado *(aire)*
stumble ['stʌmbəl] *v* tropezar
stunned [stʌnd] *adj* aturdido
stunning ['stʌnɪŋ] *adj* pasmante
stunt [stʌnt] *n* acrobacia
stuntman ['stʌntmən] (*pl* **stuntmen**) *n* doble *(especialista)*
stupid ['stjuːpɪd] *adj* estúpido
stutter ['stʌtə] *v* balbucear
style [staɪl] *n* estilo
stylist ['staɪlɪst] *n* estilista
subject ['sʌbdʒɪkt] *n* tema
submarine ['sʌbməˌriːn; ˌsʌbmə'riːn] *n* submarino
subscription [səb'skrɪpʃən] *n* suscripción, abono *(prepago)*
subsidiary [səb'sɪdɪərɪ] *n* filial
subsidize ['sʌbsɪˌdaɪz] *v* subvencionar
subsidy ['sʌbsɪdɪ] *n* subvención
substance ['sʌbstəns] *n* sustancia
substitute ['sʌbstɪˌtjuːt] *n* sustituto ▷ *v* sustituir
subtitled ['sʌbˌtaɪtəld] *adj* subtitulado
subtitles ['sʌbˌtaɪtəlz] *npl* subtítulos
subtle ['sʌtəl] *adj* sutil
subtract [səb'trækt] *v* restar,

sustraer
suburb ['sʌbɜ:b] *n* suburbio
suburban [sə'bɜ:bᵊn] *adj* suburbano
subway ['sʌb,weɪ] *n* metro *(transporte)*
succeed [sək'si:d] *v* conseguir
success [sək'sɛs] *n* éxito
successful [sək'sɛsfʊl] *adj* exitoso
successive [sək'sɛsɪv] *adj* sucesivo
successor [sək'sɛsə] *n* sucesor
such [sʌtʃ] *adj* tal ▷ *adv* tan
suck [sʌk] *v* chupar
Sudan [su:'dɑ:n; -'dæn] *n* Sudán
Sudanese [,su:dᵊ'ni:z] *adj* sudanés ▷ *n* sudanés
sudden ['sʌdᵊn] *adj* repentino
suddenly ['sʌdᵊnlɪ] *adv* de repente
sue [sju:; su:] *v* demandar *(judicialmente)*
suede [sweɪd] *n* ante
suffer ['sʌfə] *v* sufrir
sufficient [sə'fɪʃənt] *adj* suficiente
suffocate ['sʌfə,keɪt] *v* ahogar
sugar ['ʃʊgə] *n* azúcar; **no sugar** sin azúcar
sugar-free ['ʃʊgəfri:] *adj* sin azúcar
suggest [sə'dʒɛst; səg'dʒɛst] *v* sugerir
suggestion [sə'dʒɛstʃən] *n* sugerencia
suicide ['su:ɪ,saɪd; 'sju:-] *n* suicidio; **suicide bomber** terrorista suicida
suit [su:t; sju:t] *n* traje ▷ *v* quedar bien; **bathing suit** traje de baño; **shell suit** chándal
suitable ['su:təbᵊl; 'sju:t-] *adj* conveniente *(provechoso)*
suitcase ['su:t,keɪs; 'sju:t-] *n* maleta
suite [swi:t] *n* suite
sulk [sʌlk] *v* enfurruñarse
sulky ['sʌlkɪ] *adj* enfurruñado
sultana [sʌl'tɑ:nə] *n* pasa sultana
sum [sʌm] *n* suma
summarize ['sʌmə,raɪz] *v* resumir
summary ['sʌmərɪ] *n* resumen
summer ['sʌmə] *n* verano; **summer holidays** veraneo; **after summer** después del verano; **during the summer** durante el verano; **in summer** en verano
summertime ['sʌmə,taɪm] *n* estío
summit ['sʌmɪt] *n* cumbre
sum up [sʌm ʌp] *v* resumir
sun [sʌn] *n* sol
sunbathe ['sʌn,beɪð] *v* tomar el sol
sunbed ['sʌn,bɛd] *n* cama de rayos ultravioleta
sunblock ['sʌn,blɒk] *n* protector solar
sunburn ['sʌn,bɜ:n] *n* quemadura del sol
sunburnt ['sʌn,bɜ:nt] *adj* quemado *(sol)*; **I am sunburnt** Me he quemado con el sol
suncream ['sʌn,kri:m] *n* bronceador
Sunday ['sʌndɪ] *n* domingo; **Is the museum open on Sundays?** ¿El museo está abierto los domingos?; **on Sunday** el domingo
sunflower ['sʌn,flaʊə] *n* girasol
sunglasses ['sʌn,glɑ:sɪz] *npl* gafas de sol
sunlight ['sʌnlaɪt] *n* luz del sol
sunny ['sʌnɪ] *adj* soleado
sunrise ['sʌn,raɪz] *n* salida del sol
sunroof ['sʌn,ru:f] *n* techo corredizo
sunscreen ['sʌn,skri:n] *n* protector solar
sunset ['sʌn,sɛt] *n* puesta del sol
sunshine ['sʌn,ʃaɪn] *n* brillo del sol
sunstroke ['sʌn,strəʊk] *n* insolación
suntan ['sʌn,tæn] *n* bronceado; **suntan lotion** loción bronceadora; **suntan oil** aceite bronceador
super ['su:pə] *adj* súper

superb [sʊ'pɜːb; sjʊ-] *adj* espléndido
superficial [ˌsuːpə'fɪʃəl] *adj* superficial
superior [suː'pɪərɪə] *adj* superior *(mejor)* ▹ *n* superior *(jefe)*
supermarket ['suːpəˌmɑːkɪt] *n* supermercado; **I need to find a supermarket** Necesito encontrar un supermercado
supernatural [ˌsuːpə'nætʃrəl; -'nætʃərəl] *adj* sobrenatural
superstitious [ˌsuːpə'stɪʃəs] *adj* supersticioso
supervise ['suːpəˌvaɪz] *v* supervisar
supervisor ['suːpəˌvaɪzə] *n* supervisor
supper ['sʌpə] *n* cena
supplement ['sʌplɪmənt] *n* suplemento; **Is there a supplement to pay?** ¿Hay que pagar un suplemento?
supplier [sə'plaɪə] *n* proveedor
supplies [sə'plaɪz] *npl* provisiones
supply [sə'plaɪ] *n* suministro ▹ *v* suministrar *(abastecer)*; **supply teacher** profesor suplente
support [sə'pɔːt] *n* apoyo ▹ *v* apoyar
supporter [sə'pɔːtə] *n* partidario
suppose [sə'pəʊz] *v* suponer
supposedly [sə'pəʊzɪdlɪ] *adv* supuestamente
supposing [sə'pəʊzɪŋ] *conj* suponiendo que
surcharge ['sɜːˌtʃɑːdʒ] *n* recargo
surely ['ʃʊəlɪ; 'ʃɔː-] *adv* seguramente
surf [sɜːf] *n* oleaje ▹ *v* hacer surf; **Where can you go surfing?** ¿Dónde se puede hacer surf?
surface ['sɜːfɪs] *n* superficie
surfboard ['sɜːfˌbɔːd] *n* tabla de surf
surfer ['sɜːfə] *n* surfista
surfing ['sɜːfɪŋ] *n* surf
surge [sɜːdʒ] *n* aumento fuerte
surgeon ['sɜːdʒən] *n* cirujano
surgery ['sɜːdʒərɪ] *n (doctor's)* consulta, *(operation)* intervención quirúrgica; **cosmetic surgery** cirugía plástica *(estética)*
surname ['sɜːˌneɪm] *n* apellido
surplus ['sɜːpləs] *adj* sobrante ▹ *n* excedente
surprise [sə'praɪz] *n* sorpresa
surprised [sə'praɪzd] *adj* sorprendido
surprising [sə'praɪzɪŋ] *adj* sorprendente
surrender [sə'rɛndə] *v* rendirse
surround [sə'raʊnd] *v* rodear
surroundings [sə'raʊndɪŋz] *npl* alrededores
survey ['sɜːveɪ] *n* encuesta
surveyor [sɜː'veɪə] *n* agrimensor
survival [sə'vaɪvᵊl] *n* supervivencia
survive [sə'vaɪv] *v* sobrevivir
survivor [sə'vaɪvə] *n* superviviente
suspect *n* ['sʌspɛkt] sospechoso ▹ *v* [sə'spɛkt] sospechar
suspend [sə'spɛnd] *v* suspender
suspenders [sə'spɛndəz] *npl* ligas *(prenda)*
suspense [sə'spɛns] *n* suspense
suspension [sə'spɛnʃən] *n* suspensión; **suspension bridge** puente colgante
suspicious [sə'spɪʃəs] *adj* sospechoso
swallow ['swɒləʊ] *n* golondrina ▹ *vi* tragar ▹ *vt* tragar *(comida)*
swamp [swɒmp] *n* ciénaga
swan [swɒn] *n* cisne
swap [swɒp] *v* intercambiar
swat [swɒt] *v* aplastar
sway [sweɪ] *v* balancearse
Swaziland ['swɑːzɪˌlænd] *n* Suazilandia
swear [swɛə] *v* jurar

swearword ['swɛəˌwɜːd] *n* taco
sweat [swɛt] *n* sudor ▷ *v* sudar
sweater ['swɛtə] *n* suéter; **polo-necked sweater** jersey de cuello alto
sweatshirt ['swɛtˌʃɜːt] *n* sudadera
sweaty ['swɛtɪ] *adj* sudado
swede [swiːd] *n* nabo
Swede [swiːd] *n* sueco
Sweden ['swiːdᵊn] *n* Suecia
Swedish ['swiːdɪʃ] *adj* sueco ▷ *n* sueco *(idioma)*
sweep [swiːp] *v* barrer
sweet [swiːt] *adj (pleasing)* encantador, *(taste)* dulce ▷ *n* caramelo *(golosina)*
sweetcorn ['swiːtˌkɔːn] *n* maíz tierno
sweetener ['swiːtᵊnə] *n* edulcorante; **Do you have any sweetener?** ¿Tiene edulcorante?
sweltering ['swɛltərɪŋ] *adj* sofocante *(bochornoso)*
swerve [swɜːv] *v* virar bruscamente
swim [swɪm] *v* nadar; **Can you swim here?** ¿Se puede nadar aquí?; **Where can I go swimming?** ¿Dónde puedo ir a nadar?
swimmer ['swɪmə] *n* nadador
swimming ['swɪmɪŋ] *n* natación; **swimming costume** traje de baño; **swimming pool** piscina; **swimming trunks** bañador de hombre
swimsuit ['swɪmˌsuːt; -ˌsjuːt] *n* bañador de mujer
swing [swɪŋ] *n* balanceo ▷ *v* columpiarse
Swiss [swɪs] *adj* suizo ▷ *n* suizo
switch [swɪtʃ] *n* interruptor ▷ *v* cambiar *(de uno a otro)*; **Can I switch rooms?** ¿Puedo cambiarme de habitación?
switchboard ['swɪtʃˌbɔːd] *n* centralita
switch off [swɪtʃ ɒf] *v* apagar *(interruptor)*; **Can I switch the light off?** ¿Puedo apagar la luz?
switch on [swɪtʃ ɒn] *v* encender; **Can I switch the radio on?** ¿Puedo encender la radio?; **How do you switch it on?** ¿Cómo se enciende?
Switzerland ['swɪtsələnd] *n* Suiza
swollen ['swəʊlən] *adj* hinchado *(herido)*
sword [sɔːd] *n* espada
swordfish ['sɔːdˌfɪʃ] *n* pez espada
swot [swɒt] *v* empollar
syllable ['sɪləbᵊl] *n* sílaba
syllabus ['sɪləbəs] *n* plan de estudios
symbol ['sɪmbᵊl] *n* símbolo
symmetrical [sɪ'mɛtrɪkᵊl] *adj* simétrico
sympathetic [ˌsɪmpə'θɛtɪk] *adj* comprensivo
sympathize ['sɪmpəˌθaɪz] *v* simpatizar
sympathy ['sɪmpəθɪ] *n* lástima *(compasión)*
symphony ['sɪmfənɪ] *n* sinfonía
symptom ['sɪmptəm] *n* síntoma
synagogue ['sɪnəˌɡɒɡ] *n* sinagoga; **Where is there a synagogue?** ¿Dónde hay una sinagoga?
syndrome ['sɪndrəʊm] *n* **Down's syndrome** síndrome de Down
Syria ['sɪrɪə] *n* Siria
Syrian ['sɪrɪən] *adj* sirio ▷ *n* sirio
syringe ['sɪrɪndʒ; sɪ'rɪndʒ] *n* jeringuilla
syrup ['sɪrəp] *n* jarabe
system ['sɪstəm] *n* sistema; **immune system** sistema inmunológico; **solar system** sistema solar; **systems analyst** analista de sistemas
systematic [ˌsɪstɪ'mætɪk] *adj* sistemático

t

table ['teɪbᵊl] *n (chart)* tabla, *(furniture)* mesa; **bedside table** mesita de noche; **coffee table** mesa de café; **table tennis** tenis de mesa; **table wine** vino de mesa; **I'd like to book a table for three people for tonight** Quiero reservar una mesa para tres personas para esta noche
tablecloth ['teɪbᵊlˌklɒθ] *n* mantel
tablespoon ['teɪbᵊlˌspuːn] *n* cuchara de sopa
tablet ['tæblɪt] *n* comprimido
taboo [tə'buː] *adj* tabú ▹ *n* tabú
tackle ['tækᵊl] *n* aparejo ▹ *v* afrontar; **fishing tackle** aparejos de pesca
tact [tækt] *n* tacto
tactful ['tæktfʊl] *adj* diplomático
tactics ['tæktɪks] *npl* táctica
tactless ['tæktlɪs] *adj* falto de tacto
tadpole ['tædˌpəʊl] *n* renacuajo
tag [tæg] *n* etiqueta
Tahiti [tə'hiːtɪ] *n* Tahití
tail [teɪl] *n* rabo, cola
tailor ['teɪlə] *n* sastre
Taiwan ['taɪ'wɑːn] *n* Taiwán
Taiwanese [ˌtaɪwɑː'niːz] *adj* taiwanés ▹ *n* taiwanés
Tajikistan [tɑːˌdʒɪkɪ'stɑːn; -stæn] *n* Tayikistán
take [teɪk] *v* tomar, coger, *(time)* tardar *(requerir tiempo)*; **How long will it take to get there?** ¿Cuánto se tarda en llegar?; **How much should I take?** ¿Cuánto debo tomar?
take after [teɪk 'ɑːftə] *v* parecerse a
take apart [teɪk ə'pɑːt] *v* desmontar
take away [teɪk ə'weɪ] *v* llevarse
takeaway ['teɪkəˌweɪ] *n* comida para llevar
take back [teɪk bæk] *v* retirar
taken ['teɪkən] *adj* **Is this seat taken?** ¿Está ocupado este asiento?
take off [teɪk ɒf] *v* quitar
takeoff ['teɪkˌɒf] *n* despegue
take over [teɪk 'əʊvə] *v* tomar
takeover ['teɪkˌəʊvə] *n* toma de control
takings ['teɪkɪŋz] *npl* recaudación
tale [teɪl] *n* cuento, relato
talent ['tælənt] *n* talento
talented ['tæləntɪd] *adj* talentoso
talk [tɔːk] *n* conversación ▹ *v* hablar; **talk to** hablar con; **Who am I talking to?** ¿Con quién hablo?
talkative ['tɔːkətɪv] *adj* hablador
tall [tɔːl] *adj* alto *(persona)*
tame [teɪm] *adj* manso
tampon ['tæmpɒn] *n* tampón
tan [tæn] *n* bronceado
tandem ['tændəm] *n* tándem
tangerine [ˌtændʒə'riːn] *n* mandarina
tank [tæŋk] *n (vehicle, container)* tanque; **septic tank** pozo séptico
tanker ['tæŋkə] *n* buque cisterna
tanned [tænd] *adj* bronceado
tantrum ['tæntrəm] *n* berrinche

Tanzania [ˌtænzəˈnɪə] *n* Tanzania
Tanzanian [ˌtænzəˈnɪən] *adj* tanzano ▷ *n* tanzano
tap [tæp] *n* grifo
tap-dancing [ˈtæpˌdɑːnsɪŋ] *n* claqué
tape [teɪp] *n* cinta ▷ *v* grabar *(casete)*; **tape measure** cinta métrica; **tape recorder** magnetofón
target [ˈtɑːgɪt] *n* blanco *(tiro)*
tariff [ˈtærɪf] *n* tarifa
tarmac [ˈtɑːmæk] *n* asfalto
tarpaulin [tɑːˈpɔːlɪn] *n* lona
tarragon [ˈtærəgən] *n* estragón
tart [tɑːt] *n* tarta
tartan [ˈtɑːtᵊn] *adj* escocés *(diseño)*
task [tɑːsk] *n* tarea
Tasmania [tæzˈmeɪnɪə] *n* Tasmania
taste [teɪst] *n* gusto *(sabor)* ▷ *v* degustar
tasteful [ˈteɪstfʊl] *adj* de buen gusto
tasteless [ˈteɪstlɪs] *adj* insípido
tasty [ˈteɪstɪ] *adj* sabroso
tattoo [tæˈtuː] *n* tatuaje
Taurus [ˈtɔːrəs] *n* Tauro
tax [tæks] *n* impuesto; **tax payer** contribuyente; **tax return** declaración de la renta
taxi [ˈtæksɪ] *n* taxi; **taxi driver** taxista; **taxi rank** parada de taxis; **How much is the taxi fare into town?** ¿Cuánto cuesta el taxi hasta la ciudad?
TB [tiː biː] *n* tuberculosis
tea [tiː] *n* té; **herbal tea** infusión; **tea bag** bolsita de té; **tea towel** paño de cocina; **A tea, please** Un té, por favor
teach [tiːtʃ] *v* enseñar
teacher [ˈtiːtʃə] *n* maestro; **supply teacher** profesor suplente
teaching [ˈtiːtʃɪŋ] *n* enseñanza
teacup [ˈtiːˌkʌp] *n* taza de té
team [tiːm] *n* equipo *(colaboradores)*
teapot [ˈtiːˌpɒt] *n* tetera
tear¹ [tɪə] *n (from eye)* lágrima
tear² [tɛə] *n (split)* desgarrón ▷ *v* rasgar, desgarrar; **tear up** romper, despedazar
teargas [ˈtɪəˌgæs] *n* gas lacrimógeno
tease [tiːz] *v* tomar el pelo
teaspoon [ˈtiːˌspuːn] *n* cucharilla
teatime [ˈtiːˌtaɪm] *n* hora del té
technical [ˈtɛknɪkᵊl] *adj* técnico
technician [tɛkˈnɪʃən] *n* técnico
technique [tɛkˈniːk] *n* técnica
techno [ˈtɛknəʊ] *n* tecno
technological [tɛkˈnɒlədʒɪkᵊl] *adj* tecnológico
technology [tɛkˈnɒlədʒɪ] *n* tecnología
tee [tiː] *n* tee de salida
teenager [ˈtiːnˌeɪdʒə] *n* adolescente
teens [tiːnz] *npl* adolescencia
tee-shirt [ˈtiːˌʃɜːt] *n* camiseta
teethe [tiːð] *v* echar los dientes
teetotal [tiːˈtəʊtᵊl] *adj* abstemio
telecommunications [ˌtɛlɪkəˌmjuːnɪˈkeɪʃənz] *npl* telecomunicaciones
telegram [ˈtɛlɪˌgræm] *n* telegrama; **Can I send a telegram from here?** ¿Puedo enviar un telegrama desde aquí?
telephone [ˈtɛlɪˌfəʊn] *n* teléfono; **telephone directory** guía telefónica; **What's the telephone number?** ¿Cuál es el número de teléfono?
telesales [ˈtɛlɪˌseɪlz] *npl* televentas
telescope [ˈtɛlɪˌskəʊp] *n* telescopio
television [ˈtɛlɪˌvɪʒən] *n* televisión; **digital television** televisión digital
tell [tɛl] *v* decir
tell off [tɛl ɒf] *v* regañar
telly [ˈtɛlɪ] *n* tele
temp [tɛmp] *n* empleado eventual
temper [ˈtɛmpə] *n* humor *(genio)*

temperature ['tɛmprɪtʃə] *n* temperatura; **What is the temperature?** ¿Qué temperatura hace?
temple ['tɛmpᵊl] *n* templo; **Is the temple open to the public?** ¿Está abierto al público el templo?
temporary ['tɛmpərərɪ; 'tɛmprərɪ] *adj* temporal
tempt [tɛmpt] *v* tentar
temptation [tɛmp'teɪʃən] *n* tentación
tempting ['tɛmptɪŋ] *adj* tentador
ten [tɛn] *num* diez; **It's ten o'clock** Son las diez en punto
tenant ['tɛnənt] *n* inquilino
tend [tɛnd] *v* tender a
tendency ['tɛndənsɪ] *n* tendencia *(inclinación)*
tender ['tɛndə] *adj* tierno
tendon ['tɛndən] *n* tendón
tennis ['tɛnɪs] *n* tenis; **tennis player** tenista; **tennis racket** raqueta de tenis; **How much is it to hire a tennis court?** ¿Cuánto cuesta alquilar una pista de tenis?
tenor ['tɛnə] *n* tenor
tense [tɛns] *adj* tenso *(tirante)* ▹ *n* tiempo verbal
tension ['tɛnʃən] *n* tensión *(músculo)*
tent [tɛnt] *n* tienda de campaña; **tent peg** estaca; **tent pole** varilla de la tienda
tenth [tɛnθ] *adj* décimo ▹ *n* décimo
term [tɜːm] *n (description)* término *(nombre)*, *(division of year)* trimestre
terminal ['tɜːmɪnᵊl] *adj* terminal ▹ *n* terminal
terrace ['tɛrəs] *n* terraza; **Can I eat on the terrace?** ¿Se puede comer en la terraza?
terraced ['tɛrəst] *adj* adosado
terrible ['tɛrəbᵊl] *adj* atroz *(terrible)*
terrier ['tɛrɪə] *n* terrier
terrific [tə'rɪfɪk] *adj* tremendo
terrified ['tɛrɪˌfaɪd] *adj* aterrorizado
terrify ['tɛrɪˌfaɪ] *v* aterrorizar
territory ['tɛrɪtərɪ; -trɪ] *n* territorio
terrorism ['tɛrəˌrɪzəm] *n* terrorismo
terrorist ['tɛrərɪst] *n* terrorista; **terrorist attack** atentado terrorista
test [tɛst] *n* test ▹ *v* testar; **driving test** examen de conducir; **smear test** citología de cérvix; **test tube** probeta
testicle ['tɛstɪkᵊl] *n* testículo
tetanus ['tɛtənəs] *n* tétano; **I need a tetanus shot** Necesito la vacuna del tétanos
text [tɛkst] *n* texto ▹ *v* enviar un mensaje; **text message** mensaje de texto; **Can you text me your answer?** ¿Me mandas un mensaje con la respuesta?
textbook ['tɛkstˌbʊk] *n* libro de texto
textile ['tɛkstaɪl] *n* textil
Thai [taɪ] *adj* tailandés ▹ *n (language, person)* tailandés
Thailand ['taɪˌlænd] *n* Tailandia
than [ðæn; ðən] *conj* que; **It's more than on the meter** Es más de lo que marca el taxímetro
thank [θæŋk] *v* agradecer, dar las gracias
thanks [θæŋks] *excl* ¡gracias!
that [ðæt; ðət] *adj, pron* ese, aquel ▹ *conj* que; **How much does that cost?** ¿Cuánto cuesta eso?
thatched [θætʃt] *adj* con el tejado de paja
thaw [θɔː] *v* **It's thawing** Se está derritiendo
the [ðə] *art* el, la; **The lunch was excellent** La comida ha sido excelente; **Where do I catch the bus to...?** ¿Dónde se coge el autobús

para...?
theatre ['θɪətə] *n* teatro; **What's on at the theatre?** ¿Qué ponen en el teatro?
theft [θɛft] *n* robo; **I want to report a theft** Quiero denunciar un robo
their [ðɛə] *pron* su *(ellos)*
theirs [ðɛəz] *pron* suyo *(ellos)*
them [ðɛm; ðəm] *pron* los *(ellos)*
theme [θi:m] *n* tema *(Arte)*; **theme park** parque temático
themselves [ðəm'sɛlvz] *pron* se *(ellos)*
then [ðɛn] *adv* entonces ▷ *conj* luego
theology [θɪ'ɒlədʒɪ] *n* teología
theory ['θɪərɪ] *n* teoría
therapy ['θɛrəpɪ] *n* terapia
there [ðɛə] *adv* allí, allá; **It's over there** Está allí
therefore ['ðɛəˌfɔ:] *adv* por eso, por consiguiente
thermometer [θə'mɒmɪtə] *n* termómetro
Thermos® ['θɜ:məs] *n* termo
thermostat ['θɜ:məˌstæt] *n* termostato
these [ði:z] *adj, pron* estos
they [ðeɪ] *pron* ellos
thick [θɪk] *adj* espeso
thickness ['θɪknɪs] *n* grosor
thief [θi:f] *n* ladrón
thigh [θaɪ] *n* muslo
thin [θɪn] *adj* fino *(delgado)*
thing [θɪŋ] *n* cosa
think [θɪŋk] *v* pensar
third [θɜ:d] *adj* tercero ▷ *n* tercio; **third-party insurance** seguro a terceros; **Third World** tercer mundo
thirdly [θɜ:dlɪ] *adv* en tercer lugar
thirst [θɜ:st] *n* sed
thirsty ['θɜ:stɪ] *adj* sediento
thirteen ['θɜ:'ti:n] *num* trece
thirteenth ['θɜ:'ti:nθ] *adj* decimotercero
thirty ['θɜ:tɪ] *num* treinta
this [ðɪs] *adj, pron* este; **I'll have this** Tomaré esto; **This is your room** Esta es su habitación; **What is in this?** ¿Qué lleva esto?
thistle ['θɪsᵊl] *n* cardo
thorn [θɔ:n] *n* espina
thorough ['θʌrə] *adj* minucioso
those [ðəʊz] *adj, pron* esos
though [ðəʊ] *adv* sin embargo ▷ *conj* aunque
thought [θɔ:t] *n* pensamiento
thoughtful ['θɔ:tfʊl] *adj* considerado
thoughtless ['θɔ:tlɪs] *adj* desconsiderado
thousand ['θaʊzənd] *num* mil
thousandth ['θaʊzənθ] *adj* milésimo ▷ *n* milésimo
thread [θrɛd] *n* hilo
threat [θrɛt] *n* amenaza
threaten ['θrɛtᵊn] *v* amenazar
threatening ['θrɛtᵊnɪŋ] *adj* amenazador
three [θri:] *num* tres; **It's three o'clock** Son las tres en punto
thrifty ['θrɪftɪ] *adj* ahorrativo
thrill [θrɪl] *n* emoción
thrilled [θrɪld] *adj* emocionado
thriller ['θrɪlə] *n* obra de suspense
thrilling ['θrɪlɪŋ] *adj* emocionante
throat [θrəʊt] *n* garganta
throb [θrɒb] *v* latir con fuerza
throne [θrəʊn] *n* trono
through [θru:] *prep* por *(vía)*, a través de; **Please let me through** Déjeme pasar, por favor
throughout [θru:'aʊt] *prep* por todo
throw [θrəʊ] *v* lanzar *(objetos)*, echar
throw away [θrəʊ ə'weɪ] *v* tirar *(echar)*
throw out [θrəʊ aʊt] *v* echar
throw up [θrəʊ ʌp] *v* vomitar

thrush [θrʌʃ] *n* tordo
thug [θʌg] *n* matón
thumb [θʌm] *n* pulgar
thumb tack ['θʌm,tæk] *n* chincheta
thump [θʌmp] *v* dar puñetazos
thunder ['θʌndə] *n* trueno; **I think it's going to thunder** Creo que tendremos tormenta con rayos y truenos
thunderstorm ['θʌndə,stɔːm] *n* tormenta
thundery ['θʌndərɪ] *adj* tormentoso
Thursday ['θɜːzdɪ] *n* jueves; **on Thursday** el jueves
thyme [taɪm] *n* tomillo
Tibet [tɪ'bɛt] *n* Tíbet
Tibetan [tɪ'bɛtᵊn] *adj* tibetano ▷ *n* *(language, person)* tibetano
tick [tɪk] *n* visto bueno ▷ *v* hacer tictac
ticket ['tɪkɪt] *n* billete, ticket, entrada *(cédula)*; **one-way ticket** billete de ida; **return ticket** billete de ida y vuelta; **ticket barrier** torniquete; **ticket collector** revisor; **ticket inspector** revisor; **ticket machine** máquina expendedora de billetes; **ticket office** taquilla; **Can you book the tickets for us?** ¿Podría reservarnos las entradas?
tickle ['tɪkᵊl] *v* cosquillear
ticklish ['tɪklɪʃ] *adj* cosquilloso
tick off [tɪk ɒf] *v* dar el visto
tide [taɪd] *n* marea; **When is high tide?** ¿Cuándo sube la marea?
tidy ['taɪdɪ] *adj* ordenado
tidy up ['taɪdɪ ʌp] *v* ordenar, arreglar
tie [taɪ] *n* corbata ▷ *v* atar; **bow tie** pajarita
tie up [taɪ ʌp] *v* liar
tiger ['taɪgə] *n* tigre
tight [taɪt] *adj* estirado
tighten ['taɪtᵊn] *v* apretar; **Can you tighten my bindings, please?** ¿Puede apretarme las fijaciones, por favor?
tights [taɪts] *npl* medias *(pantis)*
tile [taɪl] *n* baldosa, azulejo
tiled ['taɪld] *adj* alicatado
till [tɪl] *conj* hasta que ▷ *prep* hasta ▷ *n* caja registradora
timber ['tɪmbə] *n* madera *(construcción)*
time [taɪm] *n* tiempo *(duración)*; **closing time** hora de cierre; **on time** a tiempo; **spare time** tiempo libre *(ocio)*; **time off** tiempo libre *(descanso)*; **time zone** zona horaria; **What's the minimum amount of time?** ¿Cuál es el tiempo de conexión mínimo?
timer ['taɪmə] *n* temporizador
timeshare ['taɪm,ʃɛə] *n* multipropiedad
timetable ['taɪm,teɪbᵊl] *n* horario; **Can I have a timetable, please?** ¿Me da un horario, por favor?
tin [tɪn] *n* estaño; **tin opener** abrelatas
tinfoil ['tɪn,fɔɪl] *n* papel de aluminio
tinned [tɪnd] *adj* enlatado
tinsel ['tɪnsəl] *n* espumillón
tinted ['tɪntɪd] *adj* coloreado
tiny ['taɪnɪ] *adj* diminuto
tip [tɪp] *n (end of object)* punta, *(reward)* propina, *(suggestion)* consejo práctico ▷ *v (incline)* inclinar, *(reward)* dar propina; **How much should I give as a tip?** ¿Cuándo hay que dejar de propina?
tipsy ['tɪpsɪ] *adj* achispado
tiptoe ['tɪp,təʊ] *n* puntillas
tired ['taɪəd] *adj* cansado
tiring ['taɪəɪŋ] *adj* agotador
tissue ['tɪsjuː; 'tɪʃuː] *n (anatomy)* tejido, *(paper)* pañuelo de papel
title ['taɪtᵊl] *n* título

to [tu:; tʊ; tə] *prep* a; **I need someone to look after the children tonight** Necesito a alguien que cuide de mis hijos esta noche; **I need to get to...** Necesito ir a...
toad [təʊd] *n* sapo
toadstool ['təʊd,stu:l] *n* seta venenosa
toast [təʊst] *n (grilled bread)* tostada, *(tribute)* brindis
toaster ['təʊstə] *n* tostador
tobacco [tə'bækəʊ] *n* tabaco
tobacconist's [tə'bækənɪsts] *n* estanco
today [tə'deɪ] *adv* hoy; **What day is it today?** ¿Qué día es hoy?
toddler ['tɒdlə] *n* niño pequeño
toe [təʊ] *n* dedo del pie
toffee ['tɒfɪ] *n* toffee
together [tə'gɛðə] *adv* juntos
Togo ['təʊgəʊ] *n* Togo
toilet ['tɔɪlɪt] *n* aseo, váter; **toilet bag** bolsa de aseo; **toilet paper** papel higiénico; **toilet roll** rollo de papel higiénico; **Are there any toilets for the disabled?** ¿Hay aseos para minusválidos?
toiletries ['tɔɪlɪtri:s] *npl* artículos de tocador
token ['təʊkən] *n* señal *(indicación)*
tolerant ['tɒlərənt] *adj* tolerante
toll [təʊl] *n* peaje; **Is there a toll on this motorway?** ¿Es una autopista de peaje?
tomato [tə'mɑ:təʊ] (*pl* **tomatoes**) *n* tomate; **tomato sauce** salsa de tomate
tomb [tu:m] *n* tumba
tomboy ['tɒm,bɔɪ] *n* marimacho
tomorrow [tə'mɒrəʊ] *adv* mañana *(día siguiente)*; **Is it open tomorrow?** ¿Estará abierto mañana?; **the day after tomorrow** pasado mañana; **tomorrow morning** mañana por la mañana
ton [tʌn] *n* tonelada
tone [təʊn] *n* tono; **dialling tone** tono de marcar; **engaged tone** señal de comunicando
Tonga ['tɒŋgə] *n* Tonga
tongue [tʌŋ] *n* lengua *(órgano)*
tonic ['tɒnɪk] *n* tónico
tonight [tə'naɪt] *adv* esta noche
tonsillitis [,tɒnsɪ'laɪtɪs] *n* amigdalitis
tonsils ['tɒnsəlz] *npl* amígdalas
too [tu:] *adv* demasiado, *(as well)* también; **It's too late** Es demasiado tarde
tool [tu:l] *n* herramienta
tooth ['tu:θ] (*pl* **teeth**) *n* diente; **I've broken a tooth** Me he roto un diente
toothache ['tu:θ,eɪk] *n* dolor de dientes
toothbrush ['tu:θ,brʌʃ] *n* cepillo de dientes
toothpaste ['tu:θ,peɪst] *n* dentífrico
toothpick ['tu:θ,pɪk] *n* mondadientes
top [tɒp] *adj* de arriba ▷ *n* cima, cumbre
topic ['tɒpɪk] *n* tema
topical ['tɒpɪkᵊl] *adj* de actualidad
top-secret ['tɒp'si:krɪt] *adj* de alto secreto
top up [tɒp ʌp] *v* **Where can I buy a top-up card?** ¿Dónde puedo comprar una tarjeta de recarga?
torch [tɔ:tʃ] *n* linterna
tornado [tɔ:'neɪdəʊ] *n* tornado
tortoise ['tɔ:təs] *n* tortuga *(tierra)*
torture ['tɔ:tʃə] *n* tortura ▷ *v* torturar
toss [tɒs] *v* tirar
total ['təʊtᵊl] *adj* total ▷ *n* total
totally ['təʊtᵊlɪ] *adv* totalmente

touch [tʌtʃ] *v* tocar *(tacto)*
touchdown ['tʌtʃˌdaʊn] *n* aterrizaje
touched [tʌtʃt] *adj* conmovido
touching ['tʌtʃɪŋ] *adj* enternecedor
touchline ['tʌtʃˌlaɪn] *n* línea de banda
touchpad ['tʌtʃˌpæd] *n* touchpad
touchy ['tʌtʃɪ] *adj* susceptible
tough [tʌf] *adj* fuerte *(resistente)*
toupee ['tu:peɪ] *n* peluquín
tour [tʊə] *n* gira ▷ *v* recorrer; **guided tour** visita guiada; **package tour** circuito organizado; **tour guide** guía de turismo; **tour operator** operador turístico; **How long does the tour take?** ¿Cuánto dura el recorrido?
tourism ['tʊərɪzəm] *n* turismo
tourist ['tʊərɪst] *n* turista; **tourist office** oficina de turismo
tournament ['tʊənəmənt; 'tɔ:-; 'tɜ:-] *n* torneo
towards [tə'wɔ:dz; tɔ:dz] *prep* hacia
tow away [təʊ ə'weɪ] *v* remolcar; **Can you tow me to a garage?** ¿Podría remolcarme hasta el taller?
towel ['taʊəl] *n* toalla; **sanitary towel** compresa; **Could you lend me a towel?** ¿Puede dejarme una toalla?
tower ['taʊə] *n* torre
town [taʊn] *n* ciudad *(menor)*; **town centre** centro urbano; **town hall** ayuntamiento; **town planning** urbanismo
toxic ['tɒksɪk] *adj* tóxico
toy [tɔɪ] *n* juguete
trace [treɪs] *n* rastro
track [træk] *n* sendero
track down [træk daʊn] *v* localizar
tracksuit ['trækˌsu:t; -ˌsju:t] *n* chándal
tractor ['træktə] *n* tractor
trade [treɪd] *n* comercio; **trade union** sindicato; **trade unionist** sindicalista
trademark ['treɪdˌmɑ:k] *n* marca de fábrica
tradition [trə'dɪʃən] *n* tradición
traditional [trə'dɪʃənᵊl] *adj* tradicional
traffic ['træfɪk] *n* tráfico; **traffic jam** embotellamiento; **traffic lights** semáforo; **traffic warden** guardia de tráfico; **Is the traffic heavy on the motorway?** ¿Hay mucho tráfico en la autopista?
tragedy ['trædʒɪdɪ] *n* tragedia
tragic ['trædʒɪk] *adj* trágico
trailer ['treɪlə] *n* remolque
train [treɪn] *n* tren ▷ *v* entrenar; **Does the train stop at...?** ¿Para este tren en...?; **I've missed my train** He perdido el tren
trained ['treɪnd] *adj* cualificado
trainee [treɪ'ni:] *n* aprendiz
trainer ['treɪnə] *n* entrenador
trainers ['treɪnəz] *npl* zapatillas de deporte
training ['treɪnɪŋ] *n* entrenamiento; **training course** curso de capacitación
tram [træm] *n* tranvía
tramp [træmp] *n (beggar)* vagabundo, *(long walk)* caminata
trampoline ['træmpəlɪn; -ˌli:n] *n* cama elástica
tranquillizer ['træŋkwɪˌlaɪzə] *n* sedante
transaction [træn'zækʃən] *n* transacción
transcript ['trænskrɪpt] *n* transcripción
transfer *n* ['trænsfɜ:] transferencia ▷ *v* [træns'fɜ:] transferir; **How long will it take to transfer?** ¿Cuánto tardará en llegar la transferencia?; **Is**

there a transfer charge? ¿Cobran por hacer transferencias?
transform [træns'fɔːm] *v* transformar
transfusion [træns'fjuːʒən] *n* transfusión
transistor [træn'zɪstə] *n* transistor
transit ['trænsɪt; 'trænz-] *n* tránsito; **transit lounge** sala de tránsito
transition [træn'zɪʃən] *n* transición
translate [træns'leɪt; trænz-] *v* traducir; **Can you translate this for me?** ¿Puede traducírmelo?
translation [træns'leɪʃən; trænz-] *n* traducción
translator [træns'leɪtə; trænz-; trans'lator] *n* traductor
transparent [træns'pærənt; -'pɛər-] *adj* transparente
transplant ['træns,plɑːnt] *n* trasplante
transport *n* ['træns,pɔːt] transporte ▷ *v* [træns'pɔːt] transportar; **public transport** transporte público
transvestite [trænz'vɛstaɪt] *n* travestido
trap [træp] *n* trampa *(caza)*
trash [træʃ] *n* basura
traumatic ['trɔːmə,tɪk] *adj* traumático
travel ['trævᵊl] *n* viaje *(actividad)* ▷ *v* viajar; **travel agency** agencia de viajes; **travel agent's** agencia de viajes; **travel sickness** mareo; **I don't have travel insurance** No tengo seguro de viaje; **I get travel-sick** Me mareo cuando viajo; **I'm travelling alone** Viajo solo
traveller ['trævələ; 'trævlə] *n* viajero; **traveller's cheque** cheque de viaje
travelling ['trævᵊlɪŋ] *n* viaje *(viajar)*
tray [treɪ] *n* bandeja
treacle ['triːkᵊl] *n* melaza
tread [trɛd] *v* pisar
treasure ['trɛʒə] *n* tesoro
treasurer ['trɛʒərə] *n* tesorero
treat [triːt] *n* obsequio ▷ *v* tratar
treatment ['triːtmənt] *n* tratamiento
treaty ['triːtɪ] *n* tratado
treble ['trɛbᵊl] *v* triplicar
tree [triː] *n* árbol
trek [trɛk] *n* caminata *(senderismo)* ▷ *v* caminar *(senderismo)*
trekking ['trɛkɪŋ] *n* **I'd like to go pony trekking** Quisiera ir de excursión a caballo
tremble ['trɛmbᵊl] *v* temblar
tremendous [trɪ'mɛndəs] *adj* tremendo
trench [trɛntʃ] *n* zanja *(cimientos)*
trend [trɛnd] *n* tendencia *(moda)*
trendy ['trɛndɪ] *adj* moderno
trial ['traɪəl] *n* juicio, prueba; **trial period** periodo de prueba
triangle ['traɪ,æŋgᵊl] *n* triángulo
tribe [traɪb] *n* tribu
tribunal [traɪ'bjuːnᵊl; trɪ-] *n* tribunal
trick [trɪk] *n* ardid ▷ *v* engañar
tricky ['trɪkɪ] *adj* peliagudo
tricycle ['traɪsɪkᵊl] *n* triciclo
trifle ['traɪfᵊl] *n* bagatela
trim [trɪm] *v* recortar *(pelo)*
Trinidad and Tobago ['trɪnɪ,dæd ænd tə'beɪgəʊ] *n* Trinidad y Tobago
trip [trɪp] *n* excursión ▷ *v* tropezar; **round trip** viaje de ida y vuelta; **trip (up)** tropezar *(con)*
triple ['trɪpᵊl] *adj* triple
triplets ['trɪplɪts] *npl* trillizos
triumph ['traɪəmf] *n* triunfo ▷ *v* triunfar
trivial ['trɪvɪəl] *adj* trivial
trolley ['trɒlɪ] *n* carro *(carrito)*

trombone [trɒm'bəʊn] *n* trombón
troops ['tru:ps] *npl* tropas
trophy ['trəʊfɪ] *n* trofeo
tropical ['trɒpɪkᵊl] *adj* tropical
trot [trɒt] *v* trotar
trouble ['trʌbᵊl] *n* problemas
troublemaker ['trʌbᵊl,meɪkə] *n* alborotador
trough [trɒf] *n* abrevadero
trousers ['traʊzəz] *npl* pantalón; **Can I try on these trousers?** ¿Puedo probarme estos pantalones?
trout [traʊt] *n* trucha
trowel ['traʊəl] *n* paleta *(pala)*
truant ['tru:ənt] *n* **play truant** hacer novillos
truce [tru:s] *n* tregua
truck [trʌk] *n* camión; **truck driver** camionero
true [tru:] *adj* verdadero
truly ['tru:lɪ] *adv* verdaderamente
trumpet ['trʌmpɪt] *n* trompeta
trunk [trʌŋk] *n* tronco
trunks [trʌŋks] *npl* bañador *(hombre)*
trust [trʌst] *n* confianza ▷ *v* confiar
trusting ['trʌstɪŋ] *adj* confiado
truth [tru:θ] *n* verdad
truthful ['tru:θfʊl] *adj* veraz
try [traɪ] *n* tentativa ▷ *v* intentar
try on [traɪ ɒn] *v* probarse
try out [traɪ aʊt] *v* poner a prueba
T-shirt ['ti:,ʃɜ:t] *n* camiseta
tsunami [tsʊ'næmɪ] *n* tsunami, maremoto
tube [tju:b] *n* tubo; **inner tube** cámara *(neumático)*; **test tube** probeta; **tube station** estación de metro
tuberculosis [tjʊ,bɜ:kjʊ'ləʊsɪs] *n* tuberculosis
Tuesday ['tju:zdɪ] *n* martes; **Shrove Tuesday** martes de Carnaval; **on Tuesday** el martes
tug-of-war ['tʌgɒv'wɔ:] *n* juego de la cuerda
tuition [tju:'ɪʃən] *n* instrucción; **tuition fees** matrícula *(tasas)*
tulip ['tju:lɪp] *n* tulipán
tummy ['tʌmɪ] *n* barriga
tumour ['tju:mə] *n* tumor
tuna ['tju:nə] *n* atún
tune [tju:n] *n* tonada
Tunisia [tju:'nɪzɪə; -'nɪsɪə] *n* Túnez
Tunisian [tju:'nɪzɪən; -'nɪsɪən] *adj* tunecino ▷ *n* tunecino
tunnel ['tʌnᵊl] *n* túnel
turbulence ['tɜ:bjʊləns] *n* turbulencia
Turk [tɜ:k] *n* turco
turkey ['tɜ:kɪ] *n* pavo
Turkey ['tɜ:kɪ] *n* Turquía
Turkish ['tɜ:kɪʃ] *adj* turco ▷ *n* turco *(idioma)*
turn [tɜ:n] *n* vuelta ▷ *v* girar; **Turn left** Gire a la izquierda; **Turn right** Gire a la derecha
turn around [tɜ:n ə'raʊnd] *v* dar(se) la vuelta
turn back [tɜ:n bæk] *v* volverse atrás *(camino)*
turn down [tɜ:n daʊn] *v* bajar *(volumen)*
turning ['tɜ:nɪŋ] *n* bocacalle
turnip ['tɜ:nɪp] *n* nabo
turn off [tɜ:n ɒf] *v* apagar, girar; **I can't turn the heating off** No consigo apagar la calefacción; **It won't turn off** No se apaga
turn on [tɜ:n ɒn] *v* encender; **I can't turn the heating on** No consigo encender la calefacción; **It won't turn on** No se enciende
turn out [tɜ:n aʊt] *v* apagar
turnover ['tɜ:n,əʊvə] *n* suma de negocios
turn round [tɜ:n raʊnd] *v* dar(se) la

vuelta; **You have to turn round** Tiene que dar la vuelta
turnstile ['tɜːnˌstaɪl] *n* torniquete
turn up [tɜːn ʌp] *v* aparecer
turquoise ['tɜːkwɔɪz; -kwɑːz] *adj* turquesa
turtle ['tɜːtᵊl] *n* tortuga *(mar)*
tutor ['tjuːtə] *n* profesor particular
tutorial [tjuː'tɔːrɪəl] *n* clase de orientación con el tutor
tuxedo [tʌk'siːdəʊ] *n* esmoquin
TV [tiː viː] *n* TV; **plasma TV** televisión de plasma
tweezers ['twiːzəz] *npl* pinzas
twelfth [twɛlfθ] *adj* duodécimo
twelve [twɛlv] *num* doce
twentieth ['twɛntɪɪθ] *adj* vigésimo
twenty ['twɛntɪ] *num* veinte
twice [twaɪs] *adv* dos veces
twin [twɪn] *n* gemelo; **twin beds** camas separadas; **twin room** habitación con dos camas; **twin-bedded room** habitación con camas separadas
twinned ['twɪnd] *adj* hermanado
twist [twɪst] *v* retorcer
twit [twɪt] *n* imbécil
two [tuː] *num* dos
type [taɪp] *n* tipo *(clase)* ▷ *v* teclear; **Have you cut my type of hair before?** ¿Ha cortado antes este tipo de pelo?
typewriter ['taɪpˌraɪtə] *n* máquina de escribir
typhoid ['taɪfɔɪd] *n* fiebre tifoidea
typical ['tɪpɪkᵊl] *adj* típico; **Have you anything typical of this town?** ¿Tiene algo típico de la localidad?
typist ['taɪpɪst] *n* mecanógrafo
tyre ['taɪə] *n* neumático; **spare tyre** rueda de recambio; **Can you check the tyres, please?** Compruebe los neumáticos, por favor

u

UFO ['juːfəʊ] *abr* OVNI
Uganda [juː'gændə] *n* Uganda
Ugandan [juː'gændən] *adj* ugandés ▷ *n* ugandés
ugh [ʊx; ʊh; ʌh] *excl* puf
ugly ['ʌglɪ] *adj* feo
UK [juː keɪ] *n* RU
Ukraine [juː'kreɪn] *n* Ucrania
Ukrainian [juː'kreɪnɪən] *adj* ucraniano ▷ *n (language, person)* ucraniano
ulcer ['ʌlsə] *n* úlcera
Ulster ['ʌlstə] *n* Ulster
ultimate ['ʌltɪmɪt] *adj* final
ultimatum [ˌʌltɪ'meɪtəm] *n* ultimátum
ultrasound ['ʌltrəˌsaʊnd] *n* ultrasonido
umbrella [ʌm'brɛlə] *n* paraguas
umpire ['ʌmpaɪə] *n* árbitro *(tenis)*
UN [juː ɛn] *abr* ONU
unable [ʌn'eɪbᵊl] *adj* **unable to** incapaz de
unacceptable [ˌʌnək'sɛptəbᵊl] *adj*

inaceptable
unanimous [juːˈnænɪməs] *adj* unánime
unattended [ˌʌnəˈtɛndɪd] *adj* desatendido
unavoidable [ˌʌnəˈvɔɪdəbᵊl] *adj* inevitable
unbearable [ʌnˈbɛərəbᵊl] *adj* insoportable
unbeatable [ʌnˈbiːtəbᵊl] *adj* imbatible
unbelievable [ˌʌnbɪˈliːvəbᵊl] *adj* increíble
unbreakable [ʌnˈbreɪkəbᵊl] *adj* irrompible
uncanny [ʌnˈkænɪ] *adj* asombroso *(extraño)*
uncertain [ʌnˈsɜːtᵊn] *adj* incierto
uncertainty [ʌnˈsɜːtᵊntɪ] *n* incertidumbre
unchanged [ʌnˈtʃeɪndʒd] *adj* inalterado
uncivilized [ʌnˈsɪvɪˌlaɪzd] *adj* incivilizado
uncle [ˈʌŋkᵊl] *n* tío *(familiar)*
unclear [ʌnˈklɪə] *adj* poco claro
uncomfortable [ʌnˈkʌmftəbᵊl] *adj* incómodo *(molesto)*
unconditional [ˌʌnkənˈdɪʃənᵊl] *adj* incondicional
unconscious [ʌnˈkɒnʃəs] *adj* inconsciente
uncontrollable [ˌʌnkənˈtrəʊləbᵊl] *adj* incontrolable
unconventional [ˌʌnkənˈvɛnʃənᵊl] *adj* poco convencional
undecided [ˌʌndɪˈsaɪdɪd] *adj* indeciso *(estar)*
undeniable [ˌʌndɪˈnaɪəbᵊl] *adj* innegable
under [ˈʌndə] *prep* debajo de, bajo
underage [ˌʌndərˈeɪdʒ] *adj* menor de edad
underestimate [ˌʌndərɛstɪˈmeɪt] *v* subestimar
undergo [ˌʌndəˈgəʊ] *v* experimentar
undergraduate [ˌʌndəˈgrædjʊɪt] *n* estudiante universitario
underground *adj* [ˈʌndəˌgraʊnd] subterráneo ▷ *n* [ˈʌndəˌgraʊnd] subterráneo
underline [ˌʌndəˈlaɪn] *v* subrayar
underneath [ˌʌndəˈniːθ] *adv* debajo ▷ *prep* debajo de, bajo
underpaid [ˌʌndəˈpeɪd] *adj* mal pagado
underpants [ˈʌndəˌpænts] *npl* calzoncillos
underpass [ˈʌndəˌpɑːs] *n* paso subterráneo
underskirt [ˈʌndəˌskɜːt] *n* enaguas
understand [ˌʌndəˈstænd] *v* comprender, entender; **Do you understand?** ¿Entiende?; **I don't understand** No entiendo
understandable [ˌʌndəˈstændəbᵊl] *adj* comprensible
understanding [ˌʌndəˈstændɪŋ] *adj* comprensivo
undertaker [ˈʌndəˌteɪkə] *n* empleado de pompas fúnebres
underwater [ˈʌndəˈwɔːtə] *adv* debajo del agua
underwear [ˈʌndəˌwɛə] *n* ropa interior
undisputed [ˌʌndɪˈspjuːtɪd] *adj* indiscutible
undo [ʌnˈduː] *v* deshacer
undoubtedly [ʌnˈdaʊtɪdlɪ] *adv* indudablemente
undress [ʌnˈdrɛs] *v* desvestir(se), desnudar(se)
unemployed [ˌʌnɪmˈplɔɪd] *adj* desempleado
unemployment [ˌʌnɪmˈplɔɪmənt] *n* desempleo

unexpected [ˌʌnɪk'spɛktɪd] *adj* inesperado
unexpectedly [ˌʌnɪk'spɛktɪdlɪ] *adv* de improviso
unfair [ʌn'fɛə] *adj* injusto
unfaithful [ʌn'feɪθfʊl] *adj* infiel
unfamiliar [ˌʌnfə'mɪljə] *adj* poco familiar
unfashionable [ʌn'fæʃənəbᵊl] *adj* pasado de moda
unfavourable [ʌn'feɪvərəbᵊl; -'feɪvrə-] *adj* desfavorable
unfit [ʌn'fɪt] *adj* inepto
unforgettable [ˌʌnfə'gɛtəbᵊl] *adj* inolvidable
unfortunately [ʌn'fɔːtʃənɪtlɪ] *adv* por desgracia
unfriendly [ʌn'frɛndlɪ] *adj* enemigo
ungrateful [ʌn'greɪtfʊl] *adj* desagradecido
unhappy [ʌn'hæpɪ] *adj* infeliz
unhealthy [ʌn'hɛlθɪ] *adj* insalubre
unhelpful [ʌn'hɛlpfʊl] *adj* poco servicial
uni ['juːnɪ] *n* uni
unidentified [ˌʌnaɪ'dɛntɪˌfaɪd] *adj* sin identificar
uniform ['juːnɪˌfɔːm] *n* uniforme
unimportant [ˌʌnɪm'pɔːtᵊnt] *adj* sin importancia
uninhabited [ˌʌnɪn'hæbɪtɪd] *adj* inhabitado
unintentional [ˌʌnɪn'tɛnʃənᵊl] *adj* involuntario
union ['juːnjən] *n* unión; **European Union** Unión Europea
unique [juː'niːk] *adj* único *(especial)*
unit ['juːnɪt] *n* unidad
unite [juː'naɪt] *v* unir(se)
United Kingdom [juː'naɪtɪd 'kɪŋdəm] *n* Reino Unido
United States [juː'naɪtɪd steɪts] *n* Estados Unidos
universe ['juːnɪˌvɜːs] *n* universo
university [ˌjuːnɪ'vɜːsɪtɪ] *n* universidad
unknown [ʌn'nəʊn] *adj* desconocido
unleaded [ʌn'lɛdɪd] *n* sin plomo; **unleaded petrol** gasolina sin plomo
unless [ʌn'lɛs] *conj* a no ser que
unlike [ʌn'laɪk] *prep* a diferencia de
unlikely [ʌn'laɪklɪ] *adj* improbable
unlisted [ʌn'lɪstɪd] *adj* no incluido
unload [ʌn'ləʊd] *v* descargar *(camión)*
unlock [ʌn'lɒk] *v* abrir con llave
unlucky [ʌn'lʌkɪ] *adj* desafortunado
unmarried [ʌn'mærɪd] *adj* soltero
unnecessary [ʌn'nɛsɪsərɪ; -ɪsrɪ] *adj* innecesario
unofficial [ˌʌnə'fɪʃəl] *adj* extraoficial
unpack [ʌn'pæk] *v* deshacer *(maleta)*; **I have to unpack** Tengo que deshacer el equipaje
unpaid [ʌn'peɪd] *adj* no retribuido
unpleasant [ʌn'plɛzᵊnt] *adj* desagradable *(grosero)*
unplug [ʌn'plʌg] *v* desenchufar
unpopular [ʌn'pɒpjʊlə] *adj* impopular
unprecedented [ʌn'prɛsɪˌdɛntɪd] *adj* sin precedentes
unpredictable [ˌʌnprɪ'dɪktəbᵊl] *adj* imprevisible
unreal [ʌn'rɪəl] *adj* irreal
unrealistic [ˌʌnrɪə'lɪstɪk] *adj* poco realista
unreasonable [ʌn'riːznəbᵊl] *adj* irrazonable
unreliable [ˌʌnrɪ'laɪəbᵊl] *adj* poco fiable
unroll [ʌn'rəʊl] *v* desenrollar
unscrew [ʌn'skruː] *v* destornillar
unshaven [ʌn'ʃeɪvᵊn] *adj* sin afeitar
unskilled [ʌn'skɪld] *adj* no

cualificado
unstable [ʌn'steɪbᵊl] *adj* inestable
unsteady [ʌn'stɛdɪ] *adj* inestable
unsuccessful [ˌʌnsək'sɛsfʊl] *adj* fracasado
unsuitable [ʌn'suːtəbᵊl; ʌn'sjuːt-] *adj* inadecuado
unsure [ʌn'ʃʊə] *adj* inseguro *(estar)*
untidy [ʌn'taɪdɪ] *adj* desordenado
untie [ʌn'taɪ] *v* desatar
until [ʌn'tɪl] *conj* hasta que ▷ *prep* hasta
unusual [ʌn'juːʒʊəl] *adj* inusual
unwell [ʌn'wɛl] *adj* mal
unwind [ʌn'waɪnd] *v* desenrollar *(cuerda)*
unwise [ʌn'waɪz] *adj* insensato *(acción)*
unwrap [ʌn'ræp] *v* desenvolver
unzip [ʌn'zɪp] *v* abrir la cremallera
up [ʌp] *adv* arriba *(posición)*
upbringing ['ʌpˌbrɪŋɪŋ] *n* educación *(crianza)*
update *n* ['ʌpˌdeɪt] actualización ▷ *v* [ʌp'deɪt] actualizar
upgrade [ʌp'greɪd] *v* **I want to upgrade my ticket** Quiero cambiar mi billete por otro de clase superior
uphill ['ʌp'hɪl] *adv* cuesta arriba
upper ['ʌpə] *adj* superior *(arriba)*
upright ['ʌpˌraɪt] *adv* erguido
upset *adj* [ʌp'sɛt] disgustado ▷ *v* [ʌp'sɛt] volcar(se)
upside down ['ʌpˌsaɪd daʊn] *adv* al revés
upstairs ['ʌp'stɛəz] *adv* arriba *(planta)*
uptight [ʌp'taɪt] *adj* tenso *(nervioso)*
up-to-date [ʌptʊdeɪt] *adj* actualizado
upwards ['ʌpwədz] *adv* hacia arriba
uranium [jʊ'reɪnɪəm] *n* uranio
urgency ['ɜːdʒənsɪ] *n* urgencia
urgent ['ɜːdʒənt] *adj* urgente; **I need to make an urgent telephone call** Necesito hacer una llamada urgente
urine ['jʊərɪn] *n* orina
URL [juː ɑː ɛl] *n* URL
Uruguay ['jʊərəˌgwaɪ] *n* Uruguay
Uruguayan [ˌjʊərə'gwaɪən] *adj* uruguayo ▷ *n* uruguayo
us [ʌs] *pron* nos *(objeto directo)*
US [juː ɛs] *n* EE.UU.
USA [juː ɛs eɪ] *n* EE.UU.
use *n* [juːs] uso ▷ *v* [juːz] usar; **It is for my own personal use** Es de uso personal; **May I use your phone?** ¿Me permite usar su teléfono?
used [juːzd] *adj* usado
useful ['juːsfʊl] *adj* útil
useless ['juːslɪs] *adj* inútil
user ['juːzə] *n* usuario
user-friendly ['juːzəˌfrɛndlɪ] *adj* fácil de usar
use up [juːz ʌp] *v* consumir
usual ['juːʒʊəl] *adj* usual
U-turn ['juːˌtɜːn] *n* cambio de sentido
Uzbekistan [ˌʌzbɛkɪ'stɑːn] *n* Uzbekistán

vacancy ['veɪkənsɪ] *n* vacante *(puesto)*
vacant ['veɪkənt] *adj* desocupado
vacate [və'keɪt] *v* desocupar
vaccinate ['væksɪˌneɪt] *v* vacunar
vaccination [ˌvæksɪ'neɪʃən] *n* vacunación
vacuum ['vækjʊəm] *v* pasar la aspiradora; **vacuum cleaner** aspiradora
vague [veɪg] *adj* vago
vain [veɪn] *adj* vanidoso
valid ['vælɪd] *adj* válido
valley ['vælɪ] *n* valle
valuable ['væljʊəbᵊl] *adj* valioso
valuables ['væljʊəbᵊlz] *npl* objetos de valor
value ['vælju:] *n* valor *(monetario)*
vampire ['væmpaɪə] *n* vampiro
van [væn] *n* furgoneta
vandal ['vændᵊl] *n* vándalo
vandalize ['vændəˌlaɪz] *v* destrozar
vanilla [və'nɪlə] *n* vainilla
vanish ['vænɪʃ] *v* desaparecer
variable ['vɛərɪəbᵊl] *adj* variable
varied ['vɛərɪd] *adj* variado *(programa)*
variety [və'raɪɪtɪ] *n* variedad
various ['vɛərɪəs] *adj* vario *(diverso)*
varnish ['vɑ:nɪʃ] *n* barniz ▷ *v* barnizar; **nail varnish** esmalte de uñas
vary ['vɛərɪ] *v* variar
vase [vɑ:z] *n* florero
VAT [væt] *abr* IVA; **Is VAT included?** ¿Está incluido el IVA?
Vatican ['vætɪkən] *n* Vaticano
vault [vɔ:lt] *n* **pole vault** salto con pértiga
veal [vi:l] *n* ternera
vegan ['vi:gən] *n* vegano; **Do you have any vegan dishes?** ¿Tiene platos veganos?
vegetable ['vɛdʒtəbᵊl] *n* hortaliza, verdura; **Are the vegetables fresh or frozen?** ¿Las verduras son frescas o congeladas?
vegetarian [ˌvɛdʒɪ'tɛərɪən] *adj* vegetariano ▷ *n* vegetariano; **Do you have any vegetarian dishes?** ¿Tiene platos vegetarianos?
vegetation [ˌvɛdʒɪ'teɪʃən] *n* vegetación
vehicle ['vi:ɪkᵊl] *n* vehículo
veil [veɪl] *n* velo
vein [veɪn] *n* vena
Velcro® ['vɛlkrəʊ] *n* velcro
velvet ['vɛlvɪt] *n* terciopelo
vendor ['vɛndɔ:] *n* vendedor *(parte)*
Venezuela [ˌvɛnɪ'zweɪlə] *n* Venezuela
Venezuelan [ˌvɛnɪ'zweɪlən] *adj* venezolano ▷ *n* venezolano
venison ['vɛnɪzᵊn; -sᵊn] *n* venado
venom ['vɛnəm] *n* veneno
ventilation [ˌvɛntɪ'leɪʃən] *n* ventilación

venue ['vɛnjuː] *n* lugar de celebración
verb [vɜːb] *n* verbo
verdict ['vɜːdɪkt] *n* veredicto
versatile ['vɜːsəˌtaɪl] *adj* versátil
version ['vɜːʃən; -ʒən] *n* versión
versus ['vɜːsəs] *prep* contra
vertical ['vɜːtɪkᵊl] *adj* vertical
vertigo ['vɜːtɪˌgəʊ] *n* vértigo
very ['vɛrɪ] *adv* muy
vest [vɛst] *n* camiseta de tirantes
vet [vɛt] *n* veterinario
veteran ['vɛtərən; 'vɛtrən] *adj* veterano ▷ *n* veterano
veto ['viːtəʊ] *n* veto
via ['vaɪə] *prep* vía
vicar ['vɪkə] *n* cura párroco
vice [vaɪs] *n* vicio
vice versa ['vaɪsɪ 'vɜːsə] *adv* viceversa
vicinity [vɪ'sɪnɪtɪ] *n* vecindad *(cercanía)*
vicious ['vɪʃəs] *adj* fiero *(malo)*
victim ['vɪktɪm] *n* víctima
victory ['vɪktərɪ] *n* victoria
video ['vɪdɪˌəʊ] *n* vídeo; **video camera** videocámara
videophone ['vɪdɪəˌfəʊn] *n* videoteléfono
Vietnam [ˌvjɛt'næm] *n* Vietnam
Vietnamese [ˌvjɛtnə'miːz] *adj* vietnamita ▷ *n (language, person)* vietnamita
view [vjuː] *n* vista *(panorama)*; **I'd like a room with a view of the sea** Quisiera una habitación con vistas al mar
viewer ['vjuːə] *n* espectador
viewpoint ['vjuːˌpɔɪnt] *n* punto de vista *(perspectiva)*
vile [vaɪl] *adj* vil
villa ['vɪlə] *n* chalet; **I'd like to rent a villa** Quisiera alquilar un chalet
village ['vɪlɪdʒ] *n* pueblo, aldea
villain ['vɪlən] *n* villano
vinaigrette [ˌvɪneɪ'grɛt] *n* vinagreta
vine [vaɪn] *n* vid
vinegar ['vɪnɪgə] *n* vinagre
vineyard ['vɪnjəd] *n* viñedo
viola [vɪ'əʊlə] *n* viola
violence ['vaɪələns] *n* violencia
violent ['vaɪələnt] *adj* violento
violin [ˌvaɪə'lɪn] *n* violín
violinist [ˌvaɪə'lɪnɪst] *n* violinista
virgin ['vɜːdʒɪn] *n* virgen
Virgo ['vɜːgəʊ] *n* Virgo
virtual ['vɜːtʃʊəl] *adj* virtual
virus ['vaɪrəs] *n* virus
visa ['viːzə] *n* visado; **Here is my visa** Tenga mi visado; **I have an entry visa** Tengo un visado de entrada
visibility [ˌvɪzɪ'bɪlɪtɪ] *n* visibilidad
visible ['vɪzɪbᵊl] *adj* visible
visit ['vɪzɪt] *n* visita ▷ *v* visitar; **visiting hours** horario de visita; **Do we have time to visit the town?** ¿Nos da tiempo para visitar la ciudad?; **I'm here visiting friends** Vengo a visitar a unos amigos
visitor ['vɪzɪtə] *n* visitante; **visitor centre** centro de visitantes
visual ['vɪʒʊəl; -zjʊ-] *adj* visual
visualize ['vɪʒʊəˌlaɪz; -zjʊ-] *v* visualizar
vital ['vaɪtᵊl] *adj* vital
vitamin ['vɪtəmɪn; 'vaɪ-] *n* vitamina
vivid ['vɪvɪd] *adj* vivo *(color)*
vocabulary [və'kæbjʊlərɪ] *n* vocabulario
vocational [vəʊ'keɪʃənᵊl] *adj* vocacional
vodka ['vɒdkə] *n* vodka
voice [vɔɪs] *n* voz
voicemail ['vɔɪsˌmeɪl] *n* buzón de voz
void [vɔɪd] *adj* nulo ▷ *n* vacío

volcano [vɒlˈkeɪnəʊ] (*pl* **volcanoes**) *n* volcán
volleyball [ˈvɒlɪˌbɔːl] *n* voleibol
volt [vəʊlt] *n* voltio
voltage [ˈvəʊltɪdʒ] *n* voltaje; **What's the voltage?** ¿Qué voltaje hay?
volume [ˈvɒljuːm] *n* volumen; **May I turn the volume up?** ¿Puedo subir el volumen?; **Please could you lower the volume?** ¿Puede bajar el volumen?
voluntary [ˈvɒləntərɪ; -trɪ] *adj* voluntario
volunteer [ˌvɒlənˈtɪə] *n* voluntario ▷ *v* ofrecerse voluntariamente
vomit [ˈvɒmɪt] *v* vomitar
vote [vəʊt] *n* voto ▷ *v* votar
voucher [ˈvaʊtʃə] *n* vale
vowel [ˈvaʊəl] *n* vocal
vulgar [ˈvʌlɡə] *adj* vulgar
vulnerable [ˈvʌlnərəbᵊl] *adj* vulnerable
vulture [ˈvʌltʃə] *n* buitre

wafer [ˈweɪfə] *n* oblea
waffle [ˈwɒfᵊl] *n* gofre ▷ *v* hablar a tontas y a locas
wage [weɪdʒ] *n* sueldo
waist [weɪst] *n* cintura
waistcoat [ˈweɪsˌkəʊt] *n* chaleco
wait [weɪt] *v* esperar; **wait for** esperar; **waiting list** lista de espera; **waiting room** sala de espera; **Can you wait here for a few minutes?** ¿Puede esperarme aquí unos minutos?; **Please wait for me** Espéreme, por favor; **We are still waiting to be served** Todavía estamos esperando que nos sirvan
waiter [ˈweɪtə] *n* camarero
waitress [ˈweɪtrɪs] *n* camarera
wait up [weɪt ʌp] *v* esperar levantado
waive [weɪv] *v* renunciar a
wake up [weɪk ʌp] *v* despertar(se); **Shall I wake you up?** ¿Quiere que le despierte?
Wales [weɪlz] *n* Gales

walk [wɔːk] *n* paseo ▷ *v* caminar, andar; **Can I walk there?** ¿Se puede ir andando?
walkie-talkie [ˌwɔːkɪˈtɔːkɪ] *n* walkie-talkie
walking [ˈwɔːkɪŋ] *n* andar; **walking stick** bastón
walkway [ˈwɔːkˌweɪ] *n* sendero
wall [wɔːl] *n* pared
wallet [ˈwɒlɪt] *n* cartera *(billetera)*; **I've lost my wallet** He perdido la cartera
wallpaper [ˈwɔːlˌpeɪpə] *n* papel pintado
walnut [ˈwɔːlˌnʌt] *n* nuez *(nogal)*
walrus [ˈwɔːlrəs; ˈwɒl-] *n* morsa
waltz [wɔːls] *n* vals ▷ *v* bailar el vals
wander [ˈwɒndə] *v* deambular
want [wɒnt] *v* querer; **I don't want an injection for the pain** No quiero que me pongan una inyección contra el dolor; **I want something cheaper** Quiero algo más barato
war [wɔː] *n* guerra; **civil war** guerra civil
ward [wɔːd] *n (area)* distrito, *(hospital room)* sala
warden [ˈwɔːdᵊn] *n* guardián
wardrobe [ˈwɔːdrəʊb] *n* ropero
warehouse [ˈwɛəˌhaʊs] *n* almacén *(depósito)*
warm [wɔːm] *adj* templado
warm up [wɔːm ʌp] *v* calentar(se); **Can you warm this up, please?** ¿Puede calentar esto, por favor?
warn [wɔːn] *v* advertir
warning [ˈwɔːnɪŋ] *n* advertencia; **hazard warning lights** luces de emergencia
warranty [ˈwɒrəntɪ] *n* garantía; **The car is still under warranty** El coche sigue en garantía
wart [wɔːt] *n* verruga
wash [wɒʃ] *v* lavar; **car wash** lavado de coches; **Can you wash my hair, please?** ¿Puede lavarme el pelo, por favor?; **How do I use the car wash?** ¿Cómo funciona la máquina de lavado?
washable [ˈwɒʃəbᵊl] *adj* lavable
washbasin [ˈwɒʃˌbeɪsᵊn] *n* lavabo
washing [ˈwɒʃɪŋ] *n* colada; **washing line** cuerda para tender la ropa; **washing machine** lavadora; **washing powder** detergente *(ropa)*
washing-up [ˈwɒʃɪŋʌp] *n* fregado *(de los platos)*; **washing-up liquid** lavavajillas *(jabón)*
wash up [wɒʃ ʌp] *v* fregar los platos
wasp [wɒsp] *n* avispa
waste [weɪst] *n* desperdicio ▷ *v* desperdiciar
watch [wɒtʃ] *n* reloj *(pulsera)* ▷ *v* mirar; **digital watch** reloj digital; **I need a new strap for my watch** Necesito una correa nueva para el reloj; **I think my watch is fast** Creo que llevo el reloj adelantado
watch out [wɒtʃ aʊt] *v* tener cuidado
water [ˈwɔːtə] *n* agua ▷ *v* regar; **drinking water** agua potable; **mineral water** agua mineral; **sea water** agua de mar; **sparkling water** agua con gas; **watering can** regadera; **a glass of water** un vaso de agua; **How deep is the water?** ¿Qué profundidad tiene el agua?
watercolour [ˈwɔːtəˌkʌlə] *n* acuarela
watercress [ˈwɔːtəˌkrɛs] *n* berro
waterfall [ˈwɔːtəˌfɔːl] *n* cascada, salto de agua
watermelon [ˈwɔːtəˌmɛlən] *n* sandía
waterproof [ˈwɔːtəˌpruːf] *adj*

impermeable
water-skiing ['wɔːtəˌskiːɪŋ] *n* esquí acuático; **Is it possible to go water-skiing here?** ¿Es posible hacer esquí acuático aquí?
wave [weɪv] *n* ola, onda ▷ *v* saludar con la mano
wavelength ['weɪvˌlɛŋθ] *n* longitud de onda
wavy ['weɪvɪ] *adj* ondulado
wax [wæks] *n* cera
way [weɪ] *n* camino; **We are on our way to...** Vamos de camino a...; **What's the best way to get to the railway station?** ¿Cuál es el mejor camino para ir a la estación de tren?
way in [weɪ ɪn] *n* entrada *(vía)*
way out [weɪ aʊt] *n* salida *(vía)*
we [wiː] *pron* nosotros
weak [wiːk] *adj* débil
weakness ['wiːknɪs] *n* debilidad
wealth [wɛlθ] *n* riqueza
wealthy ['wɛlθɪ] *adj* adinerado
weapon ['wɛpən] *n* arma
wear [wɛə] *v* llevar *(puesto)*; **I wear contact lenses** Llevo lentillas
weasel ['wiːzᵊl] *n* comadreja
weather ['wɛðə] *n* tiempo *(clima)*; **weather forecast** pronóstico del tiempo; **Is the weather going to change?** ¿Va a cambiar el tiempo?; **What awful weather!** ¡Qué tiempo más malo!; **What will the weather be like tomorrow?** ¿Qué tiempo hará mañana?
web [wɛb] *n* telaraña; **web address** dirección de Internet; **web browser** explorador de Internet
webcam ['wɛbˌkæm] *n* cámara web
webmaster ['wɛbˌmɑːstə] *n* administrador del sitio Web
website ['wɛbˌsaɪt] *n* sitio Web
webzine ['wɛbˌziːn] *n* revista por Internet
wedding ['wɛdɪŋ] *n* boda; **wedding anniversary** aniversario de bodas; **wedding dress** vestido de novia; **wedding ring** alianza de matrimonio; **We are here for a wedding** Hemos venido a una boda
Wednesday ['wɛnzdɪ] *n* miércoles; **Ash Wednesday** miércoles de Ceniza; **on Wednesday** el miércoles
weed [wiːd] *n* mala hierba
weedkiller ['wiːdˌkɪlə] *n* herbicida
week [wiːk] *n* semana; **a week ago** hace una semana; **How much is it for a week?** ¿Cuánto cuesta una semana?; **last week** la semana pasada
weekday ['wiːkˌdeɪ] *n* día laborable
weekend [ˌwiːk'ɛnd] *n* fin de semana; **I want to hire a car for the weekend** Quiero alquilar un coche para el fin de semana
weep [wiːp] *v* llorar
weigh [weɪ] *v* pesar
weight [weɪt] *n* peso
weightlifter ['weɪtˌlɪftə] *n* levantador de pesas
weightlifting ['weɪtˌlɪftɪŋ] *n* halterofilia
weird [wɪəd] *adj* extraño
welcome ['wɛlkəm] *n* recibimiento ▷ *v* dar la bienvenida; **welcome!** ¡bienvenido!
well [wɛl] *adj* bien ▷ *adv* bien ▷ *n* pozo; **well done!** ¡Bien hecho!; **Did you sleep well?** ¿Ha dormido bien?; **He's not well** No se encuentra bien
well-behaved ['wɛlbɪ'heɪvd] *adj* bien educado
wellies ['wɛlɪz] *npl* botas de agua
wellingtons ['wɛlɪŋtənz] *npl* botas de agua
well-known ['wɛl'nəʊn] *adj*

conocido *(famoso)*
well-off ['wɛl'ɒf] *adj* acomodado
well-paid ['wɛl'peɪd] *adj* bien pagado
Welsh [wɛlʃ] *adj* galés ▷ *n* galés
west [wɛst] *adj* occidental ▷ *adv* al oeste ▷ *n* Oeste; **West Indian** antillano; **West Indies** Antillas
westbound ['wɛst,baʊnd] *adj* en dirección oeste
western ['wɛstən] *adj* del oeste ▷ *n* película del Oeste
wet [wɛt] *adj* mojado
wetsuit ['wɛt,su:t] *n* traje de neopreno
whale [weɪl] *n* ballena
what [wɒt; wət] *adj* cuál, qué ▷ *pron* qué *(pregunta indirecta)*; **What do you do?** ¿A qué se dedica?; **What is it?** ¿Qué es esto?; **What time is it, please?** ¿Qué hora es, por favor?
wheat [wi:t] *n* trigo; **wheat intolerance** intolerancia al trigo
wheel [wi:l] *n* rueda; **spare wheel** rueda de recambio
wheelbarrow ['wi:l,bærəʊ] *n* carretilla
wheelchair ['wi:l,tʃɛə] *n* silla de ruedas
when [wɛn] *adv* cuándo ▷ *conj* cuando
where [wɛə] *adv* dónde ▷ *conj* donde; **Where are we?** ¿Dónde estamos?; **Where are you from?** ¿De dónde es usted?
whether ['wɛðə] *conj* si
which [wɪtʃ] *pron* cuál, que, el cual; **Which is the key for this door?** ¿Cuál es la llave de esta puerta?
while [waɪls] *conj* mientras ▷ *n* rato
whip [wɪp] *n* látigo; **whipped cream** nata montada
whisk [wɪsk] *n* batidor
whiskers ['wɪskəz] *npl* bigotes
whisky ['wɪskɪ] *n* whisky; **malt whisky** whisky de malta; **a whisky and soda** un whisky con soda
whisper ['wɪspə] *v* susurrar
whistle ['wɪsᵊl] *n* silbato ▷ *v* silbar
white [waɪt] *adj* blanco; **a carafe of white wine** una jarra de vino blanco
whiteboard ['waɪt,bɔ:d] *n* pizarra blanca
whitewash ['waɪt,wɒʃ] *v* encalar
whiting ['waɪtɪŋ] *n* pescadilla
who [hu:] *pron* quién, quien; **Who am I talking to?** ¿Con quién hablo?; **Who is it?** ¿Quién es?; **Who's calling?** ¿De parte de quién?
whole [həʊl] *adj* entero, todo ▷ *n* todo; **for the whole of June** durante todo el mes de junio
wholefoods ['həʊl,fu:dz] *npl* alimentos integrales
wholemeal ['həʊl,mi:l] *adj* integral
wholesale ['həʊl,seɪl] *adj* mayorista, al por mayor ▷ *n* comercio al por mayor
whom [hu:m] *pron* a quién
whose [hu:z] *adj* de quién ▷ *pron* cuyo
why [waɪ] *adv* por qué
wicked ['wɪkɪd] *adj* malvado
wide [waɪd] *adj* ancho *(dimensión)* ▷ *adv* de par en par
widespread ['waɪd,sprɛd] *adj* generalizado
widow ['wɪdəʊ] *n* viuda
widower ['wɪdəʊə] *n* viudo
width [wɪdθ] *n* anchura
wife [waɪf] *(pl* **wives**) *n* esposa
WiFi [waɪ faɪ] *n* wifi
wig [wɪg] *n* peluca
wild [waɪld] *adj* salvaje
wildlife ['waɪld,laɪf] *n* vida silvestre
will [wɪl] *n (document)* testamento, *(motivation)* voluntad

willing ['wɪlɪŋ] *adj* dispuesto *(servicial)*
willingly ['wɪlɪŋlɪ] *adv* de buen grado
willow ['wɪləʊ] *n* sauce
willpower ['wɪl,paʊə] *n* fuerza de voluntad
wilt [wɪlt] *v* marchitarse
win [wɪn] *v* ganar *(vencer)*
wind¹ [wɪnd] *n* viento ▷ *vt (with a blow etc.)* cortar la respiración
wind² [waɪnd] *v (coil around)* enrollar
windmill ['wɪnd,mɪl; 'wɪn,mɪl] *n* molino de viento
window ['wɪndəʊ] *n* ventana; **window pane** cristal de la ventana; **window seat** asiento de ventanilla; **May I open the window?** ¿Me permite que abra la ventana?
windowsill ['wɪndəʊ,sɪl] *n* alféizar
windscreen ['wɪnd,skriːn] *n* parabrisas; **windscreen wiper** limpiaparabrisas; **Could you clean the windscreen?** ¿Puede limpiarme el parabrisas?
windsurfing ['wɪnd,sɜːfɪŋ] *n* windsurf
windy ['wɪndɪ] *adj* ventoso
wine [waɪn] *n* vino; **house wine** vino de la casa; **red wine** vino tinto; **wine list** carta de vinos; **a bottle of white wine** una botella de vino blanco; **Is the wine chilled?** ¿Está frío el vino?
wineglass ['waɪn,glɑːs] *n* copa de vino
wing [wɪŋ] *n* ala; **wing mirror** retrovisor lateral
wink [wɪŋk] *v* guiñar
winner ['wɪnə] *n* ganador
winning ['wɪnɪŋ] *adj* ganador
winter ['wɪntə] *n* invierno; **winter sports** deportes de invierno
wipe [waɪp] *v* pasar *(paño)*; **baby wipe** toallita húmeda para bebés
wipe up [waɪp ʌp] *v* limpiar *(paño)*
wire [waɪə] *n* alambre; **barbed wire** alambre de espino
wisdom ['wɪzdəm] *n* sabiduría; **wisdom tooth** muela del juicio
wise [waɪz] *adj* sabio
wish [wɪʃ] *n* deseo *(voluntad)* ▷ *v* desear *(querer)*
wit [wɪt] *n* ingenio
witch [wɪtʃ] *n* bruja
with [wɪð; wɪθ] *prep* con; **Can I leave a message with his secretary?** ¿Puedo dejarle un mensaje con su secretaria?; **It's been a pleasure working with you** Ha sido un placer trabajar con usted
withdraw [wɪð'drɔː] *v* sacar
withdrawal [wɪð'drɔːəl] *n* retirada
within [wɪ'ðɪn] *prep (space)* dentro de *(interior)*, *(term)* en, dentro de *(plazo)*
without [wɪ'ðaʊt] *prep* sin; **I'd like it without..., please** Lo quisiera sin..., por favor
witness ['wɪtnɪs] *n* testigo; **Jehovah's Witness** testigo de Jehová; **Can you be a witness for me?** ¿Puede hacerme de testigo?
witty ['wɪtɪ] *adj* ocurrente
wolf [wʊlf] (*pl* **wolves**) *n* lobo
woman ['wʊmən] (*pl* **women**) *n* mujer
wonder ['wʌndə] *v* preguntarse
wonderful ['wʌndəfʊl] *adj* maravilloso
wood [wʊd] *n (forest)* bosque *(pequeño)*, *(material)* madera
wooden ['wʊdᵊn] *adj* de madera
woodwind ['wʊd,wɪnd] *n* instrumento de viento de madera
woodwork ['wʊd,wɜːk] *n* carpintería *(construcción)*
wool [wʊl] *n* lana

woollen ['wʊlən] *adj* de lana
woollens ['wʊlənz] *npl* prendas de lana
word [wɜːd] *n* palabra; **all one word** todo junto, en una sola palabra
work [wɜːk] *n* trabajo, obra ▹ *v* trabajar; **work experience** experiencia laboral; **work of art** obra de arte; **work permit** permiso de trabajo; **work station** terminal de trabajo; **I hope we can work together again soon** Espero volver a trabajar con usted muy pronto; **I work in a factory** Trabajo en una fábrica; **I'm here for work** Estoy aquí por trabajo
worker ['wɜːkə] *n* trabajador; **social worker** asistente social
workforce ['wɜːkˌfɔːs] *n* mano de obra
working-class ['wɜːkɪŋklɑːs] *adj* de clase obrera
workman ['wɜːkmən] (*pl* **workmen**) *n* obrero
work out [wɜːk aʊt] *v* resolver
workplace ['wɜːkˌpleɪs] *n* lugar de trabajo
workshop ['wɜːkˌʃɒp] *n* taller
workspace ['wɜːkˌspeɪs] *n* área de trabajo
workstation ['wɜːkˌsteɪʃən] *n* terminal de trabajo
world [wɜːld] *n* mundo; **Third World** tercer mundo; **World Cup** Copa del Mundo
worm [wɜːm] *n* gusano
worn [wɔːn] *adj* raído
worried ['wʌrɪd] *adj* preocupado
worry ['wʌrɪ] *v* preocuparse
worrying ['wʌrɪɪŋ] *adj* preocupante
worse [wɜːs] *adj* peor ▹ *adv* peor
worsen ['wɜːsᵊn] *v* empeorar(se)
worship ['wɜːʃɪp] *v* rendir culto, venerar
worst [wɜːst] *adj* pésimo, el peor
worth [wɜːθ] *n* valor *(importancia)*
worthless ['wɜːθlɪs] *adj* sin valor
would [wʊd; wəd] *v* **I would like** me gustaría, quisiera; **We would like to go cycling** Nos gustaría montar en bicicleta
wound [wuːnd] *n* herida ▹ *v* herir, lesionar
wrap [ræp] *v* envolver; **wrapping paper** papel de envolver
wrap up [ræp ʌp] *v* envolver
wreck [rɛk] *n* ruina ▹ *v* demoler
wreckage ['rɛkɪdʒ] *n* escombros
wren [rɛn] *n* chochín
wrench [rɛntʃ] *n* tirón ▹ *v* arrancar *(arrebatar)*
wrestler ['rɛslə] *n* luchador *(deporte)*
wrestling ['rɛslɪŋ] *n* lucha *(deporte)*
wrinkle ['rɪŋkᵊl] *n* arruga *(piel)*
wrinkled ['rɪŋkᵊld] *adj* arrugado *(piel)*
wrist [rɪst] *n* muñeca
write [raɪt] *v* escribir
write down [raɪt daʊn] *v* anotar *(apuntar)*; **Please write down the price** Por favor, anóteme el precio
writer ['raɪtə] *n* escritor
writing ['raɪtɪŋ] *n* escritura; **writing paper** papel de carta
wrong [rɒŋ] *adj* incorrecto ▹ *adv* mal *(incorrecto)*; **wrong number** número equivocado

X

Y

Xmas ['ɛksməs; 'krɪsməs] *n* Navidad
X-ray [ɛksreɪ] *n* radiografía ▹ *v* radiografiar
xylophone ['zaɪlə,fəʊn] *n* xilófono

yacht [jɒt] *n* yate
yard [jɑːd] *n (enclosure)* corral, *(measurement)* yarda
yawn [jɔːn] *v* bostezar
year [jɪə] *n* año; **academic year** año académico; **financial year** ejercicio fiscal; **leap year** año bisiesto; **New Year** Año Nuevo; **Happy New Year!** ¡Feliz Año Nuevo!; **He is ten years old** El niño tiene diez años; **I'm fifty years old** Tengo cincuenta años
yearly ['jɪəlɪ] *adj* anual ▹ *adv* anualmente
yeast [jiːst] *n* levadura
yell [jɛl] *v* gritar
yellow ['jɛləʊ] *adj* amarillo; **Yellow Pages®** páginas amarillas
Yemen ['jɛmən] *n* Yemen
yes [jɛs] *excl* ¡sí
yesterday ['jɛstədɪ; -,deɪ] *adv* ayer
yet [jɛt] *adv (interrogative)* ya, *(with negative)* todavía ▹ *conj (nevertheless)* no obstante, sin embargo
yew [juː] *n* tejo

yield [ji:ld] *v* producir
yoga ['jəʊgə] *n* yoga
yoghurt ['jəʊgət; 'jɒg-] *n* yogur
yolk [jəʊk] *n* yema
you [ju:; jʊ] *pron (plural)* vosotros, *(singular polite)* usted, *(singular)* tú; **How are you?** ¿Cómo está usted?
young [jʌŋ] *adj* joven
younger [jʌŋə] *adj* más joven
youngest [jʌŋɪst] *adj* el menor *(edad)*, el más joven
your [jɔ:; jʊə; jə] *adj (plural)* vuestro, *(singular polite)* su *(usted)*, *(singular)* tu *(tú)*; **May I use your phone?** ¿Me permite usar su teléfono?
yours [jɔ:z; jʊəz] *pron (plural)* vuestro, *(singular polite)* suyo *(usted)*, *(singular)* tuyo *(tú)*
yourself [jɔ:'sɛlf; jʊə-] *pron* te *(tú)*, *(polite)* se *(usted)*
yourselves [jɔ:'sɛlvz] *pron (polite)* se *(ustedes)*, *(reflexive)* os
youth [ju:θ] *n* juventud; **youth club** club de jóvenes; **youth hostel** albergue juvenil

Zambia ['zæmbɪə] *n* Zambia
Zambian ['zæmbɪən] *adj* zambiano ▷ *n* zambiano
zebra ['zi:brə; 'zɛbrə] *n* cebra; **zebra crossing** paso de cebra
zero ['zɪərəʊ] *(pl* **zeroes***)* *n* cero
zest [zɛst] *n (excitement)* brío, *(lemon-peel)* ralladura de limón
Zimbabwe [zɪm'bɑ:bwɪ; -weɪ] *n* Zimbabue
Zimbabwean [zɪm'bɑ:bwɪən; -weɪən] *adj* zimbabuense ▷ *n* zimbabuense
zinc [zɪŋk] *n* cinc
zip [zɪp] *n* cremallera; **zip (up)** cerrar la cremallera
zit [zɪt] *n* grano *(acné)*
zodiac ['zəʊdɪ,æk] *n* zodíaco
zone [zəʊn] *n* zona
zoo [zu:] *n* zoológico
zoology [zəʊ'ɒlədʒɪ; zu:-] *n* zoología
zoom [zu:m] *n* **zoom lens** teleobjetivo
zucchini [tsu:'ki:nɪ; zu:-] *n* calabacín

ESPAÑOL – INGLÉS
SPANISH – ENGLISH

a

a *prep (destino)* to, *(localización)* at; **a diferencia de** unlike; **a veces** sometimes; **a finales de junio** at the end of June; **a las tres** at three o'clock; **a medianoche** at midnight
abadejo *nm* haddock
abadía *nf* abbey
abajo *adv* below, down; **en la planta de abajo** downstairs
abalorio *nm* bead
abandonar *v* abandon
abastecerse *v* **abastecerse de** stock up on
abdomen *nm* abdomen
abecedario *nm* alphabet
abedul *nm* birch
abeja *nf* bee
abejorro *nm* bumblebee
abeto *nm* fir (tree)
abierto, a *adj* open; **¿Estará abierto mañana?** Is it open tomorrow?
abogado, a *nm, nf (en general)* lawyer, *(tribunal superior)* attorney; **abogado defensor** solicitor
abolición *nf* abolition
abolir *v* abolish
abolladura *nf* dent
abollar *v* dent
abono *nm* fertilizer, *(de ópera, teatro)* subscription; **abono de temporada** season ticket
aborrecer *v* loathe, resent
aborto *nm* abortion; **aborto espontáneo** miscarriage
abrazar *v* cuddle, hug
abrazo *nm* cuddle, hug
abrebotellas *nm* bottle-opener
abrelatas *nm* can-opener, tin opener
abrevadero *nm* trough
abreviatura *nf* abbreviation
abrigo *nm* coat; **abrigo de pieles** fur coat
abril *nm* April
abrillantador *nm* polish
abrir *v* open; **abrir con llave** unlock; **abrir la cremallera** unzip; **¿A qué hora abre el banco?** When does the bank open?; **¿Me permite que abra la ventana?** May I open the window?; **La ventana no se abre** The window won't open
abrochar *v* do up
absceso *nm* abscess; **Tengo un absceso** I have an abscess
absorbente *adj* gripping
absorto, a *adj* preoccupied
abstemio, a *adj* teetotal
abstracto, a *adj* abstract
absurdo, a *adj* absurd
Abu Dabi *nm* Abu Dhabi
abuela *nf* grandmother
abuelita *nf* grandma, granny
abuelito *nm* granddad, grandpa
abuelo *nm* grandfather; **abuelos** grandparents
abundancia *nf* plenty
aburrido, a *adj (estar)* bored, *(ser)* boring, *(soso)* dull
aburrimiento *nm* boredom

aburrir *v* bore *(be dull)*
abusar *v* abuse
abuso *nm* abuse
a.C. *abr* BC
acabado, a *adj* finished, over
acabar *v* finish; **¿A qué hora acaba?** When does it finish?; **¿Para cuándo habrá acabado?** When will you have finished?
academia *nf* academy
académico, a *adj* academic
acampar *v* camp; **¿Podemos acampar aquí toda la noche?** Can we camp here overnight?
acariciar *v* stroke
accesible *adj* accessible
acceso *nm* access; **conseguir acceso** access; **¿La habitación tiene acceso inalámbrico a Internet?** Does the room have wireless Internet access?; **¿Ofrecen acceso para minusválidos?** Do you provide access for the disabled?
accesorio *nm* accessory, attachment
accidental *adj* accidental
accidente *nm* accident; **¡Ha habido un accidente!** There's been an accident!; **¿Qué hago si tengo un accidente?** What do I do if I have an accident?; **He tenido un accidente** I've been in an accident, I've had an accident
acción *nf* action
accionista *nm, nf* shareholder, stockholder
acebo *nm* holly
aceite *nm* oil; **aceite bronceador** suntan oil; **aceite de oliva** olive oil; **Esta mancha es de aceite** This stain is oil; **La luz del aceite está siempre encendida** The oil warning light won't go off
aceituna *nf* olive
aceleración *nf* acceleration
acelerador *nm* accelerator
acelerar *v* accelerate, speed up
acentuar *v* stress
aceptable *adj* acceptable
aceptar *v* accept
acera *nf* pavement
acero *nm* steel; **acero inoxidable** stainless steel
achispado, a *adj* tipsy
ácido *nm* acid
aclarar *v (explicar)* clarify
acné *nm* acne
acogedor, a *adj* cosy
acoger *v (niño)* foster
acogido, a *adj* **niño acogido** foster child
acomodadizo, a *adj* easy-going
acomodado, a *adj* well-off
acompañar *v* accompany
acondicionado, a *adj* **aire acondicionado** air conditioning; **¿Tiene aire acondicionado?** Does it have air conditioning?
aconsejable *adj* advisable
aconsejar *v* advise
acontecimiento *nm* event; **lleno de acontecimientos** eventful
acorazado *nm* battleship
acordado, a *adj* agreed
acordarse *v* **acordarse (de)** remember
acordeón *nm* accordion
acosar *v (en la escuela)* bully
acoso *nm* harassment
acostarse *v* go to bed; **acostarse juntos** sleep together; **hora de acostarse** bedtime
acrobacia *nf* stunt
acróbata *nm, nf* acrobat
acrónimo *nm* acronym
actitud *nf* attitude
actividad *nf* activity; **¿Tiene actividades para niños?** Do you have activities for children?

activo, a *adj* active ▷ *nm* asset
acto *nm (acción)* act; **acto sexual** sexual intercourse
actor *nm* actor; **actor cómico** comic
actriz *nf* actress
actuación *nf (acción)* performance, *(interpretación)* acting
actual *adj* current
actualidad *nf* present *(time being)*; **de actualidad** topical
actualización *nf* update
actualizado, a *adj* up-to-date
actualizar *v* update
actuar *v* act
acuarela *nf* watercolour
acuario *nm* aquarium
Acuario *nm* Aquarius
acuerdo *nm* agreement; **estar de acuerdo** agree; **no estar de acuerdo** disagree
acupuntura *nf* acupuncture
acusación *nf* accusation
acusado, a *nm, nf* accused
acusar *v (culpar)* accuse, *(imputar)* charge
acústico, a *adj* acoustic
adaptador *nm* adaptor
adaptar *v* adapt
adecuado, a *adj* fit
adelantar *v* move forward, *(rebasar)* overtake
adelante *adv* **(hacia) adelante** forward; **seguir adelante** go ahead; **¡Adelante!** Come in!
además *adv* further; **además de** besides
adeudar *v* debit
adicional *adj* additional
adicto, a *adj* addicted ▷ *nm, nf* addict
adinerado, a *adj* wealthy
adiós *excl* **¡adiós!** bye!, bye-bye!, goodbye!
aditivo *nm* additive
adivinar *v* guess
adjetivo *nm* adjective
adjunto, a *adj (documento)* attached, *(cargo)* associate
administración *nf* administration
administrativo, a *adj* administrative
admiración *nf* admiration
admirar *v* admire
admitir *v* admit *(confess)*
ADN *nm* DNA
adobar *v* marinade
adobo *nm* marinade
adolescencia *nf (fase)* adolescence, *(periodo)* teens
adolescente *nm, nf* adolescent, teenager
adopción *nf* adoption
adoptado, a *adj* adopted
adoptar *v* adopt
adorar *v* adore
adormecerse *v* doze off
adorno *nm* ornament
adosado, a *adj (viviendas)* terraced
adquirir *v* gain, *(comprar)* purchase
adriático, a *adj* Adriatic
aduana *nf* customs, (customs) duty
aduanero, a *nm, nf* customs officer
adulto, a *nm, nf* adult, grown-up
advenimiento *nm* advent
adverbio *nm* adverb
adversario, a *nm, nf* adversary, opponent
advertencia *nf* warning
advertir *v* warn
adyacente *adj* adjacent
aéreo, a *adj* air; **correo aéreo** airmail; **¿Cuánto tardará por correo aéreo?** How long will it take by air?
aerobic *nm* aerobics
aerodeslizador *nm* hovercraft
aeroplano *nm* aircraft, plane
aeropuerto *nm* airport; **¿Cómo se va al aeropuerto?** How do I get to

the airport?; **¿Hay un autobús que vaya al aeropuerto?** Is there a bus to the airport?
aerosol *nm* aerosol
afectar *v* affect
afeitar *v* shave; **sin afeitar** unshaven
Afganistán *nm* Afghanistan
afgano, a *adj* Afghan ▷ *nm, nf* Afghan
afición *nf* hobby
aficionado, a *nm, nf* amateur
afilado, a *adj* sharp
afiliación *nf* membership
afiliarse *v* join
afortunado, a *adj* fortunate, lucky
África *nf* Africa; **África del Norte** North Africa
africano, a *adj* African ▷ *nm, nf* African
afrontar *v* tackle
afueras *nf pl* outskirts
agacharse *v (cuclillas)* crouch down, *(inclinarse)* bend down
agarrar *v* catch, grab; **agarrarse a** hold on
agencia *nf* agency; **agencia de viajes** travel agency, travel agent's
agenda *nf* agenda; **agenda de direcciones** address book
agente *nm, nf (bolsa)* broker, *(representante)* agent; **agente de policía** police officer; **agente de viajes** travel agent; **agente inmobiliario** estate agent
agitar *v* flap, shake
aglomerado *nm* hardboard
agonía *nf* agony
agosto *nm* August
agotado, a *adj (vendido)* sold out
agotador, a *adj* tiring
agotar *v (vender)* sell out
agradable *adj* pleasant
agradecer *v* appreciate, thank
agradecido, a *adj* grateful
agresivo, a *adj* aggressive
agrícola *adj* agricultural
agricultor, a *nm, nf* farmer
agricultura *nf* agriculture, *(labranza)* farming
agrimensor, a *nm, nf* surveyor
agrio, a *adj* sour
agua *nf* water; **agua con gas** sparkling water; **agua de mar** sea water; **agua mineral** mineral water; **agua potable** drinking water; **de agua salada** saltwater; **debajo del agua** underwater; **de agua dulce** freshwater; **¿Cómo funciona el calentador del agua?** How does the water heater work?; **Compruebe el agua, por favor** Can you check the water, please?; **No hay agua caliente** There is no hot water
aguacate *nm* avocado
aguacero *nm* downpour
aguafiestas *nm, nf* spoilsport
aguanieve *nf* sleet; **caer aguanieve** sleet
aguantar *v (seguir)* hang on
águila *nf* eagle
aguja *nf (púa)* needle, *(chapitel)* spire; **aguja de hacer punto** knitting needle; **en el sentido de las agujas del reloj** clockwise; **¿Tiene aguja e hilo?** Do you have a needle and thread?
agujerear *v* pierce
agujero *nm* hole; **Tengo un agujero en el zapato** I have a hole in my shoe
ahijada *nf* goddaughter
ahijado *nm* godson
ahogar *v* suffocate, *(estrangular)* choke; **ahogar(se)** *(en el agua)* drown
ahora *adv* now; **ahora mismo** just; **¿Podemos desembarcar ahora?** Can we go ashore now?; **¿Tengo que pagar ahora o después?** Do I pay now or later?

ahorrar *v* save up
ahorrativo, a *adj* thrifty
ahorros *nm pl* savings
ahumado, a *adj* smoked
airbag *nm* airbag
aire *nm* air; **aire acondicionado** air conditioning; **al aire libre** out-of-doors, outdoors; **con aire acondicionado** air-conditioned; **¿Hay aire acondicionado en la habitación?** Does the room have air conditioning?
aislado, a *adj* isolated
aislamiento *nm* insulation
ajedrez *nm* chess
ajo *nm* garlic; **¿Lleva ajo?** Is there any garlic in it?
ajustable *adj* adjustable
ajustar *v* adjust; **¿Puede ajustarme las fijaciones, por favor?** Can you adjust my bindings, please?
ajuste *nm* adjustment
ala *nf* wing; **vuelo con ala delta** hang-gliding
Alá *nm* Allah
alacrán *nm* scorpion
alambre *nm* wire; **alambre de espino** barbed wire
álamo *nm* poplar
alargador *nm* extension cable
alarma *nf* alarm; **alarma antirrobo** burglar alarm; **alarma contra incendios** fire alarm; **falsa alarma** false alarm
alarmante *adj* alarming
albahaca *nf* basil
albanés, esa *adj* Albanian ▷ *nm, nf (persona)* Albanian ▷ *nm (lengua)* Albanian
Albania *nf* Albania
albañil *nm, nf* bricklayer
albaricoque *nm* apricot
albergue *nm* hostel; **albergue juvenil** youth hostel; **¿Hay un albergue juvenil por aquí cerca?** Is there a youth hostel nearby?
albóndiga *nf* meatball
albornoz *nm* bathrobe
alborotador, a *nm, nf* troublemaker
alboroto *nm* fuss
álbum *nm* album; **álbum de fotos** photo album; **álbum de recortes** scrapbook
alcachofa *nf* artichoke
alcalde, esa *nm, nf* mayor
alcantarilla *nf* sewer
alcanzar *v (lugar)* reach, *(persona)* catch up
alcohol *nm* alcohol; **consumo excesivo de alcohol** binge drinking; **sin alcohol** alcohol-free; **¿Lleva alcohol?** Does that contain alcohol?; **No bebo alcohol** I don't drink alcohol
alcohólico, a *adj* alcoholic ▷ *nm, nf* alcoholic; **de bajo contenido alcohólico** low-alcohol
alcoholímetro *nm* Breathalyser®
aldea *nf* village
alegre *adj* jolly, merry
alegría *nf* joy
alemán, ana *adj* German ▷ *nm, nf (persona)* German ▷ *nm (lengua)* German
Alemania *nf* Germany
alentador, a *adj* encouraging
alergia *nf* allergy; **alergia a los cacahuetes** peanut allergy; **alergia a los frutos secos** nut allergy
alérgico, a *adj* allergic
alerta *nf* alert; **poner en alerta** alert
aletas *nf pl* flippers
alféizar *nm* windowsill
alfiler *nm* pin
alfombra *nf* rug
alforja *nf* saddlebag
algo *adv (bastante)* rather ▷ *pron* something; **Deme algo para el**

dolor de cabeza I'd like something for a headache
algodón *nm* cotton; **algodón de azúcar** candyfloss; **algodón hidrófilo** cotton wool
alguien *pron* somebody, someone
alguno, a *pron* any, some; **algún día** sometime; **alguna vez** ever; **algunos** some; **de alguna manera** somehow; **en algún lugar** someplace; **en algún sitio** somewhere; **¿Tiene alguna otra?** Do you have any others?
aliado, a *nm, nf* ally
alianza *nf* alliance; **alianza de matrimonio** wedding ring
alias *adv* alias ▷ *nm* alias
alicatado, a *adj* tiled
alicates *nm pl* pliers
aliento *nm* breath, *(ánimo)* encouragement
aligátor *nm* alligator
alimento *nm* **alimento(s)** food; **alimentos integrales** wholefoods
aliño *nm* **aliño de ensalada** salad dressing
aliviar *v* relieve
alivio *nm* relief
allá *adv* there; **más allá de** beyond
allí *adv* there; **Está allí** It's over there
alma *nf* soul
almacén *nm (depósito)* warehouse, *(tienda)* store; **grandes almacenes** department store
almacenamiento *nm* storage
almacenar *v* store
almendra *nf* almond
almiar *nm* haystack
almidón *nm* starch
almohada *nf* pillow; **Por favor, tráigame una almohada más** Please bring me an extra pillow
almohadilla *nf* pad
almohadón *nm* pillowcase
alocución *nf* address *(speech)*
alojamiento *nm* accommodation
alojar *v* accommodate
Alpes *nm pl* Alps
alpinismo *nm* mountaineering
alpinista *nm, nf* mountaineer
alquilar *v* hire, rent; **¿Alquilan DVDs?** Do you rent DVDs?; **¿Dónde se puede alquilar una sombrilla?** Where can I hire a sunshade?
alquiler *nm* hire, rent, rental; **alquiler de coches** car hire, car rental
alrededor *adv* around; **alrededor de** around, round; **mirar alrededor** look round
alrededores *nm pl* surroundings
altar *nm* altar
altavoz *nm* loudspeaker
alterar *v* alter
alternativa *nf* alternative
alternativo, a *adj* alternative
alterno, a *adj* alternate
altitud *nf* altitude
alto, a *adj (cosa)* high, *(persona)* tall, *(sonido)* loud ▷ *adv* high; **alta fidelidad** hifi; **alto el fuego** ceasefire; **en alto** aloud; **en voz alta** loudly; **hablar (más) alto** speak up; **leer en voz alta** read out; **pasar por alto** overlook; **¿Puede hablar más alto, por favor?** Could you speak louder, please?
altura *nf* height; **altura libre** *(vehículos)* headroom
aluminio *nm* aluminium
alumno, a *nm, nf* pupil *(learner)*; **alumno de autoescuela** learner driver
alzar *v* raise
ama *nf* **ama de casa** housewife
amabilidad *nf* kindness
amable *adj (servicial)* kind, *(simpático)* nice; **Es usted muy amable** That's

very kind of you
amamantar *v* breast-feed; **¿Dónde puedo amamantar al bebé?** Where can I breast-feed the baby?
amanecer *nm* dawn
amante *nm, nf* lover ▷ *nf* mistress
amapola *nf* poppy
amar *v* love; **Te amo** I love you
amargo, a *adj* bitter
amarillo, a *adj* yellow
amarrar *v (embarcación)* moor
ámbar *nm* amber
ambición *nf* ambition
ambicioso, a *adj* ambitious
ambiente *nm* environment
ambos, ambas *adj, pron* both
ambulancia *nf* ambulance; **Llame a una ambulancia** Call an ambulance
ambulatorio *nm* surgery *(doctor's)*
amenaza *nf* threat
amenazar *v* threaten
ameno, a *adj* enjoyable
América *nf* America; **América Latina** Latin America
americana *nf* blazer
americano, a *adj* American ▷ *nm, nf* American
ametralladora *nf* machine gun
amígdalas *nf pl* tonsils
amigdalitis *nf* tonsillitis
amigo, a *nm, nf* friend; **Estoy aquí con unos amigos** I'm here with my friends
amistad *nf* friendship
amistoso, a *adj* friendly
amo *nm* master
amor *nm* love
amperio *nm* amp
ampliación *nf* enlargement
amplificador *nm* amplifier
amplio, a *adj* broad
ampolla *nf* blister
amueblado, a *adj* furnished
anacardo *nm* cashew
analfabeto, a *adj* illiterate
analgésico *nm* painkiller
análisis *nm* analysis; **análisis de sangre** blood test
analizar *v* analyse
ancho, a *adj (dimensión)* wide, *(holgado)* baggy
anchoa *nf* anchovy
anchura *nf* width
anciano, a *adj* elderly ▷ *nm, nf* elderly person
ancla *nf* anchor
andador *nm* Zimmer® frame
andamio *nm* scaffolding
andar *nm* walking ▷ *v* walk; **andar a tientas** grope; **¿Se puede ir andando?** Can I walk there?
andén *nm* platform; **¿De qué andén sale el tren?** Which platform does the train leave from?
Andes *nm pl* Andes
Andorra *nf* Andorra
anémico, a *adj* anaemic
anestesia *nf* anaesthetic; **anestesia general** general anaesthetic; **anestesia local** local anaesthetic
anestésico *nm* anaesthetic
anfitrión, ona *nm, nf* host *(entertains)*
ángel *nm* angel
angina *nf* angina
Angola *nf* Angola
angoleño, a *adj* Angolan ▷ *nm, nf* Angolan
anguila *nf* eel
ángulo *nm* angle; **ángulo recto** right angle
anhelar *v* long
anillo *nm* ring; **anillo de compromiso** engagement ring
animado, a *adj* lively
animador, a *nm, nf (artista)* entertainer, *(presentador)* compere
animal *nm* animal; **animal perdido**

stray
animar *v* cheer, encourage
anís *nm* aniseed
aniversario *nm* anniversary; **aniversario de bodas** wedding anniversary
anoche *adv* last night
anochecer *nm* dusk
anónimo, a *adj* anonymous
anorak *nm* anorak
anorexia *nf* anorexia
anoréxico, a *adj* anorexic
anormal *adj* abnormal
anotar *v (apuntar)* write down, *(rápidamente)* jot down; **Por favor, anóteme el precio** Please write down the price
ansiedad *nf* anxiety
antártico, a *adj* Antarctic
Antártida *nf* the Antarctic, Antarctica
ante *nm* suede ▷ *prep* **ante todo** primarily
anteayer *adv* the day before yesterday
antena *nf* aerial; **antena parabólica** satellite dish
antepasado, a *nm, nf* ancestor
anterior *adj* former
antes *adv (antes)* before, *(pronto)* sooner; **antes de** before; **antes de que** before; **cuanto antes** asap; **antes de las cinco** before five o'clock
antibiótico *nm* antibiotic
anticipado, a *adj* **¿Tengo que pagar por anticipado?** Do I pay in advance?
anticoncepción *nf* contraception
anticonceptivo *nm* contraceptive
anticongelante *nm* antifreeze
anticuado, a *adj* old-fashioned
anticuerpo *nm* antibody
antidepresivo *nm* antidepressant
antídoto *nm* antidote
antigüedad *nf* antique
antiguo, a *adj (viejo)* ancient
antihistamínico *nm* antihistamine
antillano, a *adj* West Indian ▷ *nm, nf* West Indian
Antillas *nfpl* West Indies
antílope *nm* antelope
antiséptico *nm* antiseptic
antitranspirante *nm* antiperspirant
antivirus *nm* antivirus
antropología *nf* anthropology
anual *adj* annual, yearly
anular *v* cancel; **Quiero anular mi reserva** I want to cancel my booking; **Tengo que anular mi tarjeta** I need to cancel my card
anunciar *v (avisar)* announce, *(publicidad)* advertise
anuncio *nm (aviso)* announcement, *(publicidad)* ad; **anuncio clasificado** small ads; **anuncio comercial** advert; **anuncio publicitario** commercial
añadir *v* add
año *nm* year; **año académico** academic year; **año bisiesto** leap year; **año fiscal** fiscal year; **Año Nuevo** New Year; **¡Feliz Año Nuevo!** Happy New Year!; **el año pasado** last year; **el año que viene** next year
apagar *v* turn off, turn out, *(cigarrillo)* stub out, *(interruptor)* switch off; **¿Puedo apagar la luz?** Can I switch the light off?; **No consigo apagar la calefacción** I can't turn the heating off; **No se apaga** It won't turn off
apagarse *v* fade, go off
apagón *nm (corte)* power cut, *(fallo)* blackout
aparador *nm* sideboard
aparato *nm (eléctrico)* appliance, *(equipo)* apparatus

aparcamiento *nm* car park, parking; **¿Hay un aparcamiento por aquí cerca?** Is there a car park near here?
aparcar *v* park; **¿Dónde se puede aparcar el coche?** Where can I park the car?
aparecer *v* appear, turn up
aparejo *nm* gear *(equipment)*, tackle; **aparejos de pesca** fishing tackle
aparente *adj* apparent
apariencia *nf* appearance
apartamento *nm* apartment; **Hemos reservado un apartamento a nombre de...** We've booked an apartment in the name of...
aparte *adv* apart; **aparte de** apart from
apasionante *adj* gripping
apearse *v* get off; **Por favor, avíseme cuando tenga que apearme** Please tell me when to get off
apellido *nm* surname; **apellido de soltera** maiden name
apenas *adv* barely, hardly, scarcely
apendicitis *nf* appendicitis
aperitivo *nm* aperitif; **Queremos un aperitivo** We'd like an aperitif
apertura *nf* aperture
apestar *v* stink
apetito *nm* appetite
apio *nm* celery
aplastar *v* swat, *(aplanar)* crush, *(espachurrar)* squash
aplaudir *v* applaud, clap
aplauso *nm* applause
aplazar *v* postpone
aplicar *v* apply
apodo *nm* nickname
apoplejía *nf* stroke *(apoplexy)*
apostar *v* bet
apóstrofe *nm* apostrophe
apoyar *v* *(respaldar)* support; **apoyar(se)** *(inclinar)* lean
apoyo *nm* support
aprecio *nm* credit
aprender *v* learn
aprendiz, a *nm, nf* apprentice, trainee
aprensivo, a *adj* apprehensive
apresurarse *v* rush
apretar *v* tighten, *(presionar)* press; **¿Puede apretarme las fijaciones, por favor?** Can you tighten my bindings, please?
aprobación *nf* approval
aprobado *nm* pass *(meets standard)*
aprobar *v* *(asentir)* approve, *(examen)* pass
apropiado, a *adj* *(adecuado)* appropriate, *(correcto)* proper
aprovechar *v* **¡Que aproveche!** Enjoy your meal!
aproximado, a *adj* approximate
aproximarse *v* approach
aptitud *nf* ability
apuesta *nf* *(acción)* betting, *(cosa)* bet
apuntar *v* *(arma)* aim, *(nota)* note down
apuñalar *v* stab
aquel, aquella *adj, pron* that
aquél, aquélla, aquello *pron* that
aquí *adv* here; **por aquí cerca** close by; **Aquí tiene mi carné de conducir** Here is my driving licence; **¿Qué hay para ver por aquí?** What is there to see here?
árabe *adj* Arab, Arabic ▷ *nm, nf* *(persona)* Arab ▷ *nm* *(lengua)* Arabic
Arabia Saudí *nf* Saudi Arabia
arado *nm* plough
arándano *nm* *(azul)* blueberry; **arándano rojo** cranberry
araña *nf* spider
arañar *v* scratch
arar *v* plough
arbitraje *nm* arbitration

árbitro *nm (fútbol)* referee, *(tenis)* umpire
árbol *nm* tree; **árbol de Navidad** Christmas tree
arbusto *nm* bush, shrub
arce *nm* maple
arcén *nm* hard shoulder
archivar *v* file *(folder)*
archivo *nm (lugar)* archive, *(en informática)* file
arcilla *nf* clay
arco *nm (arma)* bow, *(arquitectura)* arch; **arco iris** rainbow
arcón *nm* chest *(storage)*
arder *v* burn
ardid *nm* trick
ardilla *nf* squirrel
ardor *nm* **ardor de estómago** heartburn
área *nf* area; **área de descanso** layby; **área de servicio** service area; **área de trabajo** workspace
arena *nf* sand
arenisca *nf* sandstone
arenque *nm* herring; **arenque ahumado** kipper
argamasa *nf* mortar *(plaster)*
Argelia *nf* Algeria
argelino, a *adj* Algerian ▹ *nm, nf* Algerian
Argentina *nf* Argentina
argentino, a *adj* Argentinian ▹ *nm, nf* Argentinian
Aries *nm* Aries
arma *nf* weapon; **arma de fuego** gun
armada *nf* navy
armado, a *adj* armed
armadura *nf* armour
armario *nm* cabinet, cupboard
armazón *nm* frame
Armenia *nf* Armenia
armenio, a *adj* Armenian ▹ *nm, nf (persona)* Armenian ▹ *nm (lengua)* Armenian
armónica *nf* mouth organ
aroma *nm* aroma
aromaterapia *nf* aromatherapy
arpa *nf* harp
arqueología *nf* archaeology
arqueólogo, a *nm, nf* archaeologist
arquitecto, a *nm, nf* architect
arquitectura *nf* architecture
arrancar *v (arrebatar)* wrench, *(extraer)* pull out, pull up
arrastrar *v* drag; **arrastrar los pies** shuffle
arrastrarse *v* crawl
arrebatar *v* snatch
arreglar *v* settle, tidy up, *(avería)* mend, repair, *(disponer)* arrange; **¿Cuánto tardará en arreglarlo?** How long will it take to repair?; **¿Puede arreglarme el reloj?** Can you repair my watch?
arreglo *nm* repair, *(orden)* arrangement; **¿Cuánto costarán los arreglos?** How much will the repairs cost?
arrendar *v* lease
arrestar *v* arrest
arresto *nm* arrest
arriba *adv (planta)* upstairs, *(posición)* up; **cuesta arriba** uphill; **de arriba** top; **hacia arriba** upwards
arriesgado, a *adj* risky
arriesgar *v* risk
arroba *nf* at (sign); **No encuentro la tecla de la arroba** I can't find the at sign
arrodillarse *v* kneel down
arrogante *adj* arrogant
arroz *nm* rice; **arroz integral** brown rice
arruga *nf (piel)* wrinkle, *(tela)* crease
arrugado, a *adj (piel)* wrinkled, *(tela)* creased
arruinar *v* ruin
arte *nm* art; **escuela de Bellas Artes**

art school
arteria *nf* artery
artesano, a *nm, nf* craftsman
ártico, a *adj* Arctic; **círculo polar ártico** Arctic Circle
Ártico *nm* the Arctic
artículo *nm (elemento)* item, *(producto)* article; **artículo de primera necesidad** staple *(commodity)*; **artículo de recuerdo** souvenir; **artículos** goods; **artículos de escritorio** stationery; **artículos de tocador** toiletries
artificial *adj (elaborado)* man-made, *(falso)* artificial
artista *nm, nf* artist
artístico, a *adj* artistic
artritis *nf* arthritis; **Padezco de artritis** I suffer from arthritis
arzobispo *nm* archbishop
as *nm* ace
asado, a *adj* roast
asaltar *v* raid, *(personas)* mug
asalto *nm* raid
asamblea *nf* assembly
ascensor *nm* lift; **¿Dónde está el ascensor?** Where is the lift?; **¿Hay ascensor?** Is there a lift?; **¿Tiene ascensor para sillas de ruedas?** Do you have a lift for wheelchairs?
asegurado, a *adj (aseguradora)* insured
asegurar *v (afirmar)* assure, *(aseguradora)* insure, *(garantizar)* ensure; **¿Puedo asegurar el equipaje?** Can I insure my luggage?
asentir *v* **asentir con la cabeza** nod
aseo *nm* toilet; **aseo de caballeros** gents'; **aseo de señoras** ladies'; **¿Dónde están los aseos?** Where are the toilets?
asequible *adj* affordable
asesinar *v* murder
asesinato *nm* murder
asesino, a *nm, nf (homicida)* murderer, *(matar)* killer
asfalto *nm* tarmac
así *adv* so; **así así** so-so
Asia *nm* Asia
asiático, a *adj* Asian, Asiatic ▷ *nm, nf* Asian
asiento *nm* seat *(furniture)*; **asiento de pasillo** aisle seat; **asiento de ventanilla** window seat; **tomar asiento** sit down; **¿Está libre este asiento?** Is this seat free?; **¿Está ocupado este asiento?** Is this seat taken?
asilo *nm* asylum
asir *v* grasp, grip, hold
asistencia *nf (ayuda)* assistance, *(presencia)* attendance
asistente *nm, nf* assistant; **asistente social** social worker
asistir *v* attend, participate
asma *nf* asthma; **Padezco de asma** I suffer from asthma
asociación *nf* association
asomar *v* stick out
asomarse *v* lean out
asombrado, a *adj* amazed
asombrar *v* amaze, astonish
asombroso, a *adj* amazing, astonishing
aspecto *nm* aspect
áspero, a *adj* rough
aspersor *nm* sprinkler
aspiradora *nf* Hoover®, vacuum cleaner; **pasar la aspiradora** hoover, vacuum
aspirina *nf* aspirin; **No puedo tomar aspirinas** I can't take aspirin
asqueroso, a *adj* foul
astilla *nf* splinter
astillero *nm* shipyard
astrología *nf* astrology
astronauta *nm, nf* astronaut
astronomía *nf* astronomy

astuto, a *adj* cunning
asunto *nm* affair, concern, matter
asustado, a *adj* scared, frightened
asustar *v* frighten, scare
atacar *v* attack; **Me han atacado** I've been attacked
atajo *nm* shortcut
ataque *nm (ofensiva)* attack, *(acceso)* fit, *(enfermedad)* seizure; **ataque cardíaco** heart attack; **ataque epiléptico** epileptic fit
atar *v* tie
atascado, a *adj (congestionado)* jammed, *(parado)* stuck; **Está atascado** It's stuck
ataúd *nm* coffin
atención *nf* attention
atentado *nm* attack; **atentado terrorista** terrorist attack
atento, a *adj* considerate
ateo, a *nm, nf* atheist
aterrador, a *adj* frightening
aterrizaje *nm* landing, touchdown; **aterrizaje de emergencia** emergency landing
aterrizar *v* land
aterrorizado, a *adj* terrified
aterrorizar *v* terrify
atestado, a *adj* crowded, packed
atiborrado, a *adj* crammed
Atlántico *nm* Atlantic
atlas *nm* atlas
atleta *nm, nf* athlete
atlético, a *adj* athletic
atletismo *nm* athletics
atmósfera *nf* atmosphere
atómico, a *adj* atomic
átomo *nm* atom
atracción *nf* attraction; **parque de atracciones** fairground
atraco *nm (bancos)* robbery, *(personas)* mugging; **atraco a mano armada** hold-up
atractivo, a *adj* attractive; **Eres muy atractivo** You are very attractive
atraer *v* attract
atrás *adv* back; **dar marcha atrás** back; **hacia atrás** backwards; **quedarse atrás** lag behind; **volverse atrás** *(camino)* turn back
atrasado, a *adj* delayed, overdue
atrasar *v* delay
atrasos *nm pl* arrears
atreverse *v* dare
atrevido, a *adj* adventurous, courageous, daring
atropellar *v* run over
atroz *adj (espantoso)* appalling, *(terrible)* terrible
atún *nm* tuna
aturdido, a *adj* stunned
audición *nf* audition
audiencia *nf* audience
audífono *nm* hearing aid; **Llevo un audífono** I have a hearing aid
auditar *v* audit
auditor, a *nm, nf* auditor
auditoría *nf* audit
aula *nf* classroom
aullar *v* howl
aumentar *v* increase
aumento *nm* increase; **aumento fuerte** surge
aunque *conj* although, though
au pair *nm, nf* au pair
auricular *nm (teléfono)* receiver; **auriculares** earphones, headphones
ausencia *nf* absence
ausente *adj* absent
austeridad *nf* austerity
austero, a *adj* stark
Australia *nf* Australia
australiano, a *adj* Australian ▷ *nm, nf* Australian
Austria *nf* Austria
austriaco, a *adj* Austrian ▷ *nm, nf* Austrian

auténtico, a *adj* authentic
autobiografía *nf* autobiography
autobús *nm* bus; **autobús del aeropuerto** airport bus; **cobrador de autobús** bus conductor; **¿A qué hora sale el autobús?** What time does the bus leave?; **¿Cada cuánto pasan los autobuses para...?** How often are the buses to...?
autocar *nm* coach *(vehicle)*; **¿A qué hora sale el autocar por la mañana?** When does the coach leave in the morning?
autocontrol *nm* self-control
autodefensa *nf* self-defence
autodisciplina *nf* self-discipline
autoescuela *nf* driving school; **alumno de autoescuela** learner driver
autoestop *nm* hitchhiking; **hacer autoestop** hitchhike
autoestopista *nm, nf* hitchhiker
autógrafo *nm* autograph
automático, a *adj* automatic; **¿Es un coche automático?** Is it an automatic car?
automóvil *nm* car
automovilista *nm, nf* motorist
autonomía *nf* autonomy
autónomo, a *adj* autonomous, *(trabajador)* self-employed
autopista *nf* motorway; **¿Es una autopista de peaje?** Is there a toll on this motorway?; **¿Por dónde se va a la autopista?** How do I get to the motorway?
autor, a *nm, nf* author
autorizar *v* authorize
autovía *nf* dual carriageway
auxiliar *nm, nf* **auxiliar de vuelo** steward, flight attendant
auxilio *nm* **primeros auxilios** first aid
avalancha *nf* avalanche
avance *nm* advance
avanzado, a *adj* advanced
avanzar *v* advance, move forward
avaro, a *nm, nf* miser
ave *nf* bird; **ave rapaz** bird of prey
avellana *nf* hazelnut
avena *nf* oats
avenida *nf* avenue
aventura *nf* adventure
avergonzado, a *adj (embarazoso)* embarrassed, *(reprensible)* ashamed
avería *nf* breakdown
averiado, a *adj* broken down
averiarse *v* break down; **Se me ha averiado el coche** My car has broken down
averiguar *v* find out
avestruz *nm* ostrich
avión *nm* aircraft, plane; **avión a reacción** jet
avisar *v* notify
aviso *nm* notice *(note)*
avispa *nf* wasp
axila *nf* armpit
ayer *adv* yesterday
ayuda *nf* aid, help; **Vaya a buscar ayuda, ¡rápido!** Fetch help quickly!
ayudante *nm, nf* assistant
ayudar *v* help; **¿Puede ayudarme?** Can you help me?
ayuntamiento *nm* town hall
azafata *nf* air hostess
azafrán *nm* saffron
azar *nm* chance; **al azar** random
Azerbaiyán *nm* Azerbaijan
azerbaiyano, a *adj* Azerbaijani ▷ *nm, nf* Azerbaijani
azúcar *nf* sugar; **azúcar glas** icing sugar; **caramelos sin azúcar** sugar-free sweets; **sin azúcar** no sugar
azucena *nf* lily
azul *adj* blue
azulejo *nm* tile

b

babero *nm* bib
babosa *nf* slug
baca *nf* roof rack
bacalao *nm* cod
bache *nm* pothole
bacteria *nf* bacteria
bádminton *nm* badminton
bagatela *nf* trifle
Bahamas *nf pl* Bahamas
bahía *nf* bay
Bahréin *nm* Bahrain
bailar *v* dance; **bailar el vals** waltz; **¿Dónde podemos ir a bailar?** Where can we go dancing?; **¿Quieres bailar?** Would you like to dance?
bailarín, ina *nm, nf* dancer; **bailarín de ballet** ballet dancer
baile *nm (actividad)* dancing, *(arte)* dance, *(fiesta)* ball *(dance)*; **baile de salón** ballroom dancing
baja *nm (ausencia)* leave; **baja por enfermedad** sick leave; **baja por maternidad** maternity leave; **baja por paternidad** paternity leave
bajar *v* come down, drop, go down, *(nivel)* lower, *(volumen)* turn down; **¿Puede bajar el volumen?** Please could you lower the volume?
bajarse *v* get off
bajo, a *adj* low ▹ *adv* low ▹ *nm (voz)* bass ▹ *prep* below, under; **bajo en grasa** low-fat; **de bajo contenido alcohólico** low-alcohol; **reírse por lo bajo** snigger; **El sillín está demasiado bajo** The seat is too low
bala *nf* bullet
balancearse *v* sway
balanceo *nm* swing
balancín *nm (columpio)* seesaw
balbucear *v* stutter
balcánico, a *adj* Balkan
balcón *nm* balcony; **¿Tiene una habitación con balcón?** Do you have a room with a balcony?
balde *nm* bucket
baldosa *nf* tile
ballena *nf* whale
ballet *nm* ballet; **¿Dónde se pueden comprar entradas para el ballet?** Where can I buy tickets for the ballet?
balneario *nm* spa
baloncesto *nm* basketball
balonmano *nm* handball
balsa *nf* raft
bambas *nf pl* sneakers
bambú *nm* bamboo
bancario, a *adj* bank; **cuenta bancaria** bank account; **saldo bancario** bank balance
banco *nm (asiento)* bench, *(finanzas)* bank; **banco mercantil** merchant bank; **¿A qué hora cierra el banco?** When does the bank close?; **¿Está abierto el banco hoy?** Is the bank open today?
banda *nf (cinta, grupo)* band; **banda ancha** broadband; **banda de rock** rock band; **banda sonora** soundtrack

bandeja *nf* tray; **bandeja de entrada** inbox
bandera *nf* flag
Bangladesh *nm* Bangladesh
bangladesí *adj* Bangladeshi ▷ *nm, nf* Bangladeshi
banjo *nm* banjo
banquero, a *nm, nf* banker
bañador *nm* **bañador de hombre** swimming trunks; **bañador de mujer** swimsuit
bañar *v* dip
bañarse *v* bathe
bañera *nf* bathtub
baño *nm* bath; **baños** baths; **traje de baño** bathing suit, swimming costume
baptista *nm, nf* Baptist
bar *nm* pub, saloon, *(mostrador)* bar; **¿Dónde está el bar?** Where is the bar?; **¿Dónde hay un bar agradable?** Where is there a nice bar?
baranda *nf* rail
barandilla *nf* banister
barato, a *adj* cheap; **¿Tiene algo más barato?** Do you have anything cheaper?; **Quiero lo que me salga más barato** I'd like the cheapest option
barba *nf* beard
barbacoa *nf* barbecue; **¿Dónde está la zona de las barbacoas?** Where is the barbecue area?
Barbados *nm* Barbados
bárbaro, a *adj* barbaric
barbero *nm* barber
barbilla *nf* chin
barbudo, a *adj* bearded
barca *nf* boat; **barca de remos** rowing boat
barcaza *nf* barge
barco *nm* boat; **barco de pesca** fishing boat; **¿De dónde sale el barco?** Where does the boat leave from?; **¿Hay recorridos en barco por el río?** Are there any boat trips on the river?
barman *nm* bartender
barniz *nm* varnish
barnizar *v* varnish
barra *nf* bar, rod; **barra diagonal** forward slash; **barra inversa** backslash
barranco *nm* ravine
barrer *v* sweep
barrera *nf* barrier
barriga *nf* tummy
barril *nm* barrel
barro *nm* mud
barullo *nm* din
báscula *nf* scales
base *nf (fundamento)* basis, *(parte)* base; **base de datos** database
básico, a *adj* basic
bastante *adj* enough ▷ *adv* fairly, pretty, quite; **Está bastante lejos** It's quite far; **La casa es bastante grande** The house is quite big
bastar *v* be enough; **Basta, gracias** That's enough, thank you
basto, a *adj* coarse
bastón *nm* staff, walking stick
bastoncillo *nm* **bastoncillo de algodón** cotton bud
basura *nf* garbage, rubbish, trash; **¿Dónde se deja la basura?** Where do we leave the rubbish?
basurero *nm* dustman
bata *nf* dressing gown
batalla *nf* battle
bate *nm* bat *(with ball)*
batería *nf* battery ▷ *nm, nf* drummer; **Me he quedado sin batería** The battery is flat; **Necesito una batería nueva** I need a new battery
batido *nm* milkshake
batidor *nm* whisk

batidora *nf* mixer
bautizo *nm* christening
baya *nf* berry
bebé *nm* baby
beber *v* drink; **¿Quiere beber algo?** Would you like a drink?; **No bebo alcohol** I don't drink alcohol
bebida *nf* drink; **¿Qué bebidas sin alcohol tiene?** What non-alcoholic drinks do you have?; **Yo invito a la bebida** The drinks are on me
beca *nf* scholarship
beis *adj* beige
béisbol *nm* baseball
belga *adj* Belgian ▷ *nm, nf* Belgian
Bélgica *nf* Belgium
belleza *nf* beauty
bellota *nf* acorn
bendecir *v* bless
beneficiarse *v* benefit
beneficio *nm* benefit; **beneficios** profit
berenjena *nf* aubergine
berrinche *nm* tantrum
berro *nm* cress, watercress
besar *v* kiss
beso *nm* kiss
betún *nm* shoe polish
biberón *nm* baby's bottle
Biblia *nf* Bible
biblioteca *nf* library
bibliotecario, a *nm, nf* librarian
bicarbonato *nm* **bicarbonato (sódico)** bicarbonate of soda
bici *nf* bike, cycle
bicicleta *nf* bicycle; **bicicleta de montaña** mountain bike; **ir en bicicleta** cycle
Bielorrusia *nf* Belarus
bielorruso, a *adj* Belarussian ▷ *nm, nf (persona)* Belarussian ▷ *nm (lengua)* Belarussian
bien *adv* all right, fine, well; **¡Bien hecho!** well done!; **bien pagado** well-paid; **bien parecido** handsome; **quedar bien** *(prenda)* suit; **¿Ha dormido bien?** Did you sleep well?; **Bien, gracias** Fine, thanks; **No se encuentra bien** He's not well
bienvenida *nf* **dar la bienvenida** welcome
bienvenido, a *adj* **¡bienvenido!** welcome!
bifocal *adj* **gafas bifocales** bifocals
bigote *nm* moustache; **bigotes** whiskers
bikini *nm* bikini
bilingüe *adj* bilingual
billar *nm (normal)* billiards
billete *nm* ticket, *(dinero)* banknote, note; **billete de autobús** bus ticket; **billete de ida** one-way ticket, single ticket; **billete de ida y vuelta** return ticket; **billete electrónico** e-ticket; **¿Cuánto cuestan los billetes?** How much are the tickets?; **¿Dónde se pueden conseguir los billetes?** Where can I get tickets?
bingo *nm* bingo
biodegradable *adj* biodegradable
biografía *nf* biography
biología *nf* biology
biológico, a *adj* biological
biométrico, a *adj* biometric
bioquímica *nf* biochemistry
Birmania *nf* Burma
birmano, a *adj* Burmese ▷ *nm, nf (persona)* Burmese ▷ *nm (lengua)* Burmese
bisabuela *nf* great-grandmother
bisabuelo *nm* great-grandfather
bisagra *nf* hinge
bistec *nm* steak
bizcocho *nm* sponge *(cake)*
bizquear *v* squint
blanco, a *adj* white ▷ *nm* target; **en blanco** blank; **¿Puede recomendar**

un buen vino blanco? Can you recommend a good white wine?; **en blanco y negro** in black and white; **una botella de vino blanco** a bottle of white wine
blando, a *adj* soft
blanqueado, a *adj* bleached
bloc *nm* jotter; **bloc de notas** notepad
blog *nm* blog; **llevar un blog** blog
bloque *nm* block *(solid piece)*
bloqueado, a *adj* blocked
bloquear *v* block
bloqueo *nm* blockage; **bloqueo de carretera** roadblock
blues *nm* blues
blusa *nf* blouse
bobo, a *adj* daft
boca *nf* mouth
bocacalle *nf* turning
bocadillo *nm* sandwich; **¿Qué bocadillos tiene?** What kind of sandwiches do you have?
bochorno *nm* **Hace bochorno** It's muggy
boda *nf* wedding; **Hemos venido a una boda** We are here for a wedding
boina *nf* beret
bola *nf* ball; **bola de nieve** snowball
bolera *nf* bowling alley
boletín *nm* **boletín de notas** report card
boli *nm* Biro®
bolígrafo *nm* ballpoint pen
Bolivia *nf* Bolivia
boliviano, a *adj* Bolivian ▷ *nm, nf* Bolivian
bollo *nm* bun
bolos *nm pl (deporte)* tenpin bowling, *(juego)* bowling
bolsa *nf (general)* bag, *(plástico, papel)* carrier bag; **bolsa de agua caliente** hot-water bottle; **bolsa de aseo** toilet bag; **bolsa de la compra** shopping bag; **bolsa de plástico** plastic bag; **bolsa de valores** stock exchange; **bolsa de viaje** holdall; **¿Me da una bolsa, por favor?** Can I have a bag, please?
bolsillo *nm* pocket
bolsita *nf* sachet; **bolsita de té** tea bag
bolso *nm* handbag; **bolso de fin de semana** overnight bag
bomba *nf (arma)* bomb, *(máquina)* pump; **bomba atómica** atom bomb; **bomba de bicicleta** bicycle pump; **bomba de relojería** time bomb
bombardear *v* bomb
bombardeo *nm* bombing
bombear *v* pump
bombero *nm* fireman; **bomberos** fire brigade
bombilla *nf* (light) bulb
bombo *nm* bass drum
bondadoso, a *adj (amable)* caring, *(bueno)* good-natured
bonificación *nf* bonus
bonito, a *adj* pretty
bordado *nm* embroidery
bordar *v* embroider
borde *nm* edge, rim
bordillo *nm* kerb
borracho, a *adj* drunk ▷ *nm, nf* drunk
borrador *nm* draft
borrar *v* erase, *(datos)* delete
Bosnia *nf* Bosnia
Bosnia y Herzegovina *nf* Bosnia and Herzegovina
bosnio, a *adj* Bosnian ▷ *nm, nf* Bosnian
bosque *nm* forest, *(pequeño)* wood
bosquejar *v* sketch
bosquejo *nm* sketch
bostezar *v* yawn
bota *nf* boot; **botas de agua** wellies, wellingtons; **¿Están las botas**

incluidas en el precio? Does the price include boots?; **Quiero alquilar unas botas** I want to hire boots
botar *v* bounce, *(barco)* launch
bote *nm (barca)* dinghy, *(lata)* canister, *(lotería)* jackpot; **bote salvavidas** lifeboat
botella *nf* bottle; **Traiga otra botella, por favor** Please bring another bottle; **una botella de agua mineral con gas** a bottle of sparkling mineral water
botiquín *nm* first-aid kit
botón *nm* button; **¿Qué botón hay que apretar?** Which button do I press?
Botsuana *nf* Botswana
boxeador, a *nm, nf* boxer
boxeo *nm* boxing
boya *nf* buoy
bragas *nf pl* knickers, panties
brandy *nm* brandy; **Tomaré un brandy** I'll have a brandy
Brasil *nm* Brazil
brasileño, a *adj* Brazilian ▷ *nm, nf* Brazilian
braza *nf* breaststroke
brazo *nm* arm; **No puedo mover el brazo** I can't move my arm; **Se ha hecho daño en el brazo** He has hurt his arm
Bretaña *nf* Britain
breve *adj* brief
brezo *nm* heather
bricolaje *nm* DIY
brillante *adj* brilliant
brillar *v* shine
brillo *nm* shine, brightness; **brillo del sol** sunshine
brincar *v* skip
brindis *nm* toast *(tribute)*
brío *nm* zest *(excitement)*
brisa *nf* breeze
británico, a *adj* British ▷ *nm, nf* British
broche *nm* brooch
brócoli *nm* broccoli
broma *nf* joke
bromear *v (burla)* kid, *(chiste)* joke
bronca *nf* row, scrap
bronce *nm* bronze
bronceado, a *adj* tanned ▷ *nm* suntan, tan
bronceador *nm* suncream
bronquitis *nf* bronchitis
brote *nm (enfermedad)* outbreak, *(planta)* sprout
bruja *nf* witch
brujo *nm* wizard
brújula *nf* compass
brusco, a *adj* abrupt
brutal *adj (violento)* brutal
bruto, a *adj* gross *(income)*
bucear *v* dive; **¿Cuál es el mejor sitio para bucear?** Where is the best place to dive?
Buda *nm* Buddha
budismo *nm* Buddhism
budista *adj* Buddhist ▷ *nm, nf* Buddhist
bueno, a *adj* good; **Está bastante bueno** It's quite good
búfalo *nm* buffalo
bufanda *nf* muffler, scarf
bufé *nm* buffet
buhardilla *nf* attic, loft
búho *nm* owl
buitre *nm* vulture
bujía *nf* spark plug
bulbo *nm* bulb *(plant)*
Bulgaria *nf* Bulgaria
búlgaro, a *adj* Bulgarian ▷ *nm, nf (persona)* Bulgarian ▷ *nm (lengua)* Bulgarian
bulimia *nf* bulimia
bullir *v* boil
bungaló *nf* bungalow

buque *nm* ship; **buque cisterna** tanker
burbuja *nf* bubble
burdo, a *adj* crude
burlarse *v* **burlarse de** scoff
burocracia *nf* bureaucracy
burocrático, a *adj* **trámites burocráticos** paperwork
burro *nm* donkey
buscapersonas *nm* bleeper, pager
buscar *v (mirar)* look for, *(pretender)* seek; **ir a buscar** *(a un sitio)* fetch; **Buscamos...** We're looking for...; **Busco un regalo para mi esposa** I'm looking for a present for my wife
búsqueda *nf* search; **motor de búsqueda** search engine
busto *nm* bust
buzón *nm* letterbox, mailbox, postbox; **buzón de voz** voicemail

C

caballa *nf* mackerel
caballero *nm* gentleman
caballo *nm* horse; **caballo de carreras** racehorse; **¿Podemos ir a montar a caballo?** Can we go horse riding?
cabaña *nf* cabin, hut
cabello *nm* hair
cabestrillo *nm* sling
cabeza *nf* head; **asentir con la cabeza** nod; **tirarse de cabeza** dive
cabezada *nm* snooze; **echar una cabezada** snooze
cabina *nf* **cabina del piloto** cockpit; **cabina telefónica** call box, phonebox
cable *nm* cable; **cable eléctrico** flex; **cables de arranque** jump leads
cabo *nm (cuerda)* end, *(soldado)* corporal
cabra *nf* goat
cacahuete *nm* peanut; **Soy alérgico a los cacahuetes** I'm allergic to peanuts
cacao *nm* cocoa

cacería *nf* hunting
cacerola *nf* casserole
cachemira *nf* cashmere
cachorro *nm (león)* cub, *(perro)* puppy
cactus *nm* cactus
cada *adj* every ▷ *pron* each; **cada hora** hourly; **cada uno** each; **cada vez más** increasingly
cadáver *nm* corpse
cadena *nf* chain; **¿Necesito cadenas?** Do I need snow chains?
cadera *nf* hip
cadete *nm* cadet
caducar *v* expire
caer *v* fall; **caer con estrépito** crash; **caerse** *(persona)* fall, *(desprenderse)* fall down, fall out; **Se ha caído** She fell; **Se me ha caído el empaste** A filling has fallen out
café *nm (bebida)* coffee, *(local)* café; **café descafeinado** decaffeinated coffee; **café solo** black coffee; **¿Tiene café recién hecho?** Have you got fresh coffee?; **Un café con leche, por favor** A white coffee, please
cafeína *nf* caffeine
cafetera *nf* coffeepot
cafetería *nf (bar)* snack bar, *(comedor)* cafeteria
caída *nf* fall
caja *nf* box; **caja de cambios** gear box; **caja de herramientas** repair kit; **caja fuerte** safe; **caja registradora** cash register, till
cajero, a *nm, nf* cashier; **cajero automático** cash dispenser
cajón *nm* drawer; **cajón de arena** sandpit; **El cajón está atascado** The drawer is jammed
cal *nf* lime *(compound)*
calabacín *nm* courgette, zucchini
calabaza *nf* pumpkin
calamar *nm* squid
calcetín *nm* sock
calcio *nm* calcium
calculadora *nf* calculator; **calculadora de bolsillo** pocket calculator
calcular *v* calculate
cálculo *nm* calculation
caldera *nf* boiler
caldo *nm* broth
calefacción *nf* heating; **calefacción central** central heating; **¿Cómo funciona la calefacción?** How does the heating work?
calendario *nm (año)* calendar, *(programa)* schedule
caléndula *nf* marigold
calentamiento *nm* **calentamiento global** global warming
calentar *v (comida, agua)* heat, heat up; **calentar(se)** *(habitación, persona)* warm up
calidad *nf* quality
caliente *adj* hot; **La comida está demasiado caliente** The food is too hot
caliza *nf* limestone
callarse *v* shut up
calle *nf* street; **calle lateral** side street
callejero *nm* street map; **Quiero un callejero de la ciudad** I want a street map of the city
callejón *nm* alley, lane; **callejón sin salida** dead end
calmar *v* **calmar(se)** calm down, settle down
calor *nm* heat; **No puedo dormir de calor** I can't sleep for the heat
caloría *nf* calorie
calvario *nm* ordeal
calvo, a *adj* bald
calzón *nm* pants
calzoncillos *nm pl* boxer shorts, underpants
cama *nf* bed; **cama de matrimonio**

double bed; **cama de rayos UVA** sunbed; **cama elástica** trampoline; **cama individual** single bed; **cama plegable** camp bed; **camas separadas** twin beds; **quedarse en la cama** sleep in; **salto de cama** negligee; **¿Hay ropa de cama de recambio?** Is there any spare bedding?; **¿Tengo que quedarme en cama?** Do I have to stay in bed?

camada *nf* litter *(offspring)*

cámara *nf (aparato)* camera, *(neumático)* inner tube; **cámara digital** digital camera; **cámara web** webcam; **¿Tiene pilas para esta cámara?** Do you have batteries for this camera?

camarera *nf (bar)* barmaid, *(hotel)* chambermaid, *(en mesas)* waitress

camarero *nm (barman)* barman, *(en mesas)* waiter

camarón *nm* shrimp

camarote *nm* cabin; **¿Dónde está el camarote número cinco?** Where is cabin number five?; **un camarote de clase turista** a standard class cabin; **un camarote de primera clase** a first class cabin

cambiante *adj* changeable

cambiar *v* change, *(de uno a otro)* switch; **cambiar por** exchange; **¿Dónde puedo cambiar dinero?** Where can I change some money?; **¿Dónde puedo cambiarle los pañales al bebé?** Where can I change the baby?; **¿Dónde puedo cambiarme de ropa?** Where do I change?

cambio *nm* change; **cambio climático** climate change; **cambio de sentido** U-turn; **en cambio** instead; **¿Hay una oficina de cambio aquí?** Is there a bureau de change here?; **¿Tiene cambio para este billete?** Do you have change for this note?

Camboya *nf* Cambodia

camboyano, a *adj* Cambodian ▷ *nm, nf* Cambodian

camello *nm* camel

Camerún *nm* Cameroon

camilla *nf* stretcher

caminar *v* walk, *(senderismo)* trek

caminata *nf (excursión)* hike, *(paseo)* tramp, *(senderismo)* trek

camino *nm* way; **camino de entrada** driveway; **¿Cuál es el mejor camino para ir a la estación de tren?** What's the best way to get to the railway station?; **Vamos de camino a...** We are on our way to...

camión *nm* lorry, truck; **camión de mudanzas** removal van

camionero, a *nm, nf* lorry driver, truck driver

camisa *nf* shirt

camiseta *nf* tee-shirt, T-shirt; **camiseta de tirantes** vest

camisón *nm* nightdress, nightie

campamento *nm* camp, *(camping)* campsite

campana *nf* bell

campanario *nm* steeple

campaña *nf* campaign; **hacer campaña** canvass

campeón, ona *nm, nf* champion

campeonato *nm* championship

camping *nm* camping; **camping gas** camping gas; **camping para caravanas** caravan site

campista *nm, nf* camper

campo *nm (agro)* field, *(pueblo)* countryside; **campo de golf** golf course; **campo de juego** playing field

Canadá *nm* Canada

canadiense *adj* Canadian ▷ *nm, nf* Canadian

canal *nm (cauce)* canal, *(TV)* channel
Canarias *nfpl* Canaries
canario *nm* canary
cancelación *nf* cancellation; **¿Hay alguna cancelación?** Are there any cancellations?
cancelar *v* cancel; **Quisiera cancelar mi vuelo** I'd like to cancel my flight
cáncer *nm* cancer *(illness)*
Cáncer *nm* Cancer *(horoscope)*
cancha *nf* pitch *(sport)*
canción *nf* song; **canción infantil** nursery rhyme
candado *nm* padlock
candelero *nm* candlestick
candidato, a *nm, nf* candidate
canela *nf* cinnamon
cangrejo *nm* crab; **cangrejo de río** crayfish
canguro *nm (animal)* kangaroo ▷ *nm, nf (persona)* babysitter; **canguro impermeable** cagoule
caniche *nm* poodle
canoso, a *adj* grey-haired
cansado, a *adj* tired; **Estoy un poco cansado** I'm a little tired
cantante *nm, nf* singer
cantar *v* sing
cantera *nf* quarry
cantidad *nf (suma)* amount, *(volumen)* quantity; **Tengo que declarar la cantidad permitida de alcohol** I have the allowed amount of alcohol to declare
cantina *nf* canteen
canto *nm* singing
caña *nf* **caña de pescar** fishing rod; **Una caña, por favor** A draught beer, please
cáñamo *nm* cannabis
caño *nm* pipe
caoba *nf* mahogany
caos *nm* chaos
caótico, a *adj* chaotic
capa *nf* layer; **capa de hielo** black ice; **capa de ozono** ozone layer
capacidad *nf* capacity
capaz *adj (competente)* able, *(hazaña)* capable
capazo *nm* carrycot
capilla *nf* chapel
capital *nf* capital
capitalismo *nm* capitalism
capitán, ana *nm, nf* captain
capítulo *nm* chapter
capó *nm* bonnet *(car)*
Capricornio *nm* Capricorn
cápsula *nf* capsule
capturar *v* capture
capucha *nf* hood
cara *nf* face
caracol *nm* snail
carácter *nm* character
característica *nf* characteristic
caramelo *nm (fundido)* caramel, *(golosina)* sweet
caravana *nf* camper, caravan; **caravana fija** mobile home; **Quisiéramos una parcela para una caravana** We'd like a site for a caravan
carbón *nm (mineral)* coal; **carbón vegetal** charcoal
carbono *nm* carbon; **huella de carbono** carbon footprint
carburador *nm* carburettor
cárcel *nf* jail
cardíaco, a *adj* cardiac, heart; **Tengo una afección cardíaca** I have a heart condition
cardo *nm* thistle
carencia *nf* lack
carga *nf (eléctrica)* charge, *(en transporte)* freight, *(peso)* load, *(responsabilidad)* burden; **No conserva la carga** It's not holding its charge

cargador *nm* charger, magazine *(ammunition)*
cargamento *nm* cargo
cargar *v (de electricidad)* charge, *(peso)* load; **Por favor, cárguelo a mi habitación** Please charge it to my room
cargo *nm (acusación)* charge, *(puesto)* post
Caribe *nm* Caribbean
caribeño, a *adj* Caribbean
caricatura *nf* cartoon
caridad *nf* charity
cariño *nm* affection, *(al dirigirse a alguien)* darling
cariñoso, a *adj* affectionate
carnaval *nm* carnival; **martes de Carnaval** Shrove Tuesday
carne *nf* meat; **carne de cerdo** pork; **carne de vaca** beef; **carne roja** red meat; **No como carne** I don't eat meat
carné *nm* **carné de conducir** driving licence; **carné de identidad** identity card, ID card; **carné de socio** membership card; **No llevo el carné de conducir** I don't have my driving licence on me
carnero *nm* mutton, ram
carnicería *nf* butcher's
carnicero, a *nm, nf* butcher
caro, a *adj* expensive; **salir caro** backfire; **Es bastante caro** It's quite expensive; **Es demasiado caro para mí** It's too expensive for me
carpeta *nf* file, folder; **carpeta de anillas** ring binder
carpintería *nf (actividad)* carpentry, *(construcción)* woodwork
carpintero, a *nm, nf* carpenter; **carpintero de obra** joiner
carrera *nf (correr)* run, *(competición)* race, *(laboral)* career; **carrera a campo traviesa** cross-country; **carrera automovilística** motor racing; **carrera de caballos** horse racing
carrete *nm* reel
carretera *nf* road; **carretera principal** main road; **¿Cuándo estará transitable la carretera?** When will the road be clear?; **¿Está la carretera cortada por la nieve?** Is the road snowed up?; **¿Hay hielo en las carreteras?** Are the roads icy?
carretilla *nf* wheelbarrow
carril *nm* lane, rail; **carril para bicis** cycle lane; **Está en el carril equivocado** You are in the wrong lane
carrito *nm (de compra)* trolley, *(de niño)* buggy; **carrito portaequipajes** luggage trolley
carro *nm (carreta)* cart, *(carrito)* trolley; **carro de la compra** shopping trolley
carta *nf* letter, *(de platos)* menu; **carta de vinos** wine list; **La carta, por favor** The menu, please; **Quisiera enviar esta carta** I'd like to send this letter
cartel *nm* poster
cartera *nf (billetera)* wallet, *(colegial)* satchel, *(mujer)* postwoman, *(portafolio)* portfolio; **cartera escolar** schoolbag; **He perdido la cartera** I've lost my wallet; **Me han robado la cartera** My wallet has been stolen
carterista *nm, nf* pickpocket
cartero *nm* postman
cartón *nm* cardboard, carton
cartucho *nm* cartridge
casa *nf* house; **a casa** home; **casa de apuestas** betting shop; **casa de cambio** bureau de change; **casa de huéspedes** guesthouse; **casa de la moneda** mint *(coins)*; **casa de labranza** farmhouse; **casa**

solariega stately home; **quedarse en casa** stay in; **La casa es bastante grande** The house is quite big

casado, a *adj* married; **Estoy casado** I'm married

casarse *v* marry; **volver a casarse** remarry

cascada *nf* waterfall

cáscara *nf* shell

casco *nm (barco)* hull, *(cabeza)* helmet; **¿Me da un casco?** Can I have a helmet?

casete *nm* cassette

casi *adv* almost, nearly; **Son casi las dos y media** It's almost half past two

casino *nm* casino

caso *nm* case, instance; **caso único** one-off; **hacer caso omiso** ignore

caspa *nf* dandruff

castaña *nf* chestnut

castaño, a *adj* auburn

castigar *v* punish

castigo *nm (acto)* punishment, *(sanción)* penalty; **castigo corporal** corporal punishment

castillo *nm* castle; **castillo de arena** sandcastle; **¿Está abierto al público el castillo?** Is the castle open to the public?

castor *nm* beaver

casual *adj* casual

casualidad *nf* coincidence; **por casualidad** accidentally, by chance

catalizador *nm* catalytic converter

catálogo *nm* catalogue; **¿Me da un catálogo?** I'd like a catalogue

catarata *nf (en río, ojo)* cataract

catarro *nm* catarrh

catástrofe *nf* catastrophe

catedral *nf* cathedral; **¿Cuándo está abierta la catedral?** When is the cathedral open?

categoría *nf* category

católico, a *adj* Catholic ▷ *nm, nf* Catholic

catorce *num* fourteen

Cáucaso *nm* Caucasus

causa *nf* cause; **a causa de** due to, owing to; **¿Cuál es la causa del atasco?** What is causing this hold-up?

causar *v* cause

cautela *nf* caution; **con cautela** cautiously

cauteloso, a *adj* cautious

cavar *v* dig

caza *nf* hunt

cazador, a *nm, nf* hunter

cazar *v* hunt

cazo *nm* saucepan

CD *nm* CD

CD-ROM *nm* CD-ROM

cebada *nf* barley

cebolla *nf* onion

cebolleta *nf* spring onion

cebollino *nm* chives

cebra *nf* zebra

ceja *nf* eyebrow

celda *nf* cell

celebración *nf* celebration

celebrar *v* celebrate

celíaco, a *adj* coeliac

celo *nm (cinta)* Sellotape®

celoso, a *adj* jealous

cementerio *nm* cemetery, graveyard

cemento *nm* cement

cena *nf* dinner, supper; **¿A qué hora se sirve la cena?** What time is dinner?; **La cena estaba deliciosa** The dinner was delicious

cenicero *nm* ashtray; **¿Me da un cenicero?** May I have an ashtray?

censo *nm* census

centenario *nm* centenary

centeno *nm* rye

centímetro *nm* centimetre
céntimo *nm* cent
central *adj* central, mid
centralita *nf* switchboard
centrifugadora *nf* spin dryer
centro *nm* centre; **centro comercial** shopping centre; **centro de llamadas** call centre; **centro de ocio** leisure centre; **centro de visitantes** visitor centre; **centro turístico** resort; **centro urbano** city centre, town centre; **en el centro de la ciudad** downtown; **¿Cómo se va al centro de...?** How do I get to the centre of...?; **¿Estamos muy lejos del centro?** How far are we from the town centre?
centroafricano, a *adj* **República Centroafricana** Central African Republic
Centroamérica *nf* Central America
ceñido, a *adj* skin-tight
ceño *nm* **fruncir el ceño** frown
cepillar *v* brush
cepillo *nm (pelo)* hairbrush, *(zapatos)* brush, *(de carpintero)* plane; **cepillo de dientes** toothbrush; **cepillo de uñas** nailbrush
cera *nf* wax
cerámica *nf* pottery
cerámico, a *adj* ceramic
cerca *adv (aproximación)* nearby, *(espacio)* near, *(tiempo)* close; **cerca de** near; **por aquí cerca** close by; **¿Hay un banco por aquí cerca?** Is there a bank nearby?; **Está muy cerca** It's very near
cercano, a *adj (espacio)* near, *(tiempo)* close, nearby; **¿Dónde está el cajero automático más cercano?** Where is the nearest cash machine?
cerdo *nm* pig
cereal *nm* cereal, corn
cerebral *adj* brain; **conmoción cerebral** concussion
cerebro *nm* brain
ceremonia *nf* ceremony
cereza *nf* cherry
cero *nm* nought, *(nada)* nil, *(número)* zero
cerrado, a *adj* closed
cerradura *nf* lock; **La cerradura está rota** The lock is broken
cerrajero, a *nm, nf* locksmith
cerrar *v* close, shut, shut down; **cerrar con llave** lock; **cerrar de golpe** slam; **cerrar la cremallera** zip (up); **cerrar sesión** log off, log out; **¿Me permite que cierre la ventana?** May I close the window?; **La puerta no se cierra** The door won't close
cerrojo *nm* bolt
certeza *nf* certainty
certificado *nm* certificate; **certificado de matrimonio** marriage certificate; **certificado de nacimiento** birth certificate; **certificado médico** medical certificate
cerveza *nf* beer
césped *nm* lawn
cesto *nm* basket
chabola *nf* slum
Chad *nm* Chad
chal *nm* shawl
chaleco *nm* waistcoat; **chaleco salvavidas** life jacket
chalet *nm* villa; **Quisiera alquilar un chalet** I'd like to rent a villa
champán *nm* champagne
champú *nm* shampoo; **¿Vende champú?** Do you sell shampoo?
chanchullo *nm* scam
chanclas *nf pl* flip-flops
chándal *nm* shell suit, tracksuit
chantaje *nm* blackmail
chantajear *v* blackmail

chaqueta *nf* jacket
charca *nf* pool *(water)*
charco *nm* puddle
charcutería *nf* delicatessen
charla *nf* chat
charlar *v* chat
chárter *adj* **vuelo chárter** charter flight
chasquear *v* click
chaval, a *nm, nf* kid
Chechenia *nf* Chechnya
checo, a *adj* Czech ▷ *nm, nf (persona)* Czech ▷ *nm (lengua)* Czech; **República Checa** Czech Republic
cheque *nm* cheque; **cheque de viaje** traveller's cheque; **cheque en blanco** blank cheque; **cheque regalo** gift voucher; **¿Acepta cheques de viaje?** Do you accept traveller's cheques?; **¿Puedo cambiar cheques de viaje aquí?** Can I change my traveller's cheques here?
chica *nf* girl
chicle *nm (para globos)* bubble gum, *(de mascar)* chewing gum
chico *nm* boy
chiflado, a *nm, nf* nutter
chií *adj* Shiite
chile *nm* chilli
Chile *nm* Chile
chileno, a *adj* Chilean ▷ *nm, nf* Chilean
chillar *v* shriek, squeak
chimenea *nf (tubo)* chimney, *(hogar)* fireplace
chimpancé *nm* chimpanzee
China *nf* China
chinche *nf* bug
chincheta *nf* drawing pin, thumb tack
chino, a *adj* Chinese ▷ *nm, nf (persona)* Chinese ▷ *nm (lengua)* Chinese
chip *nm* chip *(electronic)*; **chip de silicio** silicon chip
Chipre *nm* Cyprus
chipriota *adj* Cypriot ▷ *nm, nf* Cypriot
chirivía *nf* parsnip
chismes *nm pl (cotilleo)* gossip
chispa *nf* spark
chocante *adj* shocking
chocar *v* collide, *(sorprender)* shock; **chocar contra** crash
chocolate *nm* chocolate; **chocolate con leche** milk chocolate; **chocolate negro** plain chocolate
chófer *nm, nf* chauffeur
choque *nm* crash, *(mental)* shock; **choque en cadena** pile-up; **Ha habido un choque** There's been a crash
chovinista *nm, nf* chauvinist
chucho *nm* mongrel
chuleta *nf* cutlet; **chuleta de cerdo** pork chop
chulo, a *adj* cool *(stylish)*
chupa-chup *nm* lollipop
chupar *v* suck
cibercafé *nm* cybercafé
ciberdelincuencia *nf* cybercrime
cicatriz *nf* scar
ciclismo *nm* cycling
ciclista *nm, nf* cyclist
ciclo *nm* cycle *(period)*
ciclomotor *nm* moped; **Quiero alquilar un ciclomotor** I want to hire a moped
ciclón *nm* cyclone
ciego, a *adj* blind; **Soy ciego** I'm blind
cielo *nm* sky, *(religioso)* heaven
ciénaga *nf* bog, swamp
ciencia *nf* science; **ciencia ficción** science fiction; **ciencia informática** computer science; **ciencias económicas** economics
científico, a *adj* scientific ▷ *nm, nf* scientist
ciento, cien *num* hundred; **por**

ciento per cent
cierre *nm (acción)* closure, *(dispositivo)* clasp
cierto, a *adj* certain
ciervo *nm* deer
cifra *nf* figure
cigarrillo *nm* cigarette
cigarro *nm* cigar
cilantro *nm* coriander
cilindro *nm* cylinder
cima *nf* top
cimientos *nm pl* foundations
cinc *nm* zinc
cincel *nm* chisel
cinco *num* five; **Quiero alquilar un coche para cinco días** I want to hire a car for five days
cincuenta *num* fifty; **Tengo cincuenta años** I'm fifty years old
cine *nm* cinema; **¿Qué ponen esta noche en el cine?** What's on tonight at the cinema?
cinta *nf* tape, *(lazo)* ribbon, *(pelo)* hairband; **cinta métrica** tape measure; **cinta transportadora** conveyor belt; **¿Me da una cinta para esta cámara de vídeo, por favor?** Can I have a tape for this video camera, please?
cintura *nf* waist
cinturón *nm* belt; **cinturón de seguridad** *(general)* safety belt, *(transporte)* seatbelt
circo *nm* circus
circuito *nm* circuit
circulación *nf* circulation
circular *adj* circular
círculo *nm* circle, *(redondel)* round; **círculo polar ártico** Arctic Circle
circunstancia *nf* circumstance
circunvalación *nf* bypass
ciruela *nf* plum; **ciruela pasa** prune
cirugía *nf* surgery; **cirugía plástica** plastic surgery; **cirugía estética** cosmetic surgery
cirujano, a *nm, nf* surgeon
cisne *nm* swan
cistitis *nf* cystitis
cita *nf (encuentro)* appointment, rendezvous, *(texto)* quotation, quote; **¿Puede darme una cita con el médico?** Can I have an appointment with the doctor?; **¿Tiene cita?** Do you have an appointment?; **Tengo una cita con...** I have an appointment with...
citar *v* quote
ciudad *nf* city, *(menor)* town; **¿Hay un autobús que vaya a la ciudad?** Is there a bus to the city?; **Por favor, lléveme al centro de la ciudad** Please take me to the city centre
ciudadanía *nf* citizenship
ciudadano, a *nm, nf* citizen
civil *adj* civilian ▷ *nm, nf* civilian
civilización *nf* civilization
claqué *nm* tap-dancing
clara *nf* **clara de huevo** egg white; **Una clara, por favor** One shandy, please
clarinete *nm* clarinet
claro, a *adj* clear, *(color)* light; **poco claro** unclear
clase *nf* class, sort, *(educación)* lesson; **clase de conducir** driving lesson; **clase nocturna** evening class; **clase preferente** business class; **clase turista** economy class; **dar clases** *(universidad)* lecture; **de primera clase** first-class; **¿Dan ustedes clases?** Do you give lessons?; **¿Podemos tomar clases?** Can we take lessons?
clásico, a *adj* classic, classical ▷ *nm* classic
clasificar *v* **clasificar(se)** rank, rate
claustrofóbico, a *adj* claustrophobic

cláusula *nf* clause
clavel *nm* carnation
clavícula *nf* collarbone
clavija *nf* peg
clavo *nm* nail, *(especia)* clove
clementina *nf* clementine
clic *nm* click
cliente, a *nm, nf* client, customer
clima *nm* climate
climático, a *adj* **cambio climático** climate change
clínica *nf* clinic
clip *nm* paperclip
clon *nm* clone
clonar *v* clone
cloro *nm* chlorine
club *nm* club; **club de golf** golf club; **club de jóvenes** youth club; **club nocturno** nightclub
coartada *nf* alibi
cobarde *adj* cowardly ▷ *nm, nf* coward
cobaya *nm* guinea pig *(rodent)*
cobertizo *nm* shed
cobijo *nm* shelter
cobrar *v* charge; **cobrar de más** overcharge; **¿Cobran por el servicio?** Is there a charge for the service?; **¿Cuánto cobran?** How much do you charge?; **¿Por qué me cobra tanto?** Why are you charging me so much?
cobre *nm* copper
cobro *nm* charge; **Quisiera llamar a cobro revertido** I'd like to make a reverse charge call
Coca-Cola *nf* Coke®
cocaína *nf* cocaine
cocer *v* boil, cook; **cocer al horno** bake; **No está bien cocido** This isn't cooked properly
coche *nm* car; **coche alquilado** hired car; **coche cama** sleeping car; **coche de alquiler** hire car, rental car; **coche de carreras** racing car; **coche de empresa** company car; **coche familiar** estate car; **coche patrulla** patrol car; **lavado de coches** car wash; **¿Puede llevarme en coche?** Can you take me by car?; **¿Tengo que devolver el coche aquí?** Do I have to return the car here?
cochecito *nm* pram
cocina *nf (actividad)* cooking, *(aparato)* stove, *(arte)* cookery, *(habitación)* kitchen
cocinar *v* cook; **¿Se ha cocinado con caldo de carne?** Is this cooked in meat stock?
cocinero, a *nm, nf* cook
coco *nm* coconut
cocodrilo *nm* crocodile
cóctel *nm* cocktail; **¿Sirven cócteles?** Do you sell cocktails?
codicioso, a *adj* greedy
código *nm* code; **código de circulación** Highway Code; **código postal** postcode
codo *nm* elbow
codorniz *nf* quail
coeficiente *nm* **coeficiente intelectual** IQ
coger *v* catch, take; **¿Dónde se coge el autobús para...?** Where do I catch the bus to...?; **¿Qué línea tengo que coger para ir a...?** Which line should I take for...?; **Coja la primera a la derecha** Take the first turning on your right
cohete *nm* rocket
coincidir *v* coincide
cojear *v* limp
cojín *nm* cushion
cojo, a *adj* lame
col *nf* cabbage; **col de Bruselas** Brussels sprouts
cola *nf* tail, *(fila)* queue, *(pegar)* glue;

cola de caballo ponytail; **hacer cola** queue; **¿Es este el final de la cola?** Is this the end of the queue?
colaborar *v* collaborate
colada *nf* laundry, washing
colchón *nm* mattress
colchoneta *nf* mat; **colchoneta hinchable** Lilo®
coleccionista *nm, nf* collector
colectivo, a *adj* collective
colega *nm, nf (amigo)* mate, *(socio)* associate, *(trabajo)* colleague
colegial *nm* schoolboy
colegiala *nf* schoolgirl
colegiales *nm pl* schoolchildren
colegio *nm* school; **colegio privado** public school
colesterol *nm* cholesterol
coleta *nf* pigtail
colgante *nm* pendant
colgar *v* hang, *(teléfono)* hang up; **estar colgado** hang
coliflor *nf* cauliflower
colilla *nf* stub
colina *nf* hill
colirio *nm* eye drops
colisión *nf* collision
colisionar *v* collide
collar *nm* necklace
colocación *nf* placement
colocar *v* place
Colombia *nf* Colombia
colombiano, a *adj* Colombian ▹ *nm, nf* Colombian
color *nm* colour; **¿Lo tiene en otro color?** Do you have this in another colour?; **en color** in colour; **Este color, por favor** This colour, please
colorete *nm* blusher
colorido *nm* colouring; **lleno de colorido** colourful
colosal *adj* mammoth
columna *nf* column; **columna vertebral** backbone
columpiarse *v* swing
colza *nf* rape *(plant)*
coma *nf* comma ▹ *nm* coma
comadreja *nf* weasel
combate *nm* fighting
combinación *nf* combination, *(prenda)* slip
combinar *v* combine
combustible *nm* fuel
comedia *nf* comedy; **comedia de situación** sitcom
comedor *nm* dining room
comensal *nm, nf* diner
comentar *v* comment
comentario *nm (análisis)* commentary, *(observación)* comment, remark
comentarista *nm, nf* commentator
comenzar *v* begin, start
comer *v* eat; **dar de comer** feed; **descanso para comer** lunch break; **hora de comer** lunchtime, mealtime; **¿Come carne?** Do you eat meat?; **¿Ha comido?** Have you eaten?; **¿Qué le gustaría comer?** What would you like to eat?
comercial *adj* commercial; **anuncio comercial** advert; **centro comercial** shopping centre
comercio *nm* trade; **comercio al por mayor** wholesale; **comercio electrónico** e-commerce
comestible *adj* edible
comestibles *nm pl* groceries
cometa *nf* kite ▹ *nm (astro)* comet
cometer *v* commit
cómico, a *adj* **tira cómica** comic strip
comida *nf* food, *(almuerzo)* lunch, *(ocasión)* meal; **comida para llevar** takeaway; **¿Cuándo estará lista la comida?** When will lunch be ready?; **¿Podría preparar una comida que no lleve huevos?** Could you prepare

a meal without eggs?; **¿Sirven comidas?** Do you serve food here?
comienzo *nm* outset, start
comillas *nfpl* inverted commas, quotation marks
comino *nm* cumin
comisaría *nf* **comisaría de policía** police station; **¿Dónde está la comisaría?** Where is the police station?
comisión *nf* commission; **comisión bancaria** bank charges; **¿Cobran comisión?** Do you charge commission?; **¿Cuál es la comisión?** What's the commission?
comité *nm* committee
como *prep* as, like
cómo *adv* how; **¿Cómo está usted?** How are you?; **¿Cómo se va?** How do I get there?
cómoda *nf* chest of drawers
cómodo, a *adj* comfortable
compacto, a *adj* compact
compadecerse *v* **compadecerse de** pity
compañero, a *nm, nf* companion; **compañero de clase** classmate; **compañero de cuarto** roommate
compañía *nf* company; **compañía aérea** airline
comparable *adj* comparable
comparación *nf* comparison
comparar *v* compare
compartimento *nm* compartment
compartir *v* share
compatible *adj* compatible
compensación *nf* compensation
compensar *v* compensate
competente *adj* competent
competición *nf* competition, contest
competidor, a *nm, nf* contestant
competir *v* compete, race
competitivo, a *adj* competitive
compinche *nm, nf* pal
complejo, a *adj* complex ▷ *nm* complex
complementario, a *adj* complementary
completo, a *adj* complete; **de jornada completa** full-time
complicación *nf (complejidad)* complication, *(problema)* hitch
complicado, a *adj* complicated
cómplice *nm, nf* accomplice
componente *nm* component
comportarse *v* behave
composición *nf* composition
compositor, a *nm, nf* composer
compra *nf* shopping
comprador, a *nm, nf* buyer
comprar *v* buy; **¿Dónde se compra el billete?** Where do I buy a ticket?; **¿Dónde se puede comprar una tarjeta de autobús?** Where can I buy a bus card?
comprender *v* understand
comprensible *adj* understandable
comprensión *nf* comprehension
comprensivo, a *adj* sympathetic, understanding
compresa *nf* sanitary towel
comprimido *nm* tablet
comprimir *v* squeeze
comprobante *nm* receipt; **Necesito un comprobante para el seguro** I need a receipt for the insurance
comprometido, a *adj* engaged
compromiso *nm* engagement
común *adj* common
comunicación *nf* communication
comunicar *v* communicate; **señal de comunicando** busy signal
comunidad *nf* community
comunión *nf* communion
comunismo *nm* communism
comunista *adj* communist ▷ *nm, nf* communist

con *prep* with; **con tal (de) que** provided, providing; **¿Puedo dejarle un mensaje con su secretaria?** Can I leave a message with his secretary?; **Estoy aquí con mi familia** I'm here with my family
concejal, a *nm, nf* councillor
concentración *nf* concentration
concentrar *v* **concentrar(se)** concentrate
concernir *v* **en lo que concierne a** regarding
concesión *nf* concession
conciencia *nf (física)* consciousness, *(moral)* conscience; **recobrar la conciencia** come round
concienzudo, a *adj* conscientious
concierto *nm (actuación)* concert, *(obra)* concerto; **¿Hay algún concierto bueno?** Are there any good concerts on?
conciso, a *adj* concise
concluir *v* conclude
conclusión *nf* conclusion
concurso *nm* quiz; **concurso hípico** show jumping
condenar *v* condemn, convict
condensación *nf* condensation
condición *nf* condition; **a condición de que** provided, providing
condicional *adj* conditional
condimento *nm* seasoning, *(saborizante)* flavouring
conducir *v (coche)* drive, *(guiar)* conduct; **Estaba conduciendo a demasiada velocidad** You were driving too fast; **No llevo el carné de conducir** I don't have my driving licence on me
conducta *nf* behaviour
conducto *nm* pipeline
conductor, a *nm, nf* driver
conectar *v* connect, link (up)
conectarse *v* log on
conejillo *nm* **conejillo de indias** guinea pig *(for experiment)*
conejo *nm* rabbit
conexión *nf* connection; **¿Hay conexión de Internet en la habitación?** Is there an Internet connection in the room?; **Parece que la conexión es muy lenta** The connection seems very slow
conferencia *nf (discurso)* lecture, *(reunión)* conference
conferenciante *nm, nf* lecturer
confesar *v* confess, *(admitir)* own up
confesión *nf* confession
confeti *nm* confetti
confiado, a *adj* trusting
confianza *nf* confidence, trust; **confianza en sí mismo** confidence; **de confianza** reputable
confiar *v* trust; **confiar en** rely on
confidencia *nf* confidence *(secret)*
confidencial *adj* confidential
confirmación *nf* confirmation
confirmar *v* confirm; **Confirmé la reserva por carta** I confirmed my booking by letter
confiscar *v* confiscate
confitura *nf* jam
conflicto *nm* conflict; **estar en conflicto** clash
confluir *v* merge
confundir *v* confuse, mistake
confusión *nf* confusion
confuso, a *adj (estar)* confused, *(ser)* confusing
congelado, a *adj* frozen
congelador *nm* freezer
congelar *v* **congelar(se)** freeze
congestión *nf* congestion
Congo *nm* Congo
conífera *nf* conifer
conjetura *nf* guess
conjugación *nf* conjugation
conjunción *nf* conjunction

conjunto, a *adj* joint ▷ *nm* outfit; **cuenta conjunta** joint account
conmocionado, a *adj* shaken
conmovedor, a *adj* moving
conmovido, a *adj* touched
cono *nm* cone
conocer *v* know; **¿Lo conoce?** Do you know him?; **Lo siento mucho, pero no conocía las normas** I'm very sorry, I didn't know the regulations
conocido, a *adj (familiar)* known, *(famoso)* well-known
conocimiento *nm* knowledge
consciente *adj (despierto)* conscious, *(sabedor)* aware
consecuencia *nf* consequence; **en consecuencia** accordingly
consecuente *adj* consistent
consecutivo, a *adj* consecutive
conseguir *v* succeed
consejero, a *nm, nf* **consejero delegado** CEO
consejo *nm* advice; **consejo práctico** tip
consenso *nm* consensus
consentir *v* agree
conserje *nm, nf* caretaker, janitor
conservación *nf* conservation
conservador, a *adj* conservative
conservante *nm* preservative
consideración *nf* regard
considerado, a *adj* thoughtful
considerar *v* consider
consigna *nf* left-luggage; **consigna automática** left-luggage locker; **consigna de equipajes** left-luggage office
consola *nf* **consola de videojuegos** games console
consonante *nf* consonant
conspiración *nf* conspiracy, plot
conspirar *v* plot *(conspire)*
constante *adj* constant
constar *v* **constar de** consist of
constitución *nf* constitution
constituir *v* make up
construcción *nf* construction; **construcción naval** shipbuilding
constructivo, a *adj* constructive
constructor, a *nm, nf* builder
construir *v* build, construct
cónsul *nm, nf* consul
consulado *nm* consulate
consultar *v* consult
consumidor, a *nm, nf* consumer
consumir *v* use up
contabilidad *nf* accountancy
contable *nm, nf* accountant
contacto *nm* contact; **ponerse en contacto** contact; **¿Dónde puedo ponerme en contacto con usted?** Where can I contact you?
contador *nm* meter; **¿Dónde está el contador de la luz?** Where is the electricity meter?
contagioso, a *adj* contagious
contaminación *nf* pollution
contaminado, a *adj* polluted
contaminar *v* pollute
contar *v* count, reckon; **contar con** count on
contemporáneo, a *adj* contemporary
contenedor *nm* container; **contenedor de recogida de vidrio** bottle bank
contener *v* contain
contenido *nm* content; **de bajo contenido alcohólico** low-alcohol
contento, a *adj* glad, pleased
contestación *nf* reply
contestador *nm* answerphone; **contestador automático** answering machine
contestar *v* answer, reply
contexto *nm* context
continente *nm* continent, mainland

continuación *nf* sequel
continuar *vi* carry on, go on, continue
continuo, a *adj* continual
contra *prep* against, versus; **chocar contra** crash; **en contra** opposed
contrabajo *nm* double bass
contrabandista *nm, nf* smuggler
contrabando *nm* smuggling
contrachapado *nm* plywood
contradecir *v* contradict
contradicción *nf* contradiction
contrario, a *adj* opposing ▷ *nm* contrary, reverse; **de lo contrario** otherwise; **en sentido contrario a las agujas del reloj** anticlockwise
contraseña *nf* password
contraste *nm* contrast
contratar *v* sign on
contratiempo *nm* mishap, setback
contratista *nm, nf* contractor
contrato *nm* contract; **contrato de arrendamiento** lease
contraventana *nf* shutters
contribución *nf* contribution
contribuir *v* contribute
contribuyente *nm, nf* tax payer
contrincante *nm, nf* competitor
control *nm (dominio)* control, *(inspección)* check; **control de natalidad** birth control; **control de pasaportes** passport control
controlador, a *nm, nf* **controlador aéreo** air-traffic controller
controlar *v* control, *(comprobar)* check
convencer *v* convince
convencional *adj* conventional; **poco convencional** unconventional
conveniente *adj (cómodo)* convenient, *(provechoso)* suitable
convento *nm* convent
conversación *nf* conversation, talk
convertir *v* convert
convincente *adj* convincing
convivir *v* live together
convoy *nm* convoy
cónyuge *nm, nf* spouse
cooperación *nf* cooperation
cooperativa *nf* collective
copa *nf* glass; **copa de vino** wineglass; **Copa del Mundo** World Cup
copia *nf* copy; **¿Podría hacerme una copia de esto?** Can you copy this for me?
copiar *v* copy; **Quisiera copiar este documento** I want to copy this document
copo *nm* **copo de nieve** snowflake; **copos de maíz** cornflakes
coquetear *v* flirt
coraje *nm* courage
coral *nm* coral
Corán *nm* Koran
corazón *nm* heart, *(fruta)* core
corbata *nf* tie
corcho *nm* cork
cordel *nm* string
cordero *nm* lamb
cordillera *nf* range
cordón *nm* **cordón (del zapato)** shoelace
Corea *nf* Korea; **Corea del Norte** North Korea; **Corea del Sur** South Korea
coreano, a *adj* Korean ▷ *nm, nf (persona)* Korean ▷ *nm (lengua)* Korean
corneja *nf* crow
corneta *nf* cornet
coro *nm* choir
corona *nf* crown
coronel, a *nm, nf* colonel
corral *nm* yard
correa *nf* strap; **correa del reloj** watch strap; **correa del ventilador** fan belt; **Necesito una correa nueva para el reloj** I need a new

strap for my watch
corrección *nf* correction
correcto, a *adj* correct, right
corrector *nm* **corrector ortográfico** spellchecker
corredor, a *nm, nf* racer, runner ▷ *nm (pasillo)* corridor; **corredor de Bolsa** stockbroker
corregir *v* correct
correo *nm* mail, post; **correo aéreo** airmail; **correo basura** junk mail, spam; **correo electrónico** email; **enviar por correo** mail, post; **¿A qué hora abre la oficina de correos?** When does the post office open?; **¿Cuánto tardará por correo certificado?** How long will it take by registered post?; **¿Cuánto tardará por correo ordinario?** How long will it take by normal post?
correr *v* run
correspondencia *nf* correspondence
corresponsal *nm, nf* correspondent
corrida *nf* **corrida (de toros)** bullfight
corriente *adj* ordinary ▷ *nf (agua)* stream, *(eléctrica)* current; **corriente de aire** draught
corrupción *nf* corruption
corrupto, a *adj* corrupt
cortacésped *nm* lawnmower
cortafuegos *nm* firewall
cortaplumas *nm* penknife
cortar *v* cut, cut off, *(césped)* mow, *(con hacha)* chop; **cortar en pedazos** cut up; **Cortar y marcar, por favor** A cut and blow-dry, please; **No me corte mucho** Don't cut too much off; **Se ha cortado él solo** He has cut himself
cortaúñas *nm* clippers
corte *nm* cut; **corte de pelo** haircut
cortés *adj* polite
cortesía *nf* politeness
cortina *nf* curtain
corto, a *adj* short
cosa *nf* thing; **cosas** stuff
cosecha *nf* crop, harvest
cosechar *v* harvest
coser *v* sew, stitch
cosméticos *nm pl* cosmetics
cosquillear *v* tickle
costa *nf* coast, seaside
costar *v* cost; **¿Cuánto costarán los arreglos?** How much will the repairs cost?
Costa Rica *nf* Costa Rica
coste *nm* cost; **coste de la vida** cost of living
costilla *nf* rib
costoso, a *adj* dear, expensive
costumbre *nf* custom
costura *nf (acción)* sewing, *(puntadas)* seam
cotillear *v* gossip
cotilleo *nm* gossip
crack *nm (droga)* crack
cráneo *nm* skull
creación *nf* creation
crear *v* create
creativo, a *adj* creative
crecer *v* grow
crecimiento *nm* growth
credenciales *nf pl* credentials
crédito *nm* credit; **¿Acepta tarjetas de crédito?** Do you take credit cards?
creencia *nf* belief
creer *v* believe
creíble *adj* credible
creído, a *adj* stuck-up
crema *nf* cream; **color crema** cream; **crema de afeitar** shaving cream; **crema hidratante** moisturizer
cremallera *nf* zip; **abrir la cremallera** unzip; **cerrar la cremallera** zip (up)
crematorio *nm* crematorium

crepe *nf* pancake
criada *nf* maid
criado *nm* servant
criar *v* breed
criatura *nf* creature
crimen *nm* crime
criminal *adj* criminal
críquet *nm* cricket
crisantemo *nm* chrysanthemum
crisis *nf* crisis; **crisis nerviosa** nervous breakdown
cristal *nm* crystal, glass; **cristal de la ventana** window pane
cristianismo *nm* Christianity
cristiano, a *adj* Christian ▷ *nm, nf* Christian
Cristo *nm* Christ
criterio *nm* criterion
crítica *nf* criticism
criticar *v* criticize
crítico, a *adj* critical ▷ *nm, nf* critic
Croacia *nf* Croatia
croata *adj* Croatian ▷ *nm, nf (persona)* Croatian ▷ *nm (lengua)* Croatian
cromo *nm* chrome
crónico, a *adj* chronic
cronómetro *nm* stopwatch
cruce *nm* crossing, junction; **Gire a la izquierda en el siguiente cruce** Go left at the next junction
crucero *nm* cruise
crucial *adj* crucial
crucifijo *nm* crucifix
crucigrama *nm* crossword
crudo, a *adj (sin cocinar)* raw, *(severo)* harsh
cruel *adj* cruel
crueldad *nf* cruelty
crujiente *adj* crisp, crispy
crustáceo *nm* shellfish
cruz *nf* cross; **Cruz Roja** Red Cross
cruzar *v* cross
cuaderno *nm* notebook
cuadra *nf* stable
cuadrado, a *adj* square ▷ *nm* square
cuadro *nm* painting; **de cuadros** checked; **¿Quién pintó ese cuadro?** Who did that painting?
cual *pron* **el cual** which
cuál, cuáles *pron* which, what; **¿Cuál es el mejor camino para llegar a este hotel?** What's the best way to get to this hotel?; **¿Cuál es la llave de la puerta trasera?** Which is the key for the back door?; **¿Cuál es su bebida preferida?** What is your favourite drink?
cualidad *nf* quality
cualificación *nf* qualification
cualificado, a *adj* qualified, trained; **no cualificado** unskilled
cualquiera, cualquier *adj* any ▷ *pron* anybody, anyone; **cualquier cosa** anything; **cualquiera de los dos** either; **de cualquier manera** anyhow; **en cualquier sitio** anywhere
cuando *conj* when
cuándo *adv* when; **¿Cuándo estará transitable la carretera?** When will the road be clear?; **¿Cuándo vuelve a casa?** When do you go home?
cuantificar *v* quantify
cuanto *pron* **cuanto antes** asap
cuánto *pron (singular)* how much, *(plural)* how many; **¿A cuánto está de aquí?** How far is it?; **¿Cada cuánto pasan los autobuses para...?** How often are the buses to...?; **¿Cuánto cuesta?** How much does it cost?; **¿Cuántas sillas?** How many chairs?
cuarenta *num* forty
cuarentena *nf* quarantine
Cuaresma *nf* Lent
cuartel *nm* army barracks; **cuartel general** headquarters, HQ
cuarteto *nm* quartet

cuarto, a *adj* fourth ▷ *nm* quarter, *(habitación)* room; **cuarto de baño** bathroom; **cuarto de invitados** spare room; **cuartos de final** quarter final; **¿Hay cuarto de baño propio en la habitación?** Does the room have a private bathroom?
cuatro *num* four
Cuba *nf* Cuba
cubano, a *adj* Cuban ▷ *nm, nf* Cuban
cúbico, a *adj* cubic
cubierta *nf* cover, *(de nave)* deck; **¿Podemos salir a la cubierta?** Can we go out on deck?
cubierto, a *adj (pista, piscina)* indoor; **cubiertos** cutlery; **Mis cubiertos están sucios** My cutlery is dirty
cubito *nm* **cubito de caldo** stock cube; **cubito de hielo** ice cube
cubo *nm* pail, *(geometría)* cube, *(recipiente)* bin; **cubo de basura** dustbin, litter bin
cubrecama *nm* bedspread
cubrir *v* cover
cucaracha *nf* cockroach
cuchara *nf* spoon; **cuchara de postre** dessert spoon; **cuchara sopera** tablespoon; **¿Me trae una cuchara limpia, por favor?** Could I have a clean spoon, please?
cucharada *nf* spoonful
cucharilla *nf* teaspoon
cucharón *nm* ladle
cuchilla *nf* **cuchilla de afeitar** razor blade
cuchillo *nm* knife
cuco *nm* cuckoo
cuello *nm* neck
cuenco *nm* bowl
cuenta *nf* bill, *(abalorio)* bead, *(en tienda, banco)* account; **cuenta bancaria** bank account; **cuenta conjunta** joint account; **cuenta corriente** current account; **darse cuenta de** realize; **por cuenta propia** freelance; **Cárguelo a mi cuenta** Put it on my bill; **En cuentas separadas, por favor** Separate bills, please; **La cuenta está mal** The bill is wrong
cuento *nm* short story, tale; **cuento de hadas** fairytale
cuerda *nf* rope; **cuerda para la ropa** clothes line
cuerno *nm* horn
cuero *nm* leather
cuerpo *nm* body
cuervo *nm* raven
cuesta *nf* slope; **cuesta abajo** downhill; **cuesta arriba** uphill
cuestión *nf* issue, question, *(pregunta)* query
cuestionario *nm* questionnaire
cueva *nf* cave
cuidado *nm* care; **con cuidado** carefully; **tener cuidado** watch out; **unidad de cuidados intensivos** intensive care unit
cuidadoso, a *adj* careful
cuidar *v* **cuidar (de)** look after; **cuidar niños** babysit; **¡Cuídese!** Take care; **Cuido de mis hijos a tiempo completo** I'm a full-time parent; **Necesito a alguien que cuide de mis hijos esta noche** I need someone to look after the children tonight
culebrón *nm* soap opera
culo *nm* bum
culpa *nf* fault, *(culpabilidad)* guilt, *(responsabilidad)* blame; **No ha sido culpa mía** It wasn't my fault
culpable *adj* guilty ▷ *nm, nf* culprit
culpar *v* blame
cultivar *v* grow
culto, a *adj* educated ▷ *nm* cult; **rendir culto** worship
cultura *nf* culture; **cultura general**

general knowledge
cultural *adj* cultural
culturismo *nm* bodybuilding
cumbre *nf* summit, top
cumpleaños *nm* birthday; **¡Feliz cumpleaños!** Happy birthday!
cumplir *v (promesa)* fulfil
cuna *nf* cot, cradle; **¿Tiene una cuna?** Do you have a cot?
cuñada *nf* sister-in-law
cuñado *nm* brother-in-law
cuota *nf* quota
cura *nm* **cura (párroco)** vicar
curación *nf* cure
curar *v* cure; **curar(se)** *(herida)* heal
curiosear *v* browse, pry
curioso, a *adj* curious, inquisitive
currículo *nm* curriculum
currículum *nm* **currículum vítae** curriculum vitae, CV
curry *nm* curry; **curry en polvo** curry powder
curso *nm* course; **curso de capacitación** training course; **curso de reciclaje** refresher course
cursor *nm* cursor
curva *nf* bend
custodia *nf* custody
custodiar *v* guard
cutis *nm* skin, complexion; **limpieza de cutis** facial
cuyo, a *adj* whose

d

dado *nm* dice
daltónico, a *adj* colour-blind
dama *nf* lady; **dama de honor** bridesmaid; **damas** *(juego)* draughts
danés, esa *adj* Danish ▹ *nm, nf (persona)* Dane ▹ *nm (lengua)* Danish
dañar *v* damage, harm
dañino, a *adj* harmful
daño *nm* damage; **hacer daño** harm
dar *v* give; **dar clases** *(universidad)* lecture; **dar de comer** feed; **dar el visto** tick off; **dar la bienvenida** welcome; **dar la lata** nag, pester; **dar propina** tip; **dar un golpe** knock; **dar un manotazo** smack; **dar un puñetazo** punch; **dar una palmada** slap, spank; **dar una patada** kick; **darse a la fuga** flee; **darse cuenta de** realize; **dar(se) la vuelta** turn round, turn around; **darse prisa** hurry, hurry up; **¿Dan ustedes clases?** Do you give lessons?; **¿Podría darme cambio, por favor?** Can you give me some change, please?

dardo *nm* dart; **dardos** darts
datos *nm pl* data
d.C. *abr* AD
de *prep (posesión, contenido)* of, *(procedencia)* from, *(tema)* about; **de más** spare; **una copa de vino** a glass of wine; **Soy de Sevilla** I'm from Seville
deambular *v* wander
debajo *adv* underneath; **debajo de** below, under; **debajo del agua** underwater
debate *nm* debate
debatir *v* debate
deber *nm* duty ▷ *v (dinero)* owe; **¿Qué le debo?** What do I owe you?; **Me debe...** You owe me...
deberes *nm pl* homework
debido, a *adj* **debido a** due to, owing to
débil *adj* weak
debilidad *nf* weakness
débito *nm* debit
década *nf* decade
decente *adj* decent
decepción *nf* disappointment
decepcionado, a *adj* disappointed
decepcionante *adj* disappointing
decepcionar *v* disappoint, let down
decidido, a *adj* determined
decidir *v* **decidir(se)** decide
decimal *adj* decimal
décimo, a *adj* tenth ▷ *nm* tenth
decimoctavo, a *adj* eighteenth
decimocuarto, a *adj* fourteenth
decimonoveno, a *adj* nineteenth
decimoquinto, a *adj* fifteenth
decimoséptimo, a *adj* seventeenth
decimosexto, a *adj* sixteenth
decimotercero, a *adj* thirteenth
decir *v* say, tell
decisión *nf* decision
decisivo, a *adj* decisive
declaración *nf* statement; **declaración de la renta** tax return
declarar *v (manifestar)* state, *(proclamar)* declare; **No tengo nada que declarar** I have nothing to declare
decorar *v* decorate
dedicación *nf* dedication
dedicarse *v* **¿A qué se dedica?** What do you do?
dedo *nm* finger; **dedo índice** index finger; **dedo del pie** toe
deducir *v* deduct
defecto *nm* defect, flaw, shortcoming
defectuoso, a *adj* faulty
defender *v* defend
defensa *nf* defence
defensor, a *nm, nf* defender
déficit *nm* deficit, shortfall
definición *nf* definition
definir *v* define
degustar *v* taste
dejar *v* leave, *(permitir)* let; **dejar de** stop; **dejar entrar** let in; **no dejar entrar** keep out; **¡Déjeme en paz!** Leave me alone!; **¿Puedo dejarle un mensaje?** Can I leave a message?; **Déjeme pasar, por favor** Please let me through
delantal *nm* apron
delante *adv* in front; **por delante** ahead; **Mandé por delante mi equipaje** I sent my luggage on in advance; **Mire hacia delante, por favor** Facing the front, please
delantero, a *adj* front
delegado, a *nm, nf* delegate
delegar *v* delegate
deleite *nm* delight
deletrear *v* spell
delfín *nm* dolphin
delgado, a *adj* slim
delicado, a *adj* delicate, frail
delicioso, a *adj* delicious; **Estaba**

delicioso That was delicious; **La comida estaba deliciosa** The meal was delicious
delictivo, a *adj* criminal
delincuente *nm, nf* criminal
delineador *nm* eyeliner
delirar *v* rave
demanda *nf* claim
demandado, a *nm, nf* defendant
demandar *v* demand, *(judicialmente)* sue
demasiado *adv* too; **El conductor iba a demasiada velocidad** He was driving too fast; **El sillín está demasiado bajo** The seat is too low
democracia *nf* democracy
democrático, a *adj* democratic
demoler *v* demolish, wreck
demonio *nm* devil
demostración *nf* demonstration
demostrar *v* demonstrate
densidad *nf* density
dentadura *nf* teeth; **dentadura postiza** dentures
dental *adj* dental
dentífrico *nm* toothpaste
dentista *nm, nf* dentist; **Necesito un dentista** I need a dentist
dentro *adv* inside, *(edificio)* indoors; **dentro de** in; **dentro de poco** shortly, soon; **Está dentro** It's inside
departamento *nm* department
depender *v* depend
dependiente, a *nm, nf* sales assistant, shop assistant
deportar *v* deport
deporte *nm* sport; **deportes de invierno** winter sports
deportista *nf* sportswoman ▷ *nm* sportsman
deportivo, a *adj* sports; **ropa deportiva** sportswear
depósito *nm (ingreso)* deposit; **depósito de cadáveres** morgue; **depósito de gasolina** petrol tank; **¿Cuánto hay que dejar de depósito?** How much is the deposit?
depresión *nf* depression
deprimente *adj* depressing, grim
deprimido, a *adj* depressed
deprisa *adv* fast
derecha *nf* right; **de derechas** right-wing; **Gire a la derecha** Turn right; **Gire a la derecha en el siguiente cruce** Go right at the next junction
derecho, a *adj* right *(not left)*, right-hand ▷ *nm (facultad)* right, *(leyes)* law; **derechos civiles** civil rights; **derechos de propiedad intelectual** copyright; **derechos humanos** human rights; **facultad de Derecho** law school
deriva *nf* **ir a la deriva** drift
derramar *v* spill
derrapar *v* skid
derretir *v* melt
derribar *v* knock down, pull down
derrota *nf* defeat
derrotar *v* beat, defeat
derrumbarse *v* collapse
desacuerdo *nm* disagreement
desafiante *adj* challenging
desafiar *v* challenge
desafío *nm* challenge
desafortunado, a *adj* unlucky
desagradable *adj (grosero)* unpleasant, *(malo)* nasty
desagradecido, a *adj* ungrateful
desagüe *nm* drain, plughole; **El desagüe está atascado** The drain is blocked
desalentar *v* discourage
desandar *v* retrace
desaparecer *v* disappear, vanish
desaparecido, a *adj* missing
desaparición *nf* disappearance
desarrollar *v* **desarrollar(se)**

develop
desarrollo *nm* development
desastre *nm* disaster
desastroso, a *adj* disastrous
desatar *v* untie
desatendido, a *adj* unattended
desayunar *v* have breakfast; **¿Puedo desayunar en mi habitación?** Can I have breakfast in my room?; **¿Qué le gustaría desayunar?** What would you like for breakfast?
desayuno *nm* breakfast; **¿A qué hora se sirve el desayuno?** What time is breakfast?; **¿Está incluido el desayuno?** Is breakfast included?
desbarajuste *nm* shambles
desbordarse *v* flood
descafeinado, a *adj* decaffeinated
descalificar *v* disqualify
descalzo, a *adj* barefoot
descansar *v* rest
descanso *nm* rest, *(deporte)* half-time; **descanso para comer** lunch break
descapotable *nm* convertible
descarado, a *adj* cheeky
descarga *nf* download
descargar *v (camión)* unload, *(Internet)* download; **¿Puedo descargar fotos aquí?** Can I download photos to here?
descartar *v* rule out
descender *v* descend
descomponerse *v* decay
desconcertado, a *adj* baffled, bewildered
desconcertante *adj* puzzling
desconectar *v* disconnect
desconocido, a *adj* unknown ▷ *nm, nf* stranger
desconsiderado, a *adj* thoughtless
desconsolado, a *adj* heartbroken
descontento, a *adj* dissatisfied
describir *v* describe
descripción *nf* description
descubierto, a *adj* overdrawn ▷ *nm* overdraft
descubrir *v* discover
descuento *nm* discount, rebate; **descuento para estudiantes** student discount; **¿Hay descuento si se paga en efectivo?** Do you offer a discount for cash?
descuidado, a *adj (chapucero)* sloppy, *(desatendido)* neglected, *(negligente)* careless
descuidar *v* neglect
descuido *nm* oversight
desde *prep* from, since; **desde entonces** since; **desde que** since; **Me encuentro mal desde el lunes** I've been sick since Monday
desear *v* wish
desechable *adj* disposable
desechar *v* scrap
desempleado, a *adj* jobless, unemployed
desempleo *nm* unemployment
desenchufar *v* unplug
desenrollar *v* unroll, *(cuerda)* unwind
desenvolver *v* unwrap
deseo *nm* wish
desesperación *nf* despair
desesperado, a *adj* desperate, hopeless
desfasado, a *adj* out-of-date
desfase *nm* **desfase horario** jet lag
desfavorable *adj* unfavourable
desfile *nm* parade
desgarrar *v* rip, tear
desgarrón *nm* tear *(split)*
desgracia *nf* misfortune; **por desgracia** unfortunately
desgraciado, a *adj* miserable
deshacer *v* undo, *(maleta)* unpack; **deshacerse de** ditch; **Tengo que deshacer el equipaje** I have to

unpack
deshidratado, a *adj* dehydrated
deshonesto, a *adj* dishonest
desierto *nm* desert
designar *v* appoint
desigual *adj* bumpy
desinfectante *nm* disinfectant
desistir *v* back out
deslizamiento *nm* slide; **deslizamiento de tierras** landslide
deslizarse *v* slide
desmayarse *v* faint, pass out; **Se ha desmayado** She has fainted
desmontar *v* take apart
desnatado, a *adj* skimmed; **leche desnatada** skimmed milk
desnudar *v* **desnudar(se)** undress
desnudo, a *adj* naked, nude ▷ *nm* nude
desnutrición *nf* malnutrition
desobedecer *v* disobey
desobediente *adj* disobedient
desocupado, a *adj* vacant
desocupar *v* vacate
desodorante *nm* deodorant
desorden *nm* mess
desordenado, a *adj* messy, untidy
despachar *v* send off
despacho *nm* office; **despacho de billetes** booking office
despacio *adv* slowly; **¿Puede hablar más despacio, por favor?** Could you speak more slowly, please?
despedazar *v* tear up
despedida *nf* **despedida de soltera** hen night; **despedida de soltero** stag night
despedir *v (empleado)* dismiss, lay off; **despedirse** say goodbye
despegue *nm* takeoff
despensa *nf* larder
desperdiciar *v* waste
desperdicio *nm* waste; **desperdicios** litter, refuse
despertador *nm* alarm clock
despertar *v* **despertar(se)** awake, wake up; **¿Quiere que le despierte?** Shall I wake you up?; **Desearía que me despertaran mañana a las siete en punto de la mañana** I'd like an alarm call for tomorrow morning at seven o'clock
despiadado, a *adj* ruthless
despido *nm* sack
despierto, a *adj* awake; **quedarse despierto** stay up
despilfarrar *v* squander
desplazamiento *nm* shift
desplazar *v* shift
despreciar *v* despise
desprecio *nm* contempt
después *adv* afterwards; **después de** after, past; **después de (que)** after; **¿Podemos reunirnos después?** Shall we meet afterwards?
destacar *v* highlight
destello *nm* flash
destilería *nf* distillery
destino *nm (hado)* destiny, *(meta)* destination
destornillador *nm* screwdriver
destornillar *v* unscrew
destreza *nf* craft
destrozar *v* vandalize
destrucción *nf* destruction
destruir *v* destroy
desván *nm* attic, loft
desventaja *nf* disadvantage
desvestir *v* **desvestir(se)** undress
desvío *nm* diversion; **¿Hay un desvío?** Is there a diversion?
detallado, a *adj* detailed
detalle *nm* detail
detective *nm, nf* detective
detector *nm* **detector de humo** smoke alarm
detención *nf* detention, halt
detergente *nm* detergent; **¿Tiene**

detergente en polvo para la ropa? Do you have washing powder?
deteriorar *v* **deteriorar(se)** deteriorate
detestable *adj* obnoxious
detestar *v* hate; **Detesto...** I hate...
detrás *adv* behind; **detrás de** behind
deuda *nf* debt
devaluación *nf* devaluation
devastado, a *adj* devastated
devastador, a *adj* devastating
devolver *v* give back, return, send back, *(a su lugar)* put back, *(llevar)* bring back; **devolver la llamada** call back; **Quisiera devolver esto** I'd like to return this
devoto, a *adj* devoted
día *nm* day, daytime; **día de los Santos Inocentes** April Fools' Day; **día festivo** bank holiday, public holiday; **día laborable** weekday; **Día de los Enamorados** Valentine's Day; **hoy en día** nowadays; **¡Qué día más bonito!** What a lovely day!; **¿El museo está abierto todos los días?** Is the museum open every day?; **¿Qué día es hoy?** What day is it today?
diabetes *nf* diabetes
diabético, a *adj* diabetic ▷ *nm, nf* diabetic; **Soy diabético** I'm diabetic
diablo *nm* devil
diagnóstico *nm* diagnosis
diagonal *adj* diagonal
diagrama *nm* diagram
dialecto *nm* dialect
diálogo *nm* dialogue
diamante *nm* diamond
diámetro *nm* diameter
diario, a *adj* daily ▷ *nm* diary
diarrea *nf* diarrhoea; **Tengo diarrea** I have diarrhoea
dibujar *v* draw; **¿Puede dibujarme un plano con las indicaciones?** Can you draw me a map with directions?
dibujo *nm* drawing
diccionario *nm* dictionary
dicha *nf* bliss
dicho *nm* saying
diciembre *nm* December
dictado *nm* dictation
dictador, a *nm, nf* dictator
diecinueve *num* nineteen
dieciocho *num* eighteen
dieciséis *num* sixteen
diecisiete *num* seventeen
diente *nm* tooth; **diente de león** dandelion; **echar los dientes** teethe; **Me he roto un diente** I've broken a tooth
diésel *nm* diesel; **Póngame... de diesel, por favor**... worth of diesel, please
diestro, a *adj (derecho)* right-handed, *(experto)* skilled
dieta *nf* diet
diez *num* ten; **El niño tiene diez años** He is ten years old; **Son las diez en punto** It's ten o'clock
diferencia *nf* difference; **a diferencia de** unlike
diferente *adj* different; **Quisiera algo diferente** I would like something different
difícil *adj* difficult, hard
dificultad *nf* difficulty
difunto, a *adj* late
digerir *v* digest
digestión *nf* digestion
digital *adj* digital
dignidad *nf* dignity
dilema *nm* dilemma
diluir *v* dilute
dimensión *nf* dimension
diminuto, a *adj* tiny
dimitir *v* resign
Dinamarca *nf* Denmark
dinámico, a *adj* dynamic

dinero *nm* money; **dinero en efectivo** cash; **¿Dónde puedo cambiar dinero?** Where can I change some money?; **¿Pueden devolverme el dinero?** Can I have my money back?
dinosaurio *nm* dinosaur
dios *nm* god
diploma *nm* diploma
diplomático, a *adj* diplomatic, tactful ▷ *nm, nf* diplomat
diplomatura *nf* BA
dirección *nf* direction, *(mecanismo)* steering, *(señas)* address; **dirección de Internet** web address; **dirección electrónica** email address; **dirección particular** home address; **¿Cuál es su dirección electrónica?** What is your email address?; **¿Le importaría escribir la dirección, por favor?** Will you write down the address, please?; **La dirección del sitio Web es...** The website address is...
directo, a *adj* direct; **¿Es un tren directo?** Is it a direct train?; **Preferiría que fuera directo** I'd prefer to go direct
director, a *nm, nf (jefe)* director, *(orquesta)* conductor, *(escuela)* principal; **director del colegio** headteacher; **director general** managing director; **¿Cómo se llama el director general?** What is the name of the managing director?
dirigir *v* direct
discapacidad *nf* disability
discapacitado, a *adj* disabled, handicapped; **discapacitados** disabled; **¿Hacen descuento a las personas discapacitadas?** Is there a reduction for disabled people?
disciplina *nf* discipline
disco *nm (de música)* record, *(audio)* disc, *(informática)* disk; **disco compacto** compact disc; **disco duro** hard disk
discoteca *nf* disco
discreción *nf* discretion
discriminación *nf* discrimination
disculpa *nf* apology
disculpar *v* excuse; **Disculpe** Excuse me
disculparse *v* apologize
discusión *nf* discussion, *(debate)* argument
discutir *v* discuss, *(debatir)* argue
diseñador, a *nm, nf* designer
diseñar *v* design
diseño *nm* design; **diseño gráfico** graphics
disfraz *nm* fancy dress
disfrazar *v* disguise
disfrutar *v* enjoy
disgustado, a *adj* disgusted, upset
dislexia *nf* dyslexia
disléxico, a *adj* dyslexic ▷ *nm, nf* dyslexic
disminución *nf* decrease
disminuir *v* decrease, diminish
disolvente *nm* solvent
disolver *v* **disolver(se)** dissolve
disponer *v* set out
disponibilidad *nf* availability
disponible *adj* available
disposición *nf* layout
dispositivo *nm* device
dispuesto, a *adj* ready, *(servicial)* willing
disquete *nm* diskette, floppy disk
distancia *nf* distance
distante *adj* distant
distinción *nf* distinction
distinguir *v* distinguish
distraer *v* distract
distraído, a *adj* absent-minded
distribuidor, a *nm, nf* distributor
distribuir *v* distribute, give out

distrito *nm* district, ward
disturbio *nm* riot; **causar disturbios** riot
diversión *nf* fun
divertido, a *adj* fun, funny
divertir *v* amuse
dividir *v* **dividir(se)** divide
divisar *v* spot
división *nf* division
divorciado, a *adj* divorced; **Estoy divorciado** I'm divorced
divorciarse *v* divorce
divorcio *nm* divorce
doblado, a *adj (cine)* dubbed
doblar *v (curvar)* bend, *(duplicar)* double
doble *adj (dos)* double ▷ *nm, nf (especialista)* stuntman; **doble acristalamiento** double glazing; **Quisiera reservar una habitación doble** I'd like to book a double room
doce *num* twelve
docena *nf* dozen
doctorado *nm* PhD
documentación *nf* documentation
documental *nm* documentary
documento *nm* document; **documento impreso** printout; **Quisiera copiar este documento** I want to copy this document
dólar *nm* dollar
doler *v* ache
dolor *nm* ache, pain; **dolor de cabeza** headache; **dolor de muelas** toothache; **dolor de espalda** back pain, backache; **dolor de estómago** stomachache; **dolor de oídos** earache; **¿Puede darme algo para el dolor?** Can you give me something for the pain?; **Quiero que me pongan una inyección contra el dolor** I want an injection for the pain
dolorido, a *adj* sore; **Tengo la espalda dolorida** My back is sore
doloroso, a *adj* painful
doméstico, a *adj* domestic
domiciliación *nf* direct debit
dominar *v* master
domingo *nm* Sunday; **el domingo** on Sunday; **Hoy es domingo tres de octubre** It's Sunday third October
dominicano, a *adj* Dominican; **República Dominicana** Dominican Republic
dominó *nm* dominoes
donante *nm, nf* donor
donar *v* donate
donde *conj* where
dónde *adv* where; **¿Dónde estamos?** Where are we?; **¿Dónde está...?** Where is...?; **¿Dónde están los aseos de caballeros?** Where is the gents?
dónut *nm* doughnut
dorado, a *adj* golden
dormido, a *adj* asleep; **quedarse dormido** oversleep
dormir *v* sleep; **¿Ha dormido bien?** Did you sleep well?; **No puedo dormir** I can't sleep; **No puedo dormir de calor** I can't sleep for the heat
dormitar *v* doze
dormitorio *nm (casa)* bedroom, *(colegio)* dormitory
dorsal *adj* **espina dorsal** spine
dos *num* two; **dos veces** twice; **Son las dos en punto** It's two o'clock; **Son las dos menos cuarto** It's quarter to two; **Son las dos y cuarto** It's quarter past two
dosis *nf* dose
dotado, a *adj* gifted
dragón *nm* dragon
drama *nm* drama
dramático, a *adj* dramatic
dramaturgo, a *nm, nf* playwright
drástico, a *adj* drastic

drenar *v* drain
droga *nf* drug
drogadicto, a *nm, nf* drug addict
dubitativo, a *adj* doubtful
ducha *nf* shower; **¿Dónde están las duchas?** Where are the showers?
duda *nf* doubt
dudar *v* doubt
dudoso, a *adj* dubious
dueña *nf (casera)* landlady
dueño *nm (casero)* landlord, *(propietario)* owner; **dueño de un bar** publican; **¿Puedo hablar con el dueño, por favor?** Could I speak to the owner, please?
dulce *adj* sweet
duna *nf* sand dune
duodécimo, a *adj* twelfth
duración *nf* duration
durante *prep* during; **durante el verano** during the summer
durar *v* last
duro, a *adj* hard; **sin un duro** broke
DVD *nm* DVD

e

echar *v (lanzar)* throw, *(expulsar)* throw out, *(verter)* dump; **echar a perder** spoil; **echar del trabajo** sack; **echar los dientes** teethe; **echar un vistazo** glance; **echar una cabezada** snooze
eco *nm* echo
ecología *nf* ecology
ecológico, a *adj (Ecología)* ecological, *(inocuo)* environmentally friendly
economía *nf* economy
económico, a *adj (barato)* inexpensive, *(Economía)* economic
economista *nm, nf* economist
economizar *v* economize
ecuación *nf* equation
ecuador *nm* equator
Ecuador *nm* Ecuador
eczema *nm* eczema
edad *nf* age; **de mediana edad** middle-aged; **Edad Media** Middle Ages
edición *nf* edition
edificio *nm* building; **¿Hay ascensor**

en el edificio? Is there a lift in the building?
editor, a *nm, nf* editor, *(publicar)* publisher
edredón *nm* duvet, quilt
educación *nf (académica)* education, *(crianza)* upbringing; **educación para adultos** adult education
educado, a *adj* polite, well mannered
educar *v* bring up
educativo, a *adj* educational
edulcorante *nm* sweetener; **¿Tiene edulcorante?** Do you have any sweetener?
EE.UU. *abr* US, USA
efectivo *nm* cash; **¿Puedo hacer efectivo este cheque?** Can I cash a cheque?; **No tengo dinero en efectivo** I don't have any cash
efecto *nm* effect; **efecto secundario** side effect; **en efecto** indeed
efectuar *v* carry out
eficaz *adj* effective
eficiente *adj* efficient
egipcio, a *adj* Egyptian ▷ *nm, nf* Egyptian
Egipto *nm* Egypt
egocéntrico, a *adj* self-centred
egoísta *adj* selfish
eje *nm* axle
ejecución *nf* execution
ejecutar *v* carry out, execute
ejecutivo, a *nm, nf* executive
ejemplar *nm* copy
ejemplo *nm* example
ejercicio *nm* exercise; **ejercicio fiscal** financial year
ejército *nm* army; **ejército del aire** Air Force
el *art* the; **el cual** which; **¿Cuánto dura el recorrido?** How long does the tour take?
él *pron* he
elástico, a *adj* stretchy ▷ *nm* elastic, elastic band; **cama elástica** trampoline; **goma elástica** rubber band
elección *nf* choice, pick; **elecciones** election; **elecciones generales** general election
electorado *nm* electorate
electoral *adj* election; **circunscripción electoral** constituency
electricidad *nf* electricity; **No hay electricidad** There is no electricity
electricista *nm, nf* electrician
eléctrico, a *adj* electric, electrical; **Hay algo que no funciona en el sistema eléctrico** There is something wrong with the electrics
electrónica *nf* electronics
electrónico, a *adj* electronic
elefante *nm* elephant
elegante *adj* elegant; **vestirse elegante** dress up
elegido, a *adj* chosen
elegir *v* choose, *(candidato)* elect, *(escoger)* pick out
elemento *nm* element
elevación *nf* rise
eliminar *v* eliminate
ella *pron* she
ello *pron* it
ellos, ellas *pron* they
elogiar *v* praise
elogio *nm* praise
elogioso, a *adj* complimentary
embajada *nf* embassy; **Quisiera llamar a mi embajada** I'd like to phone my embassy
embajador, a *nm, nf* ambassador
embalaje *nm* packaging
embalse *nm* dam
embarazada *adj* pregnant; **Estoy embarazada** I'm pregnant
embarazo *nm* pregnancy
embarazoso, a *adj* embarrassing

embarcación *nf* ship
embarcadero *nm* pier
embarcarse *v* board
embargo *nm* **sin embargo** however, nevertheless
embarque *nm* boarding; **¿A qué hora empieza el embarque?** When does boarding begin?; **Tenga mi tarjeta de embarque** Here is my boarding card
embarrado, a *adj* muddy
emboscada *nf* ambush
embotellamiento *nm* traffic jam
embrague *nm* clutch
embudo *nm* funnel
embutir *v* cram
emergencia *nf* emergency; **¡Es una emergencia!** It's an emergency!
emigrante *nm, nf* migrant
emigrar *v* emigrate
Emiratos Árabes Unidos *nm pl* United Arab Emirates
emisión *nf* broadcast
emitir *v* issue, send out
emoción *nf* emotion, thrill
emocionado, a *adj* thrilled
emocional *adj* emotional
emocionante *adj* thrilling
emoticono *nm* smiley
empapado, a *adj* soggy
empapar *v* drench
empaquetar *v* pack
empatar *v* draw
empate *nm* draw, stalemate
empeorar *v* worsen
emperador *nm* emperor
empezar *v* begin, start; **¿A qué hora empieza?** When does it begin?
empinado, a *adj* steep; **¿Es muy empinado?** Is it very steep?
empleado, a *nm, nf* employee; **empleado eventual** temp
empleador, a *nm, nf* employer
emplear *v* employ
empleo *nm (puesto)* job, *(trabajo)* employment; **empleo de verano** holiday job
empollar *v* swot
empresa *nf* firm
empresaria *nf* businesswoman
empresario *nm* businessman; **Soy empresario** I'm a businessman
empujar *v* push; **¿Le importaría empujar?** Can you give me a push?
en *prep (interior)* in, into, *(superficie)* on, *(tiempo)* within; **¿En qué planta está?** What floor is it on?; **¿Puede indicármelo en el mapa?** Can you show me where it is on the map?; **Está en la esquina** It's on the corner
enaguas *nf pl* underskirt
enamorado, a *adj* **estar enamorado de** be in love with
enamorarse *v* **enamorarse de** fall for
enano, a *nm, nf* dwarf
encabezar *v* head
encajar *v* fit
encaje *nm* lace
encalar *v* whitewash
encallado, a *adj* stranded
encantado, a *adj* delighted
encantador, a *adj* charming, delightful, lovely
encantar *v* **Me encanta...** I love...; **Sí, me encantaría** Yes, I'd love to
encanto *nm* charm
encapotado, a *adj* overcast
encarcelar *v* jail
encendedor *nm* (cigarette) lighter
encender *v* switch on, turn on; **¿Cómo se enciende?** How do you switch it on?; **¿Puedo encender la luz?** Can I switch the light on?
enchufar *v* plug in
enchufe *nm (hembra)* socket, *(macho)* plug; **¿Dónde está el enchufe para la maquinilla de afeitar?** Where is

the socket for my electric razor?
encía *nf* gum; **Me sangran las encías** My gums are bleeding
enciclopedia *nf* encyclopaedia
encima *adv* **encima de** on; **por encima de** above, over
encogerse *v* shrink; **encogerse de hombros** shrug
encogido, a *adj* shrunk
encontrar *v* find; **encontrar un hueco** fit in; **Necesito encontrar un supermercado** I need to find a supermarket; **No encuentro la tecla de la arroba** I can't find the at sign
encontrarse *v* meet, meet up
encorvar *v (flexionar)* bend
encrucijada *nf* crossroads
encuesta *nf* survey; **encuesta de opinión** poll
enemigo, a *nm, nf* enemy
enemistar *v* antagonize
energía *nf* energy; **energía solar** solar power
enérgico, a *adj* energetic
enero *nm* January
enfadado, a *adj* angry, cross
enfadar *v* annoy
enfatizar *v* emphasize
enfermedad *nf* disease, illness, sickness; **enfermedad de Alzheimer** Alzheimer's disease
enfermería *nf* infirmary
enfermero, a *nm, nf* nurse; **Deseo hablar con una enfermera** I'd like to speak to a nurse
enfermo, a *adj* ill, poorly, sick; **Ha estado enferma** She has been sick; **Mi hijo está enfermo** My child is ill
enfocar *v* focus
enfrente *adv* opposite; **de enfrente** opposite; **enfrente de** opposite
enfriar *v* chill
engañar *v* cheat, deceive, fool, trick
engañoso, a *adj* misleading
engatusar *v* rope in
engranaje *nm* gear
engreído, a *adj* bigheaded
enhorabuena *nf* congratulations
enjuagar *v* rinse
enjuague *nm* rinse; **enjuague bucal** mouthwash
enlatado, a *adj* canned, tinned
enmascarado, a *adj* masked
enojar *v* spite
enorme *adj* enormous, outsize
enrollar *v* wind
ensalada *nf* salad; **ensalada mixta** mixed salad; **ensalada verde** green salad
ensangrentado, a *adj* bloody
ensayar *v* rehearse
ensayo *nm (literario)* essay, *(teatro)* rehearsal
enseñanza *nf* teaching; **enseñanza para adultos** further education; **enseñanza superior** higher education
enseñar *v* teach
ensordecedor, a *adj* deafening
ensuciar *v* mess up
entender *v* figure out, understand; **entender mal** misunderstand; **¿Entiende?** Do you understand?; **Entiendo** I understand; **No entiendo** I don't understand
entendido, a *adj* knowledgeable
enternecedor, a *adj* touching
entero, a *adj* entire, whole
enterrar *v* bury
entonces *adv* then; **desde entonces** since
entrada *nf* entrance, entry, *(acceso)* admittance, *(admisión)* admission, *(cine, teatro)* ticket, *(vía)* way in; **permitir la entrada** admit; **¿Dónde está la entrada para sillas de ruedas?** Where is the wheelchair-accessible entrance?; **¿Dónde se**

pueden comprar las entradas para el concierto? Where can I buy tickets for the concert?
entrar *v* come in, enter, go in; **dejar entrar** let in; **entrar a robar** break in; **no dejar entrar** keep out
entre *prep (dos)* between, *(varios)* among
entrega *nf* delivery; **entrega con acuse de recibo** recorded delivery; **entrega de premios** prize-giving
entregar *v (llevar)* deliver, *(pasar)* hand; **¿Dónde entregamos la llave cuando nos vayamos?** Where do we hand in the key when we're leaving?
entrenador, a *nm, nf* coach, trainer
entrenamiento *nm* training
entrenar *v* train
entretanto *adv* meanwhile
entretener *v* entertain
entretenido, a *adj* entertaining
entretenimiento *nm* fun
entrevista *nf* interview
entrevistador, a *nm, nf* interviewer
entrevistar *v* interview
entrometido, a *adj* nosy
entumecido, a *adj* numb
entusiasmo *nm* enthusiasm
entusiasta *adj* enthusiastic, keen
envejecido, a *adj* aged
envenenar *v* poison
enviar *v* send; **enviar por correo** mail; **enviar por fax** fax; **¿Puede hacer que me envíen dinero urgentemente?** Can you arrange to have some money sent over urgently?; **¿Puedo enviar un fax desde aquí?** Can I send a fax from here?
envidia *nf* envy
envidiar *v* envy
envidioso, a *adj* envious
envolver *v* wrap, wrap up; **¿Puede envolvérmelo, por favor?** Could you wrap it up for me, please?
epidemia *nf* epidemic
epiléptico, a *nm, nf* epileptic
episodio *nm* episode
equilibrado, a *adj* balanced
equilibrio *nm* balance
equipado, a *adj* equipped
equipaje *nm* baggage, luggage; **equipaje de mano** hand luggage; **¿Cuál es el límite de equipaje?** What is the baggage allowance?; **¿Dónde facturo el equipaje?** Where do I check in my luggage?
equipo *nm (colaboradores)* team, *(materiales)* equipment, *(utensilios)* kit; **¿Podemos alquilar el equipo?** Can we hire the equipment?
equitación *nf* horse riding
equivalente *nm* equivalent
equivocación *nf* slip
equivocado, a *adj* mistaken
equivocarse *v* slip up
erguido, a *adj* upright
erigir *v* put up
Eritrea *nf* Eritrea
erizo *nm* hedgehog
erótico, a *adj* erotic
errar *v* miss
errata *nf* misprint
error *nm* error, mistake; **error garrafal** blunder
eructar *v* burp
eructo *nm* burp
erupción *nf* rash
esbelto, a *adj* slender
esbozo *nm* outline
escala *nf* scale, *(parada)* stopover
escalada *nf* climbing; **Quisiera ir de escalada** I'd like to go climbing
escalador, a *nm, nf* climber
escalar *v* climb
escalera *nf* staircase, stairs; **escalera de mano** stepladder;

escalera mecánica escalator
escalfado, a *adj* poached
escama *nf* scale
escándalo *nm* scandal
escandaloso, a *adj* outrageous
Escandinavia *nf* Scandinavia
escandinavo, a *adj* Scandinavian
escáner *nm* scanner
escaño *nm* seat
escapar *v* run away
escaparate *nm* shop window
escaparse *v* escape, get away, *(gas)* leak
escape *nm* escape, leak
escarabajo *nm* beetle
escarlata *adj* scarlet
escasez *nf* shortage
escaso, a *adj* scarce
escenario *nm (suceso)* scene, *(teatro)* stage
escéptico, a *adj* sceptical
esclavo, a *nm, nf* slave; **trabajar como un esclavo** slave
escoba *nf* broom
escocés, esa *adj* Scots, Scottish, *(diseño)* tartan ▷ *nm* Scot, Scotsman; **falda escocesa** kilt
escocesa *nf* Scotswoman
Escocia *nf* Scotland
escoger *v* pick
escolar *adj* school; **cartera escolar** schoolbag
escollo *nm* block
escoltar *v* escort
escombros *nm pl* wreckage
esconder *v* **esconder(se)** hide
escondite *nm* hide-and-seek
escopeta *nf* shotgun
Escorpio *nm* Scorpio
escorpión *nm* scorpion
escribir *v* write; **¿Podría escribírmelo, por favor?** Could you write that down, please?
escritor, a *nm, nf* writer
escritorio *nm* desk; **¿Me permite usar su escritorio?** May I use your desk?
escritura *nf* writing, *(caligrafía)* handwriting
escuchar *v* listen, listen to
escudo *nm* shield
escuela *nm* school; **escuela de Bellas Artes** art school; **escuela de idiomas** language school; **escuela infantil** infant school; **escuela nocturna** night school; **escuela primaria** elementary school, primary school; **escuela secundaria** secondary school
escultor, a *nm, nf* sculptor
escultura *nf* sculpture
escupir *v* spit
escurridero *nm* draining board
escurridor *nm* colander
escurrir *v* drain
escúter *nm* scooter
ese, esa *adj, pron* that
ése, ésa, eso *pron* that; **¿Cuánto cuesta eso?** How much does that cost?
esencial *adj* essential
esforzarse *v* struggle
esfuerzo *nm* effort
esguince *nm* sprain; **hacerse un esguince** sprain
eslabón *nm* link
eslovaco, a *adj* Slovak ▷ *nm, nf (persona)* Slovak ▷ *nm (lengua)* Slovak
Eslovaquia *nf* Slovakia
Eslovenia *nf* Slovenia
esloveno, a *adj* Slovenian ▷ *nm, nf (persona)* Slovenian ▷ *nm (lengua)* Slovenian
esmalte *nm* enamel; **esmalte de uñas** nail varnish
esmoquin *nm* dinner jacket, tuxedo
esnob *nm* snob
esos, esas *adj, pron* those

espabilado, a *adj* streetwise
espacial *adj* space; **nave espacial** spacecraft
espacio *nm* space; **espacio aéreo** airspace; **espacio en blanco** blank
espada *nf* sword
espaguetis *nm pl* spaghetti
espalda *nf* back; **Me he hecho daño en la espalda** I've hurt my back; **Tengo mal la espalda** I've got a bad back
espantapájaros *nm* scarecrow
espantoso, a *adj* awful, dreadful, *(feo)* hideous
España *nf* Spain
español, a *adj* Spanish ▷ *nm, nf (persona)* Spaniard ▷ *nm (lengua)* Spanish
espárrago *nm* asparagus
espasmo *nm* spasm
espátula *nf* spatula
especia *nf* spice
especial *adj* special
especialidad *nf* speciality; **¿Cuál es la especialidad de la casa?** What is the house speciality?; **¿Hay una especialidad típica de la zona?** Is there a local speciality?
especialista *nm, nf (experto)* specialist, *(asesor)* consultant
especializarse *v* specialize
especie *nf (Biología)* species, *(clase)* kind
especificar *v* specify
específico, a *adj* specific
espectacular *adj* spectacular
espectáculo *nm* show; **¿Dónde podemos ir para ver un espectáculo?** Where can we go to see a show?
espectador, a *nm, nf (TV)* viewer, *(espectáculo)* spectator, *(testigo)* onlooker
especular *v* speculate
espejo *nm* mirror
espeluznante *adj* scary, spooky
espera *nf* **billete en lista de espera** stand-by ticket; **lista de espera** waiting list
esperanza *nf* hope; **con esperanza** hopefully
esperanzado, a *adj* hopeful
esperar *v* wait, *(a alguien)* wait for, *(esperanza)* hope, *(expectativa)* expect; **¿Puede esperarme aquí unos minutos?** Can you wait here for a few minutes?; **Espéreme, por favor** Please wait for me; **Llevamos mucho tiempo esperando** We've been waiting for a very long time
esperma *nm* sperm
espeso, a *adj* thick, *(vegetación)* dense
espetón *nm* spit
espía *nm, nf* spy
espiar *v* spy
espina *nf* thorn; **espina dorsal** spine
espinaca *nf* spinach
espinilla *nf* shin
espino *nm* hawthorn
espionaje *nm* espionage, spying
espirar *v* breathe out
espíritu *nm* spirit
espiritual *adj* spiritual
espléndido, a *adj* splendid, superb
espolvorear *v* dust
esponja *nf* sponge
espontáneo, a *adj* spontaneous
esposa *nf* wife; **esposas** handcuffs; **ex esposa** ex-wife; **Esta es mi esposa** This is my wife
esposo *nm* husband; **ex esposo** ex-husband; **Este es mi esposo** This is my husband
esprín *nm* sprint
esprintar *v* sprint
espuma *nf* foam; **espuma de afeitar** shaving foam; **espuma de baño** bubble bath

espumillón *nm* tinsel
espumoso, a *adj* fizzy
esqueleto *nm* skeleton
esquí *nm* ski, skiing; **esquí acuático** water-skiing; **¿Dónde puedo alquilar el equipo de esquí?** Where can I hire skiing equipment?; **¿Es posible hacer esquí de fondo?** Is it possible to go cross-country skiing?; **¿Hay una escuela de esquí?** Is there a ski school?
esquiador, a *nm, nf* skier
esquiar *v* ski; **Quisiera ir a esquiar** I'd like to go skiing
esquina *nf* corner; **Está a la vuelta de la esquina** It's round the corner; **Está en la esquina** It's on the corner
esquirla *nf* chip
esquivar *v* dodge
esquizofrénico, a *adj* schizophrenic
estabilidad *nf* stability
estable *adj* stable
estaca *nf* tent peg
estación *nf (tiempo)* season, *(lugar)* station; **estación de autobuses** bus station; **estación de metro** metro station, tube station; **estación de radio** radio station; **estación de servicio** service station; **estación de tren** railway station; **¿Dónde está la estación de autobuses?** Where is the bus station?
estadio *nm* stadium; **¿Cómo se va al estadio?** How do we get to the stadium?
estadística *nf* statistics
estado *nm* state; **estado civil** marital status
Estados Unidos *nm* United States
estafador, a *nm, nf* crook
estallar *v* blow up, explode
estallido *nm* bang
estancia *nf (permanencia)* stay
estanco *nm* tobacconist's
estándar *nm* standard
estanque *nm* pond
estante *nm (balda)* shelf, *(libros)* bookshelf
estantería *nf* bookcase
estaño *nm* tin
estar *v* be; **estar de acuerdo** agree; **estar de pie** stand; **¿A qué fecha estamos?** What is today's date?; **¿Cómo está usted?** How are you?; **¿Cuándo estará listo?** When will it be ready?
estatua *nf* statue
este, esta *adj* this; **Tomo esta medicación** I'm on this medication
este *nm (punto cardinal)* east; **al este** east; **del este** east; **hacia el este** eastbound
éste, ésta, esto *pron* this; **Ésta es su habitación** This is your room; **Quisiera descambiar esto** I'd like to exchange this; **Tomaré esto** I'll have this
estéreo *nm* stereo; **¿Tiene equipo estéreo?** Does it have a stereo?
estereotipo *nm* stereotype
estéril *adj* sterile, *(infecundo)* infertile
esterilizar *v* sterilize
esterilla *nf* mat
esterlina *adj* **libra esterlina** pound sterling, sterling
esteroide *nm* steroid
estiércol *nm* manure
estilista *nm, nf* stylist
estilo *nm* style; **estilo de vida** lifestyle; **estilo espalda** backstroke
estilográfica *nf* fountain pen
estimación *nf* estimate
estimar *v* estimate
estimular *v* boost
estío *nm* summertime
estirado, a *adj* tight
estirar *v* stretch

estofado *nm* stew
estómago *nm* stomach
Estonia *nf* Estonia
estonio, a *adj* Estonian ▷ *nm, nf (persona)* Estonian ▷ *nm (lengua)* Estonian
estornudar *v* sneeze
estos, estas *adj, pron* these
estragón *nm* tarragon
estrangular *v* strangle
estrategia *nf* strategy
estratégico, a *adj* strategic
estrecho, a *adj* narrow
estrella *nf (astro, persona)* star; **estrella del cine** film star
estrellar *v* smash
estreno *nm* premiere
estreñido, a *adj* constipated
estrépito *nm* **caer con estrépito** crash
estrés *nm* stress
estresado, a *adj* stressed
estresante *adj* nerve-racking, stressful
estricto, a *adj* strict
estríper *nm, nf* stripper
estructura *nf* structure
estudiante *nm, nf* learner, student; **estudiante universitario** undergraduate; **Soy estudiante** I'm a student
estudiar *v* study; **Todavía estoy estudiando** I'm still studying
estudio *nm (sala)* studio, *(vivienda)* studio flat; **estudio amueblado** bedsit; **estudio de mercado** market research
estufa *nf* heater
estupefacto, a *adj* astonished
estupendo, a *adj* gorgeous
estúpido, a *adj* stupid
etc. *abr* etc
eternidad *nf* eternity
eterno, a *adj* eternal
ético, a *adj* ethical
etíope *adj* Ethiopian ▷ *nm, nf* Ethiopian
Etiopía *nf* Ethiopia
etiqueta *nf* label, tag
étnico, a *adj* ethnic
euro *nm* euro; **Quisiera una tarjeta telefónica de veinticinco euros** I'd like a twenty-five euro phone card
Europa *nf* Europe
europeo, a *adj* European ▷ *nm, nf* European; **Unión Europea** European Union
evacuar *v* evacuate
evangelio *nm* gospel
evidente *adj* blatant, glaring
evitar *v* avoid
evolución *nf* evolution
exactitud *nf* accuracy; **con exactitud** accurately
exacto, a *adj* accurate, exact
exageración *nf* exaggeration
exagerado, a *adj* overdone
exagerar *v* exaggerate
examen *nm* exam, *(escolar, médico)* examination; **examen de conducir** driving test
examinador, a *nm, nf* examiner
examinar *v* examine
exasperante *adj* infuriating
excavadora *nf* digger
excavar *v* dig
excedente *nm* surplus
excelente *adj* excellent; **La comida ha sido excelente** The lunch was excellent
excéntrico, a *adj* eccentric
excepción *nf* exception
excepcional *adj* exceptional
excepto *prep* except, excluding
excesivo, a *adj* excessive
exceso *nm* **exceso de equipaje** excess baggage; **exceso de velocidad** speeding

excitado, a *adj* excited
excitante *adj* exciting
exclamación *nf* **signo de exclamación** exclamation mark
excluir *v* exclude
excursión *nf* trip; **¿Organizan excursiones de un día a...?** Do you run day trips to...?
excursionismo *nm* backpacking, hiking
excursionista *nm, nf* rambler
excusa *nf* excuse
exhaustivo, a *adj* comprehensive
exhausto, a *adj* exhausted
exhibición *nf* exhibition
exhibirse *v* show off
exigencia *nf* demand
exigente *adj* demanding
exigir *v* demand
exiguo, a *adj* scarce
exilio *nm* exile
existencias *nfpl* stock
existir *v* exist
éxito *nm* success
exitoso, a *adj* successful
exorbitante *adj* extortionate
exótico, a *adj* exotic
expedición *nf* expedition
expendedor, a *adj* **máquina expendedora** dispenser, vending machine
experiencia *nf* experience; **experiencia laboral** work experience
experimentado, a *adj* experienced
experimentar *v* undergo
experimento *nm* experiment
experto, a *nm, nf* expert
expirar *v* expire
explicación *nf* explanation
explicar *v* explain; **¿Puede explicarme cuál es el problema?** Can you explain what the matter is?
explorador, a *nm, nf* explorer, scout
explorar *v* explore
explosión *nf* blast, explosion
explosivo *nm* explosive
explotación *nf* exploitation
explotar *v* exploit, *(bomba)* blow up, explode
exponer *v* display
exportación *nf* export
exportar *v* export
exposición *nf* display
expresar *v* express
expresión *nf* expression
expulsar *v* expel
éxtasis *nm* ecstasy
extender *v* spread
extensión *nf* extension, extent
extenso, a *adj* extensive
exterior *adj* exterior, outdoor, outside ▷ *nm* outside
externo, a *adj* external
extinto, a *adj* extinct
extintor *nm* fire extinguisher
extra *adv, nm* extra; **horas extras** overtime; **¿Cuánto vale el extra del seguro a todo riesgo?** How much extra is comprehensive insurance cover?; **Lo quisiera con extra..., por favor** I'd like it with extra..., please
extracto *nm* **extracto bancario** bank statement
extranjero, a *adj* foreign ▷ *nm, nf* alien, foreigner; **en el extranjero** abroad
extraño, a *adj* strange, weird
extraoficial *adj* unofficial
extraordinario, a *adj (raro)* extraordinary, *(sobresaliente)* outstanding
extravagante *adj* extravagant
extraviar *v* mislay
extremismo *nm* extremism
extremista *nm, nf* extremist
extremo, a *adj* extreme

f

fábrica *nf* factory, plant; **fábrica de cerveza** brewery; **Trabajo en una fábrica** I work in a factory
fabricante *nm, nf* maker, manufacturer
fabricar *v* manufacture
fabuloso, a *adj* fabulous
facial *adj* facial
fácil *adj* easy; **fácil de usar** user-friendly
factible *adj* feasible
factura *nf* invoice; **factura del teléfono** phone bill
facturar *v* invoice
facultad *nf* faculty, school; **facultad de Derecho** law school
faena *nf* **faenas de la casa** housework
fagot *nm* bassoon
faisán *nm* pheasant
falda *nf* skirt; **falda escocesa** kilt
fallo *nm* fault
falsificación *nf (billetes)* forgery, *(imitación)* fake
falso, a *adj* fake, false
falta *nf (deporte)* foul
fama *nf* fame
familia *nf* family; **familia política** in-laws; **Estoy aquí con mi familia** I'm here with my family
familiar *adj* familiar
famoso, a *adj* famous
fanático, a *nm, nf* fanatic
fanfarrón, ona *nm, nf* show-off
fantasma *nm* ghost
fantástico, a *adj* fantastic
farmacéutico, a *nm, nf* chemist, pharmacist
farmacia *nf* chemist('s), pharmacy; **¿Dónde está la farmacia más cercana?** Where is the nearest chemist?; **¿Qué farmacia está de guardia?** Which pharmacy provides emergency service?
faro *nm (torre)* lighthouse, *(vehículo)* headlamp, headlight; **faro antiniebla** fog light; **No me funcionan los faros** The headlights are not working
farol *nm (mentira)* bluff
farola *nf* lamppost, streetlamp
fascinante *adj* fascinating
fastidioso, a *adj* annoying
fauna *nf* fauna
favor *nm* favour; **por favor** please
favorito, a *adj* favourite ▷ *nm, nf* favourite
fax *nm* fax; **enviar por fax** fax; **¿Puedo enviar un fax desde aquí?** Can I send a fax from here?
fe *nf* faith
febrero *nm* February
fecha *nf* date; **fecha de caducidad** best-before date, expiry date; **fecha límite** deadline; **fecha límite de venta** sell-by date; **¿Qué fecha es hoy?** What is the date?
felicidad *nf* happiness
felicitación *nf* **tarjeta de**

felicitación greetings card
felicitar *v* compliment, congratulate
feliz *adj* happy
femenino, a *adj* female, feminine
feminista *nm, nf* feminist
feo, a *adj* ugly
feria *nf* fair
ferretería *nf (mercancía)* hardware, *(tienda)* ironmonger's
ferrocarril *nm* railway
ferry *nm* ferry; **ferry con bodega para coches** car-ferry; **¿Dónde se coge el ferry para...?** Where do we catch the ferry to...?
fértil *adj* fertile
festival *nm* festival
festivo, a *adj* **día festivo** bank holiday
feto *nm* foetus
fiable *adj* reliable; **poco fiable** unreliable
fianza *nf* bail
fibra *nf* fibre; **fibra de vidrio** fibreglass
ficción *nf* fiction
ficha *nf* counter *(in games)*; **ficha de dominó** domino
fidedigno, a *adj* reliable
fidelidad *nf* **alta fidelidad** hifi
fideos *nm pl* noodles
fiebre *nf* fever; **fiebre tifoidea** typhoid
fiel *adj* faithful
fieltro *nm* felt
fiero, a *adj* fierce, vicious
fiesta *nf* party; **fiesta con cena** dinner party; **ir de fiesta** party
fijar *v* fix
Fiji *nf pl* Fiji
fijo, a *adj* fixed
fila *nf* rank
filete *nm* steak
filetear *v* fillet
filial *nf* subsidiary
filipino, a *adj* Filipino ▷ *nm, nf* Filipino
filosofía *nf* philosophy
filtrar *v* filter
filtro *nm* filter
fin *nm* end; **fin de semana** weekend
final *adj* final, ultimate ▷ *nf* final ▷ *nm* ending
finalizar *v* end
financiar *v* finance
financiero, a *adj* financial
finanzas *nf pl* finance
finca *nf* estate
fingir *v* pretend
finlandés, esa *adj* Finnish ▷ *nm, nf (persona)* Finn ▷ *nm (lengua)* Finnish
Finlandia *nf* Finland
fino, a *adj (delgado)* thin, *(excelente)* fine
firma *nf* signature
firmar *v* sign; **¿Dónde tengo que firmar?** Where do I sign?
firme *adj (fijo)* steady, *(sólido)* firm
fiscal *adj* fiscal
física *nf* physics
físico, a *adj* physical ▷ *nm, nf* physicist
fisioterapeuta *nm, nf* physiotherapist
fisioterapia *nf* physiotherapy
flácido, a *adj* flabby
flaco, a *adj* skinny, faint
flamante *adj* brand-new
flamenco *nm (ave)* flamingo
flauta *nf* flute
flecha *nf* arrow
flequillo *nm* fringe
flexible *adj* flexible
flexión *nf* **hacer flexiones** do push-ups/press-ups
flirtear *v* flirt
flojo, a *adj* slack
flor *nf* blossom, flower
flora *nf* flora
florecer *v* blossom, flower
florero *nm* vase

florista *nm, nf* florist
flota *nf* fleet
flotador *nm* float
flotar *v* float
fluido, a *adj* fluent
fluir *v* flow
fluorescente *adj* fluorescent
fobia *nf* phobia
foca *nf* seal
foco *nm (óptica)* focus, *(reflector)* spotlight
fofo, a *adj* flabby
folclore *nm* folklore
follaje *nm* leaves
folleto *nm* booklet, brochure, leaflet; **folleto informativo** prospectus; **¿Tiene folletos sobre...?** Do you have any leaflets about...?
fondo *nm* bottom; **fondo común** pool; **fondos** funds
fontanería *nf* plumbing
fontanero, a *nm, nf* plumber
footing *nm* jogging; **hacer footing** jog; **¿Dónde puedo ir a hacer footing?** Where can I go jogging?
forfait *nm* ski pass; **¿Cuánto cuesta un forfait para un día?** How much is a pass for a day?
forjar *v* forge
forma *nf (contorno)* shape, *(modalidad)* form
formal *adj* formal
formalidad *nf* formality
formato *nm* format; **dar formato** format
fórmula *nf* formula
formulario *nm* form; **formulario de solicitud** application form
forro *nm* lining
fortalecer *v* strengthen
fortaleza *nf* fort
fortuna *nf* fortune
forzar *v* force
foso *nm* moat
foto *nm* photo; **foto instantánea** snapshot; **¿Cuándo estarán listas las fotos?** When will the photos be ready?; **¿Cuánto cuestan las fotos?** How much do the photos cost?
fotocopia *nf* photocopy; **¿Dónde puedo hacer fotocopias?** Where can I get some photocopying done?; **Quisiera una fotocopia en color de esto, por favor** I'd like a colour photocopy of this, please
fotocopiadora *nf* photocopier
fotocopiar *v* photocopy
fotografía *nf (imagen)* photograph, *(técnica)* photography
fotografiar *v* photograph
fotógrafo, a *nm, nf* photographer
fracasado, a *adj* unsuccessful
fracasar *v* fail
fracaso *nm* failure, flop
fractura *nf* fracture
fragancia *nf* scent
frágil *adj* fragile
fraguar *v* forge
frambuesa *nf* raspberry
francés, esa *adj* French ▹ *nm (hombre)* Frenchman, *(lengua)* French
francesa *nf* Frenchwoman
Francia *nf* France
franco, a *adj (directo)* outspoken, *(honesto)* straightforward
franela *nf* flannel
franqueo *nm* postage
franquicia *nf* **franquicia de equipaje** baggage allowance
frasco *nm* flask
frase *nf* phrase
fraude *nm* fraud
frecuencia *nf* frequency
frecuente *adj* frequent
fregadero *nm* sink
fregar *v* scrub; **fregar los platos** wash up
fregona *nf* mop; **pasar la fregona**

mop up
freír *v* fry; **freír en freidora** deep-fry
frenar *v* brake
frenético, a *adj* frantic
freno *nm* brake, *(limitación)* curb; **freno de mano** handbrake; **No funcionan los frenos** The brakes don't work
frente *nf* forehead ▷ *nm* front; **hacer frente a** cope (with)
fresa *nf* strawberry
fresco, a *adj (frío)* cool, *(reciente)* fresh
frío, a *adj* chilly, cold ▷ *nm* cold; **¿Hará frío esta noche?** Will it be cold tonight?; **En la habitación hace mucho frío** The room is too cold; **Hace un frío que pela** It's freezing cold
frito, a *adj* fried; **patatas fritas** *(de bolsa)* crisps, *(de sartén)* chips
frondoso, a *adj* lush
frontera *nf* border, frontier
frotar *v* rub
fruncir *v* **fruncir el ceño** frown
frustrado, a *adj* frustrated
fruta *nf* fruit
fruto *nm* fruit
fuego *nm* blaze, fire; **alto el fuego** ceasefire; **fuegos artificiales** fireworks; **hervir a fuego lento** simmer; **¡Fuego!** Fire!
fuente *nf* fountain
fuera *adv* away, off, out, *(lugar)* outside; **en fuera de juego** offside; **fuera de** outside; **fuera de la hora punta** off-peak; **fuera de temporada** off-season; **Me he quedado fuera de la habitación sin llaves para volver a entrar** I have locked myself out of my room
fuerte *adj (poderoso)* strong, *(resistente)* tough ▷ *nm* fort; **Necesito algo más fuerte** I need something stronger
fuerza *nf* force, strength; **fuerza de voluntad** willpower; **latir con fuerza** throb
fuga *nf* **darse a la fuga** flee
fugarse *v* escape
fumador, a *nm, nf* smoker; **no fumador** non-smoker; **para no fumadores** non-smoking
fumar *v* smoke; **¿Dónde se puede fumar?** Where can I smoke?; **¿Fuma?** Do you smoke?; **¿Le importa que fume?** Do you mind if I smoke?; **Prohibido fumar** No smoking
función *nf* performance; **¿A qué hora empieza la función?** When does the performance begin?; **¿Cuánto dura la función?** How long does the performance last?
funcionar *v* work; **No funciona** Out of order
funcionario, a *nm, nf* civil servant
fundirse *v* melt
funeral *nm* funeral
funeraria *nf* funeral parlour
furgoneta *nf* van
furia *nf* rage
furioso, a *adj* furious, mad
furtivo, a *adj (huidizo)* shifty
fusible *m* fuse; **¿Puede arreglar un fusible?** Can you mend a fuse?; **Se ha fundido un fusible** A fuse has blown
fusil *nm* rifle
fusión *nf* merger
fútbol *nm* football; **fútbol americano** American football; **Juguemos al fútbol** Let's play football
futbolista *nm, nf* footballer
futuro, a *adj* future ▷ *nm* future

g

gabán *nm* overcoat
Gabón *nm* Gabon
gachas *nfpl* porridge
gafas *nfpl* glasses, specs, spectacles; **gafas bifocales** bifocals; **gafas de sol** sunglasses; **gafas protectoras** goggles; **¿Puede arreglarme las gafas?** Can you repair my glasses?
gaita *nf* bagpipes
galería *nf* gallery; **galería de arte** art gallery
Gales *nm* Wales
galés, esa *adj* Welsh ▷ *nm* Welsh
galleta *nf* biscuit; **galleta salada** cracker
gallina *nf* hen
gallito *nm* cockerel
gallo *nm* cock
galopar *v* gallop
galope *nm* gallop; **ir a galope** canter
gamba *nf* prawn
Gambia *nf* Gambia
ganas *nfpl* **Tengo ganas de ir al cine** I feel like going to the cinema; **Tengo ganas de vomitar** I feel sick
ganado *nm* cattle
ganador, a *adj* winning ▷ *nm, nf* winner
ganancia *nf* gain; **ganancias** proceeds
ganar *v* gain, *(salario)* earn, *(vencer)* win
ganchillo *nm* **hacer ganchillo** crochet
gancho *nm* hook
gandulear *v* mess about, skive
gánster *nm, nf* gangster
garabatear *v* scribble
garaje *nm* garage; **¿Cuál es la llave del garaje?** Which is the key for the garage?
garantía *nf* guarantee, warranty; **Sigue en garantía** It's still under guarantee
garantizar *v* guarantee
garbanzo *nm* chickpea
garganta *nf* throat
garra *nf* claw
garrafa *nf* carafe
garrote *nm* club
garza *nf* heron
gas *nm* gas; **con gas** fizzy; **gas lacrimógeno** teargas; **gas natural** natural gas; **gases** fumes; **gases de escape** exhaust fumes
gasolina *nf* petrol; **gasolina sin plomo** unleaded petrol; **Me he quedado sin gasolina** I've run out of petrol
gasolinera *nf* petrol station; **¿Hay una gasolinera por aquí cerca?** Is there a petrol station near here?
gastado, a *adj* shabby
gastar *v* spend
gasto *nm* expenditure; **gastos** expenses
gatito *nm* kitten
gato *nm* *(animal)* cat, *(instrumento)* jack

gaviota *nf* seagull
gel *nm* gel; **gel de ducha** shower gel; **gel para el pelo** hair gel
gelatina *nf* jelly
gélido, a *adj* icy
gemelo, a *nm, nf* twin
gemelos *nm pl (de camisa)* cufflinks
Géminis *nm* Gemini
gemir *v* groan, moan
gen *nm* gene
generación *nf* generation
generador *nm* generator
general *adj* general ▷ *nm, nf* general
generalizado, a *adj* widespread
generalizar *v* generalize
género *nm* kind, *(masculino, femenino)* gender; **género humano** mankind
generosidad *nf* generosity
generoso, a *adj* generous
genética *nf* genetics
genético, a *adj* genetic
genial *adj* smashing
genio *nm* genius
gente *nf* people
genuino, a *adj* genuine
geografía *nf* geography
geología *nf* geology
Georgia *nf* Georgia
georgiano, a *adj* Georgian ▷ *nm, nf* Georgian
geranio *nm* geranium
gerente *nf* manageress ▷ *nm* manager
geriátrico, a *adj* geriatric
germen *nm* germ
gestión *nf* management, running
gestionar *v* manage
gesto *nm* gesture
Ghana *nf* Ghana
ghanés, esa *adj* Ghanaian ▷ *nm, nf* Ghanaian
gigante *adj* giant ▷ *nm* giant
gigantesco, a *adj* gigantic
gimnasia *nf* gymnastics; **gimnasia de mantenimiento** keep-fit
gimnasio *nm* gym; **¿Dónde está el gimnasio?** Where is the gym?
gimnasta *nm, nf* gymnast
ginebra *nf* gin
ginecólogo, a *nm, nf* gynaecologist
gira *nf* tour
girar *v* turn, turn off; **Gire a la derecha** Turn right; **Gire a la izquierda** Turn left
girasol *nm* sunflower
giro *nm* turn; **giro postal** postal order
gitano, a *nm, nf* gypsy
glaciar *nm* glacier
glamuroso, a *adj* glamorous
glándula *nf* gland
global *adj* global
globalización *nf* globalization
globo *nm (terráqueo)* globe, *(aerostático)* balloon
gloria *nf* glory
glorioso, a *adj* glorious
glucosa *nf* glucose
gluten *nm* gluten; **¿Podría preparar una comida que no lleve gluten?** Could you prepare a meal without gluten?
gobernante *nm, nf* ruler
gobierno *nm* government
gofre *nm* waffle
golf *nm* golf; **¿Alquilan palos de golf?** Do they hire out golf clubs?; **¿Dónde puedo jugar al golf?** Where can I play golf?; **¿Hay un campo de golf público por aquí?** Is there a public golf course near here?
golfo *nm* **países del Golfo Pérsico** Gulf States
golondrina *nf* swallow
golosinas *nf pl* sweets
golpe *nm* knock, stroke; **cerrar de golpe** slam; **dar un golpe** hit, knock, strike
golpear *v* bang, bash, beat, strike

goma *nf* rubber; **goma elástica** rubber band
gordo, a *adj* fat
gorila *nm (animal)* gorilla, *(persona)* bouncer
gorra *nf* cap; **gorra de béisbol** baseball cap
gorrión *nm* sparrow
gorro *nm* hat; **gorro de ducha** shower cap
gota *nf* drop
gotear *v* drip
goteo *nm* drip
GPS *abr* GPS
grabación *nf* recording
grabadora *nf* recorder; **grabadora de CD** CD burner; **grabadora de DVD** DVD burner
grabar *v (Arte)* engrave, *(casete)* tape
gracias *excl* **¡gracias!** thanks!; **dar las gracias** thank; **Muchas gracias** Thank you very much; **Yo no bebo, gracias** I'm not drinking, thank you
gracioso, a *adj* graceful
grado *nm (escalafón)* grade, *(nivel)* degree; **de buen grado** willingly; **grado centígrado** degree centigrade; **grado Celsius** degree Celsius; **grado Fahrenheit** degree Fahrenheit
graduación *nf* graduation
gradual *adj* gradual
graffiti *nm* graffiti
gráfico *nm* graph; **gráfico circular** pie chart
gramática *nf* grammar
gramatical *adj* grammatical
gramo *nm* gramme
granada *nf* pomegranate
Gran Bretaña *nf* Great Britain
grande, gran *adj* big, great, large; **¿Tiene una talla grande?** Do you have a large?; **Es demasiado grande** It's too big
grandioso, a *adj* grand
granero *nm* barn
granito *nm* granite
granizar *v* hail
granizo *nm* hail
granja *nf* farm
grano *nm (cereal)* grain, *(espinilla)* pimple, spot; **grano de café** coffee bean
grapa *nf* staple
grapadora *nf* stapler
grapar *v* staple
grasa *nf (alimento)* fat, *(suciedad)* grease; **bajo en grasa** low-fat
grasiento, a *adj* greasy
gratificante *adj* rewarding
gratis *adj* free
grave *adj* serious; **¿Es grave?** Is it serious?
gravilla *nf* gravel
Grecia *nf* Greece
griego, a *adj* Greek ▷ *nm, nf (persona)* Greek ▷ *nm (lengua)* Greek
grieta *nf* crack
grifo *nm* tap
grillo *nm* cricket
gripe *nf* flu, influenza; **gripe aviaria** bird flu; **Hace poco que he pasado la gripe** I had flu recently; **Tengo la gripe** I've got flu
gris *adj* grey
gritar *v* scream, shout, yell
grito *nm* cry, scream, shout
Groenlandia *nf* Greenland
grosella *nf* **grosella negra** blackcurrant; **grosella roja** redcurrant
grosor *nm* thickness
grúa *nf (construcción)* crane, *(vehículo)* breakdown truck
grueso, a *adj* thick
grulla *nf* crane
gruñir *v* growl, snarl
grupo *nm* group, party; **grupo**

sanguíneo blood group; **¿Hay descuentos para grupos?** Are there any reductions for groups?; **Mi grupo sanguíneo es O positivo** My blood group is O positive
guante *nm* glove; **guantes de goma** rubber gloves
guantera *nf* glove compartment
guapo, a *adj* good-looking
guardabarros *nm* mudguard
guardacostas *nm, nf* coastguard
guardaespaldas *nm, nf* bodyguard
guardameta *nm, nf* goalkeeper
guardar *v (conservar)* keep, *(poner en su sitio)* put away
guardarropa *nm* cloakroom
guardería *nf* crêche
guardia *nm, nf* guard; **guardia de seguridad** security guard; **guardia de tráfico** traffic warden
guardián, ana *nm, nf* warden
Guatemala *nf* Guatemala
guerra *nf* war; **guerra civil** civil war
guía *nf* directory, *(libro)* guidebook ▷ *nm, nf (persona)* guide; **guía de turismo** tour guide; **guía telefónica** phonebook, telephone directory; **¿Hay algún guía que hable inglés?** Is there a guide who speaks English?; **¿Hay recorridos con guía?** Are there any guided walks?; **¿Tiene una guía de senderos del lugar?** Do you have a guide to local walks?
guiar *v* guide; **¿Puede guiarme, por favor?** Can you guide me, please?
guijarro *nm* pebble
Guinea *nf* Guinea
Guinea Ecuatorial *nf* Equatorial Guinea
guiñar *v* wink
guión *nm* hyphen
guisante *nm* pea
guitarra *nf* guitar
gusano *nm* worm
gustar *v* like; **no gustar** dislike; **¿Dónde te gustaría ir esta noche?** Where would you like to go tonight?; **¿Qué le gustaría hacer hoy?** What would you like to do today?; **¿Te gustaría que quedáramos para mañana?** Would you like to do something tomorrow?
gusto *nm* taste; **de buen gusto** tasteful
Guyana *nf* Guyana

haba *nf* broad bean
haber *v* **hay** *(singular)* there is, *(plural)* there are; **¿Hay alguna cancelación?** Are there any cancellations?; **¿Hay un autobús que vaya a la ciudad?** Is there a bus to the city?
habichuela *nf* runner bean
hábil *adj* skilful
habilidad *nf* skill
habitación *nf* room; **habitación con dos camas** twin room; **habitación doble** double room; **habitación individual** single room; **¿Cuánto cuesta la habitación?** How much is the room?; **¿Hay televisión en la habitación?** Does the room have a TV?
habitante *nm, nf* inhabitant
hábito *nm* habit
habla *nf* speech; **sin habla** speechless
hablador, a *adj* talkative
hablante *nm, nf* **hablante nativo** native speaker
hablar *v* speak, talk; **hablar con** talk to; **hablar (más) alto** speak up; **¿Con quién hablo?** Who am I talking to?; **¿Habla usted inglés?** Do you speak English?; **¿Hay aquí alguien que hable...?** Does anyone here speak...?
hacer *v* do, make; **hacer tictac** tick; **hacer un régimen** diet; **hacer una colecta** club together; **hacer una reverencia** bow; **hacer(se) añicos** dash; **hacerse un esguince** sprain; **¿Puede hacerlo ahora mismo?** Can you do it straightaway?; **¿Qué le gustaría hacer hoy?** What would you like to do today?; **¿Qué puedo hacer?** What do I do?
hacerse *v (convertirse)* become
hacha *nf* axe
hachazo *nm* chop
hacia *prep* towards; **hacia arriba** upwards; **hacia atrás** backwards; **hacia el este** eastbound
hada *nf* fairy
hado *nm* fate
Haití *nm* Haiti
halagado, a *adj* flattered
halagar *v* flatter
halago *nm* compliment
hallar *v* find
halterofilia *nf* weightlifting
hamaca *nf (colgante)* hammock, *(tumbona)* deckchair
hambre *nf* hunger; **pasar hambre** starve
hambriento, a *adj* hungry, *(voraz)* ravenous
hambruna *nf* famine
hamburguesa *nf* beefburger, burger, hamburger
hámster *nm* hamster
hándicap *nm (golf)* handicap; **¿Cuál es su hándicap?** What's your handicap?

harina *nf* flour; **harina de avena** oatmeal; **harina de maíz** cornflour
harto, a *adj* fed up
hasta *prep* till, until; **¡hasta luego!** bye!; **hasta que** till, until
haya *nf* beech (tree)
hebilla *nf* buckle
hechicero, a *nm, nf* sorcerer
hechizo *nm* spell
hecho, a *adj* done ▷ *nm* fact; **¡Bien hecho!** well done!; **hecho a mano** handmade; **hecho en casa** home-made; **poco hecho** rare
heder *v* stink
hedor *nm* stink
helada *nf* frost
helado, a *adj* frosty, frozen ▷ *nm* ice cream; **Yo quiero un helado** I'd like an ice cream
helecho *nm* fern
helicóptero *nm* helicopter
hemorragia *nf* bleeding, haemorrhage; **hemorragia nasal** nosebleed
hemorroides *nfpl* haemorrhoids, piles
heno *nm* hay; **fiebre del heno** hay fever
hepatitis *nf* hepatitis
herbicida *nm* weedkiller
heredar *v* inherit
heredera *nf* heiress
heredero *nm* heir
hereditario, a *adj* hereditary
herencia *nf* inheritance
herida *nf* wound
herido, a *adj* hurt
herir *v* hurt, injure, wound
hermana *nf* sister
hermanado, a *adj* twinned
hermanastra *nf* stepsister
hermanastro *nm* stepbrother
hermano *nm* brother
hermético, a *adj* airtight
hernia *nf* hernia; **hernia discal** slipped disc
héroe *nm* hero
heroína *nf (droga)* heroin, *(mujer)* heroine
herpes *nm* **herpes labial** cold sore
herradura *nf* horseshoe
herramienta *nf* tool
hervido, a *adj* boiled
hervidor *nm* **hervidor de agua** kettle
hervir *v* boil; **hervir a fuego lento** simmer
heterosexual *adj* heterosexual
hidratante *adj* moisturizing; **crema hidratante** moisturizer
hidrato *nm* **hidrato de carbono** carbohydrate
hidrógeno *nm* hydrogen
hiedra *nf* ivy
hielo *nm* ice; **Con hielo, por favor** With ice, please
hierba *nf* grass; **hierbas** herbs; **mala hierba** weed
hierro *nm* iron
hígado *nm* liver; **No puedo comer hígado** I can't eat liver
higiene *nf* hygiene
higiénico, a *adj* **papel higiénico** toilet paper
higo *nm* fig
hija *nf* daughter; **Mi hija ha desaparecido** My daughter is missing
hijastra *nf* stepdaughter
hijastro *nm* stepson
hijo *nm* son; **Mi hijo ha desaparecido** My son is missing
hilarante *adj* hilarious
hilera *nf* row
hilo *nm* thread; **hilo dental** dental floss
himno *nm* anthem, *(alabanza)* hymn; **himno nacional** national anthem

hincar *v* ram
hinchable *adj* inflatable
hinchado, a *adj (herido)* swollen
hindú *adj* Hindu ▷ *nm, nf* Hindu
hinduismo *nm* Hinduism
hinojo *nm* fennel
hipermercado *nm* hypermarket
hípico, a *adj* horse; **concurso hípico** show jumping
hipo *nm* hiccups
hipódromo *nm* racecourse
hipopótamo *nm* hippo, hippopotamus
hipoteca *nf* mortgage
hipotecar *v* mortgage
hippy *nm, nf* hippie
hirviendo *adj* boiling
historia *nf* history, *(relato)* story
historiador, a *nm, nf* historian
histórico, a *adj* historical
hockey *nm* hockey; **hockey sobre hielo** ice hockey
hogar *nm* home; **hogar de ancianos** nursing home; **hogar familiar** household; **sin hogar** homeless
hogaza *nf (de pan)* loaf
hoguera *nf* bonfire
hoja *nf (cuchillo)* blade, *(planta)* leaf; **hoja de cálculo** spreadsheet; **hoja de laurel** bay leaf
hojaldre *nm* puff pastry
hola *excl* **¡hola!** hello!, hi!
Holanda *nf* Holland
holandés, esa *adj* Dutch ▷ *nm (hombre)* Dutchman, *(lengua)* Dutch
holandesa *nf (mujer)* Dutchwoman
holgado, a *adj* loose
hollín *nm* soot
hombre *nm* man
hombro *nm* shoulder; **encogerse de hombros** shrug; **Me he hecho daño en el hombro** I've hurt my shoulder
homeopatía *nf* homeopathy
homeopático, a *adj* homeopathic
Honduras *nm* Honduras
honor *nm* honour
honradez *nf* honesty
honrado, a *adj* honest
hora *nf* hour; **cada hora** hourly; **fuera de la hora punta** off-peak; **hora de acostarse** bedtime; **hora de cierre** closing time; **hora de comer** lunchtime, mealtime; **hora de la cena** dinner time; **hora punta** rush hour; **horas extras** overtime; **horas punta** peak hours; **¿Cuáles son las horas de visita?** When are visiting hours?; **¿Cuánto cuesta la hora?** How much is it per hour?
horario *nm* timetable; **horario de apertura** opening hours; **horario de oficina** office hours; **horario de visita** visiting hours; **horario flexible** flexitime; **¿Me da un horario, por favor?** Can I have a timetable, please?
horizontal *adj* horizontal
horizonte *nm* horizon
hormiga *nf* ant
hormigón *nm* concrete
hormona *nf* hormone
hornilla *nf* cooker; **hornilla a gas** gas cooker
horno *nm* oven; **al horno** baked; **horno microondas** microwave oven
horóscopo *nm* horoscope
horquilla *nf* hairgrip
horrendo, a *adj* horrendous
horrible *adj* horrible
horripilante *adj* gruesome, horrifying
horror *nm* horror
hortaliza *nf* vegetable
hortera *adj* naff
hospital *nm* hospital; **hospital psiquiátrico** mental hospital; **¿Cómo se va al hospital?** How do I

get to the hospital?; **¿Tendrán que ingresarlo en el hospital?** Will he have to go to hospital?
hospitalidad *nf* hospitality
hostil *adj* hostile
hotel *nm* hotel; **¿Cuál es el mejor camino para llegar a este hotel?** What's the best way to get to this hotel?; **¿Cuánto cuesta el taxi hasta este hotel?** How much is the taxi fare to this hotel?
hoy *adv* today; **hoy en día** nowadays; **¿Qué día es hoy?** What day is it today?
hucha *nf* piggybank
hueco, a *adj* hollow ▷ *nm* gap
huelga *nf* strike; **hacer huelga** strike; **a causa de una huelga** because of a strike
huelguista *nm, nf* striker
huella *nf* footprint; **huella dactilar** fingerprint
huérfano, a *nm, nf* orphan
huerto *nm* orchard
hueso *nm* bone
huésped *nm, nf* guest
huevera *nf* eggcup
huevo *nm* egg; **huevo de Pascua** Easter egg; **huevo pasado por agua** boiled egg; **huevos revueltos** scrambled eggs; **yema de huevo** egg yolk; **No puedo comer huevos crudos** I can't eat raw eggs
huida *nf* escape
huir *v* run away
humanitario, a *adj* humanitarian
humano, a *adj* human
humedad *nf* humidity, moisture
húmedo, a *adj* damp, humid, moist
humilde *adj* humble
humo *nm* smoke; **Mi habitación huele a humo** My room smells of smoke
humor *nm (genio)* temper, *(gracia)* humour, *(talante)* mood
humorista *nm, nf* comedian
humorístico, a *adj* humorous
hundir *v* sink
húngaro, a *adj* Hungarian ▷ *nm, nf (persona)* Hungarian ▷ *nm (lengua)* Hungarian
Hungría *nf* Hungary
huracán *nm* hurricane
hurón *nm* ferret
hurra *excl* **¡hurra!** hooray!
hurtar *v* steal

I

iceberg *nm* iceberg
icono *nm* icon
ictericia *nf* jaundice
ida *nf* **viaje de ida y vuelta** round trip; **¿Cuánto cuesta un billete de ida?** How much is a single ticket?; **dos billetes de ida y vuelta para...** two return tickets to...
idea *nf* idea
ideal *adj* ideal
idear *v* devise
idéntico, a *adj* identical
identidad *nf* identity
identificación *nf* identification
identificar *v* identify; **sin identificar** unidentified
ideología *nf* ideology
idioma *nm* language; **idiomas modernos** modern languages; **¿Qué idiomas habla?** What languages do you speak?
idiota *adj* idiotic ▷ *nm, nf* idiot
iglesia *nf* church; **¿Podemos visitar la iglesia?** Can we visit the church?
ignorancia *nf* ignorance
ignorante *adj* ignorant
ignorar *v* ignore
igual *adj* equal; **ser igual a** equal
igualar *v* equalize
igualdad *nf* equality
ilegal *adj* illegal
ilegible *adj* illegible
iluminación *nf* lighting
ilusión *nf* illusion
ilustración *nf* illustration
imagen *nf* image, picture
imaginación *nf* imagination
imaginar *v* fancy, imagine
imaginario, a *adj* imaginary
imán *nm* magnet
imbatible *adj* unbeatable
imbécil *nm, nf* twit
imitación *nf* imitation
imitar *v* imitate, *(cómico)* mimic
impaciencia *nf* impatience
impaciente *adj* impatient
impacto *nm* impact
imparcial *adj* impartial
imparcialidad *nf* fairness
impecable *adj* spotless
imperdible *nm* safety pin; **Necesito un imperdible** I need a safety pin
imperio *nm* empire
impermeable *adj* showerproof, waterproof ▷ *nm* mac, raincoat
impersonal *adj* impersonal
importación *nf* import
importancia *nf* importance; **sin importancia** unimportant
importante *adj* important
importar *v* care, mind, *(productos)* import, *(tener importancia)* matter; **¿Le importa que fume?** Do you mind if I smoke?; **¿Le importa?** Do you mind?; **No importa** It doesn't matter
imposible *adj* impossible
impresión *nf (imprimir)* print, *(sensación)* impression

impresionado, a *adj* impressed
impresionante *adj* impressive
impresionar *v* impress
impreso *nm* form; **documento impreso** printout; **impreso de reclamación** claim form; **impreso de solicitud** order form
impresora *nf* printer; **¿Hay impresora en color?** Is there a colour printer?
imprevisible *adj* unpredictable
imprimir *v* print; **¿Cuánto cuesta imprimir?** How much is printing?
improbable *adj* unlikely
improviso, a *adj* **de improviso** unexpectedly
impuesto *nm* tax; **impuesto de circulación** road tax; **impuesto sobre la renta** income tax; **libre de impuestos** duty-free
imputación *nf* allegation
inaceptable *adj* unacceptable
inadecuado, a *adj* inadequate, unsuitable
inalámbrico, a *adj* cordless
inalterado, a *adj* unchanged
incapaz *adj* **incapaz de** unable to
incendio *nm* fire; **incendio provocado** arson
incentivo *nm* incentive
incertidumbre *nf* uncertainty
incidencia *nf* occurrence
incidente *nm* incident
incierto, a *adj* uncertain
incivilizado, a *adj* uncivilized
inclinar *v* tip; **inclinarse** *(adelante)* lean forward, *(doblarse)* bend over
incluido, a *adj* included; **¿Está incluido el IVA?** Is VAT included?; **¿Está incluido el precio del recibo de la luz?** Is the cost of electricity included?
incluir *v* include; **¿Qué incluye el precio?** What is included in the price?
incluso *adv* even ▷ *prep* including
incómodo, a *adj* uncomfortable
incompetente *adj* incompetent
incompleto, a *adj* incomplete
incondicional *adj* unconditional
inconsciente *adj* unconscious
inconveniente *nm* drawback
incorrecto, a *adj* incorrect, wrong
increíble *adj* incredible, unbelievable
indagación *nf (judicial)* inquest
indeciso, a *adj (estar)* undecided, *(ser)* indecisive
independencia *nf* independence
independiente *adj* independent, *(autosuficiente)* self-contained
India *nf* India
indicaciones *nfpl* directions
indicador *nm* indicator, *(del nivel)* gauge
indicar *v* indicate
índice *nm (lista)* contents, index, *(matemáticas)* index
índico, a *adj* **océano Índico** Indian Ocean
indigestión *nf* indigestion
indio, a *adj* Indian ▷ *nm, nf* Indian
indirecto, a *adj* indirect
indiscutible *adj* undisputed
indispensable *adj* indispensable
individual *adj* individual, single; **Quisiera reservar una habitación individual** I'd like to book a single room
Indonesia *nf* Indonesia
indonesio, a *adj* Indonesian ▷ *nm, nf* Indonesian *(person)*
indudable *adj* definite
indumentaria *nf* clothing
industria *nf* industry
industrial *adj* industrial
ineficiente *adj* inefficient
inepto, a *adj* unfit
inesperado, a *adj* unexpected
inestable *adj* unstable, unsteady

inevitable *adj* inevitable, unavoidable
inexperto, a *adj* green, inexperienced
infancia *nf* childhood
infantería *nf* infantry
infantil *adj* children's; **leche infantil** baby milk; **¿Hay piscina infantil?** Is there a children's pool?
infección *nf* infection
infeccioso, a *adj* infectious
infeliz *adj* unhappy
inferior *adj (debajo)* bottom, lower, *(peor)* inferior
infiel *adj* unfaithful
infierno *nm* hell
infinitivo *nm* infinitive
infinito, a *adj* endless
inflación *nf* inflation
inflamable *adj* flammable
inflamación *nf* inflammation
inflamado, a *adj* inflamed
inflar *v* pump up
inflexible *adj* inflexible
influencia *nf* influence
influir *v* influence
información *nf* information; **Aquí tiene información de mi empresa** Here's some information about my company; **Quisiera información sobre...** I'd like some information about...
informal *adj* informal
informar *v* inform, report
informática *nf* computing, IT
informático, a *adj* computer; **ciencia informática** computer science
informativo, a *adj* informative
informe *nm* report
infracción *nf* offence
infraestructura *nf* infrastructure
infusión *nf* herbal tea
ingeniería *nf* engineering
ingeniero, a *nm, nf* engineer
ingenio *nm* wit
ingenioso, a *adj* ingenious
ingenuo, a *adj* naive
Inglaterra *nf* England
inglés, esa *adj* English ▷ *nm (hombre)* Englishman, *(lengua)* English; **¿Habla usted inglés?** Do you speak English?; **Hablo muy poco inglés** I speak very little English
inglesa *nf* Englishwoman
ingrediente *nm* ingredient
ingresos *nm pl (ganancias)* income, revenue, *(salario)* earnings
inhalador *nm* inhaler
inhibición *nf* inhibition
inhóspito, a *adj* bleak
inicial *adj, nf* initial; **iniciales** initials; **poner las iniciales** initial
iniciar *v* start; **iniciar sesión** log in, log on; **No puedo iniciar sesión** I can't log on
iniciativa *nf* initiative
inicio *nm* beginning
injusticia *nf* injustice
injusto, a *adj* unfair
inmaduro, a *adj* immature
inmediato, a *adj* immediate
inmenso, a *adj* huge
inmigración *nf* immigration
inmigrante *nm, nf* immigrant
inmobiliario, a *adj* **agente inmobiliario** estate agent
inmoral *adj* immoral
inmóvil *adj* motionless
inmunológico, a *adj* **sistema inmunológico** immune system
innecesario, a *adj* unnecessary
innovación *nf* innovation
inocente *adj* innocent
inofensivo, a *adj* harmless
inolvidable *adj* unforgettable
inoxidable *adj* **acero inoxidable** stainless steel

inquieto, a *adj* restless
inquilino, a *nm, nf* lodger, tenant
insalubre *adj* unhealthy
inscribir *v* **inscribir(se)** register; **¿Dónde tengo que inscribirme?** Where do I register?
inscripción *nf (leyenda)* inscription, *(registro)* registration
insecto *nm* insect; **insecto palo** stick insect; **repelente de insectos** insect repellent
inseguro, a *adj (estar)* unsure, *(ser)* insecure
insensato, a *adj (acción)* unwise, *(persona)* insane
insensible *adj* insensitive
insignia *nf* badge
insinuación *nf* hint
insinuar *v* hint
insípido, a *adj* tasteless
insistir *v* insist
insolación *nf* sunstroke
insomnio *nm* insomnia
insoportable *adj* unbearable
inspeccionar *v* inspect
inspector, a *nm, nf* inspector
inspirar *v* breathe in
instalaciones *nfpl* facilities
instalar *v* install; **instalarse** *(en casa nueva)* move in
instantáneo, a *adj* instant
instante *nm* moment
instinto *nm* instinct
institución *nf* institution
instituto *nm* institute
instrucción *nf (enseñanza)* tuition; **instrucciones** instructions; **dar instrucciones** instruct
instructor, a *nm, nf* instructor
instrumentista *nm, nf* player
instrumento *nm* instrument; **instrumento de viento de madera** woodwind; **instrumento musical** musical instrument
insuficiente *adj* insufficient
insulina *nf* insulin
insultante *adj* abusive
insultar *v* insult
insulto *nm* insult
intacto, a *adj* intact
integral *adj* wholemeal
integrante *adj* component
intelectual *adj* intellectual ▷ *nm, nf* intellectual
inteligencia *nf* intelligence
inteligente *adj* clever, intelligent
intención *nf* intention; **tener la intención de** intend to
intencionado, a *adj* deliberate
intensivo, a *adj* intensive
intenso, a *adj* intense
intentar *v* attempt, try
intento *nm* attempt
intercambiar *v* swap
interés *nm* interest
interesado, a *adj* concerned, interested
interesante *adj* interesting; **¿Podría sugerir algún sitio interesante para visitar?** Can you suggest somewhere interesting to go?
interesar *v* interest; **Lo siento, no me interesa** Sorry, I'm not interested
interfono *nm* intercom
interino, a *adj* acting
interior *nm* inside, interior
interiorista *nm, nf* interior designer
intermedio, a *adj* intermediate
internacional *adj* international
internado *nm* boarding school
Internet *nf* Internet
interno, a *adj* inner, internal ▷ *nm, nf* inmate, boarder
interpretar *v* interpret
intérprete *nm, nf* interpreter; **¿Podría hacernos de intérprete, por favor?** Could you act as an

interpreter for us, please?
interrogación *nf* enquiry, inquiry
interrogar *v* interrogate
interrumpir *v* interrupt
interrupción *nf* interruption
interruptor *nm* switch
intervalo *nm* interval
intestino *nm* gut; **intestinos** bowels
intimidad *nf* privacy
intimidar *v* intimidate
íntimo, a *adj* intimate
intolerante *adj (cerrado)* narrow-minded, *(intransigente)* intolerant
intoxicación *nf* **intoxicación alimentaria** food poisoning
intranet *nf* intranet
introducción *nf* introduction
introducir *v* introduce
intruso, a *nm, nf* intruder
intuición *nf* intuition
inundación *nf* flood
inundar *vt* flood
inútil *adj* useless
invadir *v* invade
invalidar *v* overrule
inválido, a *nm, nf* invalid
invención *nf* invention
inventar *v* invent
inventario *nm* inventory
inventor, a *nm, nf* inventor
invernadero *nm* greenhouse
inversión *nf* investment
inverso, a *adj* **barra inversa** backslash
inversor, a *nm, nf* investor
invertir *v (alterar)* reverse, *(dinero)* invest
investigación *nf* investigation, research
invierno *nm* winter
invisible *adj* invisible
invitación *nf* invitation
invitado, a *nm, nf* guest; **cuarto de invitados** spare room
invitar *v* invite; **Muchas gracias por invitarme** It's very kind of you to invite me
involuntario, a *adj* unintentional
inyección *nf* injection; **Por favor, póngame una inyección** Please give me an injection
inyectar *v* inject
ir *v* go; **ir a buscar** fetch; **ir a galope** canter; **ir a la deriva** drift; **ir de fiesta** party; **ir en bicicleta** cycle; **ir tras** go after; **¿Este autobús va a...?** Does this bus go to...?; **¿Podemos ir a...?** Can we go to...?; **Vamos a...** We're going to...
ira *nf* anger
Irak *nm* Iraq
Irán *nm* Iran
iraní *adj* Iranian ▷ *nm, nf* Iranian
iraquí *adj* Iraqi ▷ *nm, nf* Iraqi
iris *nm* iris
Irlanda *nf* Eire, Ireland; **Irlanda del Norte** Northern Ireland
irlandés, esa *adj* Irish ▷ *nm (hombre)* Irishman, *(lengua)* Irish
irlandesa *nf* Irishwoman
ironía *nf* irony
irónico, a *adj* ironic
irreal *adj* unreal
irregular *adj* irregular
irrelevante *adj* irrelevant
irresponsable *adj* irresponsible
irritable *adj* irritable
irrompible *adj* unbreakable
irse *v* go away, leave; **irse volando** fly away; **El autocar se ha ido sin mí** The coach has left without me; **Se han ido sin mí** I've been left behind
isla *nf* island; **isla desierta** desert island
Islam *nm* Islam
islámico, a *adj* Islamic
islandés, esa *adj* Icelandic ▷ *nm, nf*

(persona) Icelander ▹ *nm (lengua)* Icelandic
Islandia *nf* Iceland
Israel *nm* Israel
israelí *adj* Israeli ▹ *nm, nf* Israeli
Italia *nf* Italy
italiano, a *adj* Italian ▹ *nm, nf (persona)* Italian ▹ *nm (lengua)* Italian
itinerario *nm* itinerary
ITV *abr* MOT
IVA *abr* VAT; **¿Está incluido el IVA?** Is VAT included?
izquierda *nf* left; **de izquierdas** left-wing; **hacia la izquierda** left; **Coja la segunda a la izquierda** Take the second turning on your left; **Gire a la izquierda** Turn left
izquierdo, a *adj* left, left-hand

J

jabalina *nf (lanza)* javelin
jabón *nm* soap; **jabón en polvo** soap powder; **No hay jabón** There is no soap
jabonera *nf* soap dish
jacinto *nm* hyacinth
jactarse *v* boast
jamaicano, a *adj* Jamaican ▹ *nm, nf* Jamaican
jamás *adv* never
jamón *nm* ham
Japón *nm* Japan
japonés, esa *adj* Japanese ▹ *nm, nf (persona)* Japanese ▹ *nm (lengua)* Japanese
jarabe *nm* syrup; **jarabe para la tos** cough mixture
jardín *nm* garden; **¿Podemos visitar los jardines?** Can we visit the gardens?
jardinería *nf* gardening
jardinero, a *nm, nf* gardener
jarra *nf* jug; **una jarra de agua** a jug of water
jaula *nf* cage

jazz *nm* jazz
jefe, a *nm* boss, chief; **en jefe** chief; **jefe de cocina** chef
jengibre *nm* ginger
jerbo *nm* gerbil
jerez *nm* sherry; **Un jerez seco, por favor** A dry sherry, please
jerga *nf* slang
jeringuilla *nf* syringe
jersey *nm* jersey; **jersey de cuello alto** polo-necked sweater
Jesús *nm* Jesus
jinete *nm* rider, *(carrera)* jockey
jirafa *nf* giraffe
Jordania *nf* Jordan
jordano, a *adj* Jordanian ▷ *nm, nf* Jordanian
jornada *nf* **a jornada completa** full-time
joven *adj* young; **el más joven** youngest; **más joven** junior, younger
joya *nf* jewel; **joyas** jewellery
joyería *nf* jeweller's
joyero, a *nm, nf* jeweller
joystick *nm* joystick
juanete *nm* bunion
jubilación *nf* retirement
jubilado, a *adj* retired; **Estoy jubilado** I'm retired
jubilarse *v* retire
judía *nf* bean; **judía germinada** beansprouts; **judías verdes** French beans
judío, a *adj* Jewish ▷ *nm, nf* Jew
judo *nm* judo
juego *nm (conjunto)* set, *(diversión)* game, *(recreación)* play; **a juego** matching; **en fuera de juego** offside; **juegos de azar** gambling; **juego de mesa** board game; **juego de ordenador** computer game
jueves *nm* Thursday; **el jueves** on Thursday
juez, a *nm* judge
jugador, a *nm, nf (dinero)* gambler, *(deporte)* player; **jugador de fútbol** football player
jugar *v (deporte)* play, *(dinero)* gamble; **¿Dónde puedo jugar al golf?** Where can I play golf?; **Nos gustaría jugar al tenis** We'd like to play tennis
jugo *nm (de la carne)* gravy
juguete *nm* toy
juguetón, ona *adj* playful
juicio *nm* trial
julio *nm* July
jumbo *nm* jumbo jet
jungla *nf* jungle
junio *nm* June; **a finales de junio** at the end of June
junta *nf (acoplamiento)* joint, *(consejo)* board, *(reunión)* council; **Junta General Anual** AGM
juntarse *v* get together
junto, a *adj* **juntos** together; **acostarse juntos** sleep together; **junto a** by, beside; **¿Quedamos para comer juntos?** Can we meet for lunch?; **Todo junto, por favor** All together, please
jurado *nm* jury
juramento *nm* oath
jurar *v* swear
justicia *nf* justice
justificar *v* account for, justify
justo, a *adj* fair
juvenil *adj* youth; **albergue juvenil** youth hostel
juventud *nf* youth
juzgar *v* judge; **juzgar mal** misjudge

k

karaoke *nm* karaoke
kárate *nm* karate
Kazajstán *nm* Kazakhstan
Kenia *nf* Kenya
keniano, a *nm, nf* Kenyan
keniata *adj* Kenyan
ketchup *nm* ketchup
kilo *nm* kilo
kilómetro *nm* kilometre; **¿De cuántos kilómetros es el recorrido?** How many kilometres is the walk?
Kirguistán *nm* Kyrgyzstan
kiwi *nm* kiwi
kósher *adj* kosher; **¿Tiene platos kósher?** Do you have kosher dishes?
Kosovo *nm* Kosovo
Kuwait *nm* Kuwait
kuwaití *adj* Kuwaiti ▷ *nm, nf* Kuwaiti

l

la *art* the ▷ *pron (ella)* her
laberinto *nm* maze
labio *nm* lip; **leer los labios** lip-read
labor *nf* labour
laborable *adj* **día laborable** weekday
laboral *adj* work; **experiencia laboral** work experience
laboratorio *nm* lab, laboratory; **laboratorio de idiomas** language laboratory
laca *nf* lacquer; **laca para el pelo** hair spray
lácteo, a *adj* **producción láctea** dairy produce
lado *nm* side; **a un lado** sideways; **al lado de** beside, next to; **poner a un lado** put aside
ladrar *v* bark
ladrillo *nm* brick
ladrón, ona *nm, nf* thief, *(casas)* burglar
lagarto *nm* lizard
lago *nm* lake
lágrima *nf* tear

laguna *nf* lagoon
lamentar *v* regret
lamer *v* lick
lámpara *nf* lamp; **lámpara de mesita** bedside lamp; **La lámpara no funciona** The lamp is not working
lana *nf* wool; **de lana** woollen
lancha *nf* **lancha motora** motorboat; **¡Pida una lancha de salvamento!** Call out the lifeboat!
langosta *nf* lobster
lanzadera *nf* shuttle
lanzamiento *nm* cast
lanzar *v (cohete)* launch, *(echar)* pitch, *(objetos)* throw, *(violentamente)* fling
Laos *nm* Laos
lápida *nf* gravestone
lápiz *nm* pencil; **lápiz de color** crayon
largarse *v* clear off
largo, a *adj* long; **a lo largo de** along
laringitis *nf* laryngitis
larva *nf* grub, maggot
láser *nm* laser
lástima *nf (compasión)* sympathy, *(pena)* pity
lata *nf* can; **dar la lata** nag, pester
lateral *adj* side; **calle lateral** side street
látigo *nm* whip
latín *nm* Latin
latino, a *adj* latin; **América Latina** Latin America
latinoamericano, a *adj* Latin American
latir *v* beat; **latir con fuerza** throb
latitud *nf* latitude
latón *nm* brass
laurel *nm* **hoja de laurel** bay leaf
lava *nf* lava
lavabo *nm* basin, washbasin; **El lavabo está sucio** The washbasin is dirty
lavadero *nm* utility room
lavado *nm* **¿Cómo funciona la máquina de lavado?** How do I use the car wash?
lavadora *nf* washing machine; **¿Cómo funciona la lavadora?** How does the washing machine work?
lavanda *nf* lavender
lavandería *nf* **lavandería automática** Launderette®; **¿Hay servicio de lavandería?** Is there a laundry service?
lavar *v* wash; **lavarse** freshen up; **¿Dónde puedo lavar?** Where can I do some washing?; **¿Dónde puedo lavarme las manos?** Where can I wash my hands?; **¿Puede lavarme el pelo, por favor?** Can you wash my hair, please?
lavavajillas *nm (electrodoméstico)* dishwasher, *(jabón)* washing-up liquid
laxante *nm* laxative
le *pron (él)* him, *(ella)* her
lealtad *nf* loyalty
lección *nf* lesson
leche *nf* milk; **leche desnatada** skimmed milk; **leche infantil** baby milk; **leche semidesnatada** semi-skimmed milk; **leche UHT** UHT milk; **¿Bebe leche?** Do you drink milk?; **¿Está hecho con leche sin pasteurizar?** Is it made with unpasteurised milk?
lechería *nf* dairy
lechuga *nf* lettuce
lechuza *nf* owl
lector, a *nm, nf* reader
lectura *nf* reading
leer *v* read; **leer en voz alta** read out; **leer los labios** lip-read; **No puedo leerlo** I can't read it
legal *adj* legal
leggins *nm pl* leggings
legible *adj* legible

legislación *nf* legislation
legumbres *nfpl* pulses
lejano, a *adj* far
lejía *nf* bleach
lejos *adv* far; **¿Estamos muy lejos del centro?** How far are we from the town centre?; **¿Está lejos?** Is it far?; **¿Está muy lejos el banco?** How far is the bank?
lencería *nf* lingerie; **lencería de cama** bed linen; **¿Dónde está el departamento de lencería?** Where is the lingerie department?
lengua *nf (órgano)* tongue, *(lenguaje)* language; **lengua de señas** sign language; **lengua materna** mother tongue
lente *nf* lens; **lentes de contacto** contact lenses
lentejas *nfpl* lentils
lentillas *nfpl* contact lenses
lento, a *adj* slow
Leo *nm* Leo
león *nm* lion
leona *nf* lioness
leopardo *nm* leopard
leotardo *nm* leotard
lesión *nf* injury
lesionado, a *adj* injured
lesionar *v* hurt, injure
letón, ona *adj* Latvian ▹ *nm, nf (persona)* Latvian ▹ *nm (lengua)* Latvian
Letonia *nf* Latvia
letra *nf (canción)* lyrics, *(imprenta)* letter
leucemia *nf* leukaemia
levadura *nf* yeast
levantar *v* hold up, lift; **levantarse** get up, rise; **¿A qué hora se levanta?** What time do you get up?
leve *adj* slight
ley *nf* law
leyenda *nf* legend
liar *v* tie up
libanés, esa *adj* Lebanese ▹ *nm, nf* Lebanese
Líbano *nm* Lebanon
libélula *nf* dragonfly
liberación *nf* liberation, release
liberal *adj* liberal
liberar *v* free
Liberia *nf* Liberia
liberiano, a *adj* Liberian ▹ *nm, nf* Liberian
libertad *nf* freedom; **libertad condicional** parole; **poner en libertad** release
Libia *nf* Libya
libio, a *adj* Libyan ▹ *nm, nf* Libyan
libra *nf* pound; **libra esterlina** pound sterling, sterling
Libra *nm* Libra
librar *v* free
libre *adj* free
librería *nf* bookshop
libro *nm* book; **libro de recetas** cookery book; **libro de texto** schoolbook, textbook; **libro electrónico** e-book
licencia *nf* licence
licor *nm* liqueur; **licores** spirits; **¿Qué licores tiene?** What liqueurs do you have?
licuadora *nf* blender, liquidizer
líder *nm, nf* leader
liderato *nm* lead
liebre *nf* hare
Liechtenstein *nm* Liechtenstein
liga *nf* league; **ligas** *(prenda)* suspenders
ligero, a *adj* light
ligón, ona *nm, nf* flirt
lila *adj* lilac ▹ *nf* lilac
lima *nf (fruta)* lime, *(herramienta)* file; **lima de uñas** nailfile
limar *v* file
límite *nm* limit, *(Geografía)* boundary; **límite de edad** age limit; **¿Qué**

límite de velocidad tiene esta carretera? What is the speed limit on this road?
limón *nm* lemon; **con limón** with lemon
limonada *nf* lemonade; **Un vaso de limonada, por favor** A glass of lemonade, please
limosna *nf* dole
limpiador, a *nm, nf* cleaner
limpiaparabrisas *nm* windscreen wiper
limpiar *v* clean, *(paño)* wipe up; **¿Dónde tengo que ir para que me limpien esto?** Where can I get this cleaned?; **¿Puede limpiar la habitación, por favor?** Can you clean the room, please?
limpieza *nf* cleaning; **limpieza de cutis** facial; **limpieza en seco** dry-cleaning
limpio, a *adj* clean; **La habitación no está limpia** The room isn't clean
limusina *nf* limousine
línea *nf* line; **en línea** online; **línea de banda** touchline; **¿Qué línea tengo que coger para ir a...?** Which line should I take for...?; **La línea no funciona bien** It's a bad line
lingüista *nm, nf* linguist
lingüístico, a *adj* linguistic
lino *nm* linen
linóleo *nm* lino
linterna *nf* flashlight, torch
lío *nm* mix-up, muddle
liquidar *v (vender)* sell off
líquido *nm* liquid
liso, a *adj* even, smooth
lista *nf* list; **hacer una lista de** list; **lista de direcciones** mailing list; **lista de espera** waiting list; **lista de precios** price list
listo, a *adj (preparado)* ready, *(inteligente)* smart; **¿Cuándo estará listo el CD?** When will the CD be ready?; **¿Está listo?** Are you ready?; **No estoy listo** I'm not ready
litera *nf* berth, bunk, couchette
literatura *nf* literature
litro *nm* litre
Lituania *nf* Lithuania
lituano, a *adj* Lithuanian ▷ *nm, nf (persona)* Lithuanian ▷ *nm (lengua)* Lithuanian
llaga *nf* sore
llama *nf* flame; **llama piloto** pilot light
llamada *nf* call; **devolver la llamada** call back; **llamada de aviso** alarm call; **llamada telefónica** phonecall; **Tengo que hacer una llamada** I must make a phone call
llamamiento *nm* appeal
llamar *v* call, *(a la puerta)* knock; **llamar por megafonía** page; **llamar (por teléfono)** ring up; **volver a llamar** phone back; **¡Llame a un médico!** Call a doctor!; **¿Desde dónde puedo llamar?** Where can I make a phone call?; **¿Puedo llamarle mañana?** May I call you tomorrow?; **¿Cómo se llama?** What's your name?; **Me llamo...** My name is...
llano, a *adj* plain
llanura *nf* plain
llave *nf (para abrir)* key, *(herramienta)* spanner; **abrir con llave** unlock; **cerrar con llave** lock; **llaves del coche** car keys; **¿Cuál es la llave de esta puerta?** Which is the key for this door?
llavero *nm* keyring
llegada *nf* arrival
llegado, a *adj* **recién llegado** newcomer
llegar *v* arrive, get, *(oportunidad)*

come up; **llegar a ser** become; **Acabo de llegar** I've just arrived; **¿A qué hora llega el tren a...?** What time does the train arrive in...?; **¿A qué hora llegaremos a...?** What time do we get to...?
llenar *v* fill
lleno, a *adj* full; **Estoy lleno** I'm full
llevar *v* bring, carry, *(conducir)* lead, *(dirigir)* run, *(ropa)* wear; **comida para llevar** takeaway; **llevar un blog** blog; **¿Dónde lleva este camino?** Where does this path lead?; **El tren lleva diez minutos de retraso** The train is running ten minutes late
llorar *v* cry, weep
llover *v* rain; **¿Cree que va a llover?** Do you think it's going to rain?; **Está lloviendo** It's raining
llovizna *nf* drizzle
lluvia *nf* rain; **lluvia ácida** acid rain
lluvioso, a *adj* rainy
lo *pron* it, *(él)* him; **¿Puedo probármelo?** Can I try it on?
lobo *nm* wolf
local *adj* local ▷ *nm* premises
localizar *v* track down
loción *nf* lotion; **loción bronceadora** suntan lotion; **loción limpiadora** cleansing lotion; **loción para después del afeitado** aftershave; **loción para después del sol** after sun lotion
loco, a *adj* crazy, mad ▷ *nm* madman
locura *nf* madness
locutor, a *nm, nf* newsreader
lógico, a *adj* logical
logotipo *nm* logo
lograr *v* achieve
logro *nm* achievement
lona *nf* canvas, tarpaulin
Londres *nm* London
longitud *nf* length, *(Geografía)* longitude; **longitud de onda** wavelength
loro *nm* parrot
los, las *pron (ellos)* them ▷ *art* the
lotería *nf* lottery
lucha *nf* fight, *(deporte)* wrestling, *(esfuerzo)* struggle
luchador, a *nm, nf (deporte)* wrestler
luchar *v* fight
lucrativo, a *adj* lucrative
ludoteca *nf* playgroup
luego *adv* next, then; **¡hasta luego!** bye!
lugar *nm* place; **en algún lugar** someplace; **en primer lugar** first; **en tercer lugar** thirdly; **lugar de celebración** venue; **lugar de nacimiento** birthplace, place of birth; **lugar de trabajo** workplace; **visita a lugares de interés** sightseeing
lúgubre *adj* gloomy
lujo *nm* luxury
lujoso, a *adj* luxurious
lujuria *nf* lust
luminoso, a *adj* bright
luna *nf* moon; **luna de miel** honeymoon; **luna llena** full moon
lunar *nm* beauty spot, mole
lunático, a *nm, nf* lunatic
lunes *nm* Monday; **el lunes** on Monday; **Hoy es lunes quince de junio** It's Monday fifteenth June
lupa *nf* magnifying glass
luto *nm* mourning
Luxemburgo *nm* Luxembourg
luz *nf* light; **luces de emergencia** hazard warning lights; **luz de freno** brake light; **luz del sol** sunlight; **luz lateral** sidelight; **¿La bicicleta tiene luces?** Does the bike have lights?; **¿Puedo apagar la luz?** Can I switch the light off?; **¿Puedo encender la luz?** Can I switch the light on?

macarrones *nm pl* macaroni
macedonia *nf (de frutas)* fruit salad
maceta *nf* plant pot
Madagascar *nf* Madagascar
madera *nf* wood, *(construcción)* timber; **de madera** wooden
madrastra *nf* stepmother
madre *nf* mother; **madre de alquiler** surrogate mother
madreselva *nf* honeysuckle
madrina *nf* godmother
madurar *v* grow up
maduro, a *adj* mature, *(fruta)* ripe
maestro, a *nm, nf* schoolteacher, teacher; **maestro auxiliar** classroom assistant
magia *nf* magic
mágico, a *adj (belleza, ambiente, lugar)* magical, *(poderes, número, palabras)* magic
magistrado, a *nm, nf* magistrate
magnético, a *adj* magnetic
magnetofón *nm* tape recorder
magnífico, a *adj* magnificent
mago, a *nm, nf* magician
magulladura *nf* bruise
maíz *nm* maize; **maíz tierno** sweetcorn
majestad *nf* majesty
mal *adj* unwell ▹ *adv* badly, wrong; **entender mal** misunderstand; **portarse mal** misbehave
malabarista *nm, nf* juggler
Malasia *nf* Malaysia
malasio, a *adj* Malaysian ▹ *nm, nf* Malaysian
Malaui *nm* Malawi
maldición *nf* curse
maldito, a *adj* damn
malecón *nm* jetty
malentendido *nm* misunderstanding; **Ha habido un malentendido** There's been a misunderstanding
maleta *nf* suitcase; **Mi maleta ha llegado dañada** My suitcase has arrived damaged
maletín *nm* briefcase
maleza *nf* bush
malhumorado, a *adj (estar)* moody, *(ser)* bad-tempered, grumpy
malicioso, a *adj* malicious
maligno, a *adj* malignant
malo, a *adj* bad
maloliente *adj* smelly
Malta *nf* Malta
maltés, esa *adj* Maltese ▹ *nm, nf (persona)* Maltese ▹ *nm (lengua)* Maltese
maltratar *v* ill-treat
maltrato *nm* **maltrato a la infancia** child abuse
malva *adj* mauve
malvado, a *adj* evil, wicked
mamá *nf* mum
mamado, a *adj* pissed
mami *nf* mummy
mamífero *nm* mammal
mamut *nm* mammoth

mancha *nf* stain; **¿Puede quitar esta mancha?** Can you remove this stain?; **Esta mancha es de café** This stain is coffee
manchar *v* stain
mandar *v* send; **mandar por correo** post
mandarina *nf* mandarin, tangerine
mandíbula *nf* jaw
mando *nm* **mando a distancia** remote control; **¿Puede enseñarme cómo funcionan los mandos?** Can you show me how the controls work?
mandón, ona *adj* bossy
manejable *adj* manageable
manejar *v* handle
manera *nf* manner; **de alguna manera** somehow; **de cualquier manera** anyhow; **de otra manera** otherwise
manga *nf* sleeve; **de manga corta** short-sleeved; **sin mangas** sleeveless
mango *nm* mango
manguera *nf* hose, hosepipe
manía *nf* mania
maníaco, a *nm, nf* maniac
manicura *nf* manicure; **hacer la manicura** manicure
manillar *nm* handlebars
manipular *v* manipulate
maniquí *nm* dummy
mano *nf* hand; **a mano** *(cerca)* handy; **equipo manos libres** hands-free kit; **mano de obra** workforce; **manos libres** hands-free; **saludar con la mano** wave; **¿Dónde puedo lavarme las manos?** Where can I wash my hands?
manojo *nm* bunch
manopla *nf* mitten, *(aseo)* face cloth; **manopla para el horno** oven glove
mansión *nf* mansion
manso, a *adj* tame
manta *nf* blanket; **manta eléctrica** electric blanket; **Necesitamos más mantas** We need more blankets
mantel *nm* tablecloth
mantener *v* keep, keep up, *(preservar)* maintain, *(sustentar)* provide for
mantenimiento *nm* maintenance
mantequilla *nf* butter; **mantequilla de cacahuete** peanut butter
manual *adj* manual ▹ *nm* handbook, manual; **manual de conversación** phrasebook; **Un coche manual, por favor** A manual, please
manuscrito *nm* manuscript
manzana *nf* apple; **manzana de pisos** block
mañana *adv* tomorrow ▹ *nf* morning; **de la mañana** a.m.; **esta mañana** this morning; **Estoy libre mañana por la mañana** I'm free tomorrow morning
maorí *adj* Maori ▹ *nm, nf* Maori
mapa *nm* chart, map; **mapa de carreteras** road map; **¿Dónde se puede comprar un mapa de la zona?** Where can I buy a map of the area?
mapache *nm* racoon
maquillaje *nm* make-up
máquina *nf* machine; **máquina de coser** sewing machine; **máquina de escribir** typewriter; **máquina expendedora** dispenser, vending machine; **máquina expendedora de billetes** ticket machine
maquinaria *nf* machinery
maquinilla *nf* **maquinilla de afeitar** shaver
mar *nm* sea; **mar Adriático** Adriatic Sea; **Mar del Norte** North Sea; **Mar Rojo** Red Sea; **¿Está picado el mar?**

Is the sea rough today?; **Quisiera una habitación con vistas al mar** I'd like a room with a view of the sea
maracuyá *nm* passion fruit
maratón *nm* marathon
maravilloso, a *adj* marvellous, wonderful
marca *nf (comercial)* make, *(mancha)* mark, *(identificación)* brand, *(nombre)* brand name; **marca de fábrica** trademark
marcapasos *nm* pacemaker
marcar *v (gol)* score, *(señalar)* mark, *(teléfono)* dial; **tono de marcar** dialling tone
marcha *nf* march; **dar marcha atrás** back
marchar *v* march
marcharse *v* go away, leave; **¿Tenemos que limpiar la casa antes de marcharnos?** Do we have to clean the house before we leave?; **Me marcharé mañana a las diez de la mañana** I will be leaving tomorrow morning at ten a.m.
marchitarse *v* wilt
marco *nm* frame
marea *nf* tide; **marea negra** oil slick; **¿Cuándo sube la marea?** When is high tide?
mareado, a *adj* dizzy, *(avión)* airsick, *(barco)* seasick
marearse *v* **Me mareo cuando viajo** I get travel-sick
maremoto *nm* tsunami
mareo *nm* travel sickness
marfil *nm* ivory
margarina *nf* margarine
margarita *nf* daisy
margen *nm* margin
marido *nm* husband; **ex marido** ex-husband
marihuana *nf* marijuana
marinero, a *nm, nf* sailor
marino *nm* seaman; **azul marino** navy-blue
marioneta *nf* puppet
mariposa *nf* butterfly
mariquita *nf* ladybird
marisco *nm* seafood; **¿Le gusta el marisco?** Do you like seafood?
marisma *nf* marsh
marítimo, a *adj* maritime
marketing *nm* marketing
mármol *nm* marble
marrón *adj* brown, maroon
marroquí *adj* Moroccan ▷ *nm, nf* Moroccan
Marruecos *nm* Morocco
martes *nm* Tuesday; **martes de Carnaval** Shrove Tuesday; **el martes** on Tuesday
martillo *nm* hammer; **martillo picador** pneumatic drill
mártir *nm, nf* martyr
marxismo *nm* Marxism
marzo *nm* March
más *adj* further, more ▷ *adv* more ▷ *prep* plus; **cobrar de más** overcharge; **de más** extra, spare; **el más** most *(superlative)*; **más allá de** beyond; **más o menos** about
masa *nf (pan)* dough, *(tartas)* pastry, *(volumen)* mass
masacre *nf* massacre
masaje *nm* massage
máscara *nf* mask
mascota *nf* pet
masculino, a *adj* male, masculine
masivo, a *adj* massive
masticar *v* chew
mástil *nm* mast
matar *v* kill; **matar a tiros** shoot
matasellos *nm* postmark
matemáticas *nf pl* mathematics
matemático, a *adj* mathematical
material *nm* material
maternal *adj* maternal

maternidad *nf* maternity hospital
materno, a *adj* **lengua materna** mother tongue
matón, ona *nm, nf* bully, thug
matrícula *nf (placa)* number plate, *(tasas)* tuition fees
matrimonio *nm* marriage
Mauricio *nm* Mauritius
Mauritania *nf* Mauritania
máximo, a *adj* maximum ▷ *nm* maximum; **velocidad máxima** speed limit
mayo *nm* May
mayonesa *nf* mayonnaise
mayor *adj (edad)* elder, *(tamaño)* bigger; **al por mayor** wholesale; **el mayor** eldest; **en la mayor parte** mostly
mayoría *nf* majority, most
mayorista *adj* wholesale
mazapán *nm* marzipan
mazmorra *nf* dungeon
me *pron* me, myself
Meca *nf* Mecca
mecánico, a *adj* mechanical ▷ *nm, nf* mechanic; **escalera mecánica** escalator; **mecánico de automóviles** motor mechanic; **¿Puede enviarme un mecánico?** Can you send a mechanic?
mecanismo *nm* mechanism
mecanógrafo, a *nm, nf* typist
mecedora *nf* rocking chair
mecer *v* rock
mechero *nm* (cigarette) lighter
mechón *nm* lock
medalla *nf* medal
medallón *nm* locket, medallion
media *nf (prenda)* stocking, *(tiempo)* half; **medias** *(pantis)* tights; **Son las dos y media** It's half past two
mediano, a *adj* medium
medianoche *nf* midnight; **a medianoche** at midnight
medicina *nf* medicine; **Ya estoy tomando esta medicina** I'm already taking this medicine
médico, a *adj* medical ▷ *nm, nf* doctor; **médico de cabecera** GP; **revisión médica** medical; **¡Llame a un médico!** Call a doctor!
medidas *nfpl* measurements; **tomar medidas duras contra** crack down on
medieval *adj* mediaeval
medio, a *adj* half, *(promedio)* average ▷ *adv* half ▷ *nm (centro)* middle; **a medias** fifty-fifty; **de clase media** middle-class; **media hora** half-hour; **media pensión** half board; **medios** *(recursos)* means; **medios de comunicación** media; **respetuoso con el medio ambiente** ecofriendly; **¿Cuánto cuesta la media pensión?** How much is half board?
medioambiental *adj* environmental
mediocre *adj* second-rate
mediodía *nm* midday, noon; **a mediodía** at midday; **Son las doce del mediodía** It's twelve midday
medir *v* gauge, measure; **¿Podría medirme, por favor?** Can you measure me, please?
meditación *nf* meditation
mediterráneo, a *adj* Mediterranean
Mediterráneo *nm* Mediterranean
médula *nf* **médula espinal** spinal cord
medusa *nf* jellyfish; **¿Hay medusas aquí?** Are there jellyfish here?
mejilla *nf* cheek
mejillón *nm* mussel
mejor *adj, adv* better; **el mejor** the best; **lo mejor** the best
mejora *nf* improvement
mejorana *nf* marjoram

mejorar *v* improve; **Espero que el tiempo mejore** I hope the weather improves
melaza *nf* treacle
melocotón *nm* peach
melodía *nf* melody
melón *nm* melon
memorando *nm* memo
memoria *nf* memory; **Una tarjeta de memoria para esta cámara digital, por favor** A memory card for this digital camera, please
memorizar *v* memorize
mencionar *v* mention, refer
mendigar *v* beg
mendigo, a *nm, nf* beggar
meningitis *nf* meningitis
menopausia *nf* menopause
menor *adj, nm, nf* minor; **el menor** *(edad)* youngest; **menor de edad** underage; **vender al por menor** retail
menos *adj* fewer ▷ *adv* less ▷ *prep* minus; **al menos** at least; **más o menos** about
mensaje *nm* message; **mensaje de texto** text message; **¿Hay algún mensaje para mí?** Are there any messages for me?; **¿Puedo dejarle un mensaje con su secretaria?** Can I leave a message with his secretary?
mensajería *nf* **mensajería multimedia** MMS
mensajero, a *nm, nf* messenger, *(urgente)* courier; **Quiero enviar esto por mensajero** I want to send this by courier
menstruación *nf* menstruation
mensual *adj* monthly
menta *nf* mint, peppermint
mental *adj* mental
mentalidad *nf* mentality; **de mentalidad abierta** broad-minded
mente *nf* mind
mentir *v* lie
mentira *nf* lie
mentiroso, a *nm, nf* liar
menú *nm* menu; **menú del día** set menu; **¿Cuánto cuesta el menú del día?** How much is the set menu?
menudo, a *adj* **a menudo** often
mercadillo *nm* flea market
mercado *nm* market, marketplace; **mercado de valores** stock market; **¿Cuándo hay mercado?** When is the market on?
mercadotecnia *nf* marketing
mercancía *nf* goods; **mercancía libre de impuestos** duty-free
mercurio *nm* mercury
merecer *v* deserve
merengue *nm* meringue
meridional *adj* south
mermelada *nf* marmalade
mero, a *adj* mere
mes *nm* month; **dentro de un mes** in a month's time; **hace un mes** a month ago; **dentro de cinco meses** in five months
mesa *nf* table; **La mesa está reservada para las nueve de esta noche** The table is booked for nine o'clock this evening
mesita *nf* **mesita de noche** bedside table
meta *nf* goal
metabolismo *nm* metabolism
metal *nm* metal
meteorito *nm* meteorite
meter *v* stick
metodista *adj* Methodist
método *nm* method
métrico, a *adj* metric
metro *nm (medida)* metre, *(transporte)* subway
mexicano, a *adj* Mexican ▷ *nm, nf* Mexican
México *nm* Mexico

mezcla *nf* mix, mixture
mezclado, a *adj* mixed
mezclar *v* mix, mix up
mezquino, a *adj (avaro)* mean
mezquita *nf* mosque; **¿Dónde hay una mezquita?** Where is there a mosque?
mi *pron* my
mí *pron* me; **para mí** for me; **Se han ido sin mí** I've been left behind
micro *nm* mike
microbús *nm* minibus
microchip *nm* microchip
micrófono *nm* microphone; **con micrófonos ocultos** bugged; **¿Tiene micrófono?** Does it have a microphone?
microondas *nm* microwave oven
microscopio *nm* microscope
miedo *nm* fear
miel *nf* honey
miembro *nm* member
mientras *conj* while; **mientras tanto** meantime
miércoles *nm* Wednesday; **miércoles de Ceniza** Ash Wednesday; **el miércoles** on Wednesday
miga *nf* crumb
migración *nf* migration
migraña *nf* migraine
migratorio, a *adj* migrant
mil *num* thousand
milagro *nm* miracle
milenio *nm* millennium
milésimo, a *adj* thousandth ▷ *nm* thousandth
milímetro *nm* millimetre
militar *adj* military
milla *nf* mile; **millas por hora** mph
millardo *num* billion
millón *nm* million; **mil millones** billion
millonario, a *nm, nf* millionaire
mimado, a *adj* spoilt
mina *nf* mine; **mina de carbón** colliery
mineral *adj* mineral ▷ *nm* mineral; **una botella de agua mineral** a bottle of mineral water
minería *nf* mining
minero, a *nm, nf* miner
miniatura *nf* miniature; **en miniatura** miniature
minibar *nm* minibar
minifalda *nf* miniskirt
minimizar *v* minimize
mínimo, a *adj* minimal, minute, minimum ▷ *nm* minimum
ministerio *nm* ministry
ministro, a *nm, nf* minister; **primer ministro** prime minister
minoría *nf* minority
minorista *nm, nf* retailer
minucioso, a *adj* thorough
minúscula *nf* **todo en minúsculas** all lower case
minuto *nm* minute; **Llegamos diez minutos tarde** We are ten minutes late
mío, a *pron* mine
miope *adj* short-sighted; **Soy miope** I'm short-sighted
mirada *nf* look
mirar *v* look, look at, watch; **mirar alrededor** look round; **mirar con enojo** glare; **mirar fijamente** gaze, stare; **Sólo estoy mirando** I'm just looking
mirlo *nm* blackbird
misa *nf* mass; **¿A qué hora es la misa?** When is mass?
misericordia *nf* mercy
misil *nm* missile
misión *nf* assignment
misionero, a *nm, nf* missionary
mismo, a *adj* same
misterio *nm* mystery

misterioso, a *adj* mysterious
mitad *nf* half; **a mitad de camino** halfway; **a mitad de precio** half-price
mito *nm* myth
mitología *nf* mythology
mixto, a *adj* mixed; **ensalada mixta** mixed salad
mochila *nf* backpack, rucksack
mochilero, a *nm, nf* backpacker
mocoso, a *nm, nf* brat
moda *nf* fashion; **a la moda** fashionable
modales *nm pl* manners
modelar *v* model
modelo *adj* model ▷ *nm (ejemplo)* model, pattern ▷ *nm, nf (persona)* model
módem *nm* modem
moderación *nf* moderation
moderado, a *adj* moderate
modernizar *v* modernize
moderno, a *adj (actual)* modern, *(moda)* trendy
modesto, a *adj* modest
modificación *nf* modification
modificado, a *adj* **modificado genéticamente** genetically-modified
modificar *v* modify
modo *nm* manner; **de algún modo** somehow; **de todos modos** anyway
módulo *nm* module
mofarse *v* mock
moho *nm* mould
mohoso, a *adj* mouldy
mojado, a *adj* wet
mojar *v* dip
Moldavia *nf* Moldova
moldavo, a *adj* Moldovan ▷ *nm, nf* Moldovan
molde *nm* mould
molécula *nf* molecule
moler *v* grind
molestar *v* disturb, mind, *(importunar)* bother
molinillo *nm* **molinillo de pimienta** peppermill
molino *nm* mill; **molino de viento** windmill
momentáneo, a *adj* momentary
momento *nm* moment; **en este momento** presently; **Un momento, por favor** Just a moment, please
momia *nf* mummy
Mónaco *nm* Monaco
monarca *nm, nf* monarch
monarquía *nf* monarchy
monasterio *nm* monastery; **¿Está abierto al público el monasterio?** Is the monastery open to the public?
mondadientes *nm* toothpick
moneda *nf (divisa)* currency, *(pieza)* coin; **¿Me da monedas para llamar por teléfono, por favor?** I'd like some coins for the phone, please
monedero *nm* purse
monetario, a *adj* monetary
mongol, a *adj* Mongolian ▷ *nm, nf* Mongolian
Mongolia *nf* Mongolia
monitor *nm (aparato)* monitor
monja *nf* nun
monje *nm* monk
mono, a *adj* cute ▷ *nm (animal)* monkey; **mono de trabajo** overalls
monopatín *nm* skateboard
monopolio *nm* monopoly
monótono, a *adj* monotonous
monstruo *nm* monster
monta *nf* riding
montaña *nf* mountain; **montaña rusa** rollercoaster
montañoso, a *adj* mountainous
montar *v* ride; **silla de montar** saddle; **¿Podemos ir a montar a caballo?** Can we go horse riding?
montón *nm* drift, heap, stack

monumento *nm* monument; **monumento conmemorativo** memorial
monzón *nm* monsoon
moqueta *nf* carpet, fitted carpet
mora *nf* blackberry
moral *adj* moral ▷ *nf* morale
moraleja *nf* moral
moralidad *nf* morals
morder *v* bite
mordisco *nm* bite
morfina *nf* morphine
morir *v* die
morsa *nf* walrus
morse *nm* Morse
mortal *adj* fatal
mortero *nm* mortar
mosaico *nm* mosaic
mosca *nf* fly
mosquito *nm* midge, mosquito
mostaza *nf* mustard
mostrador *nm* counter; **mostrador de información** enquiry desk
mostrar *v* show
motel *nm* motel
motivación *nf* motivation
motivado, a *adj* motivated
motivo *nm* motive
moto *nf* motorbike; **Quiero alquilar una moto** I want to hire a motorbike
motocicleta *nf* motorcycle
motociclista *nm, nf* motorcyclist
motor *nm* motor, engine; **El motor está muy caliente** The engine is overheating
motorista *nm, nf* motorcyclist
mousse *nf* mousse
mover *v* move; **Ella no se puede mover** She can't move; **No lo muevan** Don't move him; **No puede mover la pierna** He can't move his leg
móvil *adj* mobile ▷ *nm* mobile (phone); **¿Cuál es su número de móvil?** What is the number of your mobile?; **¿Dónde puedo recargar el móvil?** Where can I charge my mobile phone?
movimiento *nm* move, movement
Mozambique *nm* Mozambique
mozo *nm* porter; **mozo de cuadra** groom
muchacha *nf* lass
muchacho *nm* lad
muchedumbre *nf* crowd
mucho, a *adj* a lot, much ▷ *adv* much; **mucho más** much more; **mucho tiempo** long; **muchos** many; **Me gustas mucho** I like you very much
mudanza *nf* move; **camión de mudanzas** removal van
mudarse *v* move
mudo, a *adj* dumb
muebles *nm pl* furniture
muela *nf* tooth; **muela del juicio** wisdom tooth; **Me duele esta muela** This tooth hurts
muelle *nm (costa)* quay, *(dársena)* dock, *(resorte)* spring
muérdago *nm* mistletoe
muerte *nf* death
muerto, a *adj* dead
muesli *nm* muesli
muestra *nf* sample
mujer *nf* female, woman
mula *nf* mule
muleta *nf* crutch
multa *nf* fine; **multa de aparcamiento** parking ticket; **¿Cuánto es la multa?** How much is the fine?; **¿Dónde se paga la multa?** Where do I pay the fine?
multinacional *adj* multinational ▷ *nf* multinational
multiplicación *nf* multiplication
multiplicar *v* multiply
multipropiedad *nf* timeshare
multitud *nf* crowd; **multitud de** a

host of
mundial *adj* world, worldwide; **Copa Mundial** World Cup
mundo *nm* world; **mundo del espectáculo** show business; **tercer mundo** Third World; **todo el mundo** everyone
munición *nf* ammunition
muñeca *nf* doll, *(de la mano)* wrist
muñeco *nm* doll; **muñeco de nieve** snowman
murciélago *nm* bat
murmurar *v* mutter
músculo *nm* muscle
musculoso, a *adj* muscular
museo *nm* museum; **¿Cuándo abre el museo?** When is the museum open?; **¿Está abierto el museo por las mañanas?** Is the museum open in the morning?
musgo *nm* moss
música *nf* music; **música folclórica** folk music; **¿Dónde podemos oír música en directo?** Where can we hear live music?
musical *adj* musical ▹ *nm* musical
músico, a *nm, nf* musician; **músico callejero** busker; **¿Dónde podemos oír un concierto de músicos locales?** Where can we hear local musicians play?
muslo *nm* thigh
musulmán, ana *adj* Moslem, Muslim ▹ *nm, nf* Moslem, Muslim
mutuo, a *adj* mutual
muy *adv* very; **Eres muy atractivo** You are very attractive
Myanmar *nf* Myanmar

nabo *nm* swede, turnip
nacido, a *adj* born; **recién nacido** newborn
nacimiento *nm* birth
nación *nf* nation; **Naciones Unidas** United Nations
nacional *adj* national
nacionalidad *nf* nationality
nacionalismo *nm* nationalism
nacionalista *nm, nf* nationalist
nacionalizar *v* nationalize
nada *pron* nothing
nadador, a *nm, nf* swimmer
nadar *v* swim; **¿Dónde puedo ir a nadar?** Where can I go swimming?; **¿Se puede nadar aquí?** Can you swim here?
nadie *pron* no one, nobody; **¡No queremos ver a nadie más en todo el día!** We'd like to see nobody but us all day!
naipe *nm* playing card
nalgas *nf pl* buttocks
nana *nf* lullaby
naranja *adj, nf* orange

narciso *nm* daffodil
nariz *nf* nose; **sorberse la nariz** sniff
nata *nf* cream; **nata montada** whipped cream
natación *nf* swimming
natal *adj* native
natillas *nfpl* custard
nativo, a *adj* native; **hablante nativo** native speaker
natural *adj* natural
naturaleza *nf* nature
naufragio *nm* shipwreck
náufrago, a *adj* shipwrecked
náusea *nf* nausea; **náuseas del embarazo** morning sickness
navaja *nf* clasp knife; **navaja barbera** razor
naval *adj* naval
nave *nf* **nave espacial** spacecraft
navegación *nf* sailing; **navegación por satélite** sat nav
navegar *v* sail
Navidad *nf* Christmas, Xmas; **¡Feliz Navidad!** Merry Christmas!
neblina *nf* mist
neblinoso, a *adj* misty
necesario, a *adj* necessary
neceser *nm* sponge bag
necesidad *nf* necessity, *(urgencia)* need
necesitar *v* need; **¿Necesita alguna cosa?** Do you need anything?; **Necesitamos más vajilla** We need more crockery; **Necesito ayuda** I need assistance
nectarina *nf* nectarine
negación *nf* negative
negar *v* deny
negativa *nf* refusal
negativo, a *adj* negative
negligencia *nf* neglect
negociaciones *nfpl* negotiations
negociador, a *nm, nf* negotiator
negociar *v* negotiate
negocio *nm* business; **Vengo en viaje de negocios** I'm here on business
negro, a *adj* black
neón *nm* neon
neozelandés, esa *nm, nf* New Zealander
Nepal *nm* Nepal
nervio *nm* nerve
nervioso, a *adj* edgy, nervous
neumático *nm* tyre; **Compruebe los neumáticos, por favor** Can you check the tyres, please?
neumonía *nf* pneumonia
neurótico, a *adj* neurotic
neutral *adj, nm, nf* neutral
nevar *v* snow; **¿Cree que nevará?** Do you think it will snow?; **Está nevando** It's snowing; **Nieva copiosamente** The snow is very heavy
nevera *nf* fridge
ni *conj* neither
Nicaragua *nf* Nicaragua
nicaragüense *adj* Nicaraguan ▷ *nm, nf* Nicaraguan
nicotina *nf* nicotine
nido *nm* nest
niebla *nf* fog
nieta *nf* granddaughter
nieto *nm* grandson; **nietos** grandchildren
nieve *nf* snow; **¿Cómo está la nieve?** What is the snow like?; **¿En qué condiciones está la nieve?** What are the snow conditions?
Níger *nm* Niger
Nigeria *nf* Nigeria
nigeriano, a *adj* Nigerian ▷ *nm, nf* Nigerian
ninguno, a *pron* no, none; **en ninguna parte** nowhere; **ninguno de los dos** neither
niñera *nf* nanny

niño, a *nm, nf* child; **cuidar niños** babysit; **niño acogido** foster child; **niño pequeño** toddler; **¿Es seguro para los niños?** Is it safe for children?; **¿Hacen descuento a los niños?** Are there any reductions for children?; **¿Hay algún inconveniente en llevar niños?** Is it okay to take children?
nitrógeno *nm* nitrogen
nivel *nm* level; **nivel de vida** standard of living; **nivel del mar** sea level
no *adv* not; **¡no!** no!
noche *nf* evening, night; **esta noche** tonight; **¿Cuánto cuesta por noche?** How much is it per night?; **¿Qué piensa hacer esta noche?** What are you doing this evening?; **¿Qué se puede hacer aquí por las noches?** What is there to do in the evenings?
Nochebuena *nf* Christmas Eve
nocivo, a *adj* harmful
nocturno, a *adj* **clase nocturna** evening class; **club nocturno** nightclub
nombramiento *nm* nomination
nombre *nm* name; **en nombre de** on behalf of; **nombre de pila** Christian name, first name; **Tengo una habitación reservada a nombre de...** I booked a room in the name of...
nominar *v* nominate
noquear *v* knock out
noreste *nm* northeast
normal *adj* normal, standard
noroeste *nm* northwest
norte *nm* north; **al norte** north; **del norte** northern; **en dirección norte** northbound
norteafricano, a *adj* North African ▷ *nm, nf* North African
Norteamérica *nf* North America
norteamericano, a *adj* North American ▷ *nm, nf* North American
Noruega *nf* Norway
noruego, a *adj* Norwegian ▷ *nm, nf (persona)* Norwegian ▷ *nm (lengua)* Norwegian
nos *pron (objeto directo)* us, *(reflexivo)* ourselves
nosotros, nosotras *pron* we
nostálgico, a *adj* homesick
nota *nf* note; **poner nota** *(evaluar)* mark
notable *adj* remarkable
noticias *nfpl* news; **¿A qué hora son las noticias?** When is the news?
notificar *v* notify
novela *nf* novel
novelista *nm, nf* novelist
noveno, a *adj* ninth ▷ *nm* ninth
noventa *num* ninety
novia *nf* girlfriend, *(en boda)* bride
noviembre *nm* November
novillo *nm* **hacer novillos** play truant
novio *nm* boyfriend, *(en boda)* bridegroom, groom
nube *nf* cloud
nublado, a *adj* cloudy; **Está nublado** It's cloudy
nuclear *adj* nuclear
nudista *nm, nf* nudist
nudo *nm* knot
nuera *nf* daughter-in-law
nuestro, a *adj* our ▷ *pron* ours; **Nuestro equipaje no ha llegado** Our luggage has not arrived
Nueva Zelanda *nf* New Zealand
nueve *num* nine
nuevo, a *adj* new; **de nuevo** again; **pintar de nuevo** redecorate
nuez *nf (nogal)* walnut; **nuez moscada** nutmeg
nulo, a *adj* void
número *nm* number; **número de**

cuenta account number; **número de habitación** room number; **número de identificación personal** PIN; **número de móvil** mobile number; **número de referencia** reference number; **número de teléfono** phone number; **número equivocado** wrong number; **¿Cuál es el número de fax?** What is the fax number?; **¿Cuál es el número de información telefónica?** What is the number for directory enquiries?; **¿Me das tu número de teléfono?** Can I have your phone number?

numeroso, a *adj* numerous

nunca *adv* never; **Nunca bebo vino** I never drink wine; **Nunca he estado en...** I've never been to...

nutria *nf* otter

nutrición *nf* nutrition

nutriente *nm* nutrient

nutritivo, a *adj* nutritious

nylon *nm* nylon

O

o *conj* or; **o... o** either... or

oasis *nm* oasis

obedecer *v* obey

obediente *adj* obedient

obeso, a *adj* obese

obispo *nm* bishop

obituario *nm* obituary

objeción *nf* objection

objetivo *nm* goal

objeto *nm* object; **objetos de valor** valuables; **objetos perdidos** lost-and-found

oblea *nf* wafer

obligar *v* force

obligatorio, a *adj* compulsory

oboe *nm* oboe

obra *nf* work, *(solar)* building site; **obra de arte** work of art; **obra de suspense** thriller; **obra maestra** masterpiece; **obras en la carretera** roadworks

obrero, a *nm, nf* labourer, workman; **de clase obrera** working-class

obsceno, a *adj* obscene

obsequio *nm* treat

observador, a *adj* observant ▷ *nm, nf* observer
observar *v* observe
observatorio *nm* observatory
obsesión *nf* obsession
obsesionado, a *adj* obsessed
obsoleto, a *adj* obsolete
obstáculo *nm* hurdle, obstacle
obstante *adj* **no obstante** yet, however
obstinado, a *adj* obstinate
obstruir *v* obstruct
obtener *v* get, obtain
obvio, a *adj* obvious
oca *nf* goose
ocasión *nf* occasion
ocasional *adj* occasional
occidental *adj* west
Oceanía *nf* Oceania
océano *nm* ocean; **océano Ártico** Arctic Ocean; **océano Índico** Indian Ocean
ochenta *num* eighty
ocho *num* eight
ocio *nm* leisure
ocioso, a *adj* idle
octavo, a *adj* eighth ▷ *nm* eighth
octubre *nm* October
oculista *nm, nf* optician
oculto, a *adj* hidden
ocupación *nf (invasión, trabajo)* occupation
ocupado, a *adj* busy; **Lo siento, estoy ocupado** Sorry, I'm busy
ocupar *v* occupy; **ocuparse de** deal with
ocurrente *adj* witty
ocurrir *v* happen, occur
odiar *v* hate
odio *nm* hatred
oeste *nm* west; **al oeste** west; **del oeste** western; **en dirección oeste** westbound
ofender *v* offend
ofensivo, a *adj* offensive
oferta *nf* offer; **oferta especial** special offer
oficial *adj* official ▷ *nm, nf* officer
oficina *nf* office; **oficina de correos** post office; **oficina de empleo** job centre; **oficina de información** information office, inquiries office; **oficina de objetos perdidos** lost-property office; **oficina de turismo** tourist office; **Trabajo en una oficina** I work in an office
ofrecer *v* offer; **ofrecerse voluntario** volunteer
oído *nm (Anatomía)* ear, *(sentido)* hearing
oír *v* hear
ojo *nm* eye; **Se me ha metido algo en el ojo** I have something in my eye; **Tengo los ojos irritados** My eyes are sore
ola *nf* wave
oleaje *nm* surf
oler *v* smell; **Huele a gas** I can smell gas; **Mi habitación huele a humo** My room smells of smoke
olfatear *v* smell
olfato *nm* smell
oliva *nf* olive
olivo *nm* olive tree
olla *nf* pot
olmo *nm* elm
olor *nm* odour
olvidado, a *adj* forgotten
olvidar *v* forget; **He olvidado la llave** I've forgotten the key
Omán *nm* Oman
ombligo *nm* belly button, navel
omiso, a *adj* **hacer caso omiso** ignore
omitir *v* leave out
omóplato *nm* shoulder blade
once *num* eleven
onda *nf* wave

ondulado, a *adj* wavy
ONU *abr* UN
onza *nf* ounce
opción *nf* option
opcional *adj* optional
ópera *nf* opera
operación *nf* operation; **operación quirúrgica** operation
operador, a *nm, nf* operator; **operador de cámara** cameraman; **operador turístico** tour operator
operar *v* operate
opinión *nf* opinion; **opinión pública** public opinion
oponerse *v* **oponerse a** oppose
oporto *nm* port
oportunidad *nf* opportunity
oposición *nf* opposition
optimismo *nm* optimism
optimista *adj* optimistic ▷ *nm, nf* optimist
oración *nf (Gramática)* sentence, *(rezo)* prayer
orador, a *nm, nf* speaker
oral *adj* oral ▷ *nm* oral
orden *nf* command, order ▷ *nm* order; **orden de pago permanente** standing order
ordenado, a *adj* tidy
ordenador *nm* computer; **ordenador portátil** laptop; **¿Dónde está la sala de los ordenadores?** Where is the computer room?; **¿Me permite usar su ordenador?** May I use your computer?
ordenar *v (arreglar)* tidy up, *(mandar)* order
ordeñar *v* milk
orégano *nm* oregano
orgánico, a *adj* organic
organismo *nm* organism
organización *nf* organization; **Organización de las Naciones Unidas** United Nations
organizado, a *adj* **viaje organizado** package tour
organizar *v* organize
órgano *nm (Anatomía, Música)* organ
orgasmo *nm* orgasm
orgullo *nm* pride
orgulloso, a *adj* proud
oriental *adj (Este)* eastern, *(Oriente)* oriental
Oriente *nm* east, Orient; **Extremo Oriente** Far East; **Oriente Próximo** Middle East
origen *nm* origin
original *adj* original
orilla *nf* shore; **orilla del mar** seashore
orina *nf* urine
orinal *nm* potty
ornamento *nm* ornament
oro *nm* gold; **chapado en oro** gold-plated
orquesta *nf* orchestra
orquídea *nf* orchid
ortiga *nf* nettle
ortografía *nf* spelling
oruga *nf* caterpillar
os *pron (objeto directo)* you, *(reflexivo)* yourselves
osado, a *adj* daring
oscilar *v* range
oscuridad *nf* dark
oscuro, a *adj* dark, dim; **Está oscuro** It's dark
osito *nm* **osito de peluche** teddy bear
oso *nm* bear; **oso polar** polar bear
ostra *nf* oyster
OTAN *abr* NATO
otoño *nm* autumn
otro, a *adj* another, other, *(más)* else; **de otra manera** otherwise; **otra vez** again; **¿Tiene alguna otra cosa?** Have you anything else?
ovación *nf* cheer

ovalado, a *adj* oval
ovario *nm* ovary
oveja *nf* sheep, *(hembra)* ewe
OVNI *abr* UFO
oxidado, a *adj* rusty
oxígeno *nm* oxygen
oyente *nm, nf* listener
ozono *nm* ozone

p

pabellón *nm* pavilion
paciencia *nf* patience
paciente *adj* patient ▷ *nm, nf* patient
pacífico, a *adj* peaceful
Pacífico *nm* Pacific
padrastro *nm* stepfather
padre *nm* father; **padres** parents
padrino *nm* godfather; **padrino de boda** best man
paga *nf* pay
pagado, a *adj* paid; **bien pagado** well-paid; **mal pagado** underpaid; **pagado por adelantado** prepaid
pagar *v* pay; **¿Cuándo tengo que pagar?** When do I pay?; **¿Dónde se paga la multa?** Where do I pay the fine?
página *nf* page; **página de inicio** home page; **páginas amarillas** Yellow Pages®
pago *nm* fee, payment, repayment; **pago de entrada** entrance fee; **pago por el servicio** service charge
país *nm* country; **país en vías de desarrollo** developing country;

países del Golfo Pérsico Gulf States; **¿Dónde se puede comprar un mapa del país?** Where can I buy a map of the country?
paisaje *nm* landscape, scenery
Países Bajos *nm pl* Netherlands
paja *nf* straw
pajarita *nf* bow tie
Pakistán *nm* Pakistan
pala *nf* shovel
palabra *nf* word; **todo junto, en una sola palabra** all one word
palacio *nm* palace; **¿Cuándo está abierto el palacio?** When is the palace open?; **¿Está abierto al público el palacio?** Is the palace open to the public?
palanca *nf* lever; **palanca de cambio** gear lever
palear *v* paddle
Palestina *nf* Palestine
palestino, a *adj* Palestinian ▹ *nm, nf* Palestinian
paleta *nf (pala)* trowel
pálido, a *adj* pale
palillos *nm pl* chopsticks
palma *nf* palm
palmada *nf* **dar una palmada** slap, spank
palmera *nf* palm *(tree)*
palo *nm* pole, stick; **palo de golf** golf club; **Quiero alquilar unos palos de esquí** I want to hire ski poles
palomitas *nf pl* popcorn
paloma *nf* pigeon, *(blanca)* dove
paludismo *nm* malaria
pan *nm* bread; **pan integral** brown bread; **pan rallado** breadcrumbs; **¿Quiere más pan?** Would you like more bread?
pana *nf* corduroy
panadería *nf* bakery
panadero, a *nm, nf* baker
Panamá *nf* Panama
pancho, a *adj* laid-back
panda *nm* panda
pandilla *nf* gang
panecillo *nm* bread roll
panera *nf* bread bin
pánico *nm* panic
pantalla *nf* screen, *(lámpara)* lampshade; **pantalla de plasma** plasma screen
pantalón *nm* trousers; **¿Puedo probarme estos pantalones?** Can I try on these trousers?
pantera *nf* panther
pantomima *nf* pantomime
pantufla *nf* slipper
pañal *nm* nappy
paño *nm* **paño de cocina** dish towel, tea towel
pañuelo *nm* handkerchief, hankie; **pañuelo de cabeza** headscarf; **pañuelo de papel** tissue *(paper)*
papa *nm* pope
papá *nm* dad
papaíto *nm* daddy
papel *nm* paper, *(rol)* role; **papel de aluminio** tinfoil; **papel de calco** tracing paper; **papel de carta** notepaper, writing paper; **papel de envolver** wrapping paper; **papel de lija** sandpaper; **papel higiénico** toilet paper; **papel pintado** wallpaper; **papel principal** lead *(in play/film)*
papelera *nf* wastepaper basket
papelería *nf* stationer's
paperas *nf pl* mumps
paquete *nm* pack, package, parcel, *(pequeño)* packet; **¿Cuánto cuesta enviar este paquete?** How much is it to send this parcel?
paquistaní *adj* Pakistani ▹ *nm, nf* Pakistani
par *nm* pair; **de par en par** wide
para *prep* for; **para que** so (that);

para siempre forever; **¿De qué andén sale el tren para...?** Which platform does the train for... leave from?; **Deme algo para el dolor de cabeza** I'd like something for a headache
parabólico, a *adj* **antena parabólica** satellite dish
parabrisas *nm* windscreen; **Se me ha roto el parabrisas** The windscreen is broken
paracaídas *nm* parachute
paracaidismo *nm* parachuting; **Quisiera hacer paracaidismo ascensional** I'd like to go parascending
parachoques *nm* bumper
parada *nf* stop; **parada de autobús** bus stop; **parada de taxis** taxi rank; **¿Cuál es la parada siguiente?** What is the next stop?; **¿Cuántas paradas quedan para...?** How many stops is it to...?
parafina *nf* paraffin
paraguas *nm* umbrella
Paraguay *nm* Paraguay
paraguayo, a *adj* Paraguayan ▷ *nm, nf* Paraguayan
paraíso *nm* paradise
paralelo, a *adj* parallel
paralizado, a *adj* paralysed
paramédico, a *nm, nf* paramedic
páramo *nm* moor
parar *v* stop; **sin parar** non-stop; **¿Dónde paramos para comer?** Where do we stop for lunch?; **¿Para este tren en...?** Does the train stop at...?; **¿Paramos en...?** Do we stop at...?
parcela *nf* plot
parche *nm* patch
parcial *adj* partial
parecer *v* seem; **parecerse a** resemble, take after
parecido *nm* resemblance; **bien parecido** handsome
pared *nf* wall
pareja *nf (compañero)* partner, *(emparejamiento)* match, *(par)* couple; **Esta es mi pareja** This is my partner; **Tengo pareja** I have a partner
paréntesis *nm pl* brackets
pariente, a *nm, nf* relative; **pariente más cercano** next-of-kin
parlamento *nm* parliament
parpadear *v* blink
párpado *nm* eyelid
parque *nm* park; **parque de atracciones** funfair; **parque infantil** playground; **parque nacional** national park; **parque temático** theme park
parquímetro *nm* parking meter; **¿Tiene cambio para el parquímetro?** Do you have change for the parking meter?
párrafo *nm* paragraph
parrilla *nf* grill; **a la parrilla** grilled; **hacer a la parrilla** grill
párroco *nm* vicar
parroquia *nf* parish
parte *nf* part, *(proporcional)* share; **en alguna parte** somewhere; **en buena parte** largely; **en ninguna parte** nowhere; **en parte** partly; **en todas partes** everywhere; **la mayor parte de** most; **parte trasera** rear; **¿De qué parte de... es usted?** What part of... are you from?
partera *nf* midwife
participar *v* participate
particular *adj* particular
partida *nf (juego)* game, *(salida)* departure; **partida de rescate** search party
partidario, a *nm, nf* supporter
partido *nm* match; **partido de fútbol** football match; **partido en**

casa home match; **partido fuera de casa** away match; **Quisiera ver un partido de fútbol** I'd like to see a football match
partir *vi* depart, set off ▷ *vt* split up; **partirse** split
partitura *nf* score *(of music)*
parvulario *nm* nursery school
pasa *nf* raisin; **pasa de Corinto** currant; **pasa sultana** sultana
pasado, a *adj* past ▷ *nm* past; **pasado de moda** unfashionable
pasaje *nm* passage *(musical)*
pasajero, a *nm, nf* passenger
pasaporte *nm* passport; **Devuélvame el pasaporte, por favor** Please give me my passport back; **He perdido el pasaporte** I've lost my passport
pasar *v* go by, go past, pass, *(paño)* wipe; **pasar por** pass, go through; **pasar por alto** overlook; **pasar sin** do without; **Páseme la sal, por favor** Pass the salt, please
pasatiempo *nm* pastime
Pascua *nf* Easter, Passover
pase *nm* pass; **¿Hacen descuento con este pase?** Is there a reduction with this pass?
paseo *nm* stroll, walk, *(sitio)* promenade; **¿Hay paseos interesantes por aquí cerca?** Are there any interesting walks nearby?
pasillo *nm* corridor, *(avión, iglesia)* aisle; **Quisiera un asiento de pasillo** I'd like an aisle seat
pasión *nf* passion
pasivo, a *adj* passive
pasmoso, a *adj* stunning
paso *nm (montaña)* pass, *(pie)* footstep, step, *(ritmo)* pace, *(transición)* passage; **paso a nivel** level crossing; **paso de cebra** zebra crossing; **paso de peatones** pedestrian crossing; **paso de peatones señalizado** pelican crossing; **paso subterráneo** underpass
pasta *nf (macarrones)* pasta, *(masa)* paste; **pasta quebrada** shortcrust pastry; **De primero, quiero pasta** I'd like pasta as a starter
pastel *nm* cake, gateau, pie
pasteurizado, a *adj* pasteurized
pastilla *nf* pill
pastor *nm (ovejas)* shepherd, *(Religión)* minister; **pastor escocés** collie
pata *nf* paw
patada *nf* kick; **dar una patada** kick
patalear *v* stamp
patata *nf* potato; **patata al horno** baked potato; **patata asada con piel** jacket potato; **patatas fritas** *(de bolsa)* crisps, *(de sartén)* chips
patético, a *adj* pathetic
patinaje *nm* skating; **patinaje en monopatín** skateboarding; **patinaje sobre hielo** ice-skating; **patinaje sobre ruedas** rollerskating
patinar *v* skate; **¿Dónde podemos ir a patinar sobre hielo?** Where can we go ice skating?
patines *nm pl* skates; **patines de ruedas** rollerskates
patio *nm* court, courtyard, patio
pato *nm* duck
patria *nf* homeland
patrimonio *nm* heritage
patriótico, a *adj* patriotic
patrocinador, a *nm, nf* sponsor
patrocinar *v* sponsor
patrocinio *nm* sponsorship
patrulla *nf* patrol
pausa *nf* pause
pavo *nm* turkey; **pavo real** peacock
payaso, a *nm, nf* clown
paz *nf* peace

PC *nm* PC
peaje *nm* toll; **¿Dónde se paga el peaje?** Where can I pay the toll?
peatón *nm* pedestrian; **paso de peatones** pedestrian crossing; **paso de peatones señalizado** pelican crossing
peatonal *adj* pedestrian; **convertido en zona peatonal** pedestrianized
pecado *nm* sin
pecas *nf pl* freckles
pecho *nm* breast, chest; **Me duele el pecho** I have a pain in my chest
peculiar *adj* distinctive, peculiar
pedal *nm* pedal
pedazo *nm* bit, lump, piece, *(grande)* chunk, *(retazo)* scrap; **cortar en pedazos** cut up; **hacer pedazos** rip up
pedigrí *nm* **con pedigrí** pedigree
pedir *v* ask for, *(encargar)* order; **pedir prestado** borrow; **¿Puedo pedir ya, por favor?** Can I order now, please?; **Esto no es lo que he pedido** This isn't what I ordered; **Pídame un taxi, por favor** Please order me a taxi
pedófilo, a *nm, nf* paedophile
pegadizo, a *adj* catching
pegajoso, a *adj* sticky
pegamento *nm* glue
pegar *v (cola)* glue; **pegar un tiro** shoot
pegatina *nf* sticker
peinado *nm* hairdo, hairstyle
peinar *v* comb
peine *nm* comb
p. ej. *abr* e.g.
Pekín *nm* Beijing
pelado, a *adj* bare
pelaje *nm* fur
pelapatatas *nm* potato peeler
pelar *v* peel
pelícano *nm* pelican
película *nf* film, movie; **película de terror** horror film; **película del Oeste** western; **¿A qué hora empieza la película?** When does the film start?; **¿Dónde podemos ir a ver una película?** Where can we go to see a film?
peligro *nm* danger; **poner en peligro** endanger; **¿Hay peligro de avalanchas?** Is there a danger of avalanches?
peligroso, a *adj* dangerous
pelirrojo, a *adj* red-haired ▷ *nm, nf* redhead
pellizcar *v* pinch
pelmazo *nm* pest
pelo *nm* hair; **tomar el pelo** tease; **¿Puede alisarme el pelo?** Can you straighten my hair?; **¿Puede teñirme el pelo, por favor?** Can you dye my hair, please?
pelota *nf* ball
peluca *nf* wig
peluche *nm* cuddly toy; **osito de peluche** teddy bear
peludo, a *adj* hairy
peluquería *nf* hairdresser's
peluquero, a *nm, nf* hairdresser
peluquín *nm* toupee
pelvis *nf* pelvis
pena *nf (condena)* penalty, *(tristeza)* grief; **pena capital** capital punishment
pendiente *nf* slope ▷ *nm* earring
penicilina *nf* penicillin; **Soy alérgico a la penicilina** I'm allergic to penicillin
península *nf* peninsula
penique *nm* penny
pensamiento *nm* thought
pensar *v* think
pensión *nf (casa)* bed and breakfast, B&B, *(paga)* pension

pensionista *nm, nf* pensioner; **pensionista de la tercera edad** old-age pensioner
pentatlón *nm* pentathlon
penúltimo, a *adj* penultimate
peor *adj* worse ▷ *adv* worse; **el peor** the worst
pepino *nm* cucumber
pepita *nf* pip
pequeño, a *adj* little, small; **¿Tiene una talla pequeña?** Do you have a small?; **La habitación es demasiado pequeña** The room is too small
pequinés, esa *nm, nf* Pekinese
pera *nf* pear
percatarse *v* notice
perceptible *adj* noticeable
percha *nf* coathanger, hanger
percusión *nf* percussion
perdedor, a *nm, nf* loser
perder *v* lose; **echar a perder** spoil
pérdida *nf* loss
perdido, a *adj* lost
perdiz *nf* partridge
perdón *nm* pardon; **¡perdón!** sorry!
perdonar *v* forgive, spare
peregrinaje *nm* pilgrimage
peregrino, a *nm, nf* pilgrim
perejil *nm* parsley
perezoso, a *adj* lazy
perfección *nf* perfection
perfecto, a *adj* perfect
perforación *nf* piercing
perforado, a *adj* pierced
perfume *nm* perfume
periódico *nm* newspaper; **¿Dónde se pueden comprar los periódicos?** Where can I buy a newspaper?
periodismo *nm* journalism
periodista *nm, nf* journalist
periodo *nm* period, spell; **periodo de prueba** trial period
periquito *nm* budgerigar, budgie
perjurio *nm* perjury
perla *nf* pearl
permanente *adj* permanent ▷ *nf* perm; **Llevo permanente** My hair is permed
permiso *nm (autorización)* permission, *(documento)* permit; **permiso de trabajo** work permit; **¿Se precisa un permiso de pesca?** Do you need a fishing permit?
permitir *v* allow, permit; **permitir la entrada** admit; **permitirse** afford
pero *conj* but
perplejo, a *adj* puzzled
perra *nf* bitch
perrito *nm* **perrito caliente** hot dog
perro *nm* dog; **caseta del perro** kennel; **perro guía** guide dog; **perro pastor** sheepdog; **Tengo un perro guía** I have a guide dog
persa *adj* Persian
persecución *nf* chase, pursuit
perseguir *v* chase, pursue, *(victimizar)* persecute
perseverar *v* persevere
persiana *nf* blind
persistente *adj* persistent
persona *nf* person; **persona de la tercera edad** senior citizen; **¿Cuánto cuesta por persona?** How much is it per person?; **Una mesa para cuatro personas, por favor** A table for four people, please
personaje *nm (de ficción)* character, *(público)* figure; **personaje famoso** celebrity
personal *adj* personal ▷ *nm* manpower, personnel; **personal de vuelo** cabin crew
personalidad *nf* personality
personalizado, a *adj* customized
perspectiva *nf* perspective, *(posibilidad)* prospect

persuadir *v* persuade
persuasivo, a *adj* persuasive
pertenecer *v* belong; **pertenecer a** belong to
pertenencias *nfpl* belongings
pértiga *nf* pole
pertinente *adj* relevant
perturbar *v* *(desbaratar)* disrupt
Perú *nm* Peru
peruano, a *adj* Peruvian ▷ *nm, nf* Peruvian
pesa *nf* weight; **levantador de pesas** weightlifter
pesadilla *nf* nightmare
pesado, a *adj* heavy; **Esto es demasiado pesado** This is too heavy
pesar *nm* regret ▷ *v* weigh; **a pesar de** despite; **¿Cuánto pesa?** How much do you weigh?
pesca *nf* fishing; **pesca con caña** angling
pescadero, a *nm, nf* fishmonger
pescadilla *nf* whiting
pescado *nm* fish; **¿El pescado es fresco o congelado?** Is the fish fresh or frozen?; **¿Qué platos de pescado tiene?** What fish dishes do you have?
pescador *nm* fisherman, *(caña)* angler
pescar *v* fish; **¿Dónde puedo ir a pescar?** Where can I go fishing?; **¿Está permitido pescar aquí?** Am I allowed to fish here?
pesimista *adj* pessimistic ▷ *nm, nf* pessimist
pésimo, a *adj* lousy, very bad
peso *nm* weight
pestaña *nf* eyelash
pesticida *nm* pesticide
petardo *nm* cracker
petición *nf* petition
petirrojo *nm* robin
peto *nm* dungarees
petrificado, a *adj* petrified
petróleo *nm* oil
petrolero, a *adj* **pozo petrolero** oil well
petrolífero, a *adj* **plataforma petrolífera** oil rig
petulante *adj* smug
pez *nm* fish; **pez de agua dulce** freshwater fish; **pez espada** swordfish; **pez de colores** goldfish
pianista *nm, nf* pianist
piano *nm* piano
picadura *nf* sting; **Tengo una picadura** I've been stung
picante *adj* spicy; **La comida está excesivamente picante** The food is too spicy
picaporte *nm* door handle; **Se ha salido el picaporte de la puerta** The door handle has come off
picar *v* *(aguijón)* sting, *(comezón)* itch, *(cortar)* mince
picnic *nm* picnic
pico *nm* *(ave)* beak, *(herramienta)* pick, *(monte)* peak
pie *nm* foot; **pies** feet; **arrastrar los pies** shuffle; **estar de pie** stand; **pie de foto** caption; **ponerse de pie** stand up; **Me duelen los pies** My feet are sore
piedra *nf* stone; **piedra preciosa** gem
piel *nf* *(Anatomía)* skin, *(peladura)* peel; **piel de borrego** sheepskin; **piel de gallina** goose pimples
pierna *nf* leg; **Me ha dado un calambre en una pierna** I've got cramp in my leg; **No puedo mover la pierna** I can't move my leg
pijama *nm* pyjamas
pila *nf* *(electricidad)* battery, *(montón)* pile; **¿Tiene pilas?** Do you have any batteries?
pilar *nm* pillar

píldora *nf* pill; **Tomo la píldora** I'm on the pill
piloto *nm (avión)* pilot; **piloto de carreras** racing driver
pimentón *nm* **pimentón dulce** paprika
pimienta *nf* pepper
pincel *nm* paintbrush
pinchadiscos *nm, nf* disc jockey, DJ
pinchar *v* prick
pinchazo *nm* puncture
pincho *nm* kebab, skewer
pingüino *nm* penguin
pino *nm* pine
pinta *nf (de cerveza)* pint
pintalabios *nm* lipstick
pintar *v* paint
pintor, a *nm, nf* decorator, painter
pintoresco, a *adj* picturesque, quaint
pintura *nf* paint, painting; **pintura de uñas** nail polish
pinza *nf* **pinza de la ropa** clothes peg; **pinzas** tweezers
piña *nf* pineapple
piojos *nm pl* lice
piragua *nf* canoe
piragüismo *nm* canoeing; **¿Dónde podemos hacer piragüismo?** Where can we go canoeing?
pirámide *nf* pyramid
pirata *nm, nf* pirate; **pirata informático** hacker
pisapapeles *nm* paperweight
pisar *v* tread
piscina *nf* swimming pool; **piscina infantil** paddling pool; **¿Dónde está la piscina pública?** Where is the public swimming pool?; **¿Tienen piscina?** Is there a swimming pool?
Piscis *nm* Pisces
piso *nm* flat
pista *nf (aviación)* runway, *(indicio)* clue; **pista de carreras** racetrack; **pista de patinaje** ice rink, rink, skating rink; **pista de tenis** tennis court; **pista para principiantes** nursery slope
pistola *nf* pistol
pistón *nm* piston
píxel *nm* pixel
pizarra *nf (encerado)* blackboard, *(roca)* slate; **pizarra blanca** whiteboard
pizza *nf* pizza
placa *nf* plaque
placer *nm* pleasure
plan *nm* plan, scheme; **plan de estudios** syllabus
plancha *nf* iron; **plancha de pelo** straighteners; **Necesito una plancha** I need an iron
planchado *nm* ironing
planchar *v* iron; **¿Dónde tengo que ir para que me planchen esto?** Where can I get this ironed?
planeador *nm* glider
planear *v* plan
planeta *nm* planet
planificación *nf* planning
plano, a *adj* flat, level ▷ *nm* map, *(matemáticas)* plane; **de pantalla plana** flat-screen; **plano de la ciudad** street plan; **primer plano** foreground; **¿Me da un plano del metro, por favor?** Could I have a map of the tube, please?; **¿Puede dibujarme un plano con las indicaciones?** Can you draw me a map with directions?
planta *nf* plant, *(piso)* floor; **en la planta de abajo** downstairs; **planta baja** ground floor; **planta de interior** pot plant; **planta del azafrán** crocus
plantar *v* plant
plantilla *nf (de trabajadores)* staff
plástico *nm* plastic; **de plástico**

plastic
plata *nf* silver
plataforma *nf* platform; **plataforma petrolífera** oil rig
plátano *nm* banana
platillo *nm* saucer; **platillos** cymbals
platino *nm* platinum
plato *nm (comida)* dish, *(utensilio)* plate; **fregar los platos** wash up; **plato fuerte** *(comida)* main course, *(lo principal)* highlight; **primer plato** starter; **¿Cómo se hace este plato?** How do you cook this dish?; **¿Cuál es el plato del día?** What is the dish of the day?
playa *nf* beach; **¿Estamos muy lejos de la playa?** How far are we from the beach?; **¿Hay un autobús que vaya a la playa?** Is there a bus to the beach?
plazo *nm* instalment
plegable *adj* folding
plegar *v* fold
pliegue *nm* fold
plomo *nm* fuse, *(metal)* lead; **sin plomo** lead-free, unleaded
pluma *nf* feather, *(escribir)* pen; **pluma estilográfica** fountain pen
plumier *nm* pencil case
plural *nm* plural
población *nf* population
pobre *adj* poor
pobreza *nf* poverty
poco *pron, adv* not much; **dentro de poco** shortly, soon; **poco claro** unclear; **poco práctico** impractical; **poco profundo** shallow; **pocos** few; **un poco de** some; **Hablo muy poco inglés** I speak very little English; **Hace poco que he pasado la gripe** I had flu recently; **Hace un poco de calor** It's a bit too hot
pocos, as *adj* few
podcast *nm* podcast
poder *nm* power ▷ *v* can; **¿Dónde puedo comprar una tarjeta telefónica?** Where can I buy a phonecard?; **¿Dónde se puede coger un taxi?** Where can I get a taxi?
poderoso, a *adj* powerful
podólogo, a *nm, nf* chiropodist
podrido, a *adj* rotten
poema *nm* poem
poesía *nf* poetry
poeta *nm, nf* poet
póker *nm* poker
polaco, a *adj* Polish ▷ *nm, nf (persona)* Pole ▷ *nm (lengua)* Polish
polar *adj* polar
polémico, a *adj* controversial
polen *nm* pollen
policía *nf (cuerpo)* police, *(mujer)* policewoman ▷ *nm (agente)* policeman; **Llamen a la policía** Call the police; **Tendremos que denunciarlo a la policía** We will have to report it to the police
polígono *nm* **polígono industrial** industrial estate
polilla *nf* moth
Polinesia *nf* Polynesia
polinesio, a *adj* Polynesian ▷ *nm, nf* Polynesian
polio *nf* polio
política *nf* politics
político, a *adj* political ▷ *nm, nf* politician; **familia política** in-laws
póliza *nf* **póliza de seguros** insurance certificate, insurance policy; **Aquí tiene los datos de mi póliza** Here are my insurance details; **¿Puede enseñarme el certificado de su póliza, por favor?** Can I see your insurance certificate please?
pollo *nm* chicken
polo *nm (extremo)* pole, *(helado)* ice lolly, *(prenda)* polo shirt; **Polo Norte**

North Pole; **Polo Sur** South Pole
Polonia *nf* Poland
poltrona *nf* easy chair
polvo *nm (partículas)* powder, *(suciedad)* dust; **polvos de talco** talcum powder
polvoriento, a *adj* dusty
pomelo *nm* grapefruit
pomo *nm* knob
pómulo *nm* cheekbone
ponche *nm* punch *(hot drink)*
poner *v* lay, put, set; **de quita y pon** removable; **Póngala allí, por favor** Put it down over there, please
poni *nm* pony
popular *adj* popular
popularidad *nf* popularity
por *prep (autor)* by, *(proporción)* per, *(vía)* through; **¡por favor!** please; **por ciento** per cent; **por eso** therefore; **por qué** why; **por suerte** fortunately; **por todo** throughout; **¿Cuánto cuesta por noche?** How much is it per night?
porcelana *nf* china
porcentaje *nm* percentage
porche *nm* porch
porción *nf* portion
porno *nm* porn
pornografía *nf* pornography
pornográfico, a *adj* pornographic
porque *conj* because
porrazo *nm* bash
portaequipajes *nm* luggage rack
portarse *v* **portarse bien** behave; **portarse mal** misbehave
portátil *adj* portable
portavoz *nf (mujer)* spokeswoman ▹ *nm (hombre)* spokesman ▹ *nm, nf (persona)* spokesperson
portero, a *nm, nf* doorman; **portero automático** entry phone
Portugal *nm* Portugal
portugués, esa *adj* Portuguese ▹ *nm, nf (persona)* Portuguese ▹ *nm (lengua)* Portuguese
posada *nf* inn
poseer *v* own, possess
posesión *nf* possession
posgraduado, a *nm, nf* postgraduate
posibilidad *nf* possibility
posible *adj* possible; **lo más pronto posible** as soon as possible
posición *nf* position
positivo, a *adj* positive
posponer *v* put off
postal *nf* postcard; **¿Dónde puedo comprar unas postales?** Where can I buy some postcards?
poste *nm* post; **poste indicador** signpost
postizo, a *adj* false
postre *nm* afters, dessert; **La carta de postres, por favor** The dessert menu, please; **Queremos postre** We'd like a dessert
potable *adj* **agua potable** drinking water
potencial *adj* potential ▹ *nm* potential
potro *nm* foal
pozo *nm* well; **pozo petrolero** oil well; **pozo séptico** septic tank
práctica *nf* practice
practicar *v* practise
práctico, a *adj* practical; **poco práctico** impractical
prado *nm* meadow
preaviso *nm* notice
precaución *nf* precaution
precedente *adj* preceding; **sin precedentes** unprecedented
precio *nm* price; **precio de entrada** admission charge; **precio de venta** selling price; **precio de venta al público** retail price; **precio del cubierto** cover charge; **¿Qué**

incluye el precio? What is included in the price?; **Por favor, anóteme el precio** Please write down the price
precioso, a *adj (bonito)* beautiful, *(valioso)* precious
precipicio *nm* cliff
preciso, a *adj* precise
precocinado, a *adj* ready-cooked
predecesor, a *nm, nf* predecessor
predecir *v* predict
predispuesto, a *adj* prejudiced
prefecto, a *nm, nf* prefect
preferencia *nf* preference; **preferencia de paso** right of way
preferente *adj* **clase preferente** business class
preferir *v* prefer; **Prefiero...** I prefer to...; **Prefiero un vuelo que salga más temprano** I would prefer an earlier flight
prefijo *nm* dialling code; **¿Cuál es el prefijo telefónico del Reino Unido?** What is the dialling code for the UK?
pregunta *nf* question; **hacer preguntas** query; **preguntas frecuentes** FAQ
preguntar *v* ask, question; **preguntarse** wonder
prehistórico, a *adj* prehistoric
prejuicio *nm* prejudice
prematuro, a *adj* premature
premiado, a *nm, nf* prizewinner
premio *nm* award, prize
premonición *nf* premonition
prenatal *adj* antenatal
prenda *nf* garment; **prendas de lana** woollens
prensa *nf* press
preocupado, a *adj* worried
preocupante *adj* worrying
preocupar *v* **preocupar(se)** worry
preparación *nf* preparation
preparar *v* prepare; **¿Podría preparar esto pero sin...?** Could you prepare this one without...?
presa *nf (caza)* prey, *(dique)* reservoir
presbiteriano, a *adj* Presbyterian ▷ *nm, nf* Presbyterian
prescindir *v* do without
prescribir *v* prescribe
preselección *nf* shortlist
presencia *nf* presence
presentación *nf* presentation, showing
presentador, a *nm, nf* presenter
presentar *v* bring forward, present
presente *adj* present ▷ *nm* present
preservativo *nm* condom
presidente, a *nm, nf* president, *(comité)* chair
presión *nf* pressure
presionar *v* pressure
prestado *nm* **pedir prestado** borrow
prestamista *nm, nf* pawnbroker
préstamo *nm* loan
prestar *v* lend, loan; **prestar servicio** service; **¿Podría prestarme dinero?** Could you lend me some money?
prestidigitador, a *nm, nf* conjurer
prestigio *nm* prestige
prestigioso, a *adj* prestigious
presunto, a *adj* alleged
presupuesto *nm* budget
pretexto *nm* pretext
prevención *nf* prevention
prevenir *v* prevent
prever *v* foresee
previo, a *adj* previous
previsible *adj* predictable
primario, a *adj* primary
primavera *nf* spring, springtime
primero, a *adj* first; **¿A qué hora sale el primer autobús para...?** When is the first bus to...?; **¿Cuándo sale el primer tren para...?** When is

the first train to...?; **Este es mi primer viaje a...** This is my first trip to...
primitivo, a *adj* primitive
primo, a *nm, nf* cousin
prímula *nf* primrose
princesa *nf* princess
principal *adj* main, major, principal
príncipe *nm* prince
principiante *nm, nf* beginner
principio *nm* beginning, *(concepto)* principle; **a principios de junio** at the beginning of June
prioridad *nf* priority
prisa *nf* hurry, rush; **darse prisa** hurry, hurry up; **Tengo mucha prisa** I'm in a hurry
prisión *nf* prison
prisionero, a *nm, nf* prisoner
prismáticos *nm pl* binoculars
privado, a *adj* private; **¿Puedo hablarle en privado?** Can I speak to you in private?
privatizar *v* privatize
privilegio *nm* privilege
probabilidad *nf* probability
probable *adj* likely, probable
probador *nm* fitting room
probar *v* prove
probarse *v* try on; **¿Puedo probarme este vestido?** Can I try on this dress?
probeta *nf* test tube
problema *nm* problem; **problemas** trouble; **¿A quién llamamos si hay algún problema?** Who do we contact if there are problems?; **No hay problema** No problem
procesar *v* prosecute
procesión *nf* procession
proceso *nm* process, *(judicial)* proceedings
producción *nf* production; **producción láctea** dairy produce
producir *v* produce, yield
productividad *nf* productivity
producto *nm* product; **productos lácteos** dairy products
productor, a *nm, nf* producer
profesión *nf* profession
profesional *adj* professional ▷ *nm, nf* professional
profesor, a *nm, nf* teacher; **profesor de autoescuela** driving instructor; **profesor particular** tutor; **profesor suplente** supply teacher
profundidad *nf* depth
profundo, a *adj* deep; **poco profundo** shallow
programa *nm* programme, *(ordenador)* program; **programa de entrevistas** chat show; **¿Puedo usar programas de mensajería instantánea?** Can I use messenger programmes?
programación *nf* programming
programador, a *nm, nf* programmer
programar *v* program
progreso *nm* progress
prohibición *nf* ban
prohibir *v* ban, forbid, prohibit
promedio *nm* average
promesa *nf* promise
prometer *v* promise
prometida *nf* fiancée
prometido *nm* fiancé
promoción *nf* promotion
promocionar *v* promote
pronombre *nm* pronoun
pronóstico *nm* forecast; **pronóstico del tiempo** weather forecast; **¿Cuál es el pronóstico del tiempo?** What's the weather forecast?
pronto, a *adj (rápido)* prompt ▷ *adv* shortly, soon, *(temprano)* early; **Hasta pronto** See you soon; **lo más pronto posible** as soon as possible

pronunciación *nf* pronunciation
pronunciar *v* pronounce; **¿Cómo se pronuncia?** How do you pronounce it?
propagación *nf* spread
propaganda *nf* propaganda
propagar *v* **propagar(se)** spread
propiedad *nf* property; **derechos de propiedad intelectual** copyright; **propiedad privada** private property
propina *nf* tip; **dar propina** tip; **¿Cuánto hay que dejar de propina?** How much should I give as a tip?; **¿Es normal dejar propina?** Is it usual to give a tip?
propio, a *adj* own
proponer *v* propose, put forward
proporción *nf* proportion, ratio
proporcional *adj* proportional
propósito *nm* purpose; **a propósito** deliberately
propuesta *nf* proposal
prosperidad *nf* prosperity
prostituta *nf* prostitute
protagonizar *v* star
protección *nf* protection
protector *nm* **protector solar** sunblock, sunscreen
proteger *v* protect
proteína *nf* protein
protesta *nf* protest
protestante *adj* Protestant ▷ *nm, nf* Protestant
protestar *v* protest
provecho *nm* **¡Buen provecho!** Enjoy your meal!
proveedor, a *nm, nf* supplier; **proveedor de servicios de Internet** ISP
provenir *v* come from
proverbio *nm* proverb
provisional *adj* provisional
provisiones *nf pl* supplies
proximidad *nf* proximity
próximo, a *adj* next; **¿A qué hora sale el próximo autobús para...?** When is the next bus to...?
proyecto *nm* project; **proyecto de ley** bill
proyector *nm* projector
prueba *nf* trial, *(argumento)* proof, *(evidencia)* evidence, *(imprenta)* proof; **poner a prueba** try out
psicología *nf* psychology
psicológico, a *adj* psychological
psicólogo, a *nm, nf* psychologist
psicoterapia *nf* psychotherapy
psiquiatra *nm, nf* psychiatrist
psiquiátrico, a *adj* psychiatric
publicación *nf* publication
publicar *v* publish
publicidad *nf* publicity, *(anuncio)* advertisement, *(comercialización)* advertising; **intermedio para la publicidad** commercial break
publicitario, a *adj* advertising, publicity; **anuncio publicitario** commercial
público, a *adj* public ▷ *nm* public; **¿Está abierto al público el templo?** Is the temple open to the public?
pudrirse *v* rot
pueblo *nm* village
puente *nm* bridge; **puente colgante** suspension bridge
puericultura *nf* childcare
pueril *adj* childish
puerro *nm* leek
puerta *nf* *(casa)* door, *(valla)* gate; **¿Cuál es la llave de la puerta principal?** Which is the key for the front door?; **¿Cuál es la puerta de embarque del vuelo a...?** Which gate for the flight to...?; **Deje la puerta cerrada con llave** Keep the door locked
puerto *nm* harbour, port; **puerto deportivo** marina

Puerto Rico *nm* Puerto Rico
puesta *nf* **puesta del sol** sunset
puesto *adv* on ▷ *nm (mercado)* stall, *(posición)* post ▷ *conj* **puesto que** since
puf *excl* ugh
puja *nf* bid
pujar *v* bid *(at auction)*
pulcro, a *adj* neat
pulga *nf* flea
pulgada *nf* inch
pulgar *nm* thumb
pulir *v* polish
pulmón *nm* lung
pulóver *nm* pullover
pulpo *nm* octopus
pulsera *nf* bracelet
pulso *nm* pulse
pulverizador *nm* spray
pulverizar *v* spray
punta *nf* tip *(end of object)*
puntada *nf* stitch
puntillas *nf pl* tiptoe
punto *nm (espacio)* point, *(gramatical)* full stop, *(tejido)* knitting, *(trazo)* dot; **dos puntos** colon; **hacer punto** knit; **punto de referencia** landmark; **punto de vista** *(opinión)* outlook, *(perspectiva)* standpoint, viewpoint; **punto y coma** semicolon
puntuación *nf* punctuation, score
puntual *adj* punctual
puñetazo *nm* punch *(blow)*; **dar puñetazos** thump; **dar un puñetazo** punch
puño *nm* fist
pupila *nf* pupil *(eye)*
puré *nm* **puré de patatas** mashed potatoes
puro, a *adj (mero)* sheer, *(sin mezcla)* pure
purpúreo, a *adj* purple
pus *nm* pus

q

Qatar *nm* Qatar
que *conj* than, that ▷ *pron* that, which
qué *pron* what; **por qué** why; **¡Qué tiempo más malo!** What awful weather!; **¿A qué fecha estamos?** What is today's date?; **¿A qué se dedica?** What do you do?
quebrar *v* break
quedar *v* remain; **quedar bien** suit; **quedarse** stay; **quedarse atrás** lag behind; **quedarse despierto** stay up; **quedarse dormido** oversleep; **quedarse en casa** stay in; **quedarse en la cama** sleep in; **quedarse sin** run out of; **Quisiera quedarme una noche más** I want to stay an extra night
queja *nf* complaint, grouse
quejarse *v (reclamar)* complain
quemado, a *adj (sol)* sunburnt
quemadura *nf* burn; **quemadura del sol** sunburn
quemar *v* **quemar(se)** burn, burn down
querer *v* want; **Quiero reservar una**

habitación individual I want to reserve a single room
querido, a *adj* dear
queroseno *nm* kerosene
queso *nm* cheese; **¿Qué tipo de queso?** What sort of cheese?
quiebra *nf* **en quiebra** bankrupt
quien, quienes *pron* who
quién, quiénes *pron* who; **a quién** whom; **de quién** whose; **¿Con quién hablo?** Who am I talking to?; **¿De parte de quién?** Who's calling?; **¿Quién es?** Who is it?
quieto, a *adj* still
quilate *nm* carat
química *nf* chemistry
químico, a *adj* chemical; **sustancia química** chemical
quince *num* fifteen
quincena *nf* fortnight
quinto, a *adj* fifth
quiosco *nm* kiosk
quiosquero, a *nm, nf* newsagent
quirófano *nm* operating theatre
quirúrgico, a *adj* **operación quirúrgica** operation
quiste *nm* cyst
quitaesmalte *nm* nail-polish remover
quitamanchas *nm* stain remover
quitanieves *nm* snowplough
quitar *v* remove, take off, *(funda)* strip; **de quita y pon** removable; **¿Puede quitar esta mancha?** Can you remove this stain?
quizá *adv* maybe, perhaps

rábano *nm* radish; **rábano picante** horseradish
rabia *nf* rabies
rabino *nm* rabbi
rabo *nm* tail
racial *adj* racial
racional *adj* rational
racismo *nm* racism
racista *adj* racist ▷ *nm, nf* racist
radar *nm* radar
radiación *nf* radiation
radiactivo, a *adj* radioactive
radiador *nm* radiator; **El radiador está goteando** There is a leak in the radiator
radio *nf* radio; **radio digital** digital radio; **¿Puedo apagar la radio?** Can I switch the radio off?; **¿Puedo encender la radio?** Can I switch the radio on?
radiografía *nf* X-ray
radiografiar *v* X-ray
ráfaga *nf* gust
raído, a *adj* worn
raíl *nm* rail

raíz *nf* root
raja *nf* crack
rajado, a *adj* cracked
rallado, a *adj* **pan rallado** breadcrumbs; **queso rallado** grated cheese
rallar *v* grate
rama *nf* branch
Ramadán *nm* Ramadan
ramo *nm* bouquet
rampa *nf* ramp
rana *nf* frog
rancio, a *adj* stale
rango *nm (categoría)* rank, *(intervalo)* range
ranura *nf* slot
rapaz *adj* **ave rapaz** bird of prey
rape *nm* **pelo al rape** crew cut
rápido, a *adj* fast, quick
rápidos *nm pl* rapids
rappel *nm* abseiling; **Quisiera hacer rappel** I'd like to go abseiling
raptar *v* abduct, kidnap
raqueta *nf* racket, racquet; **raqueta de tenis** tennis racket; **¿Alquilan raquetas?** Do they hire out rackets?; **¿Dónde puedo alquilar una raqueta?** Where can I hire a racket?
raro, a *adj (extraño)* odd, *(infrecuente)* rare
rascacielos *nm* skyscraper
rasgar *v* rip, tear
rasgo *nm* feature
rasguño *nm* scratch
rastrillo *nm* rake
rastro *nm* trace
rata *nf* rat
rato *nm* while
ratón *nm* mouse
raya *nf* stripe; **a rayas** stripy; **de rayas** striped
rayo *nm (de tormenta)* lightning
raza *nf* race, *(Zoología)* breed
razón *nf* reason
razonable *adj* reasonable
reacción *nf* reaction
reaccionar *v* react
reacio, a *adj* reluctant
reactor *nm* reactor
real *adj* actual, real, *(realeza)* royal
realidad *nf* reality; **en realidad** actually; **realidad virtual** virtual reality
realista *adj* realistic; **poco realista** unrealistic
realizar *v (acción)* perform
reanimar *v* revive
reanudar *v* resume
rebanada *nf* slice
rebanar *v* slice
rebaño *nm* flock, herd
rebeca *nf* cardigan
rebelde *adj* rebellious
rebobinar *v* rewind
rebosar *v* boil over
rebozado *nm* batter
rebuscar *v* search
recaída *nf* relapse
recambio *nm* **rueda de recambio** spare tyre, spare wheel
recarga *nf* refill; **¿Tiene recarga para un encendedor de gas?** Do you have a refill for my gas lighter?
recargar *v* recharge
recargo *nm* surcharge
recaudación *nf* takings
recepción *nf* reception
recepcionista *nm, nf* receptionist
receptor, a *nm, nf* receiver *(person)*
recesión *nf* recession
receta *nf (culinaria)* recipe, *(médica)* prescription; **¿Dónde pueden prepararme esta receta?** Where can I get this prescription made up?
recetario *nm* cookbook
rechazar *v (denegar)* reject, *(rehusar)* refuse
rechazo *nm* refusal

recibimiento *nm* welcome
recibir *v* receive
recibo *nm* receipt, *(justificante)* slip; **Necesito que me dé un recibo, por favor** I need a receipt, please
reciclado *nm* recycling
reciclar *v* recycle
recién *adv* **recién llegado** newcomer; **recién nacido** newborn
reciente *adj* recent
recinto *nm* precinct; **recinto universitario** campus
recipiente *nm* recipient
reclamación *nf* complaint; **Quisiera presentar una reclamación** I'd like to make a complaint
reclamar *v* claim
reclinable *adj* reclining
reclutamiento *nm* recruitment
recobrar *v* regain; **recobrar la conciencia** come round
recodo *nm* crook
recogedor *nm* dustpan
recoger *v (levantar)* pick up, *(recolectar)* collect
recogida *nf* collection; **recogida de equipajes** baggage reclaim
recomendación *nf* recommendation
recomendar *v* recommend; **¿Puede recomendar un buen vino tinto?** Can you recommend a good red wine?; **¿Qué recomienda?** What do you recommend?
recompensa *nf* reward
reconocer *v* recognize
reconocible *adj* recognizable
reconocimiento *nm* acknowledgement; **reconocimiento médico** physical
reconsiderar *v* reconsider
reconstruir *v* rebuild
recordar *v* remind
recordatorio *nm* reminder
recorrer *v* tour
recortar *v (pelo)* trim
recorte *nm (periódico)* cutting, *(reducción)* cutback
recreo *nm* playtime
rectangular *adj* rectangular
rectángulo *nm* rectangle
rectificar *v* rectify
recto, a *adj* straight; **todo recto** straight on; **Siga todo recto** Go straight on
recuerdo *nm* memento
recuperación *nf* recovery
recuperar *v* get back; **recuperarse** recover
recurrente *adj* recurring
recurrir *v* **recurrir a** resort to
recurso *nm* resource; **recursos naturales** natural resources
red *nf (comunicaciones)* network, *(Internet)* Net, *(pescar)* net
redondo, a *adj* round
reducción *nf* reduction
reducir *v* reduce; **reducir la velocidad** slow down
redundancia *nf* redundancy
redundante *adj* redundant
reembolsar *v* refund, reimburse, repay
reembolso *nm* refund
reemplazar *v* replace
reemplazo *nm* replacement
reenviar *v* forward
referencia *nf* reference
refinería *nf* refinery; **refinería de petróleo** oil refinery
reflector *nm* floodlight
reflejar *v* reflect
reflejo *nm* reflex
reflexión *nf* reflection
refractario, a *adj* ovenproof
refrán *nm* proverb
refrescante *adj* refreshing

refresco *nm* soft drink
refrigerador *nm* icebox, refrigerator
refrigerio *nm* refreshments
refuerzo *nm* brace *(fastening)*
refugiado, a *nm, nf* refugee
refugio *nm* refuge, shelter
regadera *nf* watering can
regalo *nm* gift, present; **¿Dónde se pueden comprar artículos de regalo?** Where can I buy gifts?; **Busco un regalo para mi marido** I'm looking for a present for my husband; **Le he traído un regalo** This is a gift for you
regañar *v* scold, tell off
regar *v* water
regatear *v* haggle
regazo *nm* lap
régimen *nm* diet; **hacer un régimen** diet; **Estoy a régimen** I'm on a diet
regimiento *nm* regiment
región *nf* region; **¿Dónde se puede comprar un mapa de la región?** Where can I buy a map of the region?
regional *adj* regional
registrado, a *adj* registered
registrar *v* search, *(alistar)* register, *(marcar)* record; **registrar la salida** check out
registro *nm (anotación)* record, *(libro)* register; **registro civil** registry office; **registro de entrada** check-in; **registro de salida** checkout
regla *nf (norma)* rule, *(utensilio)* ruler
regordete, a *adj* chubby
regresar *v* return
regreso *nm* return *(coming back)*
regulación *nf* regulation
regular *adj* regular
rehacer *v* redo
rehén *nm, nf* hostage
reina *nf* queen
reino *nm* kingdom
Reino Unido *nm* United Kingdom
reír *v* laugh; **reírse por lo bajo** snigger; **reírse tontamente** giggle
rejilla *nf* grid
relación *nf* relation, relationship; **relaciones públicas** public relations
relacionado, a *adj* related
relajación *nf* relaxation
relajado, a *adj* relaxed
relajante *adj* relaxing
relajarse *v* relax
relámpago *nm* lightning
relampaguear *v* flash
relato *nm* tale, *(descripción)* account
relegar *v* relegate
relevancia *nf* significance
relevo *nm* relay
religión *nf* religion
religioso, a *adj* religious
rellenar *v* fill up, *(formulario)* fill in, *(recargar)* refill
relleno, a *adj* plump
reloj *nm* clock, *(pulsera)* watch; **reloj digital** digital watch; **Creo que llevo el reloj adelantado** I think my watch is fast; **Creo que llevo el reloj atrasado** I think my watch is slow
reluciente *adj* shiny
remar *v* row; **¿Dónde podemos ir a remar?** Where can we go rowing?
remedio *nm* remedy
remesa *nf* shipment
remitente *nm, nf* sender
remo *nm (actividad)* rowing, *(utensilio)* oar
remojado, a *adj* soaked
remojo *nm* **poner en remojo** soak
remolacha *nf* beetroot
remolcar *v* tow away
remolque *nm* trailer
remordimiento *nm* remorse
remoto, a *adj* remote
remover *v* stir
renacuajo *nm* tadpole

rencor *nm* grudge, spite
rencoroso, a *adj* spiteful
rendimiento *nm* return *(yield)*
rendir *v* **rendir culto** worship
rendirse *v* give in, surrender
reno *nm* reindeer
renombrado, a *adj* renowned
renovable *adj* renewable
renovar *v* renew
renta *nf* **declaración de la renta** tax return
rentable *adj* profitable
renunciar *v* **renunciar a** *(premio)* give up, *(derecho)* waive
reñir *v* quarrel, row, squabble
reorganizar *v* reorganize
reparación *nf* repair; **¿Dónde está el taller de reparación de bicicletas más cercano?** Where is the nearest bike repair shop?
reparar *v* mend, repair; **¿Dónde pueden repararme esto?** Where can I get this repaired?; **¿Puede repararlo?** Can you repair it?
repartir *v* share out
reparto *nm* **reparto a domicilio** home delivery; **reparto de periódicos a domicilio** paper round
repelente *adj* repellent
repente *adv* **de repente** suddenly
repentino, a *adj* sudden
repercusiones *nf pl* repercussions
repetición *nf* repeat, replay
repetir *v* repeat, *(examen)* resit, *(obra)* replay; **¿Puede repetirlo, por favor?** Could you repeat that, please?
repetitivo, a *adj* repetitive
repisa *nf* shelf; **repisa de la chimenea** mantelpiece
réplica *nf* replica
reportero, a *nm, nf* reporter
reposo *nm* rest
repostar *v* refuel
representante *nm, nf* rep; **representante de ventas** sales rep
representar *v* represent
representativo, a *adj* representative
reproducción *nf* reproduction
reproducirse *v* breed
reproductor *nm* **reproductor de CD** CD player; **reproductor de DVD** DVD player; **reproductor de MP3** MP3 player; **reproductor de MP4** MP4 player
reptil *nm* reptile
república *nf* republic; **República Centroafricana** Central African Republic; **República Checa** Czech Republic; **República Dominicana** Dominican Republic
repuesto *nm* spare part
repugnante *adj* disgusting, revolting, sickening
reputación *nf* reputation
requerir *v* call for, require
requesón *nm* cottage cheese
requisito *nm* requirement
resaca *nf* hangover
resbaladizo, a *adj* slippery
resbalar *v* slip, *(coche)* skid
rescatar *v* rescue
rescate *nm (salvamento)* rescue, *(secuestro)* ransom
resentido, a *adj* resentful
reseña *nf* review
reserva *nf (teatro, restaurante)* booking, reservation, *(tierra)* reserve; **reserva anticipada** advance booking; **¿Cobran por hacer una reserva?** Is there a booking fee?; **Confirmé la reserva por carta** I confirmed my booking by letter
reservado, a *adj* reserved
reservar *v (guardar)* reserve, *(entradas, mesa)* book; **¿Podría reservarnos las entradas?** Can you book the tickets for us?; **¿Tengo que**

reservar por anticipado? Do I need to book in advance?; **Hemos reservado un apartamento a nombre de...** We've booked an apartment in the name of...
resfriado *nm* cold; **Deme algo para el resfriado** I'd like something for a cold; **Tengo un resfriado** I have a cold
residencial *adj* residential
residente *nm, nf* resident
resina *nf* resin
resistencia *nf (fortaleza)* stamina, *(oposición)* resistance
resistir *v* resist
resolución *nf* resolution
resolver *v* settle, solve, work out
respaldar *v* back up
respaldo *nm* backing, backup
respecto *nm* **con respecto a** concerning
respetable *adj* respectable
respetar *v* respect
respeto *nm* respect
respiración *nf* breathing; **cortar la respiración** wind *(with a blow etc.)*
respirar *v* breathe; **Él no puede respirar** He can't breathe
responder *v* answer, reply, respond
responsabilidad *nf* responsibility
responsable *adj* accountable, responsible
respuesta *nf (reacción)* response, *(solución)* answer; **¿Podría enviarme su respuesta en un mensaje de texto?** Can you text me your answer?
restante *adj* remaining
restar *v* subtract
restaurante *nm* restaurant; **¿Hay restaurantes vegetarianos por aquí?** Are there any vegetarian restaurants here?; **¿Puede recomendar un buen restaurante?** Can you recommend a good restaurant?
restaurar *v* renovate, restore
resto *nm* the rest
restos *nm pl* remains
restringir *v* restrict
resultado *nm* outcome, result; **tener como resultado** result in
resumen *nm* summary
resumir *v* sum up, summarize
retirada *nf* withdrawal
retirar *v* take back
retirarse *v* opt out
retorcer *v* twist
retraso *nm* delay
retrato *nm* portrait
retrete *nm* lavatory
retroceder *v* back, move back
retroproyector *nm* overhead projector
retrovisor *nm* rear-view mirror; **retrovisor lateral** wing mirror
reumatismo *nm* rheumatism
reunión *nf* reunion, *(encuentro)* meeting; **Quisiera concertar una reunión con...** I'd like to arrange a meeting with...
reunir *v* **reunir(se)** gather
reutilizar *v* reuse
revelar *v* disclose, reveal
reventar *v* burst
revés *nm* **al revés** upside down
revisar *v* revise, scan
revisión *nf* check-up, revision, scan; **revisión médica** medical
revisor, a *nm, nf* ticket collector, ticket inspector
revista *nf* magazine; **revista por Internet** webzine; **¿Dónde se puede comprar una revista?** Where can I buy a magazine?
revolución *nf* revolution
revolucionario, a *adj* revolutionary
revólver *nm* revolver

revuelto, a *adj* **huevos revueltos** scrambled eggs
rey *nm* king
rezar *v* pray
rico, a *adj* rich
ridículo, a *adj* ridiculous
riendas *nf pl* reins
riesgo *nm* risk
rifa *nf* raffle
rímel *nm* mascara
rincón *nm* corner
riña *nf* quarrel
riñón *nm* kidney
riñonera *nf* bum bag
río *nm* river; **¿Se puede nadar en el río?** Can one swim in the river?
riqueza *nf* wealth
risa *nf* laugh; **risas** laughter
ritmo *nm* beat, rhythm
ritual *adj* ritual ▷ *nm* ritual
rival *adj* rival ▷ *nm, nf* rival
rivalidad *nf* rivalry
rizado, a *adj* curly; **Mi rizado es natural** My hair is naturally curly
rizo *nm* curl
robar *v (casa)* burgle, *(persona)* rob, *(objeto)* steal; **entrar a robar** break in; **Me han robado** I've been robbed; **Me han robado el bolso** Someone's stolen my bag
roble *nm* oak
robo *nm* rip-off, theft; **robo con allanamiento** burglary, break-in; **Quiero denunciar un robo** I want to report a theft
robot *nm* robot; **robot de cocina** food processor
roca *nf* rock
rodapié *nm* skirting board
rodar *v* roll
rodear *v* surround
rodeo *nm* detour
rodilla *nf* knee; **estar de rodillas** kneel
rodillo *nm* roller; **rodillo pastelero** rolling pin
roedor *nm* rodent
rojizo, a *adj* ginger
rojo, a *adj* red; **No como carne roja** I don't eat red meat
rollo *nm* roll; **rollo de papel higiénico** toilet roll
romance *nm* romance
románico, a *adj* Romanesque
romano, a *adj* Roman
romántico, a *adj* romantic
romero *nm* rosemary
romo, a *adj* blunt
rompecabezas *nm* jigsaw, puzzle
romper *v* break, *(papel)* tear up; **romperse** break up; **He roto la ventana** I've broken the window
ron *nm* rum
roncar *v* snore
ronda *nf* round; **ronda de circunvalación** ring road; **¿Quién paga la ronda?** Whose round is it?
ronronear *v* purr
ropa *nf* clothes; **ropa de cama** bedclothes, bedding; **ropa de deporte** sportswear; **ropa interior** underwear; **¿Hay algún sitio donde se pueda secar la ropa?** Is there somewhere to dry clothes?; **Tengo la ropa húmeda** My clothes are damp
ropero *nm* wardrobe
rosa *adj* pink ▷ *nf* rose
rosado, a *adj* **vino rosado** rosé
roto, a *adj* broken; **Esto está roto** This is broken
rotonda *nf* roundabout
rótula *nf* kneecap
rotulador *nm* felt-tip pen
rubeola *nf* German measles
rubio, a *adj* blonde
rubor *nm* flush
ruborizarse *v* blush, flush

rudo, a *adj* rude
rueda *nf* wheel; **rueda de prensa** press conference; **rueda de recambio** spare tyre, spare wheel
rugby *nm* rugby
ruibarbo *nm* rhubarb
ruido *nm* noise; **No puedo dormir por el ruido** I can't sleep for the noise
ruidoso, a *adj* noisy; **La habitación es demasiado ruidosa** The room is too noisy
ruina *nf* ruin, wreck
ruleta *nf* roulette
rulo *nm* curler
Rumanía *nf* Romania
rumano, a *adj* Romanian ▷ *nm, nf (persona)* Romanian ▷ *nm (lengua)* Romanian
rumor *nm* rumour
ruptura *nf* break
rural *adj* rural
Rusia *nf* Russia
ruso, a *adj* Russian ▷ *nm, nf (persona)* Russian ▷ *nm (lengua)* Russian
ruta *nf* route; **¿Hay otra ruta para no caer en el atasco?** Is there a route that avoids the traffic?
rutina *nf* routine

S

sábado *nm* Saturday; **el sábado** on Saturday; **el sábado pasado** last Saturday; **el sábado que viene** next Saturday
sábana *nf* sheet; **sábana ajustable** fitted sheet; **Las sábanas están sucias** The sheets are dirty
saber *v* know; **¿Sabe hacer esto?** Do you know how to do this?; **No lo sé** I don't know
sabiduría *nf* wisdom
sabio, a *adj* wise
sabor *nm* flavour; **¿De qué sabores lo tiene?** What flavours do you have?
sabotaje *nm* sabotage
sabotear *v* sabotage
sabroso, a *adj* savoury, tasty
sacacorchos *nm* corkscrew
sacapuntas *nm* pencil sharpener
sacar *v* stick out, withdraw
sacerdote *nm* priest
saco *nm* sack; **saco de dormir** sleeping bag
sacrificio *nm* sacrifice
safari *nm* safari

Sagitario *nm* Sagittarius
sagrado, a *adj* sacred
Sahara *nm* Sahara
sal *nf* salt; **Páseme la sal, por favor** Pass the salt, please
sala *nf* room, *(de conciertos, conferencias)* hall, *(hospital)* ward; **sala de embarque** departure lounge; **sala de espera** waiting room; **sala de estar** sitting room; **sala de juegos recreativos** amusement arcade; **sala de profesores** staffroom; **sala de tránsito** transit lounge
salado, a *adj* salty; **La comida está muy salada** The food is too salty
salario *nm* salary
salchicha *nf* sausage
salchichón *nm* salami
saldo *nm* **saldo bancario** bank balance
salida *nf* exit, *(excursión)* outing, *(vía)* way out; **salida de emergencia** emergency exit; **salida de incendios** fire escape; **salida del sol** sunrise; **¿Dónde está la salida?** Where is the exit?; **¿Qué salida tengo que coger para ir a...?** Which exit for...?
saliente *adj* outgoing
salir *v (del interior)* come out, get out, *(con amigos, novio)* go out; **salir caro** backfire; **¿Te gustaría salir a cenar?** Would you like to go out for dinner?
saliva *nf* saliva
salmón *nm* salmon
salón *nm* lounge, *(habitación)* living room; **salón de belleza** beauty salon; **¿Se puede tomar café en el salón?** Could we have coffee in the lounge?
salpicadero *nm* dashboard
salpicar *v* splash
salsa *nf* sauce; **salsa de soja** soy sauce; **salsa de tomate** tomato sauce
saltamontes *nm* grasshopper
saltar *v* jump, leap
salto *nm* jump; **salto con pértiga** pole vault; **salto de agua** waterfall; **salto de altura** high jump; **salto de longitud** long jump; **salto de trampolín** diving
salud *nf* health; **¡salud!** cheers!
saludar *v* greet, salute; **saludar con la mano** wave
saludo *nm* greeting
salvado *nm* bran
salvaje *adj* wild
salvapantallas *nm* screen-saver
salvar *v* save
salvavidas *nm* lifebelt
salvo *prep* except
sancionar *v* penalize
sandalia *nf* sandal
sandía *nf* watermelon
sándwich *nm* sandwich
sangrar *v* bleed
sangre *nf* blood; **Esta mancha es de sangre** This stain is blood
sanguíneo, a *adj* **grupo sanguíneo** blood group
San Marino *nm* San Marino
sano, a *adj* healthy
santo, a *adj* holy ▷ *nm, nf* saint
santuario *nm* shrine
sapo *nm* toad
sarampión *nm* measles; **Hace poco que he pasado el sarampión** I had measles recently
sarcástico, a *adj* sarcastic
sardina *nf* sardine
sargento *nm* sergeant
sartén *nf* frying pan, pan
sastre *nm* tailor
satélite *nm* satellite
satisfacción *nf* satisfaction
satisfactorio, a *adj* satisfactory
satisfecho, a *adj* satisfied; **No estoy**

satisfecho con esto I'm not satisfied with this
sauce *nm* willow
saudí *adj* Saudi, Saudi Arabian ▷ *nm, nf* Saudi, Saudi Arabian
sauna *nf* sauna
saxofón *nm* saxophone
se *pron (él)* himself, *(ella)* herself, *(ello)* itself, *(ellos)* themselves, *(usted)* yourself, *(ustedes)* yourselves
secador *nm* dryer, *(pelo)* hairdryer; **Necesito un secador de pelo** I need a hair dryer
secadora *nf* tumble dryer
secar *v* **secar(se)** dry
sección *nf* section
seco, a *adj* dry; **Tengo el pelo seco** I have dry hair
secretario, a *nm, nf* secretary; **secretario personal** personal assistant, PA
secreto, a *adj* secret ▷ *nm* secret; **de alto secreto** top-secret
secta *nf* sect
sector *nm* sector
secuencia *nf* sequence
secuestrador, a *nm, nf* hijacker
secuestrar *v* hijack
secundario, a *adj* **efecto secundario** side effect
sed *nf* thirst
seda *nf* silk
sedante *nm* sedative, tranquillizer
sede *nf* **sede central** head office
sediento, a *adj* thirsty
segar *v* mow
seguir *v* carry on, continue, go on ▷ *vt (persona)* follow; **seguir adelante** go ahead; **seguir al dorso** PTO; **seguir viviendo** live on; **Siga todo recto** Go straight on
según *prep* according to
segundo, a *adj* second ▷ *nm (competidor)* runner-up, second; **de segunda clase** second-class; **de segunda mano** secondhand; **en segundo lugar** secondly; **segunda clase** second class
seguridad *nf (delincuencia)* security, *(peligro)* safety; **seguridad social** social security
seguro, a *adj* confident ▷ *nm (aseguradora)* insurance; **seguro a terceros** third-party insurance; **seguro de accidentes** accident insurance; **seguro de sí mismo** self-assured; **seguro de vehículos** car insurance; **seguro de viaje** travel insurance; **seguro de vida** life insurance; **¿Está incluido en el precio el seguro a todo riesgo?** Is fully comprehensive insurance included in the price?; **¿Lo pagará el seguro?** Will the insurance pay for it?
seis *num* six; **Son las seis en punto** It's six o'clock
selección *nf* selection
seleccionar *v* select
sellar *v* seal
sello *nm (correos)* stamp, *(precinto)* seal; **¿Me da sellos para cuatro postales para...?** Can I have stamps for four postcards to...
selva *nf* **selva tropical** rainforest
semáforo *nm* traffic lights
semana *nf* week; **dos semanas** fortnight; **¿Cuánto cuesta por semana?** How much is it per week?
semestre *nm* semester
semicírculo *nm* semicircle
semidesnatado, a *adj* semi-skimmed; **leche semidesnatada** semi-skimmed milk
semifinal *nf* semifinal
semilla *nf* seed
sencillo, a *adj* simple, easy
senderismo *nm* hill-walking

sendero *nm* footpath, path, track; **sendero para bicicletas** cycle path; **No se salga del sendero** Keep to the path
Senegal *nm* Senegal
senegalés, esa *adj* Senegalese ▷ *nm, nf* Senegalese
seno *nm (nasal)* sinus
sensación *nf* feeling
sensacional *adj* sensational
sensato, a *adj* sensible
sensible *adj* sensitive
sensiblero, a *adj* soppy
sensual *adj* sensuous
sentarse *v* sit down; **¿Dónde puedo sentarme?** Where can I sit down?
sentencia *nf* sentence
sentenciar *v* sentence
sentido *nm* sense; **en el sentido de las agujas del reloj** clockwise; **en sentido contrario a las agujas del reloj** anticlockwise; **sentido común** common sense; **sentido del humor** sense of humour; **sin sentido** *(absurdo)* pointless
sentimental *adj* sentimental
sentir *v* feel; **¡lo siento!** sorry!; **¿Cómo se siente ahora?** How are you feeling now?
seña *nf* sign; **lengua de señas** sign language
señal *nf* sign, signal, *(símbolo)* token; **señal de comunicando** busy signal, engaged tone; **señal de tráfico** road sign
señalar *v (apuntar)* point, *(indicar)* point out, *(señalizar)* signal
señor *nm* sir
señora *nf* madam; **señora de la limpieza** cleaning lady
señorita *nf* Miss
separación *nf* parting, separation
separado, a *adj* separate
separar *v* separate
septentrional *adj* north
septicemia *nf* blood poisoning
septiembre *nm* September
séptimo, a *adj* seventh ▷ *nm* seventh
sepultura *nf* grave
sequía *nf* drought
ser *v* be ▷ *nm* being; **a no ser que** unless; **o sea** i.e.; **ser humano** human being; **ser igual a** equal; **¿Cuánto será?** How much will it be?; **¿Qué es esto?** What is it?; **Soy seropositivo** I am HIV-positive
Serbia *nf* Serbia
serbio, a *adj* Serbian ▷ *nm, nf (persona)* Serbian ▷ *nm (lengua)* Serbian
serial *nm* serial
serie *nf* series
serio, a *adj* serious
sermón *nm* sermon
serpiente *nf* snake; **serpiente de cascabel** rattlesnake
serrín *nm* sawdust
servicial *adj* helpful; **poco servicial** unhelpful
servicio *nm* service, *(saque)* serve; **servicios** *(aseo)* toilets; **prestar servicio** *(técnico)* service; **servicio de comidas y bebidas** catering; **servicio de habitaciones** room service; **servicio de información telefónica** directory enquiries; **servicio de urgencias** accident & emergency department; **servicio secreto** secret service; **servicios sociales** social services; **¿Cobran por el servicio?** Is there a charge for the service?; **¿Dónde está el puesto más cercano del servicio de rescate de montaña?** Where is the nearest mountain rescue service post?; **¿Está incluido el servicio?** Is service included?
servidor *nm* server
servilleta *nf* napkin, serviette

servir *v* serve; **Todavía estamos esperando que nos sirvan** We are still waiting to be served
sesenta *num* sixty
sesión *nf* session; **cerrar sesión** log off, log out; **iniciar sesión** log in, log on; **sesión informativa** briefing
sesudo, a *adj* brainy
seta *nf* mushroom; **seta venenosa** toadstool
setenta *num* seventy
seto *nm* hedge
seudónimo *nm* pseudonym
sexismo *nm* sexism
sexista *adj* sexist
sexo *nm* sex
sexto, a *adj* sixth
sexual *adj* sexual
sexualidad *nf* sexuality
sexy *adj* sexy
short *nm* shorts
si *conj* if, whether
sí[1] *adv* yes
sí[2] *pron* himself, herself, *(cosa)* itself, *(plural)* themselves; **seguro de sí mismo** self-assured
Siberia *nf* Siberia
SIDA *nm* AIDS
sidra *nf* cider
siempre *adv* always; **para siempre** forever
sierra *nf (herramienta)* saw
siesta *nf* nap
siete *num* seven
siglo *nm* century
significado *nm* meaning
significar *v* mean, *(sigla)* stand for
significativo, a *adj* significant
signo *nm* **signo de exclamación** exclamation mark; **signo de interrogación** question mark
siguiente *adj* following, next
sij *adj, nm, nf* Sikh
sílaba *nf* syllable
silbar *v* whistle
silbato *nm* whistle
silenciador *nm* silencer
silencio *nm* silence
silencioso, a *adj* quiet, silent
silla *nf* chair; **silla de montar** saddle; **silla de ruedas** wheelchair
sillín *nm* saddle
sillita *nf* **sillita de paseo** pushchair; **¿Tiene una sillita para bebé?** Do you have a baby seat?
sillón *nm* armchair
símbolo *nm* symbol
simétrico, a *adj* symmetrical
similar *adj* similar
similitud *nf* similarity
simpatizar *v* sympathize
simple *adj* simple
simplificar *v* simplify
simulado, a *adj* mock
simultáneo, a *adj* simultaneous
sin *prep* without; **sin parar** non-stop; **Lo quisiera sin..., por favor** I'd like it without..., please
sinagoga *nf* synagogue; **¿Dónde hay una sinagoga?** Where is there a synagogue?
sincero, a *adj* sincere; **poco sincero** insincere
sindicalista *nm, nf* trade unionist
sindicato *nm* trade union
síndrome *nm* syndrome; **síndrome de Down** Down's syndrome
sinfonía *nf* symphony
singular *nm* singular
siniestro, a *adj* sinister
síntoma *nm* symptom
sirena *nf (alarma)* siren, *(Mitología)* mermaid
Siria *nf* Syria
sirio, a *adj* Syrian ▷ *nm, nf* Syrian
sistema *nm* system; **sistema inmunológico** immune system; **sistema solar** solar system

sistemático, a *adj* systematic
sitio *nm* site, spot; **en algún sitio** somewhere; **en cualquier sitio** anywhere; **en otro sitio** elsewhere; **sitio Web** website
situación *nf* situation
situado, a *adj* situated
skateboard *nm* skateboard; **Quisiera hacer skateboard** I'd like to go skateboarding
SMS *nm* SMS
sobornar *v* bribe
soborno *nm* bribery
sobrante *adj* surplus
sobras *nf pl* leftovers
sobre *nm* envelope ▷ *prep* above, on, *(acerca)* about
sobredosis *nf* overdose
sobrellevar *v* bear up
sobrenatural *adj* supernatural
sobrepeso *nm* **con sobrepeso** overweight
sobresalir *v* stand out
sobrestimar *v* overestimate
sobrevivir *v* survive
sobrina *nf* niece
sobrino *nm* nephew
sobrio, a *adj* sober
sociable *adj* sociable
social *adj* social
socialismo *nm* socialism
socialista *adj* socialist ▷ *nm, nf* socialist
sociedad *nf* society
socio, a *nm, nf* member; **¿Hay que ser socio?** Do you have to be a member?; **¿Tengo que ser socio?** Do I have to be a member?
sociología *nf* sociology
socorrista *nm, nf* lifeguard; **¡Vaya a buscar al socorrista!** Get the lifeguard!; **¿Hay socorrista?** Is there a lifeguard?
socorro *nm* **¡socorro!** help!
sofá *nm* couch, settee, sofa; **sofá cama** sofa bed
sofisticado, a *adj* sophisticated
sofocante *adj (asfixiante)* stifling, *(bochornoso)* sweltering
software *nm* software
soja *nf* soya
sol *nm* sun; **tomar el sol** sunbathe
solar *adj* solar
soldado *nm* serviceman, soldier ▷ *nf* servicewoman
soleado, a *adj* sunny
soledad *nf* loneliness
solicitante *nm, nf* applicant; **solicitante de asilo** asylum seeker
solicitar *v* appeal, request
solicitud *nf (formulario)* application, *(petición)* request
sólido, a *adj* solid
solista *nm, nf* soloist, *(cantante)* lead singer
solitario, a *adj* lonely
sollozar *v* sob
solo, a *adj* alone ▷ *nm* solo; **Viajo solo** I'm travelling alone
sólo *adv* only
soltero, a *adj* unmarried
solterona *nf* spinster
soluble *adj* soluble
solución *nf* solution; **solución intermedia** compromise
solucionar *v* sort out
somalí *adj* Somali ▷ *nm, nf (persona)* Somali ▷ *nm (lengua)* Somali
Somalia *nf* Somalia
sombra *nf* shade, shadow; **sombra de ojos** eye shadow
sombrero *nm* hat
sombrío, a *adj* dismal
somnífero *nm* sleeping pill
somnoliento, a *adj* drowsy, sleepy
sonámbulo, a *adj* **ser sonámbulo** sleepwalk
sonar *v (campana)* ring

sondeo *nm* **sondeo de opinión** opinion poll
sonido *nm* sound
sonoro, a *adj* **banda sonora** soundtrack
sonreír *v* grin, smile
sonrisa *nf* smile; **sonrisa burlona** grin
soñar *v* dream
sopa *nf* soup; **¿De qué es la sopa del día?** What is the soup of the day?
soplar *v* blow
soplo *nm* blow
soplón, ona *nm, nf* grass *(informer)*
soportar *v* bear
soprano *nf* soprano
sorbete *nm* sorbet
sordo, a *adj* deaf; **Soy sordo** I'm deaf
sorprendente *adj* surprising
sorprendido, a *adj* surprised
sorpresa *nf* surprise
sorteo *nm* draw *(lottery)*
S.O.S. *nm* SOS
soso, a *adj* drab
sospechar *v* suspect
sospechoso, a *adj* suspicious ▷ *nm, nf* suspect
sótano *nm (almacenamiento)* cellar, *(habitable)* basement
spaniel *nm* spaniel
Sr. *abr* Mr
Sra. *abr* Mrs, Ms
Sri Lanka *nf* Sri Lanka
status quo *nm* status quo
su *pron (él)* his, *(ella)* her, *(ello)* its, *(ellos)* their, *(usted)* your
suave *adj (afable)* gentle, *(leve)* mild
suavizante *nm* conditioner; **¿Vende suavizante?** Do you sell conditioner?
Suazilandia *nf* Swaziland
subasta *nf* auction
subdirector, a *nm, nf* deputy head
subestimar *v* underestimate
subir *v* board, get in, get on, *(elevar)* raise, *(ir)* go up; **¿Puede ayudarme a subir, por favor?** Can you help me get on, please?
submarinismo *nm* (scuba) diving; **Me gustaría hacer submarinismo** I'd like to go diving
submarinista *nm, nf* diver
submarino *nm* submarine
subrayar *v* underline
subsidio *nm* subsidy; **subsidio de enfermedad** sick pay
subterráneo, a *adj* underground
subtitulado, a *adj* subtitled
subtítulos *nm pl* subtitles
suburbano, a *adj* suburban
suburbio *nm* suburb
subvención *nf* grant, subsidy
subvencionar *v* subsidize
suceder *v* happen, occur
sucesivo, a *adj* successive
suceso *nm* event; **sucesos de actualidad** current affairs
sucesor, a *nm, nf* successor
suciedad *nf* dirt
sucio, a *adj* dirty; **Está sucio** It's dirty; **La habitación está sucia** The room is dirty
sudadera *nf* sweatshirt
sudado, a *adj* sweaty
Sudáfrica *nf* South Africa
sudafricano, a *adj* South African ▷ *nm, nf* South African
Sudamérica *nf* South America
sudamericano, a *adj* South American ▷ *nm, nf* South American
Sudán *nm* Sudan
sudanés, esa *adj* Sudanese ▷ *nm, nf* Sudanese
sudar *v* sweat
sudeste *nm* southeast
sudoeste *nm* southwest
sudor *nm* sweat
Suecia *nf* Sweden

sueco, a *adj* Swedish ▷ *nm, nf (persona)* Swede ▷ *nm (lengua)* Swedish
suegra *nf* mother-in-law
suegro *nm* father-in-law
sueldo *nm* wage
suelo *nm (interior)* floor, *(exterior)* ground
sueño *nm (dormir)* sleep, *(soñar)* dream
suerte *nf* luck; **por suerte** fortunately, luckily
suéter *nm* jumper, sweater
suficiente *adj* enough, sufficient
sufrimiento *nm* misery
sufrir *v* suffer
sugerencia *nf* suggestion
sugerir *v* suggest
suicida *adj* suicide, suicidal; **terrorista suicida** suicide bomber
suicidio *nm* suicide
suite *nf* suite
Suiza *nf* Switzerland
suizo, a *adj* Swiss ▷ *nm, nf* Swiss
sujetador *nm* bra
sujetar *v (fijar)* attach, *(con la mano)* hold
suma *nf* sum
sumar *v* add up
sumidero *nm* drain
suministrar *v (abastecer)* supply, *(proporcionar)* provide
suministro *nm* supply
súper *adj* mega, super
superar *v* get over, overcome
superficial *adj* superficial
superficie *nf* surface
superior *adj (cargo)* senior, *(arriba)* upper, *(mejor)* superior ▷ *nm, nf (jefe)* superior
supermercado *nm* supermarket; **Necesito encontrar un supermercado** I need to find a supermarket
supersticioso, a *adj* superstitious
superventas *nm* bestseller
supervisar *v* supervise
supervisión *nf* oversight
supervisor, a *nm, nf* supervisor
supervivencia *nf* survival
superviviente *nm, nf* survivor
suplemento *nm* supplement; **¿Hay que pagar algún suplemento?** Is there a supplement to pay?
suplente *adj* **profesor suplente** supply teacher
suponer *v* assume, presume, suppose, *(conllevar)* involve; **suponiendo que** supposing
suposición *nf* guess
sur *nm* south; **al sur** south; **del sur** southern; **en dirección sur** southbound
surf *nm* surfing; **hacer surf** surf; **¿Dónde se puede hacer surf?** Where can you go surfing?
surfista *nm, nf* surfer
surtido *nm* assortment
susceptible *adj* touchy
suscripción *nf* subscription
suspender *v* suspend, *(cancelar)* call off
suspense *nm* suspense
suspensión *nf* suspension
suspirar *v* sigh
suspiro *nm* sigh
sustancia *nf* substance; **sustancia química** chemical
sustantivo *nm* noun
sustituir *v* substitute
sustituto, a *nm, nf* substitute
susto *nm (impresión)* fright, *(miedo)* scare
sustraer *v* subtract
susurrar *v* whisper
sutil *adj* subtle
suturar *v* sew up
suyo, a *pron (él)* his, *(ella)* hers, *(ellos)* theirs, *(usted)* yours

t

tabaco *nm* tobacco; **Tengo que declarar la cantidad permitida de tabaco** I have the allowed amount of tobacco to declare
tabla *nf (gráfico)* table, *(superficie)* board; **tabla de planchar** ironing board; **tabla de surf** surfboard
tablilla *nf* splint
tablón *nm* board; **tablón de anuncios** bulletin board, notice board
tabú *adj* taboo ▷ *nm* taboo
taburete *nm* stool
tacaño, a *adj* stingy
tachar *v* cross out
tachuela *nf* stud
taco *nm (de billar)* cue, *(palabrota)* swearword
tacón *nm* heel; **de tacón alto** high-heeled; **tacones altos** high heels
táctica *nf* tactics
tacto *nm* tact
Tahití *nm* Tahiti
tailandés, esa *adj* Thai ▷ *nm, nf (persona)* Thai ▷ *nm (lengua)* Thai
Tailandia *nf* Thailand
taimado, a *adj* sly
Taiwán *nm* Taiwan
taiwanés, esa *adj* Taiwanese ▷ *nm, nf* Taiwanese
tal *adj* such; **con tal (de) que** provided, providing
taladrar *v* bore, drill
taladro *nm* drill
talar *v* cut down
talco *nm* **polvos de talco** talcum powder
talento *nm* talent
talla *nf* size; **¿Tiene una talla mayor?** Do you have this in a bigger size?; **¿Tiene una talla mediana?** Do you have a medium?
tallar *v* carve
taller *nm* workshop
talón *nm (Anatomía)* heel
talonario *nm* **talonario de cheques** chequebook
tamaño *nm* size; **de tamaño mediano** medium-sized
tambalearse *v* stagger
también *adv* also, too
tambor *nm* drum
tamiz *nm* sieve
tampoco *adv* either *(with negative)*, neither, nor; **Tampoco me gusta** I don't like it either
tampón *nm* tampon
tan *adv* such
tándem *nm* tandem
tanque *nm (arma)* tank, *(cisterna)* tank
tanto *adv* so; **mientras tanto** meantime
Tanzania *nf* Tanzania
tanzano, a *adj* Tanzanian ▷ *nm, nf* Tanzanian
tapa *nf* lid
tapacubos *nm* hubcap

tapón *nm* plug; **tapones para los oídos** earplugs
taquigrafía *nf* shorthand
taquilla *nf* box office, ticket office, *(armario)* locker; **¿Dónde están las taquillas para la ropa?** Where are the clothes lockers?
tardar *v (requerir tiempo)* take; **¿Cuánto se tarda en llegar?** How long will it take to get there?; **¿Cuánto tardará por correo urgente?** How long will it take by priority post?
tarde *adv* late ▹ *nf* afternoon; **de la tarde** p.m.; **más tarde** later; **¿Está abierto el museo por las tardes?** Is the museum open in the afternoon?; **¿Vuelvo más tarde?** Shall I come back later?; **Buenas tardes** Good afternoon
tardío, a *adj* late
tarea *nf* task
tarifa *nf* fare, tariff; **¿Hay alguna tarifa de tren más barata?** Are there any cheap train fares?
tarjeta *nf* card; **tarjeta de crédito** credit card; **tarjeta de débito** debit card; **tarjeta de descuento para viajes en tren** railcard; **tarjeta de embarque** boarding card, boarding pass; **tarjeta de felicitación** greetings card; **tarjeta de memoria** memory card; **tarjeta de Navidad** Christmas card; **tarjeta de recarga** top-up card; **tarjeta telefónica** phonecard; **Aquí tiene mi tarjeta de visita** Here's my card; **¿Acepta tarjetas de débito?** Do you take debit cards?; **¿Dónde puedo comprar una tarjeta de recarga?** Where can I buy a top-up card?
tarro *nm* jar; **tarro de confitura** jam jar
tarta *nf* flan, tart; **tarta de manzana** apple pie
tartamudear *v* stammer
tasa *nf* fee
Tasmania *nf* Tasmania
tatuaje *nm* tattoo
Tauro *nm* Taurus
taxi *nm* cab, taxi; **¿Dónde está la parada de taxis?** Where is the taxi stand?; **¿Dónde se puede coger un taxi?** Where can I get a taxi?
taxímetro *nm* (taxi)meter; **¿Tiene taxímetro?** Do you have a meter?
taxista *nm, nf* taxi driver
Tayikistán *nm* Tajikistan
taza *nf* cup; **taza de té** teacup; **¿Puede traernos otra taza de café, por favor?** Could we have another cup of coffee, please?
tazón *nm* mug
te *pron (tú)* yourself
té *nm* tea; **¿Puede traernos otra taza de té, por favor?** Could we have another cup of tea, please?
teatro *nm* theatre; **¿Qué ponen en el teatro?** What's on at the theatre?
tebeo *nm* comic book
techo *nm* ceiling; **techo corredizo** sunroof
tecla *nf* key
teclado *nm* keyboard
teclear *v* type
técnica *nf* technique
técnico, a *adj* technical ▹ *nm, nf* technician
tecno *nm* techno
tecnología *nf* technology
tecnológico, a *adj* technological
tejado *nm* roof; **con el tejado de paja** thatched
tejanos *nm pl* denims, jeans
tejido *nm (Anatomía)* tissue, *(tela)* fabric
tejo *nm* yew
tejón *nm* badger

tela *nf* cloth; **tela tejana** denim
telaraña *nf* cobweb, web
tele *nf* telly
telecomunicaciones *nfpl* telecommunications
teledirigido, a *adj* radio-controlled
teleférico *nm* cable car
telefonear *v* phone; **volver a telefonear** ring back
telefónico, a *adj* telephone; **¿Venden tarjetas telefónicas?** Do you sell phone cards?
teléfono *nm* phone, telephone; **teléfono con tarjetas de prepago** cardphone; **teléfono de asistencia** helpline; **teléfono móvil** mobile phone; **teléfono público** payphone; **¿Cuál es el número de teléfono?** What's the telephone number?
telegrama *nm* telegram; **¿Puedo enviar un telegrama desde aquí?** Can I send a telegram from here?
teleobjetivo *nm* zoom lens
telerrealidad *nf* reality TV
telescopio *nm* telescope
telesilla *nm* chairlift
telesquí *nm* ski lift
teletaxi *nm* minicab
televentas *nfpl* telesales
televisión *nf* television; **televisión de plasma** plasma TV; **televisión digital** digital television; **televisión en color** colour television; **televisión por cable** cable television; **¿Dónde está la televisión?** Where is the television?
tema *nm* subject, topic, *(Arte)* theme
temático, a *adj* **parque temático** theme park
temblar *v* shake, shiver, tremble
tembloroso, a *adj* shaky
temer *v* fear
temeroso, a *adj* afraid
temperatura *nf* temperature; **¿Qué temperatura hace?** What is the temperature?
templado, a *adj* warm
templo *nm* temple
temporada *nf* season; **de temporada** seasonal; **fuera de temporada** off-season; **temporada alta** high season; **temporada baja** low season
temporal *adj* temporary; **¿Puede ponerme un empaste temporal?** Can you do a temporary filling?
temporizador *nm* timer
temprano, a *adj, adv* early; **más temprano** earlier; **Prefiero un vuelo que salga más temprano** I would prefer an earlier flight
tendencia *nf (inclinación)* tendency, *(moda)* trend
tendencioso, a *adj* biased
tender *v* **tender a** tend; **tenderse** lie down
tendero, a *nm, nf* grocer, shopkeeper
tendón *nm* tendon
tenedor *nm* fork; **¿Me trae un tenedor limpio, por favor?** Could I have a clean fork please?
tener *v* have, hold, *(mercancía)* stock; **tener cuidado** watch out; **tener la intención de** intend to; **tener que** have to, must; **¿Cuándo tengo que dejar la habitación?** When do I have to vacate the room?; **¿Tendrán que ingresarla en el hospital?** Will she have to go to hospital?; **¿Tengo que quedarme en cama?** Do I have to stay in bed?
teniente *nm, nf* lieutenant
tenis *nm* tennis; **tenis de mesa** table tennis; **¿Cuánto cuesta alquilar una pista de tenis?** How much is it to hire a tennis court?; **¿Dónde puedo jugar al tenis?** Where can I play tennis?

tenista *nm, nf* tennis player
tenor *nm* tenor
tensar *v* strain
tensión *nf (estrés)* strain, *(músculo)* tension; **tensión arterial** blood pressure
tenso, a *adj (crispado)* strained, *(nervioso)* uptight, *(tirante)* tense
tentación *nf* temptation
tentador, a *adj* tempting
tentar *v* tempt
tentativa *nf* try
tentempié *nm* snack
teñir *v* dye; **¿Puede teñirme el pelo, por favor?** Can you dye my hair, please?
teología *nf* theology
teoría *nf* theory
terapia *nf* therapy
tercero, a *adj* third; **persona de la tercera edad** senior citizen
tercio *nm* third
terciopelo *nm* velvet
terminación *nf* finish
terminal *adj, nf* terminal; **terminal de trabajo** work station, workstation
terminar *v* end
término *nm* end, *(nombre)* term
termo *nm* Thermos®
termómetro *nm* thermometer
termostato *nm* thermostat
ternera *nf (carne)* veal
ternero, a *nm* calf
terraplén *nm* bank, embankment
terrateniente *nm, nf* landowner
terraza *nf (balcón)* balcony, *(bar)* terrace; **¿Se puede comer en la terraza?** Can I eat on the terrace?
terremoto *nm* earthquake
terreno *nm* ground
terrier *nm* terrier
territorio *nm* territory
terror *nm* terror; **película de terror** horror film
terrorismo *nm* terrorism
terrorista *nm, nf* terrorist; **terrorista suicida** suicide bomber
tesorero, a *nm, nf* treasurer
tesoro *nm* treasure
test *nm* test
testamento *nm* will *(document)*
testar *v* test
testarudo, a *adj* stubborn
testículo *nm* testicle
testigo *nm, nf* witness; **testigo de Jehová** Jehovah's Witness; **¿Puede hacerme de testigo?** Can you be a witness for me?
tétano *nm* tetanus
tetera *nf* teapot
textil *nm* textile
texto *nm* text
tez *nf* complexion
tía *nf* aunt
Tíbet *nm* Tibet
tibetano, a *adj* Tibetan ▹ *nm, nf (persona)* Tibetan ▹ *nm (lengua)* Tibetan
tibio, a *adj* lukewarm
tiburón *nm* shark
ticket *nm* ticket; **¿Tengo que adquirir un ticket de aparcamiento?** Do I need to buy a car-parking ticket?
tiempo *nm (clima)* weather, *(duración)* time; **a tiempo** on time; **a tiempo parcial** part-time; **más tiempo** longer; **mucho tiempo** long; **tiempo libre** *(descanso)* time off, *(ocio)* spare time; **tiempo verbal** tense; **¡Qué tiempo más malo!** What awful weather!; **¿Qué tiempo hará mañana?** What will the weather be like tomorrow?
tienda *nf* shop; **tienda de antigüedades** antique shop; **tienda de artículos para regalo** gift shop;

tienda de campaña tent; **tienda de vinos y licores** off-licence; **¿A qué hora cierran las tiendas?** What time do the shops close?; **¿Dónde está la tienda libre de impuestos?** Where is the duty-free shopping?
tienta *nf* **andar a tientas** grope
tierno, a *adj* tender
tierra *nf (material)* soil, *(mundo)* earth, *(terreno)* land
tieso, a *adj* hard up, stiff
tigre *nm* tiger
tijeras *nf pl* scissors; **tijeras para las uñas** nail scissors
timar *v* rip off
timbre *nm* **timbre de la puerta** doorbell; **timbre del teléfono** ringtone
tímido, a *adj* self-conscious, shy
tímpano *nm* eardrum
tinieblas *nf pl* darkness
tinta *nf* ink
tinte *nm* dye
tinto *adj* **vino tinto** red wine
tintorería *nf* dry-cleaner's
tío *nm (familiar)* uncle, *(tipo)* bloke, guy
tiovivo *nm* merry-go-round
típico, a *adj* typical; **¿Tiene algo típico de la localidad?** Have you anything typical of this town?
tipo *nm (clase)* type, *(hombre)* chap; **tipo de cambio** exchange rate, rate of exchange; **tipo de interés** interest rate
tipógrafo, a *nm, nf* printer
tira *nf* strip; **tira cómica** comic strip
tirantes *nm pl* braces
tirar *v* pull, *(echar)* throw away
tirita *nf* Band-Aid, plaster; **Deme tiritas** I'd like some plasters
tiro *nm* shot; **matar a tiros** shoot; **tiro libre** free kick
tirón *nm* wrench
tiroteo *nm* shooting
tita *nf* auntie
titulado, a *nm, nf* graduate
titular *nm* headline
título *nm* title
tiza *nf* chalk
toalla *nf* towel; **toalla de baño** bath towel; **¿Puede proporcionarme una toalla?** Could you lend me a towel?
toallita *nf* **toallita húmeda** wipe
tobillo *nm* ankle
tocador *nm* dresser, dressing table
tocar *v (música)* play, *(tacto)* touch
tocino *nm* bacon
todavía *adv (negativo)* yet, *(positivo)* still
todo, a *adj* all, entire, whole ▷ *pron* all, everything; **ante todo** primarily; **por todo** throughout; **todo el mundo** everyone; **todo recto** straight on; **todos** *(personas)* everybody; **durante todo el mes de junio** for the whole of June
toffee *nm* toffee
Togo *nm* Togo
tolerante *adj* tolerant
tomar *v* take; **tomar asiento** sit down; **tomar el pelo** tease; **tomar el sol** sunbathe; **¿Cómo debo tomarlo?** How should I take it?; **¿Cuántos debo tomar?** How much should I take?; **¿Podemos tomar clases?** Can we take lessons?
tomate *nm* tomato
tomillo *nm* thyme
tonelada *nf* ton
Tonga *nm* Tonga
tónica *nf* tonic water
tónico *nm* tonic
tono *nm* pitch; **tono de marcar** dialling tone
tontería *nf* nonsense
tonto, a *adj* silly ▷ *nm, nf* fool; **hablar**

a tontas y a locas waffle
topar *v* **topar con** bump into
topetazo *nm* bump
topo *nm (agente, animal)* mole
toque *nm* **toque de queda** curfew; **¿Hay toque de queda?** Is there a curfew?
tordo *nm* thrush
tormenta *nf* storm, thunderstorm; **¿Cree que habrá tormenta?** Do you think there will be a storm?
tormentoso, a *adj* thundery
tornado *nm* tornado
torneo *nm* tournament
tornillo *nm* screw; **Se le ha aflojado el tornillo** The screw has come loose
torniquete *nm (de entrada)* ticket barrier, turnstile
toro *nm* bull
torpe *adj* awkward, clumsy
torre *nf* tower, *(vivienda)* high-rise; **torre de alta tensión** pylon; **torre de perforación** rig
tortilla *nf* omelette
tortuga *nf (mar)* turtle, *(tierra)* tortoise
tortura *nf* torture
torturar *v* torture
tos *nf* cough; **Tengo tos** I have a cough
toser *v* cough
tostada *nf* toast *(grilled bread)*
tostador *nm* toaster
total *adj* total ▷ *nm* total; **en total** overall
tóxico, a *adj* toxic
trabajador, a *nm, nf* worker
trabajar *v* work; **¿Dónde trabaja?** Where do you work?; **Espero volver a trabajar con usted muy pronto** I hope we can work together again soon; **Ha sido un placer trabajar con usted** It's been a pleasure working with you
trabajo *nm* work; **echar del trabajo** sack; **viajar diariamente al trabajo** commute; **Estoy aquí por trabajo** I'm here for work
tractor *nm* tractor
tradición *nf* tradition
tradicional *adj* traditional
traducción *nf* translation
traducir *v* translate; **¿Podría traducirme esto?** Could you translate this for me?
traductor, a *nm, nf* translator
traer *v* bring, fetch; **Por favor, tráigame una manta más** Please bring me an extra blanket; **Traiga más agua, por favor** Please bring more water
traficante *nm, nf* **traficante de drogas** drug dealer
tráfico *nm* traffic; **¿Hay mucho tráfico en la autopista?** Is the traffic heavy on the motorway?
tragaperras *nf* fruit machine, slot machine
tragar *v* swallow
tragedia *nf* tragedy
trágico, a *adj* tragic
trago *nm* booze
traicionar *v* betray
traje *nm* suit, *(típico)* costume; **traje de baño** bathing suit; **traje de neopreno** wetsuit; **traje de noche** evening dress
trámite *nm* **trámites burocráticos** paperwork
trampa *nf (caza)* trap
trampolín *nm* diving board
tramposo, a *adj* bent ▷ *nm, nf* cheat
tranquilizador, a *adj* reassuring
tranquilizante *adj* restful
tranquilizar *v* reassure; **tranquilizarse** *(situación)* settle down, *(persona)* calm down
tranquilo, a *adj* calm

transacción *nf* transaction
transatlántico *nm* liner
transbordador *nm* ferry
transbordo *nm* **¿Dónde hago el transbordo?** Where do I change?; **¿Dónde tengo que hacer transbordo para...?** Where do I change for...?
transcripción *nf* transcript
transferencia *nf* transfer; **¿Cobran por hacer transferencias?** Is there a transfer charge?; **¿Cuánto tardará en llegar la transferencia?** How long will it take to transfer?
transferir *v* transfer; **Quisiera transferir dinero de mi cuenta** I would like to transfer some money from my account
transformar *v* transform
transfusión *nf* transfusion; **transfusión de sangre** blood transfusion
transición *nf* transition
transistor *nm* transistor
tránsito *nm* transit
transmitir *v* broadcast
transparente *adj* see-through, transparent
transpiración *nf* perspiration
transportar *v* transport
transporte *nm* transport; **transporte público** public transport; **¿Hay transporte adaptado para sillas de ruedas para...?** Is there wheelchair-friendly transport available to...?
tranvía *nm* tram
trapo *nm* rag; **poner como un trapo** slag off; **trapo de cocina** dishcloth
traqueteo *nm* rattle
trascendental *adj* momentous
trasero, a *adj* back, rear ▷ *nm* behind; **parte trasera** rear; **¿Cuál es la llave de la puerta trasera?** Which is the key for the back door?
trasfondo *nm* background
traslado *nm* removal
trasplante *nm* transplant
trasto *nm* **trastos viejos** junk
tratado *nm* treaty
tratamiento *nm* treatment
tratante *nm, nf* dealer
tratar *v* treat
trato *nm* bargain, deal
traumático, a *adj* traumatic
través *nm* **a través de** across, through
travestido, a *nm, nf* transvestite
travesura *nf (broma)* prank, *(daños)* mischief
travieso, a *adj* mischievous, naughty
trece *num* thirteen
tregua *nf* truce
treinta *num* thirty
tremendo, a *adj* tremendous
tren *nm* train; **¿A qué hora llega el tren?** When is the train due?; **¿A qué hora sale el tren para...?** What time is the train to...?
trenza *nf* plait
tres *num* three; **a las tres** at three o'clock; **Surtidor número tres, por favor** Pump number three, please
triángulo *nm* triangle
tribu *nf* tribe
tribunal *nm* tribunal
tribunas *nf pl* stands
triciclo *nm* tricycle
tridimensional *adj* three-dimensional
trigo *nm* wheat; **intolerancia al trigo** wheat intolerance
trillizos *nm pl* triplets
trimestre *nm* term
trineo *nm* sledge; **¿Podemos ir a montar en trineo?** Where can we go sledging?

Trinidad y Tobago *nf* Trinidad and Tobago
tripa *nf* gut
triple *adj* triple
triplicar *v* treble
tripulación *nf* crew
triste *adj* sad
triunfar *v* triumph
triunfo *nm* triumph
trivial *adj* trivial
trofeo *nm* trophy
trombón *nm* trombone
trompa *nf (de elefante)* trunk, *(instrumento)* French horn
trompeta *nf* trumpet
trona *nf* highchair
tronco *nm* trunk, *(leño)* log
trono *nm* throne
tropas *nf pl* troops
tropezar *v* stumble, trip (up)
tropical *adj* tropical
trotar *v* trot
trozo *nm* bit, piece
trucha *nf* trout
trueno *nm* thunder
tsunami *nm* tsunami
tu *pron* your
tú *pron* you
tuberculosis *nf* tuberculosis, TB
tubo *nm* pipe, tube; **tubo de buceo** snorkel; **tubo de escape** exhaust pipe
tuerca *nf* nut *(device)*
tuétano *nm* marrow
tulipán *nm* tulip
tumba *nf* tomb
tumbado, a *adj* **estar tumbado** lie
tumor *nm* tumour
tunecino, a *adj* Tunisian ▷ *nm, nf* Tunisian
túnel *nm* tunnel
Túnez *nm* Tunisia
turba *nf* peat
turbulencia *nf* turbulence
turco, a *adj* Turkish ▷ *nm, nf (persona)* Turk ▷ *nm (lengua)* Turkish
turismo *nm* tourism
turista *nm, nf* tourist
turístico, a *adj* tourist; **¿A qué hora sale el autobús turístico de la ciudad?** When is the bus tour of the town?
turno *nm* **turno de noche** nightshift
turquesa *adj* turquoise
Turquía *nf* Turkey
tutor *nm (profesor)* tutor; **clase de orientación con el tutor** tutorial
tuyo, a *pron* yours
TV *abr* TV

ubicación *nf* location
Ucrania *nf* Ukraine
ucraniano, a *adj* Ukrainian ▹ *nm, nf* *(persona)* Ukrainian ▹ *nm (lengua)* Ukrainian
UE *abr* EU
Uganda *nf* Uganda
ugandés, esa *adj* Ugandan ▹ *nm, nf* Ugandan
úlcera *nf* ulcer
Ulster *nm* Ulster
ultimar *v* finalize
ultimátum *nm* ultimatum
último, a *adj* last; **por último** lastly; **¿A qué hora es el último autobús?** What time is the last bus?
ultrasonido *nm* ultrasound
umbral *nm* doorstep
un, una *art* a, *(vocal)* an; **Tengo un sarpullido** I have a rash
unánime *adj* unanimous
undécimo, a *adj* eleventh
ungüento *nm* ointment
único, a *adj (especial)* unique, *(solo)* only
unidad *nf* unit; **unidad de cuidados intensivos** intensive care unit; **unidad de disco** disk drive
uniforme *nm* uniform; **uniforme escolar** school uniform
unión *nf* union; **Unión Europea** European Union
unir *v (enlazar)* link (up), *(pegar)* join; **unirse** *(personas)* unite; **¿Te importa que me una a tu grupo?** Can I join you?
universidad *nf* university
universitario, a *adj* university; **recinto universitario** campus
universo *nm* universe
uno, a *num* one ▹ *pron* one, some; **cada uno** each; **una vez** once; **Es la una en punto** It's one o'clock
uña *nf (general)* nail, *(mano)* fingernail
uranio *nm* uranium
urbanismo *nm* town planning
urbano, a *adj* **centro urbano** city centre, town centre
urgencia *nf* urgency
urgente *adj* urgent; **Necesito hacer una llamada urgente** I need to make an urgent telephone call
URL *abr* URL
urogallo *nm* grouse
urraca *nf* magpie
Uruguay *nm* Uruguay
uruguayo, a *adj* Uruguayan ▹ *nm, nf* Uruguayan
usado, a *adj* used
usar *v* use; **fácil de usar** user-friendly
uso *nm* use; **Es de uso personal** It is for my own personal use
usted *pron* you
usual *adj* usual
usuario, a *nm, nf* user; **usuario de Internet** Internet user
útil *adj* useful
uva *nf* grape
Uzbekistán *nm* Uzbekistan

V

vaca *nf* cow
vacaciones *nfpl* holiday; **vacaciones con actividades programadas** activity holiday; **vacaciones organizadas** package holiday; **¡Que pase unas buenas vacaciones!** Enjoy your holiday!; **Estoy aquí de vacaciones** I'm here on holiday, I'm on holiday here
vacante *nf (puesto)* vacancy
vaciar *v* **vaciar(se)** empty
vacilar *v* hesitate
vacío, a *adj* empty ▷ *nm* void
vacuna *nf* vaccine; **Necesito la vacuna del tétanos** I need a tetanus shot; **Necesito una vacuna** I need a vaccination
vacunación *nf* vaccination
vacunar *v* vaccinate
vagabundo, a *nm, nf* tramp
vago, a *adj* vague
vagón *nm* carriage; **vagón restaurante** buffet car, dining car; **¿Dónde está el vagón número treinta?** Where is carriage number thirty?
vainilla *nf* vanilla
vale *nm* voucher
valentía *nf* nerve *(boldness)*
valer *v* **¡vale!** okay!, OK!; **¿Cuánto vale?** How much is it worth?; **¿Vale la pena repararlo?** Is it worth repairing?
valeroso, a *adj* courageous
válido, a *adj* valid
valiente *adj* brave, courageous
valioso, a *adj* valuable
valla *nf* fence
valle *nm* valley
valor *nm (importancia)* worth, *(monetario)* value, *(valentía)* bravery; **sin valor** worthless
vals *nm* waltz; **bailar el vals** waltz
vampiro *nm* vampire
vandalismo *nm* vandalism
vándalo, a *nm, nf* vandal
vanidoso, a *adj* vain
vapor *nm* steam
vaquero *nm* cowboy; **vaqueros** *(pantalones)* jeans
variable *adj* variable
variado, a *adj (diverso)* miscellaneous, *(programa)* varied
variar *v* range, vary
varicela *nf* chickenpox
variedad *nf* variety
varilla *nf* **varilla del aceite** dipstick
varios, varias *adj, pron* several
varón *nm* male
vasco, a *adj* Basque ▷ *nm, nf (persona)* Basque ▷ *nm (lengua)* Basque
vaso *nm* glass; **¿Me trae un vaso limpio, por favor?** Can I have a clean glass, please?; **un vaso de agua** a glass of water
váter *nm* loo, toilet; **La cadena del váter no funciona** The toilet won't flush
Vaticano *nm* Vatican

vecindad *nf (barrio)* neighbourhood, *(cercanía)* vicinity
vecino, a *nm, nf* neighbour
vegano, a *adj, nm, nf* vegan; **¿Tiene platos veganos?** Do you have any vegan dishes?
vegetación *nf* vegetation
vegetariano, a *adj* vegetarian ▷ *nm, nf* vegetarian; **¿Tiene platos vegetarianos?** Do you have any vegetarian dishes?; **Soy vegetariano** I'm vegetarian
vehículo *nm* vehicle; **vehículo de asistencia en carretera** breakdown van; **vehículo pesado** HGV; **Aquí tiene la documentación del vehículo** Here are my vehicle documents
veinte *num* twenty
vejiga *nf* bladder
vela *nf (alumbrar)* candle, *(navegar)* sail
velcro *nm* Velcro®
velero *nm* sailing boat
velo *nm* veil
velocidad *nf* rate, speed; **reducir la velocidad** slow down; **velocidad máxima** speed limit
velocímetro *nm* speedometer
velocista *nm, nf* sprinter
vena *nf* vein
venado *nm* venison
vencer *v* conquer, defeat
venda *nf* bandage; **venda para los ojos** blindfold; **Póngame una venda nueva** I'd like a fresh bandage; **Quisiera una venda** I'd like a bandage
vendaje *nm* bandage
vendar *v* bandage; **vendar los ojos** blindfold
vendaval *nm* gale
vendedor *nm (parte)* vendor, *(persona)* salesperson, *(hombre)* salesman
vendedora *nf* saleswoman
vender *v* sell, *(tienda)* stock; **vender al por menor** retail; **¿Hay una tienda por aquí cerca que venda periódicos?** Where is the nearest shop which sells newspapers?
veneno *nm* poison, venom
venenoso, a *adj* poisonous
venerar *v* worship
venezolano, a *adj* Venezuelan ▷ *nm, nf* Venezuelan
Venezuela *nf* Venezuela
venganza *nf* revenge
venir *v* come; **que viene** coming
venta *nf* sale; **venta al por menor** retail
ventaja *nf* advantage
ventana *nf* window; **¿Me permite que abra la ventana?** May I open the window?
ventanilla *nf* window; **Quisiera un asiento de ventanilla** I'd like a window seat
ventilación *nf* ventilation
ventilador *nm* fan; **¿Hay un ventilador en la habitación?** Does the room have a fan?
ventisca *nf (normal)* snowstorm, *(ventosa)* blizzard
ventoso, a *adj* windy
ver *v* see; **¡No queremos ver a nadie más en todo el día!** We'd like to see nobody but us all day!; **¿Ha visto al jefe de tren?** Have you seen the guard?; **¿Qué hay para ver por aquí?** What is there to see here?
veraneo *nm* summer holidays
verano *nm* summer; **antes del verano** before summer; **después del verano** after summer; **durante el verano** during the summer
veraz *adj* truthful
verbal *adj* **tiempo verbal** tense
verbo *nm* verb

verdad *nf* truth
verdadero, a *adj* true
verde *adj, nm* green
verdulería *nf* greengrocer's
verdura *nf* vegetable; **¿Las verduras son frescas o congeladas?** Are the vegetables fresh or frozen?
veredicto *nm* verdict
vergonzoso, a *adj* disgraceful
vergüenza *nf* shame
verja *nf* railings
verruga *nf* wart
versátil *adj* versatile
versión *nf* version; **versión nueva** remake
vertebral *adj* **columna vertebral** backbone
vertedero *nm* dump; **vertedero de basuras** rubbish dump
verter *v* pour
vertical *adj* vertical
vértigo *nm* vertigo; **Padezco vértigos** I suffer from vertigo
vesícula *nf* **vesícula biliar** gall bladder
vestíbulo *nm* hall; **vestíbulo de entrada** hallway
vestido, a *adj* dressed ▹ *nm* dress; **vestido de novia** wedding dress; **¿Puedo probarme este vestido?** Can I try on this dress?
vestidor *nm* changing room
vestirse *v* dress; **vestirse elegante** dress up
veterano, a *adj* veteran ▹ *nm, nf* veteran
veterinario, a *nm, nf* vet
veto *nm* veto
vez *nf* time; **a veces** sometimes; **alguna vez** ever; **última vez** last; **cada vez más** increasingly; **dos veces** twice; **en vez de** instead of; **la mayoría de las veces** mostly; **la próxima vez** next time; **otra vez** again; **rara vez** seldom; **una vez** once; **¿Ha estado alguna vez en...?** Have you ever been to...?
vía *nf* road ▹ *prep* via; **vía de acceso** slip road
viajar *v* travel; **viajar diariamente al trabajo** commute; **Quisiera viajar en primera** I would like to travel first class; **Viajo solo** I'm travelling alone
viaje *nm* journey, *(actividad)* travel; **viaje de ida y vuelta** round trip; **viaje de negocios** business trip; **viaje en coche** drive; **¿Cuánto dura el viaje?** How long is the journey?; **El viaje dura dos horas** The journey takes two hours; **No tengo seguro de viaje** I don't have travel insurance
viajero, a *nm, nf* traveller
viceversa *adv* vice versa
viciado, a *adj (aire)* stuffy
vicio *nm* vice
víctima *nf (mortal)* casualty, *(perjudicado)* victim
victoria *nf* victory
vid *nf* vine
vida *nf (biología)* life, *(necesidades)* living; **que salva vidas** life-saving; **vida nocturna** nightlife; **vida silvestre** wildlife
vídeo *nm* video
videocámara *nf* camcorder, video camera
videojuego *nm* video game; **¿Puedo jugar a los videojuegos?** Can I play video games?
videoteléfono *nm* videophone
vidrio *nm* glass; **vidrio de colores** stained glass
vieira *nf* scallop
viejo, a *adj* old
viento *nm* wind
vientre *nm* belly
viernes *nm* Friday; **Viernes Santo** Good Friday; **el viernes** on Friday; **el**

viernes treinta y uno de diciembre on Friday thirty first December; **Quisiera dos billetes para el próximo viernes** I'd like two tickets for next Friday
Vietnam *nm* Vietnam
vietnamita *adj* Vietnamese ▷ *nm, nf (persona)* Vietnamese ▷ *nm (lengua)* Vietnamese
viga *nf* beam
vigésimo, a *adj* twentieth
vigilante *nm, nf* **vigilante de seguridad** security guard
vigilar *v* guard
VIH *nm* HIV; **VIH negativo** HIV-negative; **VIH positivo** HIV-positive
vil *adj* vile
villancico *nm* carol
villano, a *adj* villain
vinagre *nm* vinegar
vinagreta *nf* vinaigrette
vínculo *nm* bond
vino *nm* wine; **vino de la casa** house wine; **vino de mesa** table wine; **vino rosado** rosé; **vino tinto** red wine; **¿Está frío el vino?** Is the wine chilled?; **¿Puede recomendar un buen vino?** Can you recommend a good wine?
viñedo *nm* vineyard
viola *nf* viola
violación *nf* rape
violador, a *nm, nf* rapist
violar *v* rape; **Me han violado** I've been raped
violencia *nf* violence
violento, a *adj* violent
violín *nm* violin
violinista *nm, nf* violinist
violoncelo *nm* cello
virgen *adj, nf* virgin
Virgo *nm* Virgo
virtual *adj* virtual
virus *nm* virus
visado *nm* visa; **Tengo un visado de entrada** I have an entry visa
visibilidad *nf* visibility
visible *adj* visible
visita *nf* visit; **visita a lugares de interés** sightseeing; **visita guiada** guided tour
visitante *nm, nf* visitor
visitar *v* visit; **¿Nos da tiempo para visitar la ciudad?** Do we have time to visit the town?; **¿Qué se puede visitar en esta zona?** What can we visit in the area?
visón *nm* mink
víspera *nf* eve
vista *nf* eyesight, sight, *(panorama)* view; **Quisiera una habitación con vistas a la montaña** I'd like a room with a view of the mountains
vistazo *nm* glance; **echar un vistazo** glance
visto *nm* **dar el visto bueno** tick off
visual *adj* visual
visualizar *v* visualize
vital *adj* vital
vitamina *nf* vitamin
viuda *nf* widow
viudo *nm* widower
vivero *nm* garden centre
vivienda *nf* home, house; **vivienda de protección oficial** council house
vivir *v* live; **seguir viviendo** live on; **vivir juntos** live together; **¿Dónde vive?** Where do you live?; **Vivo en...** I live in...
vivo, a *adj (color)* vivid, *(vida)* alive
vocabulario *nm* vocabulary
vocacional *adj* vocational
vocal *nf* vowel
vodka *nm* vodka
volante *nm* steering wheel, *(bádminton)* shuttlecock
volar *v* fly; **irse volando** fly away

volcán *nm* volcano
volcar *v (barco)* capsize, *(vaso)* upset
voleibol *nm* volleyball
voltaje *nm* voltage; **¿Qué voltaje hay?** What's the voltage?
voltio *nm* volt
volumen *nm* volume; **¿Puede bajar el volumen?** Please could you lower the volume?; **¿Puedo subir el volumen?** May I turn the volume up?
voluntad *nf* will
voluntario, a *adj* voluntary ▹ *nm, nf* volunteer
volver *v* return, *(ir)* go back, *(venir)* come back; **volver a llamar** phone back; **volverse atrás** *(camino)* turn back
vomitar *v* throw up, vomit
vosotros, vosotras *pron* you
votar *v* vote
voto *nm* vote
voz *nf* voice; **en voz alta** loudly
vuelo *nm* flight; **vuelo chárter** charter flight; **vuelo con ala delta** hang-gliding; **vuelo regular** scheduled flight; **vuelo sin motor** gliding; **¿Dónde hay que facturar para el vuelo a...?** Where do I check in for the flight to...?; **¿Hay vuelos baratos?** Are there any cheap flights?; **El vuelo tiene retraso** The flight has been delayed
vuelta *nf* return *(coming back)*, *(giro)* turn, *(paseo)* ride; **darse la vuelta** turn round, turn around; **¿Cuánto cuesta un billete de ida y vuelta?** How much is a return ticket?; **Tiene que dar la vuelta** You have to turn round
vuestro, a *adj* your ▹ *pron* yours
vulgar *adj* vulgar
vulnerable *adj* vulnerable

W

walkie-talkie *nm* walkie-talkie
walkman *nm* personal stereo
web *nf* website
whisky *nm* whisky; **whisky de malta** malt whisky; **Tomaré un whisky** I'll have a whisky; **un whisky con soda** a whisky and soda
wifi *nm* WiFi
windsurf *nm* windsurfing

xilófono *nm* xylophone

y *conj* and
ya *adv* already, yet; **ya que** since
yacer *v* lie
yarda *nf* yard
yate *nm* yacht
yegua *nf* mare
yema *nf* yolk
Yemen *nm* Yemen
yerba *nf* grass
yerno *nm* son-in-law
yeso *nm* plaster
yo *pron* I
yoga *nm* yoga
yogur *nm* yoghurt

Z

zafiro *nm* sapphire
Zambia *nf* Zambia
zambiano, a *adj* Zambian ▷ *nm, nf* Zambian
zambullida *nf* dive
zambullirse *v (lanzarse)* dive, *(sumergirse)* plunge
zanahoria *nf* carrot
zanja *nf (cimientos)* trench, *(desagüe)* ditch
zapatería *nf* shoe shop
zapatilla *nf (de estar por casa)* slipper; **zapatillas de ballet** ballet shoes; **zapatillas de deporte** trainers
zapato *nm* shoe; **¿Puede arreglarme estos zapatos?** Can you repair these shoes?; **¿Puede ponerles tapas nuevas a estos zapatos?** Can you re-heel these shoes?
Zimbabue *nm* Zimbabwe
zodíaco *nm* zodiac
zona *nf* zone; **zona horaria** time zone; **zona peatonal** pedestrian precinct
zoología *nf* zoology
zoológico *nm* zoo
zorro *nm* fox
zueco *nm* clog
zumbar *v* hum
zumo *nm* juice, squash; **zumo de frutas** fruit juice; **zumo de naranja** orange juice
zurdo, a *adj* left-handed